CB140038

LOBÃO

50 ANOS A MIL

LOBÃO com CLAUDIO TOGNOLLI

LOBÃO

50 ANOS A MIL

LOBÃO com CLAUDIO TOGNOLLI

Copyright © Lobão (UP Edições)
Pesquisa de Cláudio Tognolli

Direitos de edição da obra em língua portuguesa no Brasil adquiridos pela Editora Nova Fronteira Participações S.A. Todos os direitos reservados. Nenhuma parte desta obra pode ser apropriada e estocada em sistema de banco de dados ou processo similar, em qualquer forma ou meio, seja eletrônico, de fotocópia, gravação etc., sem a permissão do detentor do copirraite.

Editora Nova Fronteira Participações S.A.
Rua Nova Jerusalém, 345 – Bonsucesso – 21042-235
Rio de Janeiro – RJ – Brasil
Tel.: (21) 3882-8200 – Fax: (21)3882-8212/8313
www.novafronteira.com.br

"Das tripas, coração" e "Song for Sampa" foram gravadas no Universo Paralelo (estúdio do autor). Concebidas, gravadas, executadas e produzidas por Lobão. Mixadas no estúdio Mix Nova por Maurício Cersosimo. Masterizadas na Sterling Sounds NYC por UE Nastasi.

Texto revisto pelo novo Acordo Ortográfico

CIP-Brasil. Catalogação na Fonte
Sindicato Nacional dos Editores de Livros, RJ

L776l Lobão, 1957-
Lobão : cinquenta anos a mil / Lobão,Tognolli. - Rio de Janeiro : Nova Fronteira, 2010.
il.

ISBN 978-85-209-2446-4

1. Lobão, 1957-. 2. Músicos de rock - Brasil - Biografia. I. Tognolli, Cláudio Júlio. II. Título.

CDD 927.824166
CDU 929:78.067.26

à minha Regina

Das tripas, coração

(pro Júlio Barroso, Cazuza e Ezequiel Neves)

Quem foi que disse a você, quero saber,
Que perder é o mesmo que esperar?
Quem é que vai ficar tranquilo, perdido
na beira do abismo, sangrando?

E se você pudesse ter alguém de joelhos a teus pés
A pedir o teu sinal,
Sussurrando todo o seu calor na tua orelha,
Procurando por uma palavra que não fosse em vão,
Que fizesse você compreender...

Que abandono meu lugar
Rasgando as veias,
Derramando meu amor
Pelas areias.
Anuncia um lindo Sol Radiante:
A última alvorada em teu semblante,
E na perfeição de um céu sem sombras
A gente vai se encontrar.

E das tripas, coração... mais uma tarde
Pra levar o meu amor pra eternidade.
Meu amigo, por favor me aguarde, que a gente vai se encontrar.

Quem é que vai zombar desse deus trapaceiro nesse Rio de Janeiro?
Quem é que vai anunciar a próxima atração?
E uivar pra Lua cheia
A gargalhar os tormentos do mundo?

Quem é que vai ficar sorrindo,
Jogando palavras ao mar,
Vendo a terra toda estremecer?
Quero saber quem é que vai guardar
Toda essa dor
De ficar,
sozinho, no convés, sem a tripulação?...

Sou eu...

Lobão... 50 anos a mil

Faça o download dessa música inédita em www.lobao.com.br/downloads

SUMÁRIO

Nota do editor

Neste livro, decidimos manter o léxico e a sintaxe peculiares e autorais de Lobão. Não fosse assim, a fluidez e o ritmo do livro, tão originais, seriam perdidos.

Prólogo

Rio, junho, 1984.

Quatro da manhã, cemitério do Caju... Madrugada fria e a gente não parava de chorar... Escondidos, perambulando feito fantasmas, arrastando corrente, pelos cantos do velório... almas penadas.

Àquela hora, não havia mais ninguém na sala com o Júlio, exceto eu e Cazuza, que, por todos os motivos do mundo, não conseguíamos parar de olhar para o caixão fechado, nem parar de chorar, nem deixar de ir ao banheiro cheirar mais, pra continuar chorando:

"Perder um cara como o Júlio é como uma decapitação... A gente ficou órfão do nosso irmão mais velho", sussurrei para um Cazuza igualmente desmoronado, que me respondia: "Órfãos e fudidos, você quer dizer", e emendou: "Vão chupar a nossa carótida..." Sim, essas visões sombrias já pairavam no ar o tempo todo.

Não parávamos de imaginar as consequências daquela perda. A minha desolação era inédita: nunca estive me sentindo tão dentro do fim, tão nada e, com a alma sangrando, vomitava meus pavores:

"Agora estamos à deriva. A gente naufraga aqui. Esse velório, esse cemitério, essa morte é como se estivéssemos chegando nas portas do inferno. A partir de agora, todas as nossas esperanças serão deixadas do lado de fora. Todas as esperanças de conquistarmos a nossa autonomia, a nossa estética. Perdemos o trem da história, Cazuza. Sem o Júlio nós não temos mais uma turma; agora somos um monte de ninguéns!... Chegou a hora dos nossos inimigos se apoderarem da cena pra formar alianças, justamente com aqueles que mais queríamos ver longe. É a hora do pastiche e da indulgência... A hora do frenesi dos mesmos cadáveres insepultos de sempre, sugando a juventude dos que nada mais têm a oferecer, além do próprio sangue de barata. É a hora dos come-quieto nos fazerem de vilões. É a hora da morte da possibilidade da transformação, da morte da nossa ingênua esperança em querer mudar o mundo. É a hora da morte da liberdade do delírio... O Universo não conspira mais a nosso favor. O inferno é aqui e agora, e nossas esperanças ficaram num céu natimorto."

Estava delirantemente transtornado pela dor e vagamente anestesiado pela cocaína; sem que necessariamente estivesse inteiramente fora do meu juízo.

O Júlio era um homem-arquivo, um poço das mais variadas informações. Um ser de uma inteligência prodigiosa, de grande coragem e inspiração; um articulador.

Era um esteta, e perseguia obsessivamente a novidade, digerindo tudo que estava ao seu alcance, sem barreiras, sem dogmas. Fora a sua alegria... O Júlio era um grande poeta, uma criatura engraçadíssima, uma aventura ambulante, um sexista, um sátiro e, antes de qualquer coisa, um amigo raro.

Com tudo isso passando pela cabeça, naquele velório, suor e lágrimas se fundiam. O silêncio se desfazia com o cantar dos passarinhos, que despertavam com o dia a me causar calafrios. Na sala, o caixão fechado invocava toda uma angústia da incapacidade em não poder dar o último abraço, o último beijo. Daí pensei: "Cazuza, pensa bem: tá todo mundo dormindo, a gente tá aqui sozinho, com ele... Vamos sublimar a paradinha. Vamo esticar duas carreironas em cima do caixão? Pelo menos essa carteirinha da Ordem dos Músicos vai servir pra alguma coisa. A gente não pode se negar a fazer isso, né?" Eu fungava, apalpando freneticamente os bolsos.

"Vai ser nossa última homenagem... Não tem ninguém olhando... Vamo nessa, rapá!"

"Lobãothinho", Cazuza de vez em quando me chamava assim, ciciando, "tá bom, vamos nessa. Mas será que não vão pegar a gente com o canudo no nariz?"

"Claro que não, bobo. Tá todo mundo cansadão, dormindo pelos cantos. E se alguém nos flagrar, vai pensar que tá tendo um visual causado pela estafa e pelo sofrimento. Além do mais, isso aqui é uma licença poética!" Depois de algum tempo tremelicando, consegui tirar a tampa de Minalba do bolso, cheia de cocaína, despejar no verso da carteira azul e pousá-la em cima do caixão. Estiquei diligentemente duas enormes lagartas que reluziam a brilhar naquela insólita superfície — que naquele instante, em todo o seu conjunto, mais parecia uma instalação de arte contemporânea —, e passei o canudo de caneta Bic pro Cazuza: "Vai nessa, meu irmão. Pensa que é pro Júlio." Ele me deu uma risada meio amarga, meio úmida, deu uma cafungada forte e, sem perder o fôlego, me passou o canudo secando a narina no antebraço, dizendo baixinho: "A gente é muito louco! A gente é maluco..." Pausa. Mais uma risadinha canalha e emenda: "Mas também, o que nos resta?!" Respirei um pouco pra pegar um ar depois do catranco e, me dirigindo a um Júlio que, nesse exato momento, parecia descer das nuvens, todo de branco, como sempre gostava de se trajar, a nos abençoar, escancarando um sorriso de quem está pronto para gritar para seus irmãozinhos — "Aleluia, rapeizy!" —, contrito, lhe prometi: "Meu amigo, você vai sempre estar com a gente, você vai sempre estar vivendo dentro da gente, pode crer!"

Recebemos um fluxo de energia poderoso. Um momento ritual. A partir de então, a minha vida se resumiria em antes e depois daquele instante. A morte do Júlio Barroso foi um marco: existia o antes e o depois daquela perda. Não só para mim, mas para toda a história.

E olhando pro Cazuza, inflado de amor, arrematei: "E tem outra, rapá, não vão derrubar a gente assim tão mole, não! Vamos em frente, mesmo porque a morte do Júlio não vai ser em vão. A nossa vida não pode ser em vão, e, se nada pode deter uma pessoa feliz, nada poderá nos deter, pois a nossa história vai ser cada vez mais... cada vez mais..." Chorava copiosamente. Diante daquele vazio, gaguejando mentalmente, tentando pinçar na cabeça o que poderia ser "cada vez mais", arrematei: "INTENSA!!!!" E não satisfeito, prossegui: "e cada vez mais... DIVERTIDA!!!!" E concluí: "A nossa onda de amor não há quem corte!!" Chacoalhando de emoção, abracei com toda a força o caixão.

Talvez tenha sido ali, naquele momento surreal, que nasceu não só uma vontade, mas um compromisso tácito entre meus amigos de que, uma vez sobrevivendo, eu deveria contar toda a história. Uma saga à procura de um lugar a que se pertencer... Eu precisava, através de um juramento, me motivar o bastante para não ver nossos sonhos serem sepultados com meus amigos.

Preparem-se porque, a partir de agora, vou contar uma história de amor louca, insólita, humana, demasiadamente humana, imprevisível, improvável, mas bem real: a história da minha vida, que se mescla e se confunde com a da minha geração, do nosso país e de nosso tempo. Não se trata de uma simples narração de um passado longínquo, morto e enterrado, fruto de um devaneio nostálgico. É uma história cheia de vida, de intensidade e de revelações, que incide no presente e se projeta em direção ao futuro.

Portanto, não se enganem: o melhor ainda está por vir, pois essa promessa eu fiz aos meus amigos, ao pé de suas lápides.

E tenham a certeza absoluta de que a cumprirei à risca.

Capítulo 1

Pela lógica dos fatos, eu deveria ter me tornado um bundão. Contrariando as expectativas, consegui atenuar e, até mesmo, reverter essa lamentável característica. Até hoje fico me perguntando como consegui essa façanha, pois, analisando bem os fatos, minha sina de idiota era tida e havida como algo certo e garantido.

Sou do Rio de Janeiro, carioca da Zona Sul, nascido às 10h30 da manhã do dia 11 de outubro de 1957, no Humaitá, na Casa de Saúde São José, sob o nome de João Luiz Woerdenbag Filho.

Meus pais eram, por coincidência, os dois, filhos temporões. Eram do tipo supercaçulas. Um casal jovem, apaixonado, meio desprotegido, meio de direita... Ele, uma espécie de nazista conceitual; ela, lacerdista, depois arenista, com paixões muito particulares e contraditórias, tipo amalgamar a doçura dos olhos azuis do Médici nos do Chico Buarque. Era fã incondicional de ambos, a ponto de não conseguir distinguir onde começava um e onde terminava o outro. Meu pai se chamava João Luiz Woerdenbag. Minha mãe, antes, como solteira, e posteriormente, como divorciada, possuirá o mesmo nome e sobrenome da minha avó: Ruth Araújo de Mattos.

Nós, enquanto prole, éramos eu, o primogênito, até então, e minha irmã, Glória Maria, que nasceu um ano e dez meses depois (a gente foi condicionado desde cedo a se tratar respectivamente por Maninho e Maninha).

Meu pai era um cara de uma habilidade extraordinária. Vindo de uma família de automobilistas, inventores e excêntricos, era considerado por seus amigos e colegas como um gênio da mecânica, além de ser profusamente amado entre seus comandados, apesar de não poupar esporros bíblicos, principalmente às sextas-feiras, dia de vale. Com a idade, teve a manha de se autofolclorizar e capitalizar uma rabugice genética que o acometia, a ponto de seus amigos se reunirem às sextas na oficina só pra ver ele estourar. Ele tinha consciência de que aquilo tudo era um espetáculo. Todo mundo se esporrava de rir, com todo o respeito, às escondidas, é claro. Sua fúria, apesar de incutir o medo generalizado, também provocava arrancos de risos (que deveriam ser, creio eu, de nervosismo). Realmente tratava-se de uma figura forte, singular, que não comia carne de espécie alguma (tinha um nojo patológico), que arrancava dente a seco (tinha grilo de anestesia) e era mestre em desenhar elipses, polígonos, trapézios, circunferências e outras figuras geométricas à mão livre, com assustadora precisão, apesar de ter alguns dedos amputados. Montava e pintava aviõezinhos de guerra, balsas do Mississippi, baratinhas de corrida, caravelas piratas — tudo com uma perfeição irritante. Quando estava filosófico, lembrava a todos que deveria ser enterrado de lado, em virtude de suas narinas colabantes. Pena eu não ter conseguido realizar esse seu desejo. Adorava colecionar trenzinhos elétricos, locomotivas a vapor, correr de autorama e montar maquetes de cidades inteiras em gesso. Para qualquer garoto, um pai assim era a Disneylândia! Mas também era um cara muito competitivo, tão competitivo que escondia seus truques de todos, inclusive de mim. Não tinha muito saco de me ensinar as coisas, talvez por eu ser meio desajeitado. Acho que, como minha mãe praticamente me impedia de fazer as coisas por mim mesmo, fui desenvolvendo uma inapetência mórbida. Meu pai ficava impaciente e me chamava de mão de onça, sem jeito mandou lembranças... Fui o primeiro elemento da família, depois de três gerações, a não seguir a carreira automobilística.

Minha mãe (meu pai a chamava de "Meu Bem" sob qualquer circunstância), apesar de ter passado a vida útil de seu casamento entre a vida de dona-de-casa-que-frequenta-centro-espírita e a tela da televisão, nos primórdios de seu casamento, foi campeã de corridas de kart! Um tremendo pé de chumbo! Realmente dirigia bem à beça. Chegou até a ganhar prova final do campeonato masculino, no circuito de Petrópolis, disfarçada de papai. É que papai tinha asma de fundo nervoso e, na hora da corrida, ficou totalmente sem ar. Como a indumentária de então exigia, além do capacete, um lenço do tipo "assaltante de diligência", foi fácil ela se passar por ele... Só que na hora de subir ao pódio, em triunfo, foi aquele bafafá. Foi desclassificada e expulsa sumariamente da federação.

Eu me lembro da foto dos dois se beijando, apaixonados, de macacão e capacete na capa de uma revista especializada. Cheguei a sair no canal 100 dando o maior vexame chorando, gritando por "Mamãe!, mamãe!", que, concentradíssima, ia se encaminhando para o *grid* de largada.

Estava longe de ser uma mulher medíocre. Possuía um brilho e uma simpatia que cativava a todos. Quando aluna, era impecável, obsessiva, uma CDF contumaz. Varava as madrugadas ingerindo estimulantes e barbitúricos, estudando freneticamente (ela chegou a me confessar que fazia isso para agredir minha avó, que volta e meia a emputecia chamando-a de BACAMARRRRRTE!!!!!), enquanto meu querido avô (eu o chamava de vovô Mattos), desesperado com a cena, implorava a ela que parasse com aquilo, que fosse namorar, jogar vôlei, que se transformasse até numa anta, mas descansada; até que um dia não aguentou mais e, descontrolado, jogou todo o material escolar — de uma filha completamente exausta e catatônica, que assistia à cena vidrada, como se estivesse contando carneirinhos, quando, na verdade, eram os livros, os cadernos e as canetas — pela janela. Eu acho que era um vazio enorme que ela sentia, por não se pertencer a nada.

Contando com todo seu aparato intelectual, conseguiu as maiores notas da faculdade que cursou com a estonteante média geral de 9,7.

Tratava-se de uma poliglota de mão-cheia, que falava sem nenhum sotaque o inglês, o francês, o italiano; além de tirar onda blasfemando em línguas mortas, como o grego e o latim. Tinha alma de artista, aprendeu piano e violão e queria ser bailarina. Foi destaque da Vila Isabel sambando no asfalto durante alguns carnavais. Mais tarde, se estabeleceu como professora de cursinho de inglês. Foi correspondente internacional da ABC.

Meu pai, que não tinha curso superior, era autodidata e foi criado entre chassis, tornos e carrocerias num palacete do final do século XIX, na rua do Senado, centro do Rio, transformado em oficina mecânica pelos meus avós. O tal palacete, que mais parecia o solar dos

Monstros, era herança do pai da minha avó Lulu, que assinava Luiza Moreira Woerdenbag. Já o meu avô, que aqui no Brasil atendia pelo nome de João Geraldo Woerdenbag, era um holandês, de Haia, recém-chegado da Alemanha, a serviço da prefeitura de Niterói, como engenheiro hidráulico. Acabou estacionando na vovó, num feliz casamento de mais de sessenta anos, tornando-se um mecânico de renome, especializado em automóveis de luxo, chegando a ser representante vitalício da Rolls-Royce na América Latina. Construiu no quintal da oficina o primeiro carro de corridas brasileiro (1933/1939), com motor de oito cilindros Studbaker, ganhando o Terceiro Circuito da Gávea de 1940. Meu pai viveu completamente dentro desse universo. Um universo bem fechado.

Eu, quando podia, tirava onda indo pro colégio pela manhã, todo faceiro de copiloto, chegando de Packard, Jaguar, Bentley, Ferrari, Rolls...

Uma outra característica marcante de meu pai era sua relação com bichos, principalmente o cachorro. Invariavelmente agiam com devoção, candura e enlevo em meio a seus comandos, mesmo se fosse o mais iracundo dos pit-bulls. Nas férias, chegava a uns dez o número de cachorros espalhados pelo sítio, todos tratados como membros da família.

Minha mãe cresceu em Ipanema, na Sadock de Sá, numa casa enorme de dez quartos.

Naquela adorável ruazinha sem saída, colada ao pé do morro do Cantagalo, minha mãe se criou, vendo meu tio Décio (o irmão mais velho) fazer acrobacias de teco-teco, com rasantes formidáveis, a dar adeusinho para quem estivesse na janela (meu avô, irritadíssimo, acabou lhe tirando o brevê). Era também uma garota esportiva: adorava jogar vôlei, queimado, peteca, pegar uns jacarés. Tudo isso até se casar aos 21, sob o secreto pretexto de escapar da família, principalmente da mãe. Morou em Nova York lá pelos idos de 1950 com os pais. Meu avô materno, funcionário público e gaúcho de Porto Alegre, foi servir em Nova York por quatro anos como alto funcionário do Tesouro, mas, logo no primeiro ano, mamãe deu piti. Voltou deprimidíssima, mesmo continuando a amar a Broadway, Frank Sinatra e a América em geral, mesmo instalada de frente para o Central Park num tremendo apartamento. de um por andar. Vai entender... Preferiu voltar pro Rio sozinha e morar na clausura do seu querido Colégio Santo Amaro, se preparando para se atirar num convento pelo resto da vida. Pelo que tudo indica, o casamento foi uma espécie de plano B. Assim era ela... podre de bipolar. Tadinha, se fosse nos dias atuais, haveria de ter medicamentos que pudessem equilibrar seus altos e baixos.

O casal se conheceu no finado postinho Esso do Jardim de Alá, botando pega num circuito que ia do final do Leblon, retornando no Arpoador, com chegada no tal postinho. Ela de Lincoln Continental e ele de Buick. Pra mim, era um casal perfeito, apaixonado, romântico. Meu pai sempre chegava com buquês de flores e declarações de amor eterno escritas em acrósticos (ele adorava valsas de Strauss e acrósticos).

E minha mãe, apesar de doente pelo Frank Sinatra e atada a uma paixão platônica da juventude (o Leopoldo), mostrava sinais contundentes de um amor verdadeiro por meu pai.

Infelizmente, os dois se mataram. Cada um em seu tempo, cada um com seu estilo...

Meu pai tinha um irmão dez anos mais velho chamado Tomás (tio Tomás, meu padrinho), casado com a tia Kate, ex-manequim da Casa Canadá. Eles eram os pais do João Tomás e da Nuxa (Ana Luiza). Tinha também a galera que meu avô rebocou da Holanda: a sua centenária mãe adotiva e seus irmãos — tio Geraldo, tia Joana e a tia Maria, tadinha, evitada por todos, em função do seu poderoso e temido pé-frio. Todos moravam juntos na rua do Senado.

Do lado da minha mãe, eram cinco irmãos. O mais velho era tio Décio, o do rasante de teco-teco. A tia Gilda era a irmã mais velha. Logo em seguida vinha minha madrinha, que se chamava Leda. Me amava muito e ficou solteirona em virtude de um "mau passo" quando mais jovem. Passou a vida inteira cuidando da minha avó Ruth. Sim, a vovó Ruth... uma senhora esguia, magra, austera, com uma enorme cabeleira branco-azulada sempre enrolada num coque. O luto permanente desde a morte do meu avô era adornado por um par de soturnas olheiras. Apesar de amá-la, morria de medo da vovó.

E, finalmente, o Lula. Figura lendária, explosivo, apaixonado, histriônico, sócio-fundador da banda de Ipanema. Um ser carnavalizante que eu, carinhosamente, quando bem criancinha, apelidei de tio Cocó, por pintar quadros de galos psicodélicos. Nasceu Luís Carlos. Foi um dos primeiros gays assumidos da cidade e, por isso, sofreu adoidado. Atualmente, todos os irmãos do meu pai e da minha mãe estão mortos.

Voltando aos meus pais, casaram-se com pompa e circunstância na Candelária e foram morar num apartamento perto da General Osório. Dez meses depois eu nasci, muito bem-vindo e amado, segundo mamãe. Mas quase nasço dentro da privada, não fosse o expediente da enfermeira a alertá-la tratar-se de... um bebê. Um ano e dez meses depois, nasce minha irmã Glória Maria, com minha mãe em meio a uma crise profunda de depressão. Foi encontrada perdida na madrugada anterior ao parto, de *baby-doll*, no meio da Visconde de Pirajá, à procura de um ônibus pra se atirar embaixo.

Sendo agora uma feliz família de quatro pessoas, lá pelos idos de 1960, nos mudamos para um apartamento amplo na Sousa Lima, no edifício Araçatuba, bem na divisa de Copacabana com Ipanema.

Capítulo 2

Quando nos mudamos para a Sousa Lima, eu, com dois anos de idade, já havia contraído uma doença pouco comum, provocada por um revertério qualquer advindo de uma operação de garganta. (Naquele tempo tirar amígdala de criança era praxe.) Era nefrose, uma doença nos rins, com raríssimos casos de remissão. A doença era fatal, e eu fui um dos primeiros casos a sobreviver. Foram anos tomando doses cavalares de cortisona. Fiquei virado num balão estufado, com pelo nascendo por todo o corpo — até na testa nascia cabelo! Me submetia a coletas diárias de sangue, que me maltratavam muito, pois, estando inchadaço, era um perrengue achar algum vestígio de veia. Só recebi alta aos 12 anos.

Fui tratado pelo superpediatra dr. Rinaldo de Lamare, que sempre me dizia, humilde: "Se não fosse a sua mãe, que se dedicou integralmente, noite e dia, aplicando a medicação de hora em hora, não haveria possibilidade de você sobreviver. Quem te curou foi sua mãe. Ela te deu à luz por duas vezes!!" Essas palavras iriam ecoar na minha cabeça por muito tempo. Virei o xodó da clínica do dr. De Lamare, com direito a foto na parede e tudo.

Após dois anos nessa rotina, fui declarado fora de perigo, e, a partir de então, só teria que fazer uns exames e regimes anuais, tendo sempre que passar um mês inteiro — sempre nas férias de julho, a cada ano — com uma dieta rígida, sem sal, sem ovo, sem gordura, para monitorar a quantidade de albumina no sangue.

Tive que viver assim até meus 12 anos. Minha mãe, atenta e traumatizada, me examinava o tempo todo: a cada manhã ela me apalpava as pálpebras, os rins, os braços; me mandava abrir a boca e dizer "aaa-ah" e, em seguida, me benzia com um sinal da cruz na testa, aliviada.

Dizem que a primeira palavra que proferi não foi "papai", não foi "mamãe". Foi "GOOOOOOOooooooLLLLLL!!!!!!". É bem possível. Tendo nascido em outubro de 1957, lá pra junho/julho de 1958, estava mais do que na hora de começar a esboçar qualquer coisa. E estando no período da Copa do Mundo da Suécia, eu só devia ouvir a palavra "gol" saindo de todos os lugares. Eram milhares de bocas a gritar "gooooollll". Toda hora, os alto-falantes dos rádios a válvula expeliam uma série de grunhidos fantásticos sempre precedidos do tal "GOOOoooooolll!". Nasci campeão do mundo! Era essa a sensação.

Minha primeira lembrança, enquanto gente pensante, é de 1962, durante a Copa do Mundo do Chile, me flagrando todo vestido de canarinho, da cabeça aos pés (inclusive as chuteiras), tentando jogar bola no *playground* do prédio. Dá pra imaginar os estabacos que levei, uma vez que o chão era de ladrilho e as chuteiras naquele tempo tinham pregos nas travas, tornando impossível manter qualquer criatura bípede em pé. Ninguém tinha me avisado do detalhe. Mais tarde percebi que tanto fazia ter ou não ter chuteiras arranhando o ladrilho; eu era um perna de pau.

Isso muito se devia ao fato de meu pai não possuir o menor interesse pelo esporte. Nem ele nem ninguém da sua família. Era só carro, carro e carro. Às vezes, perguntávamos a ele pra qual time ele torcia, e ele, canalha, dizia convicto: "Vasco!!!!!" Não tinha a menor ideia de quem era o Vasco, mas, aos seus ouvidos, a expressão "Vasco" deveria soar vagamente grotesca e insólita, portanto, um mantra para causar um desvio no assunto. Quando alguém a sua volta começava a falar de futebol, ele fazia uma careta e gritava "Vasco!". E fim de papo. Eu acho que era o único vocábulo no reino do futebol que ele veio a proferir.

Já minha mãe era o contrário. Amava o futebol e a pátria com um fervor avassalador, apesar de, como boa mulher, não conseguir detectar a menor lógica nas regras do impedimento. Achava sempre que o juiz estava roubando contra nós, e tinha plena convicção de que havia um complô mundial para afastar o Brasil das vitórias e das taças. Enlouquecia quando um comentarista esportivo desavisadamente elogiava o adversário. "Entreguistas! Entreguistas!", bradava ela, com fervor.

Esse *background* me deixava meio confuso em relação às regras; eu pensava que escanteio era um jogador, só não sabia por que time ele jogava. Ficava todo fantasiado de canarinho (sempre de chuteiras), com o ouvido colado no rádio torcendo sem entender porra nenhuma.

O futebol, mesmo eu sendo um pereba difícil de encontrar igual, de uma forma ou de outra, teve um impacto profundo na minha cosmogonia. Ser bicampeão do mundo me fazia sentir um ser especial... Eu só conhecia a glória! Meus primeiros ídolos eram o Pelé, Nilton Santos, Zito, Pepe, Didi, Amarildo, Zagalo, Bellini, Vavá, Gilmar, Djalma Santos e o Garrincha! O Mané me encantava. Me encantava, além da pessoa do Mané, a dupla que ele fazia com a Elza. Nunca soube de uma simbiose mais perfeita!

Quando ele, já em final de carreira, foi pro Flamengo em 1969, fui vê-lo jogar pela última vez envergando a jaqueta rubro-negra. Por falar em Flamengo, é necessário dizer que nasci botafoguense, em virtude da minha mãe, Botafogo até debaixo d'água. Um belo dia, decidi torcer para um time diferente. Virei flamenguista roxo, fanático, a ponto de dormir enrolado na bandeira do Flamengo. Aliás, a primeira vez que fui ao Maracanã foi com o tio Abraão, outro rubro-negro de quatro costados, pra assistir justamente a um Botafogo x Flamengo!

Voltando a 1962, é importante mencionar que tanto eu como a minha irmã fomos criados por babás portuguesas. A Erotildes e a Silvina, ambas salazaristas fervorosas e naturais de Trás-os-Montes. Portanto era natural que, quando começamos a esboçar as primeiras palavras, vinham todas elas carregadas de um forte sotaque trasmontano... Por exemplo, quando nós estávamos com sede, pedíamos água assim: "daime aiágua"...

Acho que minha primeira manifestação musical foi dançando o vira. Eu não parava de cantar e dançar no berço uma canção que dizia mais ou menos assim: "Tim-tirilim Manuel Manquinho, tim-tirilim quem te mancou, tim-tirilim foi uma velha, tim-tirilim que aqui passou."

Vivíamos no país da bossa nova e, como não poderia deixar de ser, mamãe adorava aquilo. O Brasil de Juscelino pululava de orgulho, e eu, apesar do meu amor profundo por mamãe e de concordar bovinamente com tudo que ela dizia, não conseguia me emocionar com a mesma intensidade que ela. Minha mãe me acalmava dizendo que quando eu crescesse iria entender e gostar.

Um dos primeiros problemas que tive de enfrentar na infância foi o meu apelido naquela aurora conturbada de vida. Era nada mais, nada menos que... Xurupito. XU-RU-PI-TO!! Vocês já imaginaram um garoto brincando na rua com seus coleguinhas catando tatu-bolinha, quando, não mais que de repente, um chamado rompe o ar: "...Xurupito! Tá na mesa!"... Por mais tenra que fosse a minha idade, ser chamado de Xurupito era humilhante. E, por isso mesmo, sinônimo de nescau. O nescau era uma espécie duma miniexecução sumária que reunia os garotos da turma em círculo, com o condenado dentro. Geralmente, o líder entoava a famosa vinhetinha: "nescau, nescau, nescau, paratim...", e quando vinha o "BUM!!", acontecia o massacre... Só me restava apelar aos meus entes queridos que trocassem o meu apelido. Lentamente, passaram a me chamar de... Joãoluizinho...

Já a família do meu pai me tratava por Jonnie, que, apesar de não ser a perfeição, já possuía alguma dignidade. E, quanto a mim, quando me olhava no espelho, tinha a nítida sensação de que João Luiz não era um nome adequado à minha pessoa... Eu achava João Luiz perfeito para um lateral-esquerdo reserva de time de futebol de várzea.

Naquele tempo, a coisa mais natural do mundo era discutir política. Na família da minha mãe, a coisa era turbinada por paixões incorrigíveis, discórdias mortais, brigas intumescidas.

Nas ruas de Ipanema havia um bichinho (creio que atualmente extinto) que entrava no olho da gente produzindo uma ardência considerável e que também exalava um perfume feromonial, suave e adocicado. Pretinho com a barriguinha amarela, era odiado por todos. Chamavam-no por nomes que variavam de acordo com o desgosto político de cada um. Se você detestasse o Lacerda, era lacerdinha; se detestasse o Brizola, brizolinha; o Guevara, guevarinha; e assim por diante, mas acabou celebrizado como lacerdinha.

Minha mãe, que detestava o Juscelino, toda vez que passeava pela Vieira Souto se indignava com o belo edifício de mármore branco com cinco andares que o Juscelino tinha comprado, e gritava indignada: "Ladrão!, ladrão!, foi pra isso que fez Brasília, né?!" Todos discordavam. A política era uma coisa intensa, vital e cotidiana. Mamãe dizia orgulhosa que éramos primos do Lacerda e, ao mesmo tempo, chorava de emoção ao se lembrar da voz do Getúlio Vargas saudando a nação, bradando: "Trabalhadores do meu Brasil!!" Eu não conseguia entender bulhufas.

Lacerda foi uma criatura que marcou profundamente a minha alma, assim como Nelson Rodrigues, John Lennon, Nietzsche e Salvador Dalí. Quando guri, eu era algo como um Carlos Lacerda protopunk. Ainda infante, proferia discursos insólitos de pijama com os óculos quadrados da minha vó Ruth.

Foi também em 1962 que tive meu primeiro acesso de paixão platônica: me apaixonei por uma trapezista de um programa de circo que passava nas tardes de sábado, na recém-inaugurada TV Excelsior. Eu cheguei a frequentar o auditório — que se situava no Bar XX —, e não parava de me fascinar com as piruetas da trapezista, imaginando-a se desequilibrando, ficando pendurada, e eu tipo Tarzan, aparecendo num cipó para salvá-la... Só que, na continuação da fantasia, eu a sequestrava, a amarrava numa árvore e começava a dançar em seu redor a dança da chuva (?!)...

Os desfiles de miss paravam o país, com torcidas apaixonadas, caravanas ao Maracanãzinho para assistir à final de Miss Brasil, e como ainda convivíamos com os intensos eflúvios da Segunda Guerra por toda parte, estava mais do que na moda filme de guerra, e a série de TV *Combate* era a campeã de audiência do horário nobre no domingo. Foi nessa série que comecei a ficar intrigado com alguns detalhes, entre os uniformes e as bandeiras "que não eram do Brasil!", por não ter a menor ideia do que era dublagem... Torcia para os americanos pensando se tratar de brasileiros. Só depois mamãe explicou como aquilo funcionava... que tinha um carinha falando em cima da voz original... Me senti traído e comecei a ficar muito confuso em relação ao que percebia ao meu redor... Em represália, estendi por mais tempo a crença em Papai Noel para continuar pedindo brinquedos supercaros, uma vez sabendo que Papai Noel atendia religiosamente a todos os nossos pedidos escritos nas cartinhas.

Com a chegada do fim do ano, veio o melhor Natal da minha vida. Me lembro de que ganhei uma bicicleta Monark, um autorama da Estrela, um kit completo de Legionário Romano, um conjunto de safári com chapéu, bermuda cáqui, espingarda de borracha, coldre e o caramba... Nas férias, como de costume, fomos todos para o sítio da família em Pedro do Rio, perto de Petrópolis. Seria o verão em que conheceria o meu primeiro instrumento: a bateria.

Esse tal sítio seria o palco de acontecimentos muito importantes na minha vida. Em primeiro lugar, porque era um cenário lindo, com muito espaço pra brincar, árvores das mais variadas pra trepar, platôs, pomares, jardins, casa de trem elétrico, piscina e um boliche, com sinuca, pingue-pongue. Em segundo, por ser o único espaço em que, em toda minha infância e início de adolescência, teria alguma liberdade.

Por ser meu único território livre, geralmente eu abusava. Me embrenhava nos matos de estilingue em punho, catava jabuticaba no pé, carambola, manga-espada, manga-rosa, goiaba, limão-galego, jaca... Às vezes eu aparecia saltitando num pé só, assobiando (de dor) com vários ouriços de castanha cravados na sola do pé. Não era raro perder uma unha de um dedo qualquer... Ou era uma lajota que caía no pé, ou uma bola de boliche esmagando um dedão... Mas sempre tive muita resistência à dor. Quebrei um dente da frente por mergulhar de cabeça na piscina vazia. Volta e meia passava eu em disparada com um monte de abelhas atrás.

Comecei a nadar muito cedo, porém, um pouco antes disso, entusiasmado com a série do Mike Nelson (Lloyd Bridges, do seriado *Aventuras submarinas*), mergulhei resoluto na piscina e... me instalei no fundo fazendo bolhas e gesticulando o clássico OK — eu achava lindo mandar um ok... Já estava em pleno processo de afogamento, não fosse a providencial intervenção de meu pai, que, ao perceber o drama, mergulhou de roupa e tudo me arrancando do fundo... do meu mar! Me lembro de perceber uma silhueta borrada, vinda da superfície para me arrancar abruptamente do afogamento certo.

Estava entrando numa fase etário-fisiológica que alguns psiquiatras denominam por fase sádico-anal. E, mesmo amando profusamente os animais, abatia sem piedade famílias de corujas, beija-flores, camaleões, rolinhas. Me achava o Jim das Selvas de Pedro do Rio. (Meu avô tinha um monte daqueles chapéus de safári.) Meus cachorros na época eram o Jambalaia, o Pachola e o Bonnie, um bóxer que viveu todo o período da minha infância. Morreu com uns 15 anos, deixando uma dinastia de centenas de descendentes e completamente banguela, por ter arrombado o portão do sítio com os dentes... Pedro do Rio naquele tempo era quase um vilarejo. Se resumia a algumas edificações: a igreja, o bar do Cordeiro, a farmácia do seu Paim, o clube, a estação de trem, a caixa-d'água e, em frente, do outro lado da linha, a nossa comunicação com o mundo exterior: a telefônica. Consistia em uma casa de solteironas que se revezavam na pilotagem daqueles fios, cabos e manivelas, sempre às voltas com complicados prefixos, tipo "Ps1, Pedro do Rio, responde Ps1". Vovó Lulu não queria telefone no sítio de jeito nenhum.

Como eu amava trens, locomotivas e vagões, minha maior diversão era ver a maria-fumaça chegar na estação. Uma vez, meu pai me colocou dentro da locomotiva e assisti maravilhado ao maquinista empurrando carvão fornalha adentro, baixando a correia da caixa-d'água, deixando a água despencar lá de cima. Uma vez, ele até me deixou puxar a corda do apito...

Mas a alegria durou pouco. Em pouco tempo a ferrovia seria desativada, e meus avós, sabendo dessa minha paixão por trens, me deram de presente um primeiro e último passeio ferroviário até Petrópolis. Saímos eu, minha irmã e minha vó da estação de Pedro do Rio, depois do almoço. Meu avô foi de carro com o seu inseparável banheirão, um Plymouth 63, cor de tijolo, teto bege, adornado por um monumental par de rabos de peixe. Meu avô jamais se livraria daquele carro, até o fim de seus dias.

A viagem? Jamais esquecerei...

Por sinal, meus avós paternos foram uma das maiores influências da minha vida. Adoravam nos levar a museus nos feriados não enforcáveis. Nos dias de semana, quando estávamos de visita na rua do Senado, vovó aproveitava para nos levar ao Campo de Santana — para vermos as cutias —, passear pela rua do Riachuelo, visitar o lindo e extinto Palácio Monroe, antigo Senado Federal... Meus avós tinham acabado de fazer bodas de ouro, com direito a uma viagem de navio pra Europa. Fomos todos levá-los ao embarque, lá no Cais do Porto. Meu avô, havia mais de cinquenta anos, não pisava em solo natal, e todos nós já imaginávamos o casal voltando cheio de histórias. Pois bem... não é que o cara, logo ao desembarcar na primeira escala, em Lisboa, amarelou? Teve um acesso de nostalgia, pegou vovó pelo braço e, juntos, se atiraram no primeiro voo que apareceu, direto pra casa. Holanda, pra ele, nunca mais.

Eu sempre considerei que a longevidade matrimonial daqueles dois era a maior herança que poderia receber deles... Almejava poder viver aquilo quando crescesse. Queria casar com uma mulher que eu amasse de verdade, viver intensamente junto dela, fazer bodas de ouro com ela e morrer juntinho dela.

Minha avó não era o que se pode chamar de uma mulher bonita. Baixinha, atarracada, nariz volumoso e olhinhos de baleia olhando sempre para a frente com seu semblante imutável, um sorriso implícito... Nunca a vi nem chorar nem gargalhar... Andava como se estivesse pendurada em um cabide. Sempre mandou sem o menor alarde, era uma perfeita matriarca... Tinha um humor irônico, seco. Ateia convicta, era uma mulher de família tradicional — o pai era um diplomata português, e a mãe, de origem desconhecida. Dizia ela que minha bisavó era nascida e criada na Lapa. Agora, se era branca, preta ou amarela, isso nunca consegui saber.

Era diabética e adorava me dar cubinhos de açúcar para, através de mim, saborear à distância, como uma *voyeuse* glicêmica. Era uma doceira de mão-cheia e fazia pra mim um doce de laranja-da-terra recém-tirada do pomar. Acabou me ensinando a fazer compotas e panicuque. Me deu um monte de livros, como a coleção inteira do Júlio Verne, *O príncipe e o mendigo*, do Mark Twain, *O mundo dos dinossauros*, *A evolução das espécies*, do Darwin, várias enciclopédias etc. Nos apanhava em casa (eu e minha irmã) para nos levar às matinês de domingo no Cine Pax, onde assistíamos a *Tom e Jerry*, ou passávamos o domingo visitando museus: o Nacional, o da Marinha, de Arte Moderna etc. Meu avô, como já falei, era um homem extremamente forte. Um grande engenheiro, mecânico, marceneiro, soldador, pintor lanterneiro, que primava por ostentar seu poderoso muque quando me convidava para assistir ao seu lado, na sua *bergère* xadrez quadriculada, ao *Telecatch Montilla* nas noites de sábado... Mesmo lá com seus oitenta anos, gostava de se exibir arrancando com os dentes as tampinhas das garrafas de Coca-Cola. Adorava fazer queda de braço comigo sem me dar colher de chá. No café da manhã, tomava seu café com leite num balde — uma xícara de proporções exageradas — e comia um tal biscoito holandês que parecia uma lajota de tão duro. Adorava as chopadas que ele produzia no sítio, para celebrar a vida com a família e os amigos. Eram festas que duravam um fim de semana inteiro, com direito a cantorias e canecas levantadas e refrões... Era do tipo viking e bebia como um viking...

Me ensinou como pegar num martelo, como serrar madeira, como desencapar um fio... Me ensinou a jogar sinuca... A gente costumava "fazer a digestão" depois do almoço andando quilômetros ao redor da mesa na maior jogatina. Também jogava boliche e tinha o maior xodó por aquela pista que ele mesmo construíra. Aquele boliche era sua menina dos olhos. Na verdade, ele construiu tudo naquele lugar junto com a minha avó.

Estávamos perto do Carnaval, e as rádios, como de costume, começavam a executar as marchinhas de 1963. Eu sempre adorei marchinha, e nesse ano saiu uma que me enlouquecia toda vez que tocava na rádio, e que era mais ou menos assim: "Vem cá seu guarda, bota pra fora esse moço que tá no salão brincando com pó de mico no bolso... Foi ele, foi ele, sim, foi ele que jogou o pó em mim..."

Ao mesmo tempo que o Carnaval se desenrolava, meu avô produzia aquelas suas tais chopadas de proporções vikings, com dezenas de barris de chope entrelaçados por sinuosas serpentinas, canecas dos mais variados feitios e tamanhos, um monte de gringo e muita cantoria em alemão.

Meu primo, João Tomás, que tinha uns 13 anos na época (e eu achava ter 13 anos a coisa mais chique do mundo), ganhou uma bateria da minha avó e logo foi montá-la com seus amigos de 13 anos no salão do boliche. Os tambores da bateria eram cor de madeira, o que provocava uma certa confusão na minha cabeça... "Será que são barris de chope?" Juntando minha curiosidade com a profunda admiração que tinha pelo meu primo (meu herói), fui dar uma bedelhada. Não pude conter minha emoção quando vi aquele monte de barril em formação de barricada! "Eles vão brincar de guerra! Que legal!", pensei emocionado, já calculando me inserir na brincadeira. Quando me aproximei, verifiquei pasmo que se tratava de um instrumento musical! Com a bateria já montada, meu primo ligou o potente *hi-fi* no volume máximo e escolheu um disco para acompanhar. E não é que a música era a tal marchinha "vem cá seu guarda" etc. e tal? Me enchi de coragem e implorei ao meu primo pra dar uma tocadinha. Saí tocando animadamente a marchinha, no ritmo certo. Todos ficaram muito impressionados. Pronto! Foi o que faltava para um mão de onça recuperar a autoestima! Fiquei todo me achando... A partir de então, me considero antes de mais nada um baterista.

Capítulo 3

Estávamos no início de 1963 e ainda nunca tinha ouvido falar em rock 'n' roll.

O Rio já não era mais a capital federal, mas grande parte da máquina administrativa ainda iria demorar a se mudar definitivamente para a Novacap (nessa época se referiam a Brasília como a Belacap ou a Novacap).

As primeiras lembranças que tenho da cidade são coisas como: os últimos momentos de vida do bonde e sua substituição imediata pelo *trolley*.

Os táxis da cidade eram todos, sem exceção, banheiras de uma obsolescência comovente. Automóveis da década de 1940, Studbakers, Chevrolets, Fords, Packards, com suas formas pesadas e arredondadas, de cores fechadas como o cinza, o preto, o marrom, todos com aquele cheiro de carro velho, sempre com um motorista também velho e português. Ainda havia a favela do Pasmado, onde hoje ficam os fundos do Rio Sul, a da Catacumba e a da praia do Pinto, essas duas abraçando a Lagoa. A Cruzada São Sebastião havia sido recém-inaugurada por Dom Hélder Câmara.

O Brasil já vivia um clima de intensa agitação social e política. O Jânio renunciou, veio o Jango, e com ele os comícios, as greves e o pavor ao comunismo por parte da classe média.

Sim... nós vivíamos em pânico com a Guerra Fria. Choramos muito o assassinato do Kennedy, a ameaça de estourarem em nossas cabeças várias bombas atômicas; era uma sombria realidade. Minha mãe me alertava sobre os perigos do comunismo, me explicando que, caso aqui fosse implementado, eu e minha irmã, de cara, seríamos entregues ao Estado, pois, no comunismo, a família como a conhecemos era coisa de burguês decadente. Fora a paranoia da denúncia vazia, como corriqueiro método de controle: "E vocês vão acabar denunciando a mim e a seu pai, vocês vão sofrer uma lavagem cerebral a ponto de achar o Estado mais importante que nós!! Vamos acabar no paredão, fuzilados!!!"

Naquele tempo, éramos uma família católica apostólica romana praticante. A missa ainda era em latim, e nossa paróquia, a igreja Nossa Senhora da Paz, em Ipanema.

Os feriados religiosos afetavam profundamente a vida da população: era Sexta-Feira Santa?... Só tocava música triste e respeitosa. Nas rádios, os locutores — que na época já falavam de uma maneira formal — abaixavam mais ainda o tom de voz. As pessoas jejuavam e assumiam uma atitude de introspecção. Todos iam contritos aos cinemas assistir a *Quo Vadis*, *Rei dos reis*, *Spartacus*, *Pontius Pilatus*, e depois beijar os pés de Jesus morto. Estranhamente, eu achava Jesus morto muito sexy... Algo que veio a me causar alguns problemas.

O próprio tempo, em simbiose profunda com o luto dos cidadãos, se entristecia: chovia nos dias santos. Era malvisto se divertir na Paixão e no Dia de Finados.

Com essa bagagem, não era de se espantar que eu tivesse uma atração confusa e, no mínimo, esquisitíssima pelas coisas ligadas à religião. Nesse meio-tempo, tive minha primeira experiência com a morte: meu vô Mattos, que eu tanto amava, morreu. Logo aquele vô que me dava toda a atenção do mundo, que deixava eu babar nos seus queridos óculos, despentear sua impecável antologia de fios de cabelos brancos, que me levava pra passear com seu DKW Wemag azul e teto bege na pracinha do Corte do Cantagalo, se divertindo por me ver alegre a cantar, subindo e descendo nos brinquedos... Passamos a visitá-lo, sempre às terças-feiras, antes das 16h no cemitério São João Batista. Fizemos esse ritual por anos e anos. Até a vez em que minha mãe pressentiu um balão de São João casualmente a pairar sobre nossas cabeças. Ela, numa agilidade espantosa, se refugiou num umbral da porta de um mausoléu que estava, por acaso, entreaberta, e lá de dentro, atrás daquelas grades, com as mãos esticadas para o céu, urrava de pavor denunciando: "Vai cair! Isso vai ser o fim!! Sai!! Sai daí de cima!!!!" Graças a Deus o coveiro que estava dando um trato no jardim me ajudou a convencer mamãe a sair daquele mausoléu.

Ela volta e meia sonhava com um gigantesco crucifixo em chamas caindo do céu, e batata: era só esperar para ler nas manchetes dos jornais do dia seguinte... Mais um desastre de avião!!! Portanto, ela ficava aterrorizada com qualquer objeto voador, identificado ou não, pairando sobre sua cabeça.

Com meu avô morto, começaram as perguntas sobre o que é morrer, sobre o que é a perda, sobre o que é desaparecer pra sempre. Eu achava muito humilhante ser lacrado num caixote de madeira e guardado embaixo da terra.

"Essas coisas você vai acabar aprendendo no catecismo, dizia mamãe, desfazendo o interrogatório... A partir desses dias, iniciei uma jornada incansável para investigar onde mora o eu que há em mim... se é que mora alguém. Comecei a imaginar que rezava a missa. Me considerava, vamos dizer, um ser muito especial. Tive uns *insights* durante toda minha infância onde me sentia escolhido por anjinhos numa fila interminável de meninos esperando pra nascer. Devia ser algo do tipo memória-atávica-de-um-espermatozoide-vitorioso... Me fantasiava de padre usando um robe de chambre de flanela xadrez desamarrado e um crucifixo de parede pendurado ao pescoço. Empunhava na mão direita um missal de madrepérola, na esquerda, um terço e, cheio de convicção, saía pelo corredor entoando, como num canto gregoriano, frases supostamente em latim que eu ouvia de orelhada, produzindo coisas como: *"Reverterium ad dominus tum, dominus tecum espiritum tum, vox populi vox dei tum populus tum tum vox de te deumi, aaaaaaamém..."* Era tudo de verdade pra mim... Frequentávamos as missas de domingo religiosamente, quase sempre na Nossa Senhora da Paz. Enquanto o padre produzia sermões intermináveis e ininteligíveis devido ao timbre monótono, ao baixo volume de sua voz e, em particular, pelo fato de a missa ser ainda em latim, eu mergulhava de cabeça, absorto na realidade dos quadros enfileirados pelas paredes laterais da igreja, representando a *via crucis*. Me imaginava carregando aquela cruz, caindo uma, duas, três vezes, sendo açoitado e levado ao Gólgota num mórbido triunfo. Eu me excitava com a condição de mártir.

Meus pais iam comungar e nos deixavam, eu e minha irmã, próximos à saída, perto da porta principal, no altar de são José, santo de devoção de meu pai. Minha mãe, meio que pra ganhar tempo, nos mandava permanecer ali rezando e fazendo pedido. "Mas pede só o que for muito importante pra vocês, hein? Senão são José fica brabo." Levei a sério a advertência e, a partir de então e por muitos anos afora, desenvolvi uma espécie de oração/pedido importante que era o seguinte: "Meu querido são José, tenho um pedido importante a fazer: me faça morrer na mesma hora, no mesmo minuto e no mesmo segundo que meu pai, minha mãe e minha irmã." Eu tinha pavor só de imaginar-me existindo sem meus pais e sem minha irmã, mas, por outro lado, por me sentir muito amado por eles, seria uma tortura viverem sem mim, portanto, a solução era o extermínio em conjunto. Todo mundo morto junto! Esse foi o meu grande anseio durante toda minha infância. Meu grande pavor era existir sem eles. Existir sem a presença deles.

Um certo domingo, estava lá eu, implorando a são José a tão almejada morte coletiva quando me aparece um senhor alto, elegante, cabelos brancos rigorosamente penteados para trás, terno e gravata de alfaiate. Muito sorridente e simpático, o senhor se dirigiu a mim: "Mas vejam só! O menino está esperando alguém?" Eu ergui os olhos meio surpreso com a intervenção repentina e respondi: "Estou esperando por meus pais, que foram comungar e eu ainda não posso ir com eles... Ainda não fiz a primeira comunhão." Sem transição, o senhor apalpou os bolsos do terno impecável, tirando lá de dentro um chaveiro que, de imediato, me ofertou afetuosamente. Eu, que adorava colecionar chaveiros, plásticos e garrafinhas de Coca-Cola, vibrei com aquela visão! O chaveiro era um pneuzinho que de um lado tinha a banda pintada de verde com a bandeira de São Paulo na calota e, no verso, a outra banda pintada de amarelo, com um retrato de um homem sorridente no centro. Era o retrato daquele senhor!! Somos surpreendidos por minha mãe, já meio que muito griladíssima em perceber uma criatura, vamos dizer, ameaçadora não identificada, que me segurou pela mão, quando subitamente ela o reconhece: não é que era o Ademar de Barros? Grande Ademar de Barros! Investido na época no cargo de governador de São Paulo. O simpático senhor se apresenta respeitosamente, dizendo que está de visita pela Cidade Maravilhosa, e que o aguardassem em breve, pois estaria se preparando para dar início a sua campanha rumo à presidência de república, etc. e tal... Minha mãe engata uma segunda e se despede polidamente do Ademar, desejando-lhe boa sorte na campanha, que ele, sem dúvida, teria seu voto no próximo pleito, etc. e tal... Aí, me puxa discretamente ao canto e, com um sorriso plantado no rosto, me sussurra jocosa cantarolando e deslizando as vogais, entre os dentes: "Isso aí é um ladrão... É uma simpatia, né? Mas mete a mããão que ele só... O slogan dele é 'Rouba mas faz', sabia?"

Findada a missa, embarcávamos no Chrysler 56 do meu pai, um carro que, em especial, amei muito. Certo dia, papai vendeu o automóvel. Fiquei inconsolável! Pra mim, se tratava de um ente querido da família. Algo, na minha cabeça, inegociável!... Um dia desses, eu, em pleno luto automotivo, passeava com a família até o final do Leblon com o nosso novo carro, um Simca Jangada, quando meu pai para no postinho do Jardim de Alá pra abastecer. E com quem me deparo? Com o Chrysler!! Não me controlei. Me agarrei ao pneu dianteiro com todas as minhas forças e fiquei assim a tarde inteira, berrando... "Meu Chrysler, meu Chrysler." Depois de muitas tentativas e conversas, finalmente levei um catranco de papai e minha mãe me advertiu: "Meu filho, assim você vai sofrer muito nesse mundo... O carro não é gente, se troca, de quando em quando."

Mas por enquanto, lá estávamos nós quatro, ainda a bordo do Chrysler, dando aquela volta até o final do Leblon, ouvindo "Um piano ao cair da tarde" na rádio Tamoyo. Depois passávamos na Sadock de Sá, quando toda a família da minha mãe visitava a vovó Ruth. Meus tios, tias, primos, primas, todos reunidos no final do domingo.

À noitinha, nosso quarteto se despedia de todos para "comer fora". Meu pai adorava o tradicional e extinto Recreio do Leblon. Meu primeiro restaurante. Era geminado com o Cine Leblon, ali na Ataulfo com a Carlos Góis, todo de mármore preto, porta dupla de faroeste, garçons octogenários, ambiente *art déco* e aquele *couvert* clássico de picles, azeitona, ovo de codorna, quatro bolinhas de manteiga e um pãozinho francês sempre quentinho. Eu só comia filé malpassado com fritas, arroz e ovo estalado. Minha irmã também, só que acrescido de banana. Meu pai, como de costume, comia arroz, purê de batata, duas gemas (ele detestava a clara) acompanhado por *petit-pois* número zero (só aceitava miniervilhas). Carne, nem pensar! Nem o cheiro!

Nem carne nem caldo de carne, muito menos peixe ou galinha... camarão, então, era um escândalo. Tinha a mania de adestrar os garçons dos lugares que frequentava. Fosse um restaurante, uma lanchonete, uma delicatéssen, um botequim, era batata: bastava ser a segunda vez que pisasse num estabelecimento pra saber de cor o nome do garçom, que, depois de observado e testado à exaustão, lhe retribuía afetuosamente a proximidade com um sorriso solícito: "Já está saindo, seu João... O de sempre, né?"

Só mamãe variava. O cardápio, é claro. E todos nós bebíamos coca-cola.

Meu pai adorava me levar pra comer torradas-petrópolis no Look (que fechou nos anos 1990), ali na Ataulfo de Paiva. Eu me lembro de que em frente ao Look tinha um enorme terreno baldio, do lado da praça Antero de Quental, onde sempre montavam um parque de diversões muito do fuleiro, sempre alternando com um circo tão fuleiro quanto. Ciganas com seus trajes exóticos rondavam as cercanias da praça oferecendo a leitura da sorte aos transeuntes. Minha mãe dizia que elas roubavam crianças e as transformavam em escravos mirins. Eu achava as ciganas misteriosas, apesar de um pouco gordas...

Foi justamente na fase pós-Chrysler, quando o Simca Jangada reinava soberano lá pelos idos de 1966/1967, que vivenciei minha primeira aventura interestadual. Fomos pra São Paulo passar um fim de semana! Já estávamos em plena era dos festivais.

Meu primeiro rango em Sampa foi no Gigetto. Fomos às compras e eu descolei uma calça de veludo cotelê marrom, que eu achava a coisa mais moderna do mundo, em meio aos meus sapatos envernizados, minhas calças de tergal da Dom Vicente e meu ridículo topete...

Amei São Paulo. As rádios não paravam de tocar o hit dos Incríveis, "Era um garoto, que como eu, amava os Beatles e os Rolling Stones...".

Como havia dito logo acima, vivíamos em plena coqueluche dos festivais da canção, que, de 1966 até 1971, tornaram-se uma paixão nacional, com direito a torcidas, faixas, vaias estrepitosas e aclamações eternas... Os hits do momento eram "Disparada", "Ponteio", "Alegria, alegria".

Mas vamos voltar... Foi em 1963 que entrei no maternal do colégio Pernalonga, que ficava pertinho de casa, na Sá Ferreira. Foi ali que senti o quanto tinha pavor de gente. Por sinal, eu era tão envergonhado que não conseguia tratar a professora por nome algum. Eu só me comunicava com ela se, por acaso, houvesse um contato visual... ou ela porventura me chamasse. Invejava meus coleguinhas que, com a maior desenvoltura, levantavam o dedinho e mandavam: "Fessora, me ajuda aqui!", ou "Tia fulana, posso fazer xixi?". Socializavam-se, no meu entender, com uma intimidade jamais por mim imaginada. E foi com esse grilo de não chamar a professora de fessora ou tia, ou seja lá o que fosse, que num dia daqueles eu, apertadíssimo, com uma intensa vontade de dar uma cagadinha, paralisado por uma timidez pânica, tentava formular na minha cabeça como fazer o dramático apelo. Não tinha coragem de levantar sequer o dedo. Pois bem, fiquei me contraindo na carteira, discretamente pra ninguém perceber, rezando para chegar logo a hora do recreio. Quando soa a campainha, eu célere corro pro banheiro, mas já era tarde. Me caguei todo no caminho. Foi um vexame difícil de calcular. A copeira da escola, indignada, me limpava a bunda dando o maior esporro meio que sussurrando para a diretora não ouvir: "Seu cagão dos infernos, não sabe pedir pra ir ao banheiro, não?!" Tive que mudar de escola.

Minha mãe gostava de praia, e todas as manhãs de sol íamos nos banhar em Ipanema, mais precisamente, em frente à esquina da Maria Quitéria, cheios de baldes e pazinhas de plástico. Assim que nós chegávamos, ela nos recomendava cavar buracos tão fundos que dariam do outro lado do mundo, para achar a careca do chinês, mas acabávamos era desencavando tatuís branquelos, conchas, que naquele tempo ainda eram enormes e faziam barulho de mar quando coladas na orelha, e estrelas-do-mar livres dos coliformes fecais de hoje em dia...

Logo em seguida, entrei para o judô numa academia que ficava na sobreloja da galeria do extinto Cine Pax. Me aterrorizava a ideia de encostar em alguém, quanto mais lutar! E no vestiário? Um drama, pois nunca entendi aquela naturalidade com que os caras ficavam pelados, fazendo umas brincadeiras de fazer voar os quimonos. Em três meses estava fora. Meu pai começava a se preocupar com a minha timidez e me fez entrar na natação do Piraquê. Me levava para os vestiários dos garotos e me tirava as calças pra ver se eu me acostumava a ficar pelado na frente dos outros. Eu urrava, me contorcia no chão, louco para arranjar algo que me tapasse.

Desenvolvi uma coisa chamada terror noturno. Acordava no meio da noite apavorado apontando para a porta do armário, como se estivesse saindo de lá uma legião de demônios, ou suando frio, todo molhado, vivenciando a sensação de estar caindo de uma altura vertiginosa que não acabava nunca... Quando fiquei um pouco mais velho, esses terrores noturnos derivaram para um sonambulismo crônico, atrelado a uma síndrome de deficiência de atenção.

A vida transcorria assim, nessa rotina. Escola, televisão, praia, quando algo de novo e ameaçador surgiu de repente em nossa família: o rock 'n' roll! O rock já havia dado as caras no Brasil desde o final dos anos 1950 com o Bill Haley, o Elvis, o Chuck Berry etc. e tal. No entanto, minha família era bem refratária ao novo gênero musical. Ignorava solenemente tudo que pudesse se relacionar com roquenrou. O máximo que rolava era um *hully gully*, um chá-chá-chá. O twist já era considerado subversivo demais. Porém, tudo haveria de mudar com a explosão mundial dos... The Beatles. A primeira canção de rock que ouvi na minha vida foi "Help!". Tudo mudou de lugar na minha cabeça. Fiquei maravilhado! Mas, para meu azar, minha mãe não pensava da mesma maneira... e comentava indignada: "Onde já se viu homem de cabelo comprido!? E a música? Isso não é música!! Isso é barulho... Isso é gritaria!!!!"

Nesse mesmo ano, estoura "Satisfaction", de outro grupo: os Rolling Stones. E o fenômeno andrógino que vinha da Itália: Rita Pavone com seu terninho preto, suspensórios, cabelinho ruivo curtinho e muitas sardas. O hit do momento era "Datemi un martello".

E começava um grande tormento para mim também: eu não tinha acesso nenhum àquela modernidade toda que estava ali, me seduzindo. Minha aparência era a de um menino de 1940. Sim! Minhas roupas eram todas adquiridas na mesma loja do meu pai, a Dom Vicente, que era a loja mais antiquada do momento. Vestia camisas de linho, calças de tergal, sapatos de verniz. Meu corte de cabelo (cortado quinzenalmente) era a cabeça quase toda rapada com máquina 1 e um topete ridículo erguido à base de muito gumex no topo da testa, que, quando secava, mais parecia caspa. Esse abominável "corte" de cabelo até virou moda com os pagodeiros românticos nos anos 1990; corte esse conhecido maldosamente por "alça de boquete". Eu sempre morri de vergonha de ser forçado a usá-lo. E isso acabou por me trazer um monte de problemas: *bulling* e as inevitáveis divergências com meu pai. Vocês já imaginaram um garoto, vestido dessa maneira, com um topete anacrônico em sua cabeça e ainda por cima sendo chamado, pra cima e pra baixo, de Xurupito?

Capítulo 4

Já estávamos em dezembro, época em que as rádios começavam a executar as marchinhas do Carnaval de 1964. Pra mim, esse foi o ano mais profícuo em termos de marchinhas, e também o último dos Carnavais em que elas reinaram. Por sinal, foi o primeiro e único Carnaval que passei no Rio em toda a minha infância/adolescência. Isso porque era um ano em que o período escolar começava muito cedo e a gente decidiu voltar em cima da semana da folia.

Enquanto passei o início das férias no sítio, fiquei tocando na bateria do João Tomás, junto com a vitrola, todas aquelas marchinhas que logo virariam clássicos. Também saí de clóvis pela estrada afora, assustando as pessoas e batendo lata com meus amigos que moravam por lá, cantando o hit das Gatas daquele ano: "Plac, plac, plac bate a lata..."

Depois disso, não rolaram mais as marchinhas fresquinhas. Caiu o pano. A ditadura chegou.

Os nervos estavam à flor da pele no início de março. Eu só ouvia expressões como comunismo, estado de sítio, golpe de Estado, guerra civil, revolução de pijama... quando no dia primeiro de abril deu-se o golpe militar, que logo em seguida passaram a comemorar no dia anterior por motivos óbvios. Já havia um quê de caricatural naquela revolução.

Me lembro de que minha mãe tripudiava do golpe chamando-o de revolução de pijama, que estava tudo armado, e eu não entendendo direito de que lado ela estava. No final das contas, percebi que ela não estava do lado de ninguém.

Foi nesse ano que notei que estávamos em plena era espacial. Clima que permeou todos os anos 1960. Todos nós tínhamos uma imagem do ano 2000 completamente diferente do que viria a ser. Pra quem vivia naquela época, o homem, nos anos 2000, já teria dominado o nosso sistema solar... colonizado Saturno, os livros de ficção apontavam para esse destino, a música que se ouvia era espacial, tudo era direcionado para se pensar e se agir assim.

Meu pai sempre me dizia que tudo o que o homem imagina, existe em algum lugar, de alguma forma, pois a imaginação é uma maneira sutil de perceber as coisas subjetivas.

Quanto a minha vida escolar, depois daquele episódio no Pernalonga, fui matriculado no pré-primário, no colégio Fontainha, lá na Gávea, se não me engano, na rua dos Oitis. Permaneci um tímido, apesar de ter iniciado amizade com alguns coleguinhas.

Me lembro que ficava sozinho, na hora do recreio, tentando aprender como se dava laço no sapato (Vulcabrás) quando certa vez, não sei por que cargas-d'água, amarrei o cadarço do pé direito ao do esquerdo, produzindo um nó cego impossível de desatar. Começo a entrar em pânico devido à proximidade do fim do recreio e tento desesperadamente desfazer o nó. Bate a campainha, decido fingir que não há nenhum problema e saio andando com um passinho ridículo de sapato preso um no outro. Todo mundo começou a notar aquela jocosa coreografia em direção ao final da fila (eu era o mais comprido). Em meio aos risos e apostas para ver até onde eu conseguia chegar, me enquadrei na fila, cantamos o hino nacional e a professora mandou a gente subir para a sala de aula. Nossa sala ficava logo no segundo andar no fim da escada... a escada!!! Eu consegui me equilibrar aos trancos e barrancos até chegar no primeiro degrau, quando rolou aquele estabaco varonil! A turma toda às gargalhadas... eu mesmo não aguentei e comecei a rir. Jamais viria a saber como amarrar sapato direito.

Foi aí que comecei a aprender a rir de mim mesmo...

Foi em 1965 que meu pai decidiu me colocar numa aula de bateria. Ele me dizia: "Já que é pra tocar um instrumento, que você aprenda direito com um professor." Fiquei muito feliz e não via a hora de chegar a ter a minha primeira aula. Chego na casa do meu professor: um apartamento térreo em algum lugar de Copacabana, mínimo, com uma bateria branca montada no que parecia ser seu quarto de dormir. O professor era cego.

Quando começou a tocar, percebi que não ia rolar... a primeira batida que escolheu me ensinar foi o que chamou por "rock balada", que, na verdade, era algo muito mais para o bolero, e eu, já tocando as coisas dos The Beatles, não estava achando aquilo nada divertido. Cheguei em casa meio decepcionado e meu pai me perguntou se eu tinha gostado. Respondi que a aula era chata, cansativa, que o professor tocava de uma forma antiga e eu não estava interessado em continuar. Foi aí que comecei a desconfiar das coisas que me ensinavam. Abandonei as aulas logo depois da segunda sessão.

Logo em seguida, ganho a minha primeira bateria da minha vó Lulu. Era igualzinha à do João Tomás, só que de madrepérola azul. Tratava-se de um modelo bem antiquado (marca Armando Wengrill). Mas já era uma bateria e isso era sensacional. Como morávamos num apartamento, meus pais direcionaram a bateria para o sótão da casa da minha vó Ruth, em Ipanema. Lá me tornei amigo e comparsa do então copeiro da casa, o Manuel, um sósia perfeito de Agostinho dos Santos: um metro e noventa, prognata, gente fina, se amarrava num iê-iê-iê assim como eu. Ficávamos no sótão, eu tocando bateria e ele, sem microfone, cantando alguns hits dos Brazilian Bitles, dos Silvery Boys (que ensaiavam ali do lado, na Montenegro), Fevers e o escambau. Me lembro dele com seu vozeirão entoando o *cover* de "Wild Thing" gravado pelos Brazilian Bitles: "Gata, tchan tchan tchan, gatinha louca, tchan tchan tchan, gata selvagem etc..." e eu metendo o pau nos couros. A gente adorava fazer a seleção dos melhores músicos nacionais do momento. Ficávamos de bobeira nas tardes do meio de semana formulando a banda dos sonhos

Éramos fãs da Jovem Guarda e começamos a colecionar os bonequinhos da Wanderléa, do Ronnie Von, do Roberto, do Erasmo. Veio a moda Jovem Guarda e eu tinha todo o guarda-roupa Calhambeque, mas não curtia muito sair todo de jovem guarda... gostava de usar peças separadas pra fazer um estilo mais pessoal e tal. Mas minha mãe me emperiquitava todo de Calhambeque da cabeça aos pés, fato que me proporcionava uma tremenda encarnação por parte da galera da rua.

Eu pedia, "Mãe não precisa colocar tudo Calhambeque junto, não... camisa, calça, sapato, chapéu ao mesmo tempo; não precisa... Se lembra que você detestava o iê-iê-iê?", suplicava a ela, apavorado, tentando me desvencilhar daquela sina de todas as maneiras, mas minha mãe dali em diante era uma fã de carteirinha. Não da Jovem Guarda em especial, mas de me emperiquitar.

Capítulo 5

Em 1966, quando cursava o primeiro ano primário, comecei a trazer trabalhos mais elaborados pra fazer em casa. Só que minha mãe acabava fazendo todos. A professora notava e ficava meio calada, constrangida mediante tamanho... "esmero". Acabava obrigada a me dar um 10, sabendo que era totalmente de araque. Os deveres de caligrafia eram feitos com a mão dela dirigindo a minha. Resultado? Não consigo entender praticamente nada do que escrevo, até hoje. Minha letra é horrível.

Uma vez mamãe foi à feira. Aproveitei a brecha e decidi que era hora de mostrar o meu valor fazendo minhas tarefas escolares por mim mesmo. Abri o caderno de matemática e comecei a fazer o cabeçalho. Já me embananei no cabeçalho e, como era a lápis, por ser matemática, lancei mão da borrachona no papel, que começou a ficar meio borrado com os erros... Mas na minha cabeça aquilo era um passo à frente e estava orgulhoso dos meus garranchos. Só não previa a ira da minha mãe quando chegou toda faceira da feira, já animada pra fazer os deveres de casa comigo, quando confessei a ela que tinha feito o dever de matemática sozinho... que não estava tão caprichado quanto o que ela fazia, mas tinha conseguido. Era meu!

Foi um erro. Minha mãe deu-me um esporro épico, e me advertiu para aquilo nunca mais acontecer. Fiquei de castigo o fim de semana trancado no quarto, sem ver televisão.

Em casa, elaborávamos as primeiras traquinagens: ficava dando ideia para a minha irmã, tipo, pra quando papai estivesse despreocupadamente se sentando para seu café matinal, retirar-lhe o banco na hora H, para vê-lo se estabacando no chão: "Quem é que foi que fez isso?", perguntava meu pai puto da vida... e eu, sem pestanejar, apontava pra minha irmã: "Papai, acho que foi a Maninha", e meu pai passava-lhe o maior esporro, que, é claro, acabava resvalando em mim também, que, me achando superinjustiçado, rebatia: "Ô, pai, não fiz nada e ainda te avisei!!!"

E Maninha, para revidar, se automutilava bem nas costas (ela conseguia se morder em regiões improváveis do próprio corpo) e ficava de tocaia, esperando mamãe chegar da feira. E quando ela chegava, ligava o berrômetro no volume 11 e saía correndo em direção de uma mamãe assustadíssima, gritando: "Manhêêêê !!!!!... Olha só o que o Maninho fez nas minhas costas!!!" E mamãe, indignada com a minha covardia, me colocava imediatamente de castigo, trancado no quarto, pelo menos, por uma semana inteira. Comecei a desconfiar que, além de idiota, era filho adotivo.

Minhas primeiras leituras foram os gibis: o *Almanaque do Tio Patinhas* era meu favorito. Me lembro que demorava horas pra ler uma historinha de duas páginas. Ainda não conseguia decifrar as proparoxítonas como Patópolis. Quando lia, me soava na cabeça: PATOPOLIS. Depois foi a Luluzinha com sua estranha realidade de subúrbio americano e, logo em seguida, as revistinhas de piadas do meu pai. Mais tarde, peguei gosto pelas revistas de terror...

Minha mãe e minha avó Lulu foram as responsáveis pelos meus primeiros encontros com os livros. Da parte da minha mãe, foi ela que começou a ler histórias quando eu ficava doente. Gostava tanto que, vez por outra, simulava um resfriado (dor de cabeça não podia, porque naquela época havia um mito que criança não tinha dor de cabeça) ou uma tossezinha básica pra ela me contar historinha.

Um dos primeiros livros que minha mãe me contou por inteiro foi... Peter Pan, na versão de Monteiro Lobato, durante uma crise de afta na garganta... Fiquei fascinado com a ideia de jamais crescer e, pelo que parece, mamãe também. Já a minha avó Lulu me dava livros de dinossauros e tesouros perdidos... *Contos dos Irmãos Grimm*, *As fábulas de La Fontaine*, *Mil e uma noites*, enciclopédias do tempo do ronca (*Thezouros da juventude*) com a ortografia arcaica que eu tanto amava. Uma vez, vovó me deu o *Sofista* de Platão... Só fui ler o *Sofista* uns poucos anos mais tarde, quando, de castigo, trancafiado no meu quarto, já na outra casa, imaginei tratar-se de um livro de dicas pra pegar onda em pé. Afinal de contas, enquanto eu estava lá de castigo, todos os meus colegas de rua estavam com suas respectivas pranchas surfando na praia. Em pouco tempo, percebi não ser esse o caso. Mas acabei pegando gosto...

Foi no *playground* do edifício Araçatuba que arranjei meus primeiros amigos e amigas. Tinha os irmãos Yvan e Boris, dois meninos colombianos, filhos de um diplomata de origem russa, habitando o oitavo andar, e as também irmãs, a Cláudia e a Luciana, que moravam no sexto e eram unha e carne com a minha irmã. A Cláudia, posteriormente, ficaria conhecida nacionalmente como Cláudia Magno, uma bela atriz que teve sua breve carreira e vida interrompidas. Às vezes brincávamos no quarto, pulando na cama, empunhando raquetes de frescobol como se fossem guitarras elétricas, todos pelados ... e eu cantando algo insólito como: "êba, de bunda de fora! êba é o seu olhar" (?)

E como não podia sair dos limites do *playground*, arranjei um meio de invadir um terreno baldio que ficava atrás do prédio e ali inaugurei meu planeta de origem — a Galinaçolândia. Um planeta povoado por galináceos muito distante da Terra.

Comecei a ter uma paixão irracional por... galinhas! Arrumava uns pintos de um dia na loja da Purina lá em Pedro do Rio e prosseguia na criação alojando os frangotes no banheiro do apartamento em Copacabana.

Comecei a me interessar tanto por galinhas que comprei um livro chamado "Como criar galinhas". Logo me decepcionei quando percebi que o intento do livro era criar galinhas para corte ou para postura de ovos. Eu desejava ter as galinhas como confidentes.

Comecei a estudar catecismo no Fontainha, depois das aulas, para fazer a primeira comunhão e logo me deparei com um sério dilema: o primeiro mandamento me angustiava muito, já que era obrigado a amar a Deus sobre todas as coisas e, honestamente, eu sentia que amava muito mais meus pais, minha avó, minha irmã, minhas galinhas, meu cachorro... e não demorou para me sentir infringindo logo de cara a primeira lei de Deus. Achei uma puta injustiça, uma vez que

Ele nunca veio se socializar comigo. Sendo assim, mais um motivo para me acostumar com o caminho do inferno.

Acabei fazendo minha primeira comunhão aos sete anos, na igreja Nossa Senhora da Paz.

Fazia um dia claro e azul de domingo. Foi um momento aguardado por mim com muita ansiedade e fervor. Quando acordei pela manhã, me deparei com a roupa toda passadinha Achei a coisa mais linda do mundo: os sapatos brancos de verniz, a bermuda com duas finíssimas tirinhas azuis laterais margeando os bolsos, a camisa social de seda com um laço preso ao braço esquerdo, missal de madrepérola e terço, tudo imaculadamente branco. Levei a cerimônia tão a sério que fiz questão de jejuar e ficar em silêncio profundo (exame de consciência) até receber a hóstia consagrada pela primeira vez.

Chegamos à igreja e a professora de catecismo organizava a turma em duas filas indianas paralelas: meninos e meninas. A igreja estava ornamentada de lírios-brancos por toda parte. A professora nos colocou em posição de entrada na escadaria do Cine Pax, onde tiramos a clássica foto da turma para a posteridade. A música começa a tocar no interior da igreja abrindo a cerimônia, com a dupla fila indiana iniciando sua caminhada em direção ao púlpito...

Como sempre fui comprido, era um dos últimos da fila, fato que só exacerbava minha ansiedade. Já dava para ouvir aqueles resmungos solenes que o padre sempre faz antes de colocar a hóstia na nossa boca. Só dava para distinguir: "Corpo de Cristo", "...Amém, padre..." Foi me dando um ataque de riso nervoso, estava prestes a estourar a qualquer momento. Chegou a minha hora. Prendi a respiração, rezando para Jesus me proteger do acesso de riso e, finalmente, consegui receber a hóstia em relativa segurança. Carregando a hóstia diligentemente na boca, me dirigi rumo à sacristia, mas devido à emoção acabei engolindo-a como um enorme comprimido. Fui acelerando o passo, como se estivesse apertado para ir ao banheiro, e ao encontrar um confessionário vacante, me inseri imediatamente em seu interior para descarregar histericamente uma profusão de gargalhadas asmáticas (tipo as do Mutley). Ri de chorar, o que me deixou com os olhos vermelhos. Cinco minutos depois, entra a família em peso na sacristia, embevecida com a seriedade com que eu estava tratando o ato... e estava mesmo.

Terminada a cerimônia, minha mãe me puxou pelo braço, me deu um beijo toda orgulhosa e me levou para tirar as fotos avulsas na frente da igreja. Nós encontramos uma locação inspiradora. Havia ali uma grutinha com um altar feito de pedrinhas redondas, aquele cheiro de vela queimando, muitos papeizinhos de agradecimento às graças alcançadas dos fiéis e, resguardada numa redoma de vidro, a imagem de Nossa Senhora com os dizeres abaixo: "EU SOU A NOSSA SENHORA DA CONCEIÇÃO". Maravilha! Era ali mesmo que ia posar. O fotógrafo me arrumou com capricho bem na frente da estátua e eu, em estado de pureza, apertando o missal entre as mãos postas em oração, olhar de enlevo para a câmara e click! Mas havia um porém: estava justamente na frente da imagem e, para meu azar, encobrindo uma parte importante do letreiro que suprimia o trecho: NOSSA SENHORA D, produzindo a foto de um babaca sampaco segurando um missal e, se autoanunciando para a posteridade: "EU SOU A CONCEIÇÃO."

Acabei saindo do Fontainha por minha mãe desconfiar que havia "maus elementos" na sala de aula, e acabou convencendo uma das minhas professoras (a Tia Suely) a fundar o próprio colégio lá em Botafogo, que tinha como alunos eu, minha irmã e mais o Jefferson, um coleguinha aliciado pela minha mãe que morava perto da gente. E vocês? Não imaginaram o nome do novo colégio? Lá vai: "Recanto dos Sonhos!"

Eu tinha sete anos quando comecei a ter minhas aventuras sexuais. Depois de minhas queridas babás portuguesas terem se casado e se mudado, chegou lá em casa uma garota de 14 anos de Niterói, uma neguinha bonitinha, pra tomar conta da gente. Chamava-se Zilda. A Zildinha era assanhada e sempre que mamãe dava uma saída, era aquela festa. Até que um dia ela radicalizou. Me levou para o seu quarto, trancou a porta, sentou na cama, tirou a calcinha e abriu as pernas indicando a sua genitália, pedindo pra mim: "Mete na Zildinha, mete!", e eu respondendo acovardado: "Num pode... minha mãe vai brigar..." "Briga nada, vem pra cima da Zildinha, vem, bobinho..." Eu, que já estava de pau em riste, numa presença de espírito salvadora, encontrei uma saída num buraco no encosto da cadeira de madeira em forma de coraçãozinho. Não tive dúvida. Enfiei o pau no buraquinho em forma de coração, transformando assim a cadeira numa espécie de escudo protetor. Aí eu disse pra ela: "Olha, Zildinha, assim você pode brincar com ele (meu pinto) que eu deixo, mas meter num pode, tá?"

Na verdade, tinha trauma só de pensar em penetração. Eu explico: Minha irmã tinha pegado uma catapora braba no mês anterior, e quando a coceira desceu para a ximbica (nós chamávamos a genitália feminina de ximbica) iniciei uma cruel gozação: "Tá com a ximbica ralada, lá, lá, lá, lá, lá."

Pois bem, o castigo veio a galope e foi a minha vez de contrair uma catapora mais braba ainda. E não demorou para acontecer o que mais temia: catapora no pinto. Fazia de tudo pra não dar bandeira, principalmente pra minha irmã que aguardava ansiosamente pra dar o troco. Logo, logo me flagrou escarafunchando freneticamente o pinto e concluiu: "Tá com catapora no pirulito (nós chamávamos a genitália masculina de pirulito), se deu mal, lá, lá, lá, lá, lá..." e saiu correndo pra me caguetar pro papai.

Quando meu pai chegou pra me dar uma geral, congelei. Ele disse: "Vamos matar dois coelhos com uma cajadada. Você está com catapora no pinto e ainda está com fimose, vamos para o banheiro já." Pronto! Eu estava em pânico, pressentindo meu destino. Ele me manda tirar as calças, ligar a água do bidê e me ordena arrancar a fimose ali, no ato!!! E gritava: "Tira isso pra fora! Com mais força! Assim parece um fresco pegando no pau, arranca isso logo!", e, morrendo de medo, dor e aflição, obedecia, enquanto urrava. E meu pai continuava: "Que papelão, João Luiz! Gritar desse jeito por causa de uma pelinha de nada!"

Depois disso jurei a mim mesmo que morreria virgem.

Como na cabeça do meu pai eu já estava "pronto" para o sexo, nada mais natural do que as primeiras aulas de educação sexual. Coisa que eu odiava. Já chegava me apavorando dizendo: "Tá chegando a hora da gente ir ao puteiro!"

Um belo dia, estava no banheiro dos meus pais mexendo nas gavetas quando encontrei uma embalagem curiosa. Era uma camisinha! Logo percebi por sua inconfundível anatomia que se tratava de algo feito pra colocar no pau e, sem transição, comecei a vesti-la meio desajeitadamente, percebendo que não se tratava de maneira alguma do meu número. Fiquei um bom tempo me autobolinando, examinando o funcionamento do artefato, e em seguida a despi com cuidado e guardei de volta na caixa na gaveta.

Por coincidência, meu pai escolheu aquela noite para me dar as aterrorizantes aulas de sexo. Para minha surpresa, a primeira coisa que ele tira do bolso é... a tal da camisinha do banheiro!! Fiquei paralisado, esperando o que ele ia fazer com aquilo.

Ele tira a camisinha da embalagem, a desdobra, me lança um olhar maroto, e... para meu horror... começa a soprá-la como se fosse uma bexiga!! E dizia pra mim: "Tá vendo isso aqui? É pra não pegar gonorreia." Naquele tempo ainda não tinham me avisado que a gente não vinha com a cegonha, mas acabava de ser apresentado a uma doença venérea.

Apavorado com a cena, tinha ímpetos de alertá-lo... que ele estava botando na boca uma camisinha que eu já tinha usado no pau, pela manhã! Mas o medo e a vergonha me silenciaram, provocando em mim um estado constante de remorso... comecei a sentir o calor das labaredas.

Pra piorar, naquela Semana Santa, tive uma severa ereção quando que fui levado à igreja pra beijar os pés de Jesus morto. Sabia que estava cometendo um sacrilégio! Mas, ao invés de reprimir aquele influxo, deixei rolar. Fiquei sozinho, numa tarde no apartamento, e fui à oficininha do meu pai arranjar umas tábuas e pregos. Vou ao meu quarto, tiro a roupa e, pelado, lanço o já popular robe de chambre desamarrado (achava que ficava igual a Jesus vestido daquela forma). Retorno à oficininha, pelado, só com o robe de mortalha, e dou início à construção da cruz. Tudo realizado com muito capricho e lascívia... os pregos penetrando na madeira... tudo me excitava...

Quando terminei o trabalho (a cruz ficou do meu tamanho!), dei início à *via crucis* que ia da oficininha, passando pela cozinha, depois o corredor, a sala de jantar, o quarto dos meus pais, para afinal chegar ao meu quarto, lá no fundo do corredor... Tive o desplante de cair três vezes, arfando de tesão. Caminhei trôpego em direção à minha cama (que ainda tinha grade) e tentei fincar a cruz entre a grade e o colchão. Não consegui. Olho ao redor procurando um plano B e vejo que tenho de desistir da crucificação na vertical. Arrasto a cruz pra cama da Zildinha e já deitado, me sentindo o Jesus da hora, bato contrito a minha primeira bronha oficial! Amém.

Carola do jeito que era, vocês podem imaginar o cagaço infernal que se apossou da minha alma, né? Eu não tinha mais descanso. Vivia com a certeza absoluta da danação eterna. Sendo assim, resolvi me confessar. Dias mais tarde, fui cortar o cabelo na barbearia, que ficava na frente da praça da N.S. da Paz e aproveitei para pedir a minha mãe uma visita à igreja pra "fazer um exame de consciência". Ela, surpresa com aquele rompante religioso, me deixou num genuflexório meditando como um anjinho de missal na mão e foi fazer umas compras. Espero ela sair e saio correndo em direção a um confessionário habitado. Me ajoelho e fico frente a frente com a silhueta misteriosa do padre, pronto para ouvir meus pecados. Depois de um breve silêncio, ouço a voz melíflua do padre me perguntar: "Filho... abra seu coração. Liberte-se das amarras do pecado, conte tudo e não esconda nada... esvazie sua alma..." Não sei o que me deu e fui logo desembuchando... um monte de pequenas contravenções tipo "Chamei minha irmã de feia", "Fiquei com raiva do meu coleguinha na hora do recreio", "Menti pra professora"... E a punheta na cruz, nada... E cá com meus botões: "Rapaz... tô fudido, num tenho coragem de confessar essa parada e, pra compensar, tenho que engrossar o caldo da lorota"... "E ainda por cima, padre, fiz malcriação pra mamãe hoje à tarde"... E sobrou aquele silêncio... e o padre já meio desconfiado retrucou: "E só isso que você tem a dizer, meu filho?" "Claro, padre, imagina!", respondi meio ofendido... e, talvez, só por via das dúvidas, pressentindo alguma cascata, acabou me aplicando uma penitência casca-grossa: um sem-número de Ave-Marias, Pais-Nossos, Credos e outras rezas mais... de joelhos!!! "Uma puta injustiça!", pensei: "Me recuso a rezar esse monte de coisa, ainda por cima, ajoelhado!" Me convenci rapidamente que aquele padre era muito maldoso... Afinal eu tinha "apresentado" aqueles pecados e, na minha cabeça, ele não tinha nada que ficar desconfiado! Padre safado! Eu era um garotinho e estava confessando pecados "compatíveis" com minha idade. Nunca mais me confessei de novo.

Capítulo 6

Enquanto procurávamos uma casa, todo fim de semana era dedicado a visitar terrenos, casinhas, casões, até que encontramos uma casa na Barão de Jaguaribe, entre a Garcia D'Ávila e a Aníbal de Mendonça, bem pertinho do Jardim de Alá.

A casa era boa, mas precisava de uma reforma: eles queriam construir um terceiro andar pra fazer um terraço, um salão de festa com o piano, a bateria, o som e uma boa área de serviço atrás. A partir daquela ocasião teria a minha bateria todo dia a meu dispor!

Já vivíamos o início do ano de 1967 quando nos mudamos, primeiro para um apartamento no Leblon, bem na esquina da Ataulfo de Paiva com a General Artigas, a fim de esperar pelo final das obras na casa.

Foi o auge da minha mania por galinhas. Meus frangos lá no sítio estavam com cinco meses... eram 23 que vingaram e todos me viam como a figura paterna. Quando chegava na área era um tal de frango entrando pela minha camisa, se empoleirando na minha cabeça, se acocorando debaixo do meu braço... Vivia no meu planeta o tempo integral, e quando descia de Pedro do Rio, cantava andando por todo o apartamento o hino do meu planeta, que era o hit do Sérgio Reis, "Coração de papel". Passava o dia todo emulando aquele vozeirão do Serjão pelos cantos a cantar: "Se você pensa que meu coração é de papel... não vá pensando, pois não é... etc." Até hoje não consigo fazer uma conexão lógica entre as galinhas e a canção, só me lembro que achava tudo muito harmonioso.

Adorava cantar também "O bom rapaz", que estava estourada na voz do querido Wanderley Cardoso, "Prova de fogo", da Wanderléa, "A namoradinha de um amigo meu", do Roberto, e "Receba as flores que te dou", do Lindomar Castilho.

Uma coisa espetacular me aconteceu com a curta passagem pelo Leblon: as matinês no Cine Miramar! O Miramar era pra mim o cinema mais lindo da cidade. Ficava de frente pro mar, na Delfim Moreira, quase com a esquina da General Artigas.

Comecei a frequentar as sessões de comédia do Harold Lloyd com a minha mãe todas as tardes de quarta-feira. Saía do cinema absolutamente exausto e com os olhos vermelhos de chorar de tanto rir.

Estava otimista com o futuro, pois ia mudar de colégio! Mamãe nos matriculou no Silo Meirelles!

Nesse meio-tempo, há um reencontro muito importante na vida da minha mãe: a tia Janine... Tia Janine, a melhor amiga de colégio da mamãe, que tocava violão pra chuchu. Dizem que, enquanto jovens, eram praticamente sósias. Elas se divertiam no colégio se vestindo igual pra tirar onda de que eram gêmeas. Ela acabara de retornar de uma estadia de uns anos na Cidade do México, onde seu marido, meu tio Geraldo, foi trabalhar pelo Banco Central. Meus tios acabaram tendo duas filhinhas, bem mais tarde do que os meus pais, proporcionando uma sensação inédita em mim de primo mais velho. Eram a Gisele, naquela época com dois anos, e a Daniele, de seis meses. (A Daniele viria a ser minha mulher por uns quatro anos e mãe da minha filha Júlia.)

Assim que mudamos pra Barão de Jaguaribe, adquiri um novo hábito: o sonambulismo. Segundo testemunhas, eu era um sonâmbulo gentil e carinhoso, propiciando momentos de entretenimento a vários incautos, que não percebiam o meu estado. Por exemplo: cantava uma melodia com a letra de outra canção... Dizem que eu adorava distribuir beijinhos a esmo, sempre a sorrir. Foi naquele ano que ganhei o ambíguo apelido de Feliz... Mas sonambulismo é sonambulismo, e não se pode brincar com essas coisas. Minha mãe estava apavorada por ter me flagrado em plena madrugada subindo uma escadinha que ia dar no telhado, cantando "Autumn Leaves", com a letra de "I Left my Heart in San Francisco", e decidiu: "Você vai a um médico, ouviu?"

Fui ao médico e, de cara, ele saiu me receitando umas boas duchas. Foi quando mamãe me colocou nas duchas das termas do Copacabana

Palace... Passei uns seis meses, todas as quartas-feiras, das cinco às seis da tarde, tendo pequenos choques térmicos com a abrupta mudança de temperatura que era imposta pelo tratamento.

Minha mãe vinha me buscar pra tomar um lanche na Chaika e depois levar um som lá em casa, já que o terraço estava pronto e os instrumentos em seus lugares. As quartas-feiras eram sinônimo de acompanhar minha mãe ao piano, executando baladas italianas como "Al di là...", "al di là del bene più prezioso. Ci sei tu...", do Peppino di Capri, ou "Roberta, leone, cantare per te", ou coisa parecida... e o Domenico Modugno, com "Volare, ô ô... Cantare, ôôôô... Nel blu te pinto de blu...", e, mais tarde, em 1970, com "La lontananza", além de umas bossas novas como "balança os cabelos seus, balança e cai mas não cai", "Chega de saudade", ou "A noite do meu bem"... e as francesas... o Gilbert Becaud, de quem era fã de carteirinha, estava arrebentando com o bolero "Et Maintenant" etc. Era um vasto repertório de partituras facilitadas... As harmonias simplificadas me passavam uma sensação desconfortável, mas minha mãe se divertia e eu ficava feliz com isso. Após os seis meses de tratamento fui considerado livre do sonambulismo, e as quartas-feiras com piano e bateria ao cair da tarde começaram a escassear.

Nessa época, aquele quarteirão da Barão de Jaguaribe estava povoado de artistas, músicos, compositores, atores etc. Me lembro do Oscar Castro Neves, do Gutemberg Guarabyra, também notava-se a presença do MPB4, o Quarteto em Cy... O próprio Gilberto Gil foi abordado por nós, quando batíamos uma bolinha na calçada. Passava pela gente todo de terno, cavanhaque e pastinha. Acho que naquele tempo ele ainda trabalhava para a Gessy Lever. Muito simpático ao perceber o bochicho da galera, parou pra levar um lero com a gente. Nós pedimos pra ele cantar um trechinho da canção que ouvíamos sempre no rádio naquele tempo, que era mais ou menos assim: "O dinheiro que eu te dei, não é meu, não... é da escola, por favor não meta a mão." E vinha com um refrão que eu adorava: "(...) Você hum hum, eu não vou dizer pra não te envergonhar... Você hum hum" etc. e tal. E ele não se fez de rogado: largou a pastinha, começou a marcar um ritmo com as mãos e mandou o tal refrão, na maior das simpatias. Foi uma festa!

Mas o início do período de socialização no novo hábitat, como não poderia deixar de ser, foi bastante atribulado. Percebi que a rua possuía uma turma que reinava soberana naquele quarteirão. Era uma turma numerosa, e a grande maioria um a dois anos mais velha do que eu. Uma molecada de seus 11, 12, 13 anos quando eu ainda estava no finalzinho dos meus nove. Além da turma dos mais velhos, de 18, 19, 20 anos, quase todos irmãos ou primos dos meus novos coleguinhas. Todos criados na rua, jogando bola, bolinha de gude, soltando pipa... Já viu, né?

O primeiro contato não foi nada alvissareiro: estava bicicletando com a minha Monark 62 e, apesar da rua ser semideserta, minha mãe achou melhor eu não andar fora da calçada, nem dar volta no quarteirão... Ou seja, ficava zanzando de um lado e para o outro, num espaço bem limitado. Isso deve ter atraído a curiosidade dos meus futuros colegas que, ao perceberem o esquálido desconhecido, interceptaram a minha passagem bem no meio da calçada formando uma barricada de bicicletas... Imaginem o climão... Todo mundo de braço cruzado me encarando, quando tomei fôlego e parti pra cima da barricada carregando a minha bicicleta no ombro tentando furar o bloqueio. Os meninos, meio que se espantaram com a minha audácia e arrefeceram, por um momento...

Quando surge na sacada a minha mãe, já ensandecida com a gurizada, gritando a plenos pulmões! "Ai de quem tocar no meu Joãoluizinho, hein?" Estava decretada, a minha condição de pele oficial da turma.

Estava louco para me enturmar com aquela galera superesperta, e, até então, só me fudia. A rua tinha uma tradição de promover festinhas itinerantes. Cada fim de semana era numa casa. Eu não conseguia tirar ninguém pra dançar. Não recebia sequer um aperto de mão na brincadeira de pera, uva, maçã ou salada mista. Geralmente quando eu fazia a pergunta "Pera, uva, maçã ou salada mista?", a garota, meio sem graça, se desculpava dizendo que tinha acabado de almoçar.

Pra quem não sabe, pera, uva, maçã, ou salada mista era uma brincadeira feita para propiciar beijocas e amassinhos superficiais. Na hierarquia, a pera era um aperto de mão; a uva, um abraço mais apertado; e a maçã, um selinho na boca. Salada mista, obviamente, era o pacote completo.

Parece que eu não estava agradando muito e me sentia muito só. Decidi praticar mais bateria, e, para aumentar o meu repertório, fui comprar um disco novo. Cheguei na loja e vi na vitrine uma compacto duplo dos The Beatles com o título das canções estampado na capa. A primeira delas chamava- se "Misery"... Era pra mim! Comprei o disco superentusiasmado com a aquisição. Chego em casa, coloco o disco na vitrola e me ponho a acompanhar emocionado aquilo que pensava ser a trilha sonora da minha vida: "The world is treating me baaaaad misery", cantava baixinho enquanto descia a porrada na batera... "I'm the kind of guy... Who never used to cry"... Mas como havia comentado, tratava-se de um compacto duplo e a segunda canção começou a rodar... Era "Anna!", e eu continuo acompanhando... "All of my life, I've been searchin' for a girl to love me like I love you".

Por uma triste coincidência, minha mãe estava chegando naquele momento da casa de uma amiga que trazia umas muambas, onde ela adorava comprar uns perfumes (era viciada num perfume muito famoso e podre de tão doce que me causava uma dor de cabeça instantânea, o infame Fleur de Rocaille) e outros badulaques, quando ouviu os primeiros acordes de "Anna", comigo nas baquetas, e sem pestanejar, deduziu triunfante: "Ele está enrabichado pela Ana Beatriz, né? Eu já sabia há muito tempo"... Eu congelei de pavor por dois motivos: primeiro porque não estava apaixonado por Ana nenhuma, e segundo porque ela era a menina mais gostosa do pedaço, cheia de marmanjo dando em cima. Já pressentia o pior. O vazamento daquela convicta suposição era uma questão de tempo e não deu outra: quando a turma descobriu que eu estava "apaixonado" pela Ana Beatriz, foi um delírio total! Imaginem a festinha do fim de semana seguinte. Só tocava na vitrola "Anna, tum tum tum... girl before you go now, tum tum tum... go with him... ahhhhhh! Go with him".

Capítulo 7

Nesse meio-tempo, eu gostava mesmo era de passar os fins de semana em que a gente não subia pro sítio na rua do Senado... Meus avós nos pegavam, eu e minha irmã, às sextas-feiras e lá íamos nós, rumo àquele casarão plantado no centro da cidade, no bairro de Fátima, colado à igreja Nossa Senhora de Fátima... Como era uma movimentada oficina mecânica durante a semana, o casarão adquiria uma atmosfera misteriosa quando estava despovoado daquele movimento. Os seus portões de ferro maciço já causavam uma sensação de estar entrando num solar mal-assombrado. Logo na entrada, nos deparávamos com o Bonnie já bem velhinho e desdentado balançando o rabo. Quando chegávamos, à noitinha, meus tios e primos já haviam se mandado para o sítio. Pra vocês entenderem como a coisa funcionava, a casa, enquanto lar, acontecia, na maior parte de seu conjunto, no segundo andar.

Ao descer a escadaria que dava no porão, tinha um quadro em tamanho natural do meu bisavô em pé, de fraque, ocupando uma parede inteira, dando ao ambiente um aspecto fantasmagórico. Eu sempre pensava que era o Abraham Lincoln. Quando chegava novembro, colhiam-se da varanda mangas da mangueira plantada no centro do pátio, entre os automóveis. O pátio exalava um cheiro de gasolina, graxa e manga-rosa...

E naqueles fins de semana silenciosos, passava eu brincando com o Bonnie entre os carros e os galpões... Era viajante estar sozinho em uma oficina deserta numa tarde de domingo, dentro de um casarão centenário na Lapa.

Mas vamos voltar aos primórdios da Barão de Jaguaribe:

A minha primeira amizade na rua: o Márcio.

O Márcio era um pouco mais velho que eu... devia ter uns 13 anos, enquanto eu havia recém-completado dez. Seus pais eram artistas, a mãe, atriz, a Monah Delacy, o pai, também ator, e sua irmã, a Christiane, que iria ser a primeira amiguinha da minha irmã na rua... Amiguinha linda de doer, por sinal, e que em alguns anos se tornaria conhecida como Christiane Torloni.

O Márcio era URSS, no país dele. Sim, cada garoto da rua tinha um país, e ele, para meu espanto e estranheza, manifestava real simpatia pelos russos. Foi a primeira vez na minha vida em que conheci um... comunista! Colocava sua frota de Migs a defenestrar os jatos dos americanos!!

Em poucos meses, meus primeiros amigos se mudariam da rua, deixando em nós um grande vazio.

A primeira atividade de aproximação com o resto da rapaziada foi, inevitavelmente, a pelada na rua. Certo dia, quando voltava do Silo Meirelles, já pertinho do portão de casa, um garoto bem moreno batia sua bolinha sozinho. Era o Walmir, um garoto surdo-mudo que batia um bolão e se tornaria o meu amigão da vez. Foi o Walmir que, meio que involuntariamente, me apresentou à pelada.

Sua Excelência, a Bola!!! "Muito prazer, João Luiz."

Portanto, através do Walmir, comecei a me enturmar com a garotada da rua sendo escalado na tradicional "pelada das cinco", a "Tourada".

Logo de cara fui colocado na zaga: e, de cara, marquei um gol contra, arquitetado na maldade pelo Walter, irmão do Walmir... Levei muita porrada, iniciando assim os meus dias de peladeiro.

O Walmir certa vez me mostrou uma caixinha cheia de botõezinhos coloridos dentro. Era o time de futebol de botão de que ele tanto se orgulhava. Pronto! Fiquei maravilhado: tinha que ter um time de botão também. E para completar meu kit de aficionado futebolístico, o indispensável radinho de pilha. Agora só faltava uma coisa: ir ao Maracanã!

Fim de 1967 e mamãe decidiu produzir um *réveillon* para inaugurar o terraço da casa nova e dar boas-vindas ao ano que despontava... Era o ano do mega-hit mundial, o "Pata Pata" com Miriam Makeba, e não poderia faltar na nossa seleção musical, assim como também os LPs da Turma da Pilantragem, e da Turma da Tropicália, Sérgio Mendes e Brazil 66, Chris Montez, Trini Lopez, Wilson Simonal, Caetano Veloso, Chico Buarque... etc., etc.

Lá pelas 23h, começam a chegar os convidados, música no *hi-fi*, todo mundo dançando ao som do que considerei ser a minha primeira discotecagem... Lá pelas tantas, no auge da animação, improvisamos um minibloco pra tocar umas marchinhas, comigo na bateria, meu pai ao surdo, e mais um amigo dele numa coqueteleira, transformada em chocalho. Um espetáculo! Com essa formação, criou-se uma tradição de festas lá em casa que sempre acabavam num Carnaval delirante, com o meu pai, que aprendeu uns rudimentos básicos, tocando as marchinhas na bateria e a galera se esbaldando de pular no terraço. Pois bem, a festa foi até o dia raiar, se tornando um dos melhores *réveillons* que passei na minha vida.

Nesse período, voltei a namorar o violão com mais frequência. Mamãe já havia me ensinado dois acordes uns anos antes, coisa que me divertia bastante. Ficava tirando de orelhada músicas como "Pai Francisco entrou na roda, tocando seu violão banlanlanlanlão, e vem de lá seu delegado e pai Francisco foi pra prisão...". ...E como estava mais crescido, comecei a tirar uns roques no violão da minha mãe, um Del Vecchio preto, modelo seresteiro, Esse violão me acompanhou até 1981, quando um ladrão invadiu o estúdio do Joá e desapareceu para sempre com o meu xodó.

Na verdade, estava prestes a entrar numa fase de fanático por futebol e pela música, que, até o final de 1970, teria um papel bastante secundário nas minhas atividades e nos meus anseios. O futebol tomava todo meu tempo e atenção. Comecei a ler as resenhas esportivas do *Jornal dos Sports*, acompanhar avidamente as crônicas esportivas do Nelson Rodrigues (foi aí que rolou todo aquele encanto pelo Nelson). Fora as resenhas esportivas na TV: nos domingos, havia as clássicas resenhas esportivas, e, entre elas, é imperioso destacar a primeira, a impagável, a histórica, a única, a sensacional Grande Resenha Facit, que abrigava um panteão de gigantes da crônica esportiva brasileira. Dentre eles Zé Maria Scassa, Nelson Rodrigues, João Saldanha... mais o Luiz Mendes, o Armando Nogueira.

Em setembro daquele ano acontece aquilo que eu mais almejava: a primeira ida ao Maracanã. Minha mãe, aflita com a minha falta de companhia para a jornada ao Maraca, teve um estalo: "Vamos telefonar pro Abrão... ele é Flamengo doente e adora ir a jogo."

E aí, eis que surge tio Abrão, que imediatamente sacramentou nossa ida ao Maraca justamente no domingo seguinte!! E ainda por cima num Flamengo e Botafogo!!! Nada poderia ser mais sensacional do que aquilo.

O ano de 1968 estava se saindo superagitado em todos os seus aspectos. O primeiro general/presidente do novo regime, o Castello Branco, de pescoço enfiado entre os ombros, já passara a faixa de presidente para um sujeito que todos achavam basicamente um molenga e, na verdade, iria se tornar o elemento detonador da fase mais *heavy metal* da ditadura militar. A gente via na TV um monte de manifestações contra o regime, estudantes assassinados, AI-5, torturas, prisões de artistas e intelectuais de ambos os sexos, e olha que isso estava sendo captado por uma feliz família classe média conservadora, surfando na ascensão social/econômica no que posteriormente iria se chamar "O Milagre Brasileiro".

A coisa estava preta e eu estava confuso, não entendia quem estava do lado de quem. Quem era o mocinho, quem era o bandido... O Lacerda, que tanto imprimiu minha imaginação e meu caráter na infância, depois de ter sido um dos pivôs pró-golpe, agora fazia oposição junto com o Juscelino. Será que ele teria força para derrubar mais um outro presidente? Não desta feita. Foi cassado e todos ficamos arrasados. Sentíamos a interferência nada sutil do governo em tudo, inclusive no meu novo colégio, que a partir de então iria frequentar por muito tempo. A ditadura impunha suas verdades dentro da sala de aula. Eu ficava cada vez mais desconfiado de todas as coisas que tentavam me ensinar. Tudo me soava falso. As propagandas do governo não podiam ser mais idiotas. Nunca fui informado de absolutamente nada a respeito da história recente do Brasil durante os seis anos que lá estive matriculado. As aulas de história paravam sempre na proclamação da República. E o povo rebatia nas ruas com revoltas e passeatas. Tinha tanta passeata naquela época, que no ano anterior teve até uma contra a guitarra elétrica, para aumentar ainda mais minha confusão.

A guitarra elétrica estava sendo rechaçada por grandes artistas e intelectuais de ambos os sexos, fato que me fez pensar imediatamente ser a guitarra elétrica uma espécie de instrumento de tortura que os militares estariam utilizando para retirar com mais eficácia as informações das entranhas dos presos políticos. Como deveria funcionar a geringonça? Será que obrigavam a vítima a fazer uns *riffs* do hino nacional para, em seguida, fritá-la numa descarga fatal? Não ficava difícil navegar por esses estranhos raciocínios se você, no meio de 1967, com dez anos de idade, ao ligar sua televisãozinha preto e branco, com Bombril na antena, testemunhasse centenas, milhares de pessoas de braços dados, gritando palavras de ordem, e entre estas, seus maiores ídolos, as pessoas por quem você tem o maior respeito, admiração e apreço, com seus semblantes indignados, a marchar cheios de consciência histórica, a clamar pelo banimento da... guitarra elétrica!!

"Ah, se eu tivesse a idade deles... será que não estaria fazendo a mesma coisa?" Foi um incidente que veio marcar toda a minha infância e me deixou em estado de choque por algum tempo. Será que pega mal tocar guitarra elétrica?

"Ainda bem que tem gente sensata para dar o bom exemplo, meu filho! Eles são de esquerda, mas têm bom gosto! Você mesmo viu que só tem gente do primeiro time ali (na passeata) defendendo a nossa cultura. Defendendo o que é nosso! É, essa coisa que você diz ser música não tem harmonia, não tem melodia, são só dois acordes e as letras só falam sobre drogas, letras cantadas aos quatro ventos por gente drogada! Vai treinar no violão, Joãoluizinho, que você leva tanto jeito, e nós já temos um bem bonzinho aqui em casa..."

Só consegui resolver esse dilema shakespeariano de ser ou não ser brasileiro, de ser ou não ser a guitarra elétrica algo aglutinável à nossa cultura, há pouquíssimo tempo.

Depois de uma bem-sucedida passagem pelo colégio Silo Meirelles, minha mãe me matricula na quinta série de "Admissão" da instituição que irá me acompanhar por quase toda a adolescência: o Colégio Rio de Janeiro, situado praticamente ao lado da minha casa, no quarteirão vizinho, com entrada pela Nascimento Silva, fundos para a Barão de Jaguaribe.

As primeiras aulas foram, como sempre, intimidadoras, mais até do que antes, em virtude do enorme afluxo de alunos, e foi nessa ocasião que vim a conhecer um cara que seria um dos meus companheiros e confidentes nos seis anos seguintes: Luís Guilherme. Iríamos cruzar juntos aquela jornada cheia de perigos e fascínios rumo à adolescência. O Guilherme (assim viria a chamá-lo) era um cara grande às pampas, com um sorriso aberto (quando ria parecia um fumanchu de para-choques, com aparelho nos dentes e olhos que eram dois riscos), bem maior do que eu, largo (fazia natação), uma aparência híbrida, de ascendência italiana com alguns traços de negão, nariz largo, cabelo enrolado e, apesar do seu tamanho avantajado, era um cara tranquilo, boa-praça, engraçado e bonachão, como a maioria dos seres enormes. Essa amizade teve um início muito peculiar: quando as aulas começaram, eu, que já estava completamente fascinado e influenciado pelos trejeitos, pelo linguajar, pela singela brutalidade e pelos maneirismos dos garotos da minha rua, pressenti que poderia aplicar todos esses novos conhecimentos em outros meninos mais desavisados. Era um tempo de explosão hormonal, muita briga de rua e não tinha jeito: você acabava saindo na porrada (no meu caso, quase sempre entrando na porrada), pois a pressão externa que a meninada fazia era formidável.

Nas primeiras semanas de aula fiquei só de butuca observando qual seria o elemento mais afeito a se submeter aos meus comandos, crueldades e ameaças. Em seguida passei a falar com os maneirismos absorvidos nas "touradas" das calçadas para impressionar as menininhas e menininhos ao meu redor, me achando o safo, o cara cheio de jogo de cintura, marrento, enfim, tudo aquilo que nunca fora. Não demorou para que percebesse a presença de um garoto muito risonho, dócil, apesar de um pouco grande demais. Era ele! Meu pele particular, o Guilherme!, intuí... E cheio de malandragem, más intenções e jactância, iniciei uma jornada de provocações mirabolantes, até chegar no ponto desejado: o desafio irrecusável para uma porrada na esquina. Na hora da saída, já havia um grupo de coleguinhas ávidos para saborear sangue, aguardando a chegada dos dois oponentes, embora o Guilherme só estivesse se dirigindo para casa. Eu caminhava a seu lado, provocando, dando uns cutucõezinhos nas suas costas para a sanha da plateia que acompanhava a dupla. E o Guilherme só dizia: "Pô, cara, eu não estou com raiva de você, não tenho motivo pra sair no braço contigo, vê se para com essa brincadeira boba de porrada, porrada... Que mania...". E eu: "Iiiiihhhh, olha só, rapá... Neguinho tá amarelando aê... Não vai reagir, não? Quero ver tu cair dentro, mermão." Estava exultante com a minha coragem recém-implantada, crente que aquela ginga de malandro fosse o bastante para intimidar e garantir minha supremacia. Pois bem, chegou uma hora lá que o Guilherme resolveu: "Você está louco pra brigar, né? Queres porrada? Então lá vai"... E levanta o braço sem demonstrar o menor esforço, aplica um único cruzado que veio a se encaixar na minha bochecha, me derrubando no ato naquela calçada, circundado por aquela plateia que eu mesmo houvera arregimentado para assistir o "massacre" e que já saía de fininho. O Guilherme estende a mão e me oferece ajuda pra levantar. Olho praquele cara e não percebo nenhum vestígio de raiva, nenhum sinal de ressentimento. Ele estava preocupado mesmo! "Você tá bem? Pô, não gosto dessas coisas, não. Você acabou me obrigando a te bater, mas eu não queria, rapá." Fui me levantando todo ralado, com um vermelhão na bochecha, inteiramente sem graça, tanto pelo nocaute sumário, como por aquele incrível *fair play*, e meio balbuciando uma desculpa repliquei: "Pô, cara, aê, foi mal... Me animei demais e te imaginei meio assim, diferente... Achei que tu era meio babacão... Foi mal mesmo, aê... Tu mora por aqui?" "Moro lá no final da Nascimento Silva..." "É casa ou é prédio?" "Prédio" "Pô, bacana... moro logo ali, naquele outro quarteirão. Tá a fim de tomar uma coca-cola lá em casa?" "Legal, vamos, sim." "Amigos?", estendi a mão em sua direção... "Amigos", respondeu, com seu brilhante sorriso de para-choque, apertando efusivamente a minha mão.

Ainda nesse mesmo Admissão, além da amizade do Guilherme, encontrei um cara que virá a ser o amigo mais longevo de toda a minha vida e que, sem a menor sombra de dúvida, colecionou e vem colecionando comigo desde então o maior número de aventuras no transcorrer de toda a nossa existência: o Zé Luiz. Começou a desenvolver suas singulares habilidades "envenenando" carrinhos de autorama, com uns 11 anos. Logo em seguida passou para motores de kart, onde se tornou um exímio mecânico preparador, se estabelecendo como um "automobilista" até, mais ou menos, os 18. A partir dos 18/19 anos, sem nunca antes ter pego num instrumento, entrou numa de ser músico e foi estudar flauta. Era engraçado pra nós, amigos dele e já músicos profissionais, ver o Zé estudando flauta, teoria musical e, num espaço muito curto de tempo, assisti-lo tocar com uma intimidade e musicalidade impressionantes... e lendo tudo de primeira! Não satisfeito, foi estudar sax e acontece a mesma coisa: o Zé Luiz simplesmente se transforma num dos mais requisitados saxofonistas/flautistas do Brasil e vai tocar e gravar com as maiores figuras da música brasileira, tipo, Tim Maia, Caetano Veloso, Luiz Melodia, Marina Lima, Tom Jobim etc. e tal.

Capítulo 8

Meu rendimento na escola nunca foi dos mais brilhantes. Poderia me considerar um garoto com notas medianas, que nunca ficou em segunda época, mas pegava sempre uma recuperação. Acho que estudava o suficiente para não perder o precioso tempo a ser desfrutado no sítio. Tinha (tenho) uma péssima caligrafia, coisa que prejudicava muito, pois, quando passava a limpo as lições sempre errava trocando números e letras. Minha mãe tinha uma letra linda e não entendia a razão pela qual o filho veio a escrever daquela forma. E não era só a caligrafia. Eu era desatento, indolente e pouco hábil! Outra característica ressaltada por mamãe era minha preguiça mental. Agora, tirando a mente preguiçosa, fisicamente eu era hiperativo, elétrico, ágil, aceleradíssimo.

Por sinal a bateria foi um elemento de descarga dessa energia, fundamental para não ter implodido. O futebol iria ajudar a descarregar ainda mais eletricidade, independente da minha inexistente intimidade com a bola. Foi justamente em 1968 quando aflorou por completo a minha paixão pelo futebol de botão. A prática do botão era uma ciência. Como também era um aficionado retardatário naquele esporte, não era de se esperar outro desempenho do meu time nos campeonatos: a defesa mais vazada, o ataque menos positivo e o lanterna desinvicto. Havia uma curiosidade no meu comportamento ao chegar no sítio nas férias grandes: eu me desligava totalmente daquela realidade futebolística para entrar num reino de fantasias, de caça a tesouros perdidos (queria ser arqueólogo), safáris, fugas de castelos, queria viver em cima das árvores, catar jabuticaba, brincar de Príncipe Submarino na piscina, brincar de trem elétrico, reformar o galinheiro, fazer casa de Robinson Crusoé, me embrenhar no mato com os cachorros, colher amoras atrás do boliche, fuçar os discos dos meus primos pra saber o que eles estavam ouvindo, acompanhar meus avós até Itaipava no depósito da Coca-Cola e depois passar no Cordeiro pra chupar um picolé de limão. Ficar lendo nos dias de chuva aleatoriamente as centenas e centenas de *Popular Mechanics* e *Popular Science* que meu pai e meu avô colecionavam desde 1950 e que ficavam enfileiradas em prateleiras espalhadas por todos os cantos de todas as edificações do local. Com toda essa felicidade galopante, me jogava dos barrancos montado numa folha de bananeira (vovó me fazia calças com forros especiais para a tarefa), subia em árvores e não conseguia sair de lá de cima, ficando horas matutando como pular, ou então alcançava altíssimas velocidades em pé, no balanço, crente que surfava no Havaí, ou simplesmente perambulando pelos caramanchões e os jardins feericamente coloridos, principalmente nas primaveras, admirando a variedade de flores, lírios-brancos, miosótis, hortênsias, bocas-de-leão, cravos-de-defunto, copos-de-leite, marias-sem-vergonha, margaridas, girassóis e rosas, muitas rosas: as brancas, as cor-de-rosa, as amarelas e, para mim, a rainha das rosas... a mais bonita, a mais perfumada, a mais rara, a príncipe-negro, de um vermelho único, muito, muito escuro, quase negro. Todas impregnando o ar, misturando-se ao perfume vindo das colunas de pinheiros, além do bosque de eucaliptos, mais acima no platô superior do morro, exalando mil aromas, entrando por todos os poros.

Em meio a esse idílico ambiente, circulando entre os jardins, me deparo com um canteiro dessas roseiras esplêndidas, apinhadas com rosas de todas as cores, feitios e tamanhos, inclusive a minha predileta, a príncipe-negro. Envolto num halo de poesia, com meu coração em festa, não me contive: peguei minha faquinha na cintura e cortei uma meia dúzia só de príncipe-negro do galho espinhoso pensando... em mamãe... em ofertar um buquê de rosas príncipe-negro retiradas do jardim da tia Kate... da tia Kate! Tia Kate. Caralho!! Tinha me esquecido daquele detalhe: a tia Kate é que elaborava e plantava a maioria dos jardins do sítio! Era um Burle Marx *roots* de saias, sempre vigilante, em feroz e aguerrida defesa da preservação de suas queridas "filhotinhas". Aliás, a tia Kate tinha esse hábito carinhoso de chamar todos nós de filhote: "Já viu o *mug* novo que estou fazendo, filhote?" Ela era mestra em fazer bonecos de pano de todos os formatos, e de todos os tamanhos, geralmente em parceria com a vovó holandesa que confeccionou pequenas maravilhas de pano até morrer. Nas férias anteriores foi a hora e a vez do *mug*, uma espécie de mascote de pano, pretinho, arredondado, com o fundo xadrez escocês e franjinha vermelha que o Simonal lançou e virou uma febre incontrolável... Mas voltemos ao jardim. A tia Kate realmente tinha uma mão incrível pra plantar seja lá o que fosse. Qualquer vegetal lançado por sua mão vingava sadio e resplandecente em meio àquela terra toda que ela preparava com devoção.

Não é preciso ser um gênio para deduzir o que pode ter acontecido quando ela soube que o Jonny, num arroubo de amor filial, rapou o seu canteiro de rosas predileto! E justamente as mais raras! Foi um tremendo bafafá. A tia Kate indignadíssima (com toda a razão) sai em marcha, célere, rumo à casa pequena (casa pequena era onde o nosso quarteto habitava e a casa grande, meus tios, avós e primos) para denunciar a chacina floral à minha mãe e, naturalmente, cobrar alguma providência, pois não era possível ter um trabalho de meses, até anos, para vir um moleque mimado, varado de amor por sua mamãe, cometer aquela cagada sem precedentes e ficar tudo como se nada tivesse acontecido. Mas, infelizmente, minha mãe não pensava desta maneira. Em estado de graça com o meu rasgo de afeto, ela me fitava com os olhinhos rasos d'água me achando o filho mais amoroso e delicado do mundo. Iria ser muito complicado para a tia Kate convencer mamãe que o meu ato de vandalismo deveria ser punido para que não mais voltasse, de forma alguma, a acontecer. Mas na cabeça de mamãe, o Joãoluizinho estava se mostrando um garoto poético e a tia Kate, numa perseguição gratuita, doida pra achar um pretexto: "Essa sua tia Kate adora fazer uma tempestade num copo d'água, é doida por um barulho!" A partir daquela data passou a chamar tia Kate de Katarina, de forma bastante pejorativa. Esse entrevero promoveu uns dois anos de afastamento dos meus tios, meus avós e meus primos, para minha aflição. Mas minha mãe estava me defendendo! Eu sabia que rapar rosas raras de um jardim cultivado por quem quer que fosse, não era certo. E o mais interessante: a recíproca da indignação não era, de maneira alguma, verdadeira. Meus tios, quando podiam, falavam comigo... Minha tia Kate continuava a me chamar de filhote, mas o cenário de guerra total implementado pelo instinto de defesa um tanto exacerbado da minha mãe impossibilitava qualquer tipo de convivência "natural". Me transformei no pivô de uma briga besta, e por mais que enxergasse o exagero das atitudes da minha mãe, sentia peninha dela por ter tido um filho que, desde pequeno, promovesse tantas atribulações. Tinha nítida certeza que esse seu destempero advinha do trauma da nefrose, do improvável ineditismo da minha cura, até aquele momento, parcial. A sombra da nefrose iria se estender por mais tempo, pois eu só viria a ganhar alta definitiva uns três anos mais tarde, e toda vez que acontecia da minha mãe "exagerar", relativizava sua reação e acabava tendo um impulso em defendê-la, pois pressentia sua vulnerabilidade emocional, sua devoção, mas as consequências com as quais eu deveria arcar eram muito dolorosas e me deixavam perguntando pra mim mesmo se conseguiria sobreviver a tamanho achaque de amor. Para a percepção de um menino de dez anos, aquilo era um problemão dos infernos.

Pra deixar a situação mais embaraçosa ainda, ocorre, nesse ínterim, um outro lamentável e imprevisto episódio: como adorava passar as tardes na casa do trem elétrico, pedi ao tio Tomás, que, no momento, estava refazendo uma das linhas da maquete, se poderia montar um helicóptero que havia acabado de trazer de Petrópolis, lá na oficininha da casa do trem. Essa tal "casa do trem" consistia numa sala ampla que abrigava uma enorme maquete de uma cidade em miniatura, com casas, luzes, estações, laguinhos, postes, guindastes, enfim, tudo o que se pode imaginar dentro do universo das miniferrovias cortando montanhas, pontes e vales, tudo isso disposto em uma mesa enorme, fora as paredes com as prateleiras recheadas de *Popular Mechanics*, uma hélice de avião de verdade encostada na entrada do quarto de bagunça, aviõezinhos e carros de corrida das mais variadas espécies incrustados nas paredes, uma bem-fornida bancada de ferramentas e, em frente, uma mesa retrátil, que, fechada, formava uma fileira de três enormes caras de palhaços colados à parede, e que ao puxá-la se transformava numa mesa com dois bancos laterais sendo as carrancas dos palhaços, a maior apoiando a mesa e duas menores apoiando os bancos, dando ao lugar uma onírica atmosfera de fábrica de brinquedos.

Numa daquelas tardes chuvosas, estava concentradíssimo lá na sala da casa do trem, na mesinha de palhaço, pintando diligentemente as peças do helicóptero antes de montá-las, quando, acidentalmente, esbarro nos vidrinhos de tinta enfileirados, fazendo escorrer tinta por toda a extensão da mesa. Eu havia colocado uns jornais velhos pra dar uma forrada, mas mesmo assim a cagada estava feita e meu tio, do lado, me olha furibundo e me dá um estupendo esporro, mandando retirar aquelas tralhas da mesa e cair fora imediatamente daquele lugar, já que não conseguia mostrar nenhuma capacidade de concentração, me tornando um desastrado insuportável. Confesso que concordei com tio Tomás, mas alguma coisa se descontrolou em meu interior e, sem a menor transição, parti pra cima de um tio Tomás atordoado e surpreso diante de semelhante reação. Apesar da minha tenra idade, foi necessário chamar seu José, o caseiro, com mais uns três peões para me apartar das pernas do tio Tomás. Depois desse incidente, não voltaria mais a brincar de trem naquela sala. Comecei a montar um trem elétrico na garagem da casa pequena.

Essa rixa durou até meados de 1970, eu acho, onde ainda me lembro de manifestações típicas de desapreço por parte de mamãe, que se atrelou e se especializou numa birra implacável em relação ao meu tio Tomás, que somada às desavenças das férias anteriores com os desentendimentos profissionais entre ele, meu avô e meu pai, amplificou seus sentimentos numa fileira de mágoas.

No meio do ano de 1969, ia estrear uma novela de época: *A cabana do pai Tomás*, um grande sucesso acompanhado freneticamente por todos nós. Não é que minha mãe se recusou terminantemente a proferir o Tomás do título? Enquanto o folhetim esteve no ar ela só se referia à novela como *A cabana do pai Hã Hã*... tipo: "Joãoluizinhoooo, para de tocar essa barulheira e vem assistir comigo *A cabana do pai Hã Hã*!", ou "Gilzinha, querida! Você por acaso acompanhou o capítulo de ontem? *A cabana do pai Hã Hã* está pegando fogo, né?"

Enquanto isso, ia treinar sinuca no boliche e me deliciava com a discoteca da Nuxa e do João Tomás. Eles tinham tudo o que estava proibido de ouvir lá em casa! Me deparei com The Mamas and the Papas, Petula Clark, The Turtles, The Birds, The Tremeloes, The Yardbirds, The Rascals, The Kinks, Sweet, Beach Boys, BadFinger, Leornard Cohen, Procol Harum, The Supremes, Iron Butterfly, The

Monkeys, Nilsson, Otis Redding, The Temptations, The Hollies, Simon & Garfunkel, Herman's Hermits, Bee Gees, Donovan, The Four Tops, The Foundations, Creedence Clearwater Revival, Bob Dylan, Rolling Stones, os The Beatles!

Foi uma emoção enorme poder tocar bateria acompanhando canções como "Play With Fire", "Paint in Black", "You Really Got Me", "Lola", "Suzy Q", "Build me up Buttercup", "Have You Ever Seen the Rain", "Down on the Corner", "Everybody's Talking", "California Dream", "Monday", "In the Midnight Hour", "Aquarius", "Mrs. Robinson", "Sargent Pepper's", "Lay Lady Lay"... Era tudo que eu queria pra mim!

Foi no Festival da Canção de 1968 que descobri o grupo musical que faria parte do meu imaginário: Os Mutantes. Eles entravam no palco e parecia que a gente era levado para um outro planeta... Antes dos Mutantes, o Brasil era monoural! Os Mutantes estereofonizaram a Música Popular Brasileira!!

Naquele ano, torci solenemente pro Sabiá desde o começo... Na fase internacional, me enrolei na bandeira do Flamengo e me plantei em frente à televisão para torcer freneticamente pelo Antoine, representante de Luxemburgo que viria a defender o grande clássico do festival daquele ano: "Ai ai ai, a vida é bela, quer chova quer faça sol, ai ai ai, domingo eu vou ver um bom jogo de futebol, FLAMENGO, FLAMENGO!", para delírio da nação rubro-negra.

Capítulo 9

Paralelo a esse universo da bola, dos clubes, dos estádios, com o advento da casa nova, meu pai começava a remontar sua escuderia de kart, a SUR, com as cores branca e vermelha, sigla esta jamais decifrada por mais ninguém, pois ele fazia questão de manter o segredo, o mistério... que acabou indo para o túmulo com ele.

Estávamos nos tempos das domingueiras! Eu nunca viria a frequentar uma domingueira sequer durante todo o período em que elas duraram, pois mamãe achava mais seguro e, já que não podia desfrutar da festa, me emocionava ouvindo as histórias incríveis que os meninos contavam, de azaração, das meninas bonitas, as roupas que vestiam com esmero (era o tempo da camisa Lacoste, calça Lee bege, sapato de franjinha e perfume Vitess), quais eram as músicas mais tocadas, os instrumentos mais interessantes (o Arnaldo Brandão, da Bolha, tinha um famoso baixo de "gota" Vox, que ele tocava à altura da canela, se tornando um ícone das domingueiras, para mais tarde, esse mesmo Arnaldo Brandão, além de meu parceiro e amigo, eclodir em lenda viva do roquenrou), tudo isso ia povoando a minha imaginação e vivificando a minha intensa vontade de desfrutar daquela realidade. Quando a festinha era na rua eu podia comparecer: depois do arrasta-pé, fartos de tanto sacolejo, a gurizada se agrupava ao meu redor para ouvir a saraivada de autodefenestrações desconcertantes que eu produzia. Fato esse que me dava um certo status na turma. O poder do riso, mesmo gerado da própria desgraça, me catapultava para uma situação de uma imunidade insólita.

Como estávamos em plena hiponguice universal, inseridos num mundo psicodélico e prafrentex, vivendo dentro do psicodelismo de Ipanema, com todo mundo fora do sistema, um dos garotos da rua, o Roberto, um cara mais velho, tricolor doente... desenhava pra dedéu (deve ter virado um excelente arquiteto, artista plástico ou coisa parecida), e começou a pintar em cima de camisas, calças e jaquetas um monte de motivos psicodélicos, supercoloridos, com dizeres muito loucos, tipo: Narcotic, com uma caveira embaixo, LSD em letras garrafais, Make Peace, Not War, Smoke Marijuana, Age of Aquarius.

Fiquei mesmerizado! Corri ao meu quarto pra providenciar umas pilots coloridas... Da gaveta de roupas, retirei uma velha camisa Hering branca, rasguei as mangas e a gola e, sem mais delongas, comecei a rabiscar um monte de palavras feericamente coloridas, todas inspiradas nos desenhos do Roberto, aqueles mesmos motivos, apenas com algumas alterações que, secretamente, eu achava muito jocosas e criativas, como desenhar um maço de cigarros LS e sugerir no letreiro: FUME LS... D!!

Essa inusitada habilidade me trouxe mais um respaldo perante o meio social em que habitava, principalmente por parte dos meninos da escuderia... Minha autoestima se nutriu muito desse novo acontecimento, me proporcionando um *upgrade* emocional

E voltando ao dia a dia dos meus afazeres triviais, já estava no primeiro ginásio, na turma da manhã, aliás, tudo o que queria, pois a meta era se livrar o mais rápido possível das tarefas colegiais.

Naquela época espacial, o épico do Stanley Kubrick, *2001, uma odisseia no espaço*, tinha acabado de entrar para a história da ficção científica e sempre me botava pra imaginar como seria eu em 2001. "Pô, vou estar velho à pampa... 44 anos é muito velho... e será que alguma versão de mim lá no futuro viria me salvar?! O futuro ainda não tinha dado as caras, era só suposição. Isso no ano anterior, pois, nas férias de julho de 1969, só se falava, só se pensava, só se vivia em se preparar para assistir o homem pisar na Lua, ao vivo!!! É difícil tentar passar a intensidade da comoção que isso causou em todo o planeta. Me lembro de certas discussões metafísicas, tipo, quando o homem puser o pé na Lua o mundo acaba, o lado escuro da Lua é letal e esconde algum tipo de inferno... Pois bem, foi uma das maiores emoções que tive na vida...

Com o advento da nova casa, não tardaríamos em providenciar um elemento fundamental em nossa família: cachorro! O cachorro já estava previamente batizado de Burunga, e, como não poderia deixar de ser, era um bóxer.

O ano ia chegando ao fim e no Natal ganhei um autorama da Estrela.

Montamos a pista na garagem tomando toda a sua extensão.

Foi uma época que meu pai voltou com força total na montagem de carrinhos. Começou a fazer uma coleção espetacular dos Monstros psicodélicos do Ed "Big Daddy" Roth que a Revell estava lançando. Todo mês ele escolhia um pra montar e pintar... Comecei a tentar fazer os meus, e até que não ficavam ruins, não... mas não dava nem pra saída com os que o meu pai fazia... Ficávamos horas na garagem "fazendo mecânica", e foi o período em que comecei a ouvir a... Rádio Mundial, desde o show dos bairros até o filé da programação, que era o programa do Big Boy, mas a isso vou me dedicar depois... O fato é que estávamos lá, nós dois, felizes a brincar de autorama, na fase de maior harmonia que tive com meu pai.

O rádio ficava ligado e tocava "So Take a Letter Maria", com R. BGreaves, "NaNa Hey Hey Goodbye", com o Steam, "Juanita Banana", com Henri Salvador, "A Whiter Shade Of Pale", do Procol Harum, "Tramontana", com Sérgio Murilo, tinha também Herb Alpert and Tijuana Brass, Burt Bacharah, e por falar em Burt Bacharah, foi com a trilha sonora do *Butch Cassidy and The Sundance Kid* que meu pai adquiriu nossa primeira vitrola estéreo, Philips, e também uns fones de ouvido Tokumi, que era algo que só se utilizava em estúdio profissional... isso iria fazer a maior diferença no ano que estava entrando... eram os anos 1970 que alvoreciam na ribalta, e com o ano-novo, uma tragédia: o Paulinho Marinho, que, além de um puta piloto, era um cara que o meu pai adorava (morreu numa batida voltando de Cabo Frio... Realmente o Paulinho era uma doce criatura, um cara meigo, delicado, o gente fina... fiquei arrasado e meu pai nem se fala... quando tem fortes emoções fica com vontade de vomitar. Tadinho, sofreu pra chuchu. Quando soube que o acidente foi na noite do Ano-Novo, dentro de uma Kombi na estrada de Cabo Frio, meu pai pegou o carro e saiu feito um raio no meio da madrugada em direção ao local,

Eu fiquei em casa olhando pra pista de autorama e decidi dar cinquenta voltas com meu Ford J preto em homenagem ao Paulinho.

Sempre desconfiei que, durante a nossa existência, nos depararíamos com determinados vórtices do destino, que, ao sermos submetidos a eles, nos multiplicaríamos em infinitas séries de probabilidades de nós mesmos desencadeando um berçário de universos.

Naquele ano houve uma incrível coincidência: meu pai, naquela sua eterna dúvida de sai não sai da assembleia, com dificuldades de encontrar uma maneira de iniciar um outro negócio, uma outra oficina, acabou se fixando como chefe de manutenção de uma nova frota de táxi Opala, a Auto Giro. Com a chegada do Festival da Canção, a Auto Giro foi nomeada a transportadora oficial do evento.

Isso era sensacional, pois ganhamos convites de cadeira de pista (aquela que fica de frente ao palco, praticamente do lado dos jurados) para todos os dias do Festival! Foram momentos épicos que presenciei, não tanto pela qualidade das concorrentes... o festival estava muito chato e nesse ano ganhou a "Cantiga por Luciana", que, vamos combinar, era de uma tristeza contagiosa.

Mas o importante é que assisti uma performance antológica do Jorge, até então, Ben, apresentando com o Trio Mocotó o hino "Charles Anjo 45"... só essa performance já teria valido todo o Festival.

Mas o melhor estava por vir. Antes da grande final internacional, o dr. Roberto Marinho ofereceu uma recepção casca a todos os participantes do evento. Claro que mamãe não ia perder essa boquinha e buzinou o ouvido do meu pai pedindo para ele descolar um convite.

Quando papai chegou em casa naquela tarde com os convites nominais na mão, mamãe só faltou ter um troço e imediatamente iniciou o seu detalhado processo de produção pessoal. Marcou o Silvinho do Jambert pras dez da manhã do dia seguinte, foi à caça de uma beca inédita, de preferência uma pantalona bem prafrentex (sempre foi ousada ao se vestir), pendurou umas joias cascatejantes no pescoço e pimba! Mamãe estava um espetáculo!

Pena que não pude ir.

Quando voltaram, mamãe, radiante, estava cheia de histórias pra contar... Me disse eufórica que papeou com o Henry Mancini: "Joãoluizinho, você tinha que ver, uma simplicidade... E o Simonal, que me explicou aquela parte do Patropi, cheio de bossa, com aquele sorriso, com aquele gingado? "Eu sou Flamengo e não disfarço de ninguém, pois em cinco brasileiros seis fãs do Flamengo tem!"

CAPÍTULO 10

Esse próximo episódio começa em novembro de 1968.

Meu pai chega em casa numa tarde de quinta-feira avisando: "Acho bom todo mundo ir preparando as malas, que no próximo sábado vamos pra Volta Redonda!"... Lá seria disputada a próxima etapa do estadual de kart.

Papai, muito animado, fazia os últimos ajustes no porta-malas do seu Opala. Já minha mãe sugeriu de a gente, antes de pegar a estrada, dar uma passada no Bob's da Garcia. O Bob's daquele tempo ainda possuía suas características originais, com os ladrilhos verdes, os letreiros luminosos bordejando a marquise exibindo *milk-shakes, hot dogs* e hambúrgueres. Enquanto meus pais aguardavam na fila, eu, minha irmã e o Walmir fomos dar uma bedelhada na banca de jornal que ficava bem na frente do caixa, quando me deparo com uma *Playboy* estalando de nova, lacrada. Não me contive, criei coragem e comprei a revista, mesmo sabendo o perigo que corria, pois, uma vez meus pais sabendo, iriam me fazer um monte de pergunta.

Todo mundo de barriga cheia, eu ligeiramente humilhado, e simbora pra Volta Redonda, mamãe não se aguentando de curiosidade, se vira pra trás e me fuzila: "Não vai abrir a revista, não? Deve estar cheia de entrevistas interessantes!"

Sem ter a que recorrer, resignado, comecei a rasgar o celofane, fazendo uma certa cera, mas não adiantava, abri a revista e, muito embaraçado, virando as páginas numa velocidade estonteante, tentei focar em algo trivial, prosaico, que pudesse me entreter durante a viagem inteira: "É, mãe, você tem razão, tem uma matéria aqui sobre o primeiro hotel a ser construído no espaço..., um *resort*! Imagina só nós quatro fazendo turismo no espaço sideral, a gent..." "Deixa de frescura e vai logo na página central pra gente ver se você tem bom gosto, meu filho"... Não havia saída, fui direto na *playmate* do mês de novembro, desdobrei a página do centro e... uma visão mágica se desvenda perante meus olhos! Era a garota mais linda que já vi na minha vida! Me apaixonei na hora.

Mamãe, empolgadíssima com o evento da *Playboy*, telefona para o irmão para dar a notícia: "Lula! O Joãoluizinho já está lendo *Playboy*, você acredita?" E meu tio, eufórico com as boas-novas, num rasgo de amor, sugere a mamãe a possibilidade de ele me doar as coleções de *Playboy* e congêneres, guardadas com dedicação ao longo de vários anos. Ela ficou exultante com o mimo: "Lula, você é um espetáculo, traz hoje mesmo que estou doida pra ver a cara do Joãoluizinho! Ele vai amar!!!!!"

O tio Cocó, contrariando as expectativas da minha mãe, não apareceu naquela tarde, contudo, surge efervescente no dia seguinte, depois do almoço, de copiloto, num caminhão de mudanças! Não satisfeito com a doação das centenas de exemplares de revistas masculinas, aterrissou lá em casa com um monte de móveis, sofás com motivos de zebras, poltronas, tudo isso para decorar o terraço, para as festinhas ficarem mais quentes ainda... E reservou para o meu quarto, para pregar na parede do centro, entre a Raquel Welch e a Brigitte Bardot... uma enorme... galhada de veado!

Desde que nos mudamos pra Barão de Jaguaribe, mudei também o meu barbeiro. Agora era bem pertinho de casa, na Garcia D'Ávila, no quarteirão da Nascimento Silva com a Redentor. Chego na barbearia, a cadeira da calçada vaga, sento e peço pelo amor de Deus ao barbeiro pra não cortar muito em cima da orelha. Passaram uns 15 minutos e o serviço estava feito. Apesar da parcimônia do barbeiro o penteado já exalava uma atmosfera "reco", mas tudo bem, o que fazer, paguei com o cabral que meu pai me deu e voltei meio acabrunhado pra casa. Meu tio já tinha ido embora e papai, em seu auge de rabugice, ao me escrutinar o corte exclama: "Isso não é corte que se apresente! Teu cabelo continua em cima da orelha, pode voltar e cortar feito homem." Sinceramente não havia previsto que meu pai me fizesse voltar ao barbeiro para "retificar" o penteado! Afinal de contas, estava exultante com meu recorde de permanência capilar por quase dois meses e, por isso mesmo, a dor era maior, pois a perda era maior. Contando com a cumplicidade do barbeiro, que testemunhava minha aflição, dei uma de joão sem braço e evitei mais uma vez o corte por cima das orelhas, que pra mim era estratégico. Legal, agora chega de palhaçada que eu tenho mais o que fazer...Voltei pra casa crente que ia jogar um botãozinho pra relaxar, quando sou interpelado por papai, dessa vez puto da vida com a enrolação, me pega pelo braço e fala devagar: "Você não me apareça mais com esse cabelo de fresco senão você vai ver o que vai te acontecer"...Ah, é, né? É assim que a banda toca? Então tá! Me mandei resoluto para a barbearia sabendo exatamente o corte de cabelo a adotar: "Passa a máquina zero, e depois a navalha. Quero ficar com a careca do Pinduca!"...O cara ficou meio em dúvida com a máquina na mão e eu repeti: "Mete bronca! Pela tudo!" Gente... vocês não têm ideia como eu fiquei... parecia que tinham colocado uma bola de bilhar na minha cabeça. Alcancei o padrão Kojak, o padrão Mário Vianna! Eu estava mais feio que nunca! Feio, porém feliz... Me deu uma sensação profunda de que estava fazendo a coisa certa, apesar da cosquinha na careca, e voltei triunfante pra casa, exibindo aquela fachada pouco usual para o padrão daqueles dias, como se exibisse um troféu de guerra. As pessoas chegavam a parar na rua se cutucando..., enfim, notado! Vou caminhando lépido e fagueiro, quando dobro a esquina da rua... minha mãe está na sacada, me avista, leva um susto, mas a princípio não faz ideia de quem se trata, quando, em meio ao silêncio daquela linda tarde de início de verão, com as cigarras a mil, mamãe me reconhece e começa a gritar: "Meu filho! O que você fez na sua cabeça! Meu filho querido, você está horroroso!!! Buáááááááá!!!", e começou a chorar copiosamente sem parar! Na verdade, ela uivava de dor, parecia que eu tinha sido esquartejado... Já meu pai...: "Que papelão, João Luiz, um gênio! Agora conseguiu o que queria. Que presepada! Se não fosse a tua mãe você ia entrar numa surra que não ia ser brincadeira. Aproveita a cagada, sobe pro quarto e não sai de lá até eu mandar."

Tudo bem que o rito de passagem teve lá seu preço, mas a partir daquele dia, meu pai nunca mais meteria o bedelho no meu corte de cabelo...

Adeus ano velho, feliz Ano-Novo, e com o Ano-Novo, algo inédito: mamãe não estava nem um pouco a fim de passar aquelas férias no sítio. Estava "por aqui" com o tio Hã Hã e tia Katarina (ainda não conseguira se desvencilhar daquele ressentimento pegajoso) e decidida a evitar qualquer possibilidade de um desconforto enorme em vê-los, brilhou em sua mente a seguinte ideia: "Por que esse ano a gente não dá uma variada e vai passar as férias no litoral fluminense? Tenho dado uma olhada nuns catálogos turísticos e fiquei muito bem-impressionada. Tem umas pousadas bem acolhedoras, meio rústicas, umas gracinhas... Nós podíamos começar por Araruama, Cabo Frio e depois... Águas Lindas! Gente! Olha só que paraíso!"... E mostrava exultante as fotos da sua mais nova descoberta...

Papai adorou a ideia, pois não via a hora de fazer um *test drive* definitivo do seu mais novo veículo de alto desempenho: um Renault Rabo Quente 1951 azul!!! Aquele magnífico e confortável Opala 6 cilindros com ar-condicionado foi passado pro nosso vizinho, o Luís Alberto, que gastou o ano todo secando em cima do automóvel, gerando, além da transação, uma amizade longeva com meu pai

Agora... Sabe o fusca? Divide por dois e você terá um Renault Rabo Quente.

Em questão de dias, o casal providenciou nossa excursão pelas praias fluminenses, com dia e hora marcada: "Vamos partir na sexta-feira, pernoitar em Araruama, para seguir viagem até Águas Lindas."

Os preparativos foram intensos, todos queríamos desfrutar do ineditismo daquela situação... Recolhi meus pés de pato, máscara e respiradouro, já me sentindo o Mike Nelson da parada... minha irmã também estava ansiosa para se banhar em águas translúcidas e paradisíacas. Meu pai, por sua vez, não se contentou apenas em colocar em xeque seu diminuto Renault Rabo Quente: arranjou num ferro-velho uma câmara de pneu de trator de dimensões alarmantes. Era enorme, com uns dois metros de diâmetro, e ele ainda queria colocar (e colocou) um fundo de madeira preso a um murundum de cordas grossíssimas. O objeto engrandeceu-se. Ficou maior e bem mais pesado, e àquela altura do campeonato, surgia uma pergunta que não queria calar: onde aboletar semelhante trambolho?... Meu pai, com seu espantoso senso de praticidade, resolveu a questão em dois tempos: "Vamos amarrar a boia na capota." "Mas a boia toma quase o dobro do espaço, João Luiz." "Meu bem, deixa comigo que eu resolvo"... Lá pelas 11h da manhã, o pneu está finalmente instalado na capota do Renault Rabo Quente.

Eu seria o último a ficar pronto devido ao excesso de tralhas que carregava. Envergava na cabeça, orgulhoso, um boné da Shell pra tampar a careca recente. Fui também o último a entrar no carro, quando percebo minha irmã choramingando... e papai, sem transição, me manda: "Sempre se espera pela pior figura, né?"... Não sei o que me deu, mas magoei de repente! Fiz um bico de criancinha retrocedida e abri um berreiro totalmente fora de hora. Devia estar meio sobrecarregado com os últimos acontecimentos... engoli o choro mais por curiosidade de saber por que a Maninha tava chorosa...: "Também o seu pai tem cada uma... Sabe o que ele falou pra sua irmã? Que se ela não se comportasse na viagem ele iria fantasiá-la de 'cabelinho' no próximo Carnaval, aí foi muito pra Glorinha..." Com aquela, nem eu me contive, e do choro à gargalhada foi num instante.

E foi dada a largada rumo ao litoral fluminense! Bom, vocês podem imaginar que conforto era algo inexistente naquela charmosa viatura, um calor de rachar, todo mundo entalado no meio de malas e bagagens, aquela boia obscena em cima da capota... nem um radinho com musiquinha *muzak* rolava. A gente estava virando uma família buscapé anfíbia, e, pra completar, o carro não tinha escapamento, produzindo um esporro dos infernos com assustadores peidos intermitentes.

Após três horas sentados naquela relíquia (não haviam construído a Ponte Rio-Niterói) todos estávamos com as respectivas bundas inteiramente inutilizadas, sextavadas e, ainda por cima, famintos... Esse negócio de marinheiro de primeira viagem é um perigo... Finalmente, estacionamos o possante em frente à primeira birosca que apareceu. Oba! Enfim vamos dar um descanso para nossas bundas e bater um rangão! Mas tinha um problema que nenhum de nós havia pensado: papai não podia sequer passar perto de um prato de peixe ou camarão que começava a golfar feito um louco, produzindo sons apavorantes e, como dá pra perceber, em toda aquela região, só haveria biroscas vendendo siri catado, camarão, peixe na brasa, etc. e tal. Papai suplica para a gente sair correndo daquele lugar e rumar direto para

Águas Lindas... Ok, ok, a gente come quando chegar lá... e por sinal... "Alguém sabe em quantas horas se chega até lá? João Luiz, no mapa diz que deve faltar umas duas horas."

E lá se foi o Renault Rabo Quente rumo ao paraíso fluminense... Mas estava demorando muito pra chegar... acho que meu pai errou o caminho e, pra resumir o babado, chegamos em Águas Lindas no finalzinho da tarde: "Que paisagem maravilhosa!... Valeu a pena! Olha lá que gracinha os bangalôs, os coqueiros! Coisa de cinema!", exclamava exagerando um pouco o deslumbre uma mamãe exultante por se sentir responsável pela idílica descoberta... quando nos deparamos com um aviso: balsas para o hotel a 20 metros. Nós tínhamos que pegar uma balsinha mínima com toda aquela tralha, pé de pato, pneu-boia, malas e o escambau!

Papai estacionou o Renault num terreno baldio, embaixo de uma árvore, e iniciou-se o processo de remoção da bagagem... Foi um perrengue chegar à outra margem da ilhota e, ao desembarcarmos com todo aquele material, sentimos pela primeira vez o poderio aterrorizante da mosquitada faminta que, aos enxames, aos milhares, partia voraz na direção dos nossos braços, pernas e canelas, com uma disposição que vou te contar! Surgiam de todos os lugares, não dava pra se desviar nem gastar saliva tagarelando bobagens, senão você ficava em um instante com a boca repleta de mosquitos... uma pena não termos pensado nisso antes...

Exaustos, moídos e completamente empipocados, fomos tentar dormir naquela verdadeira ilha do terror.

Parece que não rolou uma adaptação ao novo estilo "litoral fluminense" de se passar as férias. Ao primeiro raio de sol, o quarteto decide bater em retirada imediatamente, deixando para trás um paraíso inexplorado no qual jamais voltaríamos a pôr os pés... Não tinha jeito... mamãe estava intimada a reconciliar-se com tio Hã Hã e tia Katarina... "João Luiz, toca direto para o sítio, pelo amor de Deus! Chega de inventar moda!"

E assim foi... Chegamos no Rio mais magros, vermelhos feito camarões e cheios de pipoca... um grande saldo! Foi o tempo de pernoitar para recuperar o fôlego, passar um creminho de leve na pele, tomar aquele café da manhã, lançar o Burungaço no Renault e aí vamos nós, Pedro do Rio, graças a Deus!

Estava morrendo de saudade dos meus avós e torcendo para mamãe reconsiderar seus duros sentimentos em relação aos meus tios.

Quando chegamos, encontramos o sítio cheio. Vovô João estava produzindo uma daquelas chopadas fellinianas.

Naquele momento, todos eles se aprontavam para a festança na varanda da casa grande, comendo azeitonas e tomando uns aperitivos, com meu avô na rede, vovó à sua esquerda numa das cadeiras de cana-da-índia que se estendiam por toda a varanda e o resto se aboletava ao redor dos dois num papo cheio de risadas e falação... E assim se deu a reconciliação... Estava livre para poder aproveitar a companhia dos meus primos e voltar a falar livremente com meus tios e meus avós.

Começa o ano letivo. O Zé Luiz continuou na mesma sala comigo, o Guilherme, não. Nos primeiros dias de aula, ficávamos computando quantos colegas saíram, quais foram remanejados para outras classes, e, naturalmente, quais os que continuariam conosco, independente do grau de amizade, era bom capitalizar companheiros de longa data.

O Colégio Rio de Janeiro, naquela época, tinha uma parceria com o Flamengo, que, desde então, disponibilizava todo seu parque esportivo para as turmas do colégio. Uma vez por semana, às quartas-feiras, lá ia eu rumo à aula de educação física, de lotação, me exercitar no Clube de Regatas do Flamengo.

E com a alegria, o deslumbramento da proximidade do clube do coração, imaginei que as portas do futebol finalmente se abririam para mim. Agora ninguém me segurava e concluí: "Vou ser jogador de futebol. Vou me matricular nos dentes de leite do Flamengo!"

Capítulo 11

Havia uma fila gigantesca para se inscrever e, eventualmente, ser escalado num daqueles inúmeros times. Geralmente, para conseguir jogar uns 15 minutos às 11h da manhã, era necessário chegar no Flamengo umas cinco e meia, seis horas pra pegar um bom lugar na fila. Se você chegasse às sete, só no domingo seguinte.

Pra mim, isso era moleza, pois, eufórico por natureza, sempre adorei acordar cedo, e com a emoção de participar de um evento como aquele, acabava acordando às três e meia, excitadíssimo, pronto para entrar em campo e, não tendo nada pra fazer, ficava matando o tempo batendo dado (a bola do botão era um dadinho) com os meus botões até chegar uma hora razoável de me mandar.

Uma vez devidamente inscrito, com a senha na mão (me inscrevia sempre como centroavante), os times se organizavam, recebiam umas instruções básicas do Zizinho (ídolo maior de Pelé, lenda, até então viva, dos gramados e técnico dos dente de leite), e bola rolando!...

Entrar de chuteira no gramado do Flamengo era uma grande emoção... E lá ia eu pra grande área adversária... Começa o jogo... Numa jogada lá, recebo na corrida, olho para a meta, miro no canto direito, engano o goleiro, chuto com força e... pra fora! Longe, longe, muito longe! Inacreditável! A pixotada foi tão bisonha que começou a juntar gente atrás do gol que eu atacava. Recebi outra bola livre, em posição regular, na marca do pênalti, novamente cara a cara com o goleiro, e desta feita pensei: "Vou caprichar... muita concentração, João Luiz!" Botei fé, espero a bola chegar e, de trivela, simplesmente chuto o ar, o vácuo, o nada, com a bola estática na minha frente e produzindo uma algazarra infernal atrás do gol, a minha torcida particular gritava em delírio: "É esse! É esse!"

Pelo que me consta, 1970 foi o ano de melhor desempenho escolar da minha vida. Era tão aplicadinho que virei monitor de ciências... Tinha que substituir o professor Ribas, uma vez por semana, preparar uma aula inteira e assumir o controle da turma. Um tipo de coisa que ainda se constituía numa tarefa muito árdua para minha tímida pessoa. Conhecia tudo que se tratava em relação à matéria (as primeiras aulas eram sobre zoologia e a evolução das espécies). As aulas eram bem interessantes e animadas. Eu, sempre obsessivo e esforçadíssimo, trazia à sala de aula gravuras feericamente coloridas de todo o reino animal, de arapongas, galinhas-d'angola, jaguatiricas, mangangás, ornitorrincos, macacos-prego, guaxinins, vidros com *Taenia solium*, lombrigas, mariposas, rãs, camaleões, tudo mergulhado no formol... realmente, era de uma dedicação comovente.

Por outro lado, a aula mais desprezível não podia deixar de ser a de Moral e Cívica, matéria imposta e inventada pelo regime militar, com o intuito de ensinar o aluno a amar sua pátria de maneira correta, lecionada por duas octogenárias com quilos de maquiagem na cara, perucas, aquele cheiro de perfume doce com pó de arroz. Uma delas se chamava professora Yolanda, a outra, Elza. Essas mestras iriam nos seguir os passos durante todos os anos do ginasial!! E com as mesmas matérias, com as mesmas canções! Porém, nem tudo era desgraça nas aulas de Moral e Cívica. Eram nossas veneráveis professoras que faziam a seleção das concorrentes que se classificariam para o Festival de Música do Colégio Rio de Janeiro, berço de grandes nomes da MPB, realizado anualmente no auditório do teatro do Jockey.

Finalmente, depois de dez anos, estaria definitivamente livre da nefrose! Ganhei alta. Minha alma cantava de felicidade...

Continuava insistindo nos dentes de leite, contudo, sem o entusiasmo das primeiras vezes... Começava a desconfiar que não seria uma questão de treinamento, prática, hora de voo ou dedicação em tempo integral: eu era um pereba nato e ponto final.

Em meio às minhas dúvidas de continuar ou não frequentando os treinos na Gávea aos domingos, chegando às cinco e meia da manhã pra pagar o maior mico ao sol do meio-dia, diante de centenas de garotos, no mínimo acostumados com a bola, começa o burburinho, a ansiedade, a excitação para o início da Copa do Mundo. Senti que para enfrentar aquela maratona de jogos devia me preparar adequadamente, ou seja, comprar as camisas versão 1970, com as golas olímpicas, ir na loja de tecido comprar muito pano pra fazer um bandeirão e achar novos craques pro meu campeonato de botão.

Nessa de fuçar um lugar que ninguém conhecesse, achei uma loja de artigos esportivos lá em Botafogo, na Voluntários da Pátria, ao lado do que seria a Cobal de Botafogo. Pois bem, entro na loja procurando botões de galalite e vejo na vitrine um monte deles de todas as cores. Era na manhã da estreia do Brasil contra a Tchecoslováquia e com toda a certeza faltava muito pouco tempo para não haver um só estabelecimento de portas abertas. Corri para o balcão para pedir ao moço que me ajudasse a escolher os galalites quando, ao me dirigir ao senhor que estava sozinho na loja, percebo se tratar de um rosto muito familiar...

Não poderia ser! Aquele senhor... "Por favor, o senhor podia me ajudar a comprar uns botões, que eu tenho mania de ficar fazendo torneio relâmpago comigo mesmo antes dos jogos e hoje tenho que caprichar na estreia do Brasil, né?" E o senhor respondeu gentilmente: "Como você quiser, mas você não acha que seria melhor se concentrar pra assistir o jogo? Eu estou ansioso para ver as partidas ao vivo..." "Senhor... posso fazer uma pergunta?" "Pois não, meu filho?" "O senhor por acaso é parente do Nilton Santos?"... E sempre muito solícito, muito simpático, achando graça na pergunta, respondeu com toda a singeleza d'alma: "Meu filho, eu sou o Nilton Santos..." Eu só faltei chorar de tanta emoção! Como é que pode isso? Encontrar com um dos maiores heróis do futebol mundial, a enciclopédia do futebol, ali, tranquilo, um feliz dono de loja de material esportivo, me dando umas dicas sobre botões de galalite! Não me lembro como me recompus do susto, mas o seu Nilton, uma pessoa da maior doçura, da maior delicadeza, tratou de me tranquilizar com toda a naturalidade do mundo, acabando por me deixar muito à vontade... "Poxa, seu Nilton, não é toda hora que isso acontece, né?"...E o seu Nilton ficou meu amigo. Sempre que podia dava uma passada na sua loja sob pretexto de comprar alguma coisa só pra ficar ouvindo suas fascinantes histórias.

Enquanto pelas manhãs de jogo do Brasil fazia minhas visitas oraculares ao seu Nilton, após as partidas era um delírio coletivo que não se repetiria em mais nenhuma Copa do Mundo que vivenciei. A cada vitória do Brasil, o Rio todo se encontrava na Vieira Souto, numa imensa carreata que circulava por toda a orla. Do final do Leblon, até o Leme, todo mundo se cumprimentava, se abraçava nas ruas, blocos carnavalescos improvisados de última hora ganhavam as esquinas, nos prédios, bandeiras, gente gritando, espocar de fogos, enfim, a Copa de 1970 foi a copa mais comemorada da história do futebol brasileiro... A impressão que se tinha é que nunca tantas pessoas foram tão felizes ao mesmo tempo pelo mesmo motivo, por metro quadrado.

Eu não vou aqui me alongar nos detalhes de jogos, que são clássicos e são de domínio público, e quem não viu, devia assistir, porque é um dos momentos mais brilhantes do futebol mundial. Quando chega a final: Brasil invicto contra a Itália. Os dois podem levar a taça em definitivo. Eu imaginava como deveria ser a perfeição de uma conquista daquelas e comecei a sonhar acordado como ganharíamos aquele jogo. Como que em busca da partida perfeita. Tinha que ter um gol do Jair — que era o nosso artilheiro —, um do Gerson — nosso maestro —, um do Pelé — o rei —, e um de Carlos Alberto — o capitão... E pra dar aquele sabor, um gol da Itália, "só pra dar uma emoção a mais"... E foi assim que aconteceu... Meus amigos, a comemoração daquela final foi uma loucura! Lá em casa, minha mãe, quase indignada com meu pai, talvez a única criatura a não ver absolutamente nada que merecesse sua atenção ou emoção, o intimava: ..."João Luiz, nem vem que não tem. Pode ir pegando as chaves do carro, pois nós vamos pra rua comemorar, Brasil campeão!!!! E não adianta vir com essa brincadeirinha sem graça de ficar gritando 'Vasco, Vasco', que essa agora não cola, viu?"... E lá foi o papai, sem a menor empatia pelo que acontecia ao seu redor, providenciar a nossa saída.

E no calor da comemoração, fui até o terraço e esquartejei a bateria pra formar um bloco. Cada um dos colegas ficou com um tambor e fomos nós pras ruas, depois da carreata, exibir nossa euforia. Também foi a última coisa que minha pobre bateria teve a oferecer, pois, logo após as festividades, estava reduzida a madeira estilhaçada, ferro retorcido e pele de couro arrebentada... Perda total...

Depois do clamor da festa, percebi que não possuía mais um instrumento, minha querida bateria estava esmigalhada pela nossa alegria.

Nunca mais fui aos dentes de leite.

Capítulo 12

O final da copa, a comemoração e a destruição da bateria foram, sem dúvida, um definitivo rito de passagem. Considero que meu real interesse pela música começou a se manifestar justamente nesse momento.

E foi nessa época que conheci um cara que iria me descortinar todo o universo do rock, soul, funk, blues, folk e todas as últimas novidades do reino da cultura pop: o único, o inigualável, o guru musical de inúmeros jovens sedentos por informação esperta, ele, nosso grande mestre Big Boy!

As primeiras vezes que escutei aquele programa, não entendia patavinas. Era muita loucura, muita gritaria, o cara parecia estar completamente fora de si. Ele já começava o programa gritando sua famosa vinheta: "Hello, crazy people!!! Aqui quem fala é o Big Boy na *Mundial é Show Musical*!" Era muita informação pra minha cabecinha... Primeiro porque vivia num mundo muito distante daquela cultura, pois até chegar aqueles dias, o rock 'n' roll era coisa de que nem se podia comentar lá em casa. Só se falasse mal, e aí eu falava muito mal, pra poder ficar mais perto daquele universo desconhecido e arrefecer os temerosos pruridos de mamãe: "Poxa, mãe, você viu só o que esses maconheiros aprontaram? Um festival de música ao ar livre, cheio de hippies, drogas e gente nua!" "Que bom, meu filho, saber que você é um menino ajuizado e de personalidade. Hoje em dia, é muito difícil ver um rapaz de personalidade, só tem maria vai com as outras!"

Mas com o advento do Big Boy a coisa ficou bem mais fácil. Primeiro porque tratava-se de um programa de rádio que a gente ouvia na rua, depois da pelada, e, com isso, vim a descobrir o lugar mais importante para se pesquisar e comprar disco daquela época, pelo menos no Rio de Janeiro: a esquina da Barata Ribeiro com a Santa Clara. Ali ficavam instaladas as três lojas de discos mais quentes do momento: a Symphony, a Billboard e a Modern Sound, que sempre foi a mais completa de todas e continua a existir com as mesmíssimas características e no mesmo lugar, para nossa felicidade.

O encontro com o Big Boy proporcionou ouvir uma enxurrada de novidades, num programa de rádio AM cuja seleção musical só tinha filé... foi no programa do Big Boy que fui apresentado a bandas como Free, Deep Purple, o Grand Funk, o Elephant's Memory, o Flaming Embers, o Wilson Pickett, James Brown, Ike and Tina Turner, e o primeiro grupo a superar os The Beatles em vendas de discos: o Led Zeppelin, que lançava o *Led Zeppelin 3*. Tudo isso acontecendo em seus programas diários de segunda a sexta, porque aos sábados era só os The Beatles num programa chamado *Cavern Club*. O Big Boy era tão maluco que chegou a roubar um *tape* inédito dos The Beatles dentro da Apple Records!

Com tanta informação, eu precisava armazená-las de alguma forma, e a melhor forma naquele momento era gravar os programas. Aí tive uma ideia salvadora: pedi um gravador, que tinha saído, muito poderoso, diziam que só com uma caixinha quadrada com uma fita dentro dava pra armazenar até duas horas de gravação! Era o minicassete que entrava em cena. O primeiro gravador minicassete portátil foi o Philips.

O pretexto para obtê-lo era poder registrar as aulas e as visitas, como a do Zoológico, ao planetário, e ter mais informação para passar para o caderno e preparar minhas aulas.

Mamãe ficou emocionadíssima com a minha dedicação... "Meu filho, estou muito orgulhosa do seu empenho, é claro que pode contar com sua mãe pra tudo que puder ajudar a sua formação", me pegou pelo braço e me levou na Nossa Lojinha, ali, na Visconde de Pirajá, e me deu de presente o supernovo minicassete Philips!

Como a minha bateria tinha ido pro brejo, o jeito foi me virar com o violão seresteiro de mamãe. Para meu espanto, comecei a tirar uns *riffs* do "Black Night" do Purple, aquele clássico do Free, "All Right Now", e muitos outros tantos!

A alegria em poder realizar algo com alguma proficiência acabou me dando uma tremenda injeção de ânimo... passava os dias ouvindo música com o violão a tiracolo, tentando reproduzir com o máximo de fidelidade as canções e os *riffs* que desconfiava poder executar.

Em uns dois meses, ouvi mais música do que jamais ouvira antes e isso foi modificando minha percepção do mundo e aguçando meus sentidos.

Estava chegando o meu aniversário e precisava ser rápido. Fui até a rua do Senado bater um papo com a vovó Lulu, mostrar os meus progressos como aluno e meu interesse pela música. Ela sempre me perguntava pela bateria: "Continua treinando a bateria?" "Pô, vó, bem que eu adoraria, mas aquela bateria já não dá mais pro gasto. Já deu o que tinha que dar, além do mais, depois da Copa do Mundo, o pouco que restava dela foi destruído na comemoração... sei lá, vó... mas estou sentindo que se você me der uma bateria nova eu vou deslanchar, sabe?"... "Então faz uma coisa; faltam duas semanas para o seu aniversário, vamos até a Casa Góes ver lá se tem um instrumento do seu gosto"... E lá fomos nós dois rumo à Casa Góes.

Quando chegamos, logo de cara vi uma bateria Pinguim modelo Ringo Starr... era uma réplica linda! Toda raiada de azul, preto e branco, peles de nylon, pedal de bumbo com ação de gente grande, uma maravilha!... "Vó!, é essa aí que eu quero."

E no dia do meu aniversário aporta lá em casa uma caminhonete da Casa Góes para entregar a bateria. Que felicidade! Durante todos aqueles meses de ausência de instrumento, tinha organizado uma lista de músicas que eu precisava ver se conseguia executar.

Uma vez montada no terraço, peguei a vitrola estéreo do meu pai, pluguei o fone, coloquei o *Led Zeppelin 3*, faixa número um, "Imigrant Song", e comecei a tocar! Foi a primeira batida que consegui tirar igualzinho ao original!

E turbinado pelo entusiasmo da primeira conquista, passei a tocar bateria sempre que a casa estivesse vazia, ou seja, todas as tardes, a tarde toda, pois mamãe iniciara-se no espiritismo de mesa e trabalhava de médium num centro lá na Gávea todas as tardes! Minha irmã estudava no turno da tarde e, com essa moleza, eu chegava a tocar quatro, cinco horas por dia sem interrupção, nem reclamação de ninguém.

Foi nessa época que conheci o Hendrix. Na verdade, eu nunca tinha ouvido falar daquela figura, só com a morte dele é que acabei por conhecê-lo e amá-lo profundamente... No caso do Hendrix, tomei coragem e fui à loja comprar o seu disco póstumo que acabara de sair, o *Cry of Love*. Conhecendo Jimi Hendrix, me deparei com Mitch Mitchell, que tocava de uma maneira completamente diferente do que estava acostumado a ouvir... Ele produzia um som de muitas variações, soava meio como um jazz turbinado, muito prato de condução, um novo conceito de tocar bateria. Tirei o *Cry of Love* na bateria inteiro.

Me agarrei com unhas e dentes àquela atividade, procurando desenvolver ao máximo o meu potencial. Estava impaciente para poder me livrar da pecha de inábil, sem jeito, pereba, pele, mão de onça, ou seja, tinha que acelerar pra correr atrás do prejuízo...

Outro ídolo que nascia era Ivan Lins com "Agora"... Teve uma época que eu sonhava ser o baterista do Ivan, por sinal, a coisa mais corriqueira que me ocorria era sonhar em substituir bateristas por motivo de força maior.

Com toda essa efervescente atividade musical, justamente em outubro começa um dos FICs mais escandalosos de todos os tempos.

Como no ano anterior, meu pai ainda trabalhava na empresa de táxi que continuava a servir os músicos do festival. E mais uma vez pudemos assistir todos os dias de festival praticamente ao lado do Chacrinha, que, naquele ano, era o presidente do júri.

Já estava mais crescido e deu para saborear o sensação de ver Os Mutantes tocando "Ando meio desligado", na minha frente! Conheci em primeira mão o gênio de Jards Macalé, defendendo "Gotham City", o Raul Seixas cantando "Let me Sing my Rock 'n' roll", o Ivan Lins com "Agora", o MPB4 com "Amigo é pra essas coisas" e os grandes escândalos do ano: maestro Erlon Chaves e a Banda Veneno com o hit "Eu quero mocotó" desafiando toda a classe média brasileira, numa performance arrasadora, com o grande e saudoso Erlon comandando a Banda Veneno, sendo agarrado e seduzido por um monte de louras gostosonas!...

Rapaz... o clima ficou tenso no Maracanãzinho, entre o delírio de alguns e o choque de muitos. Mas era o ano em que o *black power* e a *soul music* estouravam no mundo todo: os Black Panthers, Angela Davis, James Brown, Curtis Mayfield, por aqui, os Diagonais, de

Cassiano, Carlos Daffe, o Ademir, primeiro DJ black, precursor do baile funk, o Tim Maia já estouradaço, e eis que surge no festival a figura espetacular de Tony Tornado: um cara de quase dois metros de altura, botas, blusão aberto, sem camisa, cabelo *black power*, cantando e dançando cheio de estilo e interpretando a canção junto com o Trio Ternura que seria a grande vencedora do ano, e um manancial de paranoias indescritíveis. E para piorar as coisas o Toni começou um namoro com a Arlete Salles, que apresentava o festival! É curioso, mas, num curtíssimo espaço de tempo, tanto o Tony Tornado, o Erlon Chaves, assim como o Simonal, todos foram devidamente evaporados da cena musical brasileira.

Por ironia do destino, viria a ter acesso à sua imensa coleção de discos (uma das maiores discotecas de *black music* do Brasil, justamente no ano seguinte, através do Alexandre Barbalho, filho da Arlete).

E o Taiguara? Tadinho! Foi inventar de compor uma canção chamada "Viagem"!!... "Viciado, maconheiro sem-vergonha, deve se picar com maconha!... É isso que esses malucos querem de exemplo para os nossos filhos? E tem mais: carreira de músico é uma coisa efêmera... todos esses aí que você está assistindo e aplaudindo agora, daqui a uns anos vão estar roendo beira de penico, meu filho. Vou pedir a seu pai te levar até a praça Tiradentes pra você ver o espetáculo lamentável de uma horda de músicos desempregados, sentados à deriva, em volta do chafariz, sem emprego, sem casa, sem eira nem beira...", disse mamãe. E assim se sucedeu. Papai me pegou pelo braço e, para meu terror, me levou até a praça Tiradentes, onde vi um monte de músicos no maior desamparo: velhos, desempregados, provocando em mim um pavor à profissão e uma tremenda sensação de vazio por não poder desenvolver a atividade que mais gostaria de abraçar.

Meu cabelo já começava a bater nos ombros, livre das tesouras e da máquina 1, o vestuário mudou drasticamente: das calças de tergal da Dom Vicente para os jeans apodrecidos da Lixo e do Hippie Center... A primeira vez que entrei no Hippie Center foi com o Toninho, meu novo amigo na rua. Fiquei maravilhado. Era uma loja na Visconde de Pirajá, do lado do Moraes, com vitrines enormes cheias de objetos psicodélicos, toda pintada de vermelho intenso, fazendo um contraste bacana com o verde berrante do Zeppelin, bem defronte. Lá tinha de tudo: roupas, incensos, almofadas com motivos indianos, objetos dos mais variados feitios... Se você entrava careta, saía todo montado de hippie... Tinha também só disco filé, como o último compacto da Bolha pela Top Tape, *18:30*, que havia concorrido no festival e passado quase em branco. O pessoal da loja produzia uma série de questionários com perguntas do tipo: Como pode uma banda de primeira linha como a Bolha passar despercebida, enquanto não se para de ouvir no rádio "Eu te amo, meu Brasil"?

Capítulo 13

A partir de um severo questionamento físico/existencial, decidi escrever um romance: *A revolta dos dedos*. Tratava-se de uma rebelião dos membros que pleiteavam sua própria inserção no espaço do Eu enquanto Si mesmo. Pois bem, através de brechas quânticas, reverberando o apocalíptico inconsciente coletivo, os dedos se sintonizam numa outra unidade que não a do corpo e sim numa nova unidade de conjunto: os dedos em si. Sendo assim, com autonomia e consciência coletiva adquirida, os dedos do mundo passam a se desprender dos antigos corpos e passam a viver sobrevoando o planeta, formando um anel de dedos voadores. Enquanto isso, na Terra, inúmeros acidentes começam a acontecer, tragédias oceânicas, desastres nas rodovias, aviões caindo, as pessoas rastejando pelo chão, o ser humano começa a perceber a falta que o dedo faz... Ao cabo de muito sofrimento, com muito esforço, um grupo de psicólogos, xamãs e cientistas inicia uma tentativa de diálogo com a coletividade de dedos em si e através de mantras e propostas concretas de democratização das sinapses, os dedos finalmente começam a se reincorporar nas criaturas restantes. Os dedos órfãos tiveram que se contentar em ser enterrados com seus eus de origem.

Enquanto minha vida se transformava num delírio de ideias e analogias, passou pela minha cabeça me tornar um filósofo. Achava minhas ideias muito interessantes e me divertia cada vez mais comigo mesmo

Mais um ano que chegava ao seu final e iniciávamos os preparativos para as férias no sítio. Dessa vez, ia levar minha bateria e meus discos e, por isso mesmo, já estava com ela toda desmontada, esperando o próximo sábado para, enfim, poder viver num delicioso estado de liberdade durante uns dois meses.

Logo após o Ano-Novo, partimos para Pedro do Rio, dessa vez de Variant azul-calcinha pálido, com direito a bateria, Burunga e o escambau.

Nessas férias também aconteceu um fato que iria introduzir a terceira personalidade a marcar minha alma para sempre: o Lennon me aparece em sua antológica entrevista para o primeiro número da *Rolling Stone*...! Imediatamente me enxerguei naquela situação e achei aquilo adorável. Poderia imaginar que, instintivamente, procurava minha própria munição para sobreviver! Como a entrevista fazia parte do pacote de lançamento do *Imagine*, pedi a minha avó para irmos até Petrópolis e fuçar na Musical se já tinha chegado a versão brasileira (que sempre era horrível, tanto pelo som quanto pela arte da capa). Como estávamos em meados de fevereiro, tive a sorte de comprá-lo na semana em que saiu. Acho a voz do Lennon a coisa mais sensacional do rock 'n' roll universal. A forma com que era gravada, com um atraso mínimo dando uma sensação dramática e metálica. Passei ouvindo aquele disco o dia inteiro, todo santo dia até o último dia de férias. "Instant Karma" foi direto para a seleção da batera. Aquelas canções e aquela entrevista caíram como uma bomba incendiária na minha cabeça e na minha maneira de ser.

Passei os dois meses seguintes passeando no morro com os cachorros e tocando bateria junto com meus discos...

Me lembro que no último dia de férias, fui até Pedro do Rio me despedir da cidade, quando vejo chegar na Purina uma leva de pintinhos de um dia! Não me contive e comprei três pintos mais um peruzinho e jurei que os criaria com todo amor e carinho pelo resto de suas vidas. Os levei comigo para a Barão de Jaguaribe.

Minha mãe, já há algum tempo, havia adotado o espiritismo com devoção. Tia Janine também. As duas pareciam ser médiuns e, não raro, entravam em transe espiritual. Comecei a ficar curioso e, um certo dia, pedi a mamãe que me levasse ao centro, lá no Jardim Botânico.

"É de linha branca, viu, meu filho, não tem nada a ver com macumba, inclusive, você vai ver, tem o retrato de Jesus Cristo mais lindo que já vi! Ele parece que está te olhando o tempo todo. É emocionante... Era o que faltava para preencher minhas tardes! Adorava aquela atmosfera, misto de repartição pública com pronto-socorro, aquele cheiro de defumador, aquelas pessoas envelhecidas e contritas... as fichas de espera... o Jesus Cristo na parede... o líder carismático, o sr. McGregor...

Ao final daquele mês já tinha devorado todos os livros de espiritismo que havia comprado. Iniciei na surdina um ritual (empírico) de cooptação de espíritos disponíveis. Me sentia um verdadeiro Zé Arigó mirim!! Passava horas sentado na escrivaninha esperando por um contato.

Acho que nunca escrevi tanto na minha vida. Havia uma fluência, uma torrente de mensagens fluindo pelo meu ser. Recebia inúmeras entidades e elas me indicavam com palavras de sabedoria o caminho da Luz. Um mestre do Oriente chegou a me indicar um livro: *A vida de Nossa Senhora em Saturno*, que fui direto adquirir em êxtase.

Ficava muito orgulhoso em perceber a seriedade e a credibilidade depositadas em mim, tanto da parte da mamãe como da tia Janine. Depositavam em minha pessoa... uma confiança inabalável. Verificavam que, diante de seus olhos, eclodia um espírito muito evoluído, muito velho... As duas concordavam com o diagnóstico: "O Joãoluizinho sempre pareceu muito esquisito, mas não! É que se trata de um ser muito profundo..."

Enquanto passava por uma radical transformação espiritual, prosseguia firme na bateria. Um dia daqueles, estava na porta, voltando do colégio, quando sou interpelado por um cara mais velho, moreno, comprido, cabelo longo em camadas, contrastando com uns óculos pesados, pretos, quadrados, calça boca de sino... Estava certo de ser um daqueles garotos que, pra fumar maconha, ficavam dando voltas pelo quarteirão, para despistar a polícia... sei lá... só sei que eu morria de pavor de encontrar uma turminha dessas pela proa e acabar levando porrada... ou pior, me entupirem de maconha!

"Aê, garotão, tudo na paz?", interpelou amistosamente o sujeito... "Tudo! Tudo bacana...", respondi encagaçado... "Eu queria uma informação, aê... por acaso tu tem um irmão mais velho que toca batera? Sempre que passo por aqui tem um cara levando um som... fazendo umas levadas estranhonas, achei maneiríssimo a paradinha e fiquei curioso... Queria levar um lero com o cara, aê, porque eu toco baixo e tô a fim de formar uma banda." Tremi dos pés à cabeça... Era a primeira vez que ouvia alguém se referir a um agrupamento musical como... banda! Banda, pra mim, era de coreto na praça, com tuba e fanfarra, banda como na música do Chico Buarque... Achei esquisitíssimo, pois, pra mim, o prafrentex era formar um "conjunto" de rock... e, hesitante, retruquei: "Uma banda? Tá a fim de formar? Banda de rock? Legal... mas o caso é que eu não tenho nenhum irmão mais velho, não... sou eu é que fico treinando quando não tenho nada pra fazer... mas não é nada sério..." O cara se surpreendeu com a resposta, me vasculhou de cima a baixo, coçou o queixo e mandou: "Mas então você num tem nada pra fazer mermo, aê, porque é só passar pela porta da tua casa e ouvir o esporro rolando a qualquer hora... Não tá a fim de fazer um som comigo pra ver se a gente toca junto?..." Aí eu gelei.... "Pô, bacana, mas sei lá... sou muito novo ainda e tenho muitos deveres de casa pra fazer, não sei se vou ter tempo pra gente levar um som, as aulas começaram e minha turma é muito puxada..." Tentava procurar qualquer desculpa para rechaçar de vez a possibilidade de que aquele garoto entrasse lá em casa, se deparasse com a minha mãe pela frente e descobrisse o meu segredo: que eu era um menino superprotegido que não podia fazer nada sem o consentimento da mamãe. Não queria nem imaginar a cena. Ia ser uma vergonha. "Aê, prazer, eu sou o Caguto, vamos fazer um som amanhã? Eu trago meu amplificador, meu baixo, e a gente toca um pouco, sem compromisso... e, por sinal, qual é o teu nome, aê?" "Meu nome? Ah, sim, meu nome é João Luiz...", e o cara esticou a mão alçando-a para um forte cumprimento...

Àquelas alturas, eu já não sabia mais o que dizer, me deu um branco e nem sequer uma desculpa esfarrapada tinha para evitar o convite... "Pô, aê, é sem compromisso... que mal tem? Neguinho aqui não é marginal não, aê..." "Pô, cara, que isso! Não é nada disso! É que... bem... tá bem... a gente se encontra amanhã depois do almoço, que agora eu vou ter que estudar, valeu?" "Falado, rapá, amanhã lá pelas duas tô batendo na porta!... Aê, é tudo limpeza, num precisa grilar com a nossa transação, morô? Todo mundo aqui é gente fina, podes crer... té mais..."

Pois bem. O primeiro encontro foi vitorioso. O Caguto chegou logo depois da saída da minha mãe. Trouxe o aparato todo: um baixo Giannini preto, um amplificador Ipame (na época, mais conhecido por Infame) e um disco... um disco de capa dupla!... "Aê, garotão, trouxe aqui uma banda da pesada. Saca só essa capa." Era um disco do Grand Funk Railroad, o *Closer to Home*, que tinha na capa uma foto em alto-contraste com a cara de cada componente do trio, enfileiradas na vertical... "Saca só o detalhe, garotão... os olhos dos caras são de verdade, aê! Maior choque, né? As figuras dos caras toda branca (efeito do alto-contraste) e as lupa dos neguinho banderozonas, aê! As lupa toda vermelhas! Maior embalo, morô?"... "Então vamos subir e montar a sua aparelhagem (linguagem de época) e enquanto isso a gente dá uma ouvidinha no disco."

"Pô, cara, dá pra me emprestar o disco? Eu gravo ele e te devolvo no ensaio de amanhã"... e sem perceber, já tinha engatado mais um compromisso só na empolgação.

E de empolgação em empolgação, fizemos uma *jam session* bem honesta...

"Aê, garotão, maneiríssimas as levadas. Amanhã a gente pode mandar um 'Jumpin' Jack Flash', um 'Whole Lotta Love', mas peraí... sem guitarrista fica fraco, né?"... Eu já estava meio agoniado daquele "garotão" dele o tempo todo e arrematei: "É mesmo... mas eu pessoalmente não conheço nenhum guitarrista..." "Mas eu arranjo um, deixa comigo..."

"Pô, por falar em guitarra, o guitarrista tem o maior cabelão!", exclamava eu, sempre muito impressionado pelo efeito capilar... "É, rapá... neguinho aê tem o maior pelo, meu irmão... E já que você gostou do Grand Funk, eu podia trazer amanhã pra gente ouvir um cara muito louco..." "Mais louco que o Grand Funk? Ele tem cabelão também?"... Aí o Caguto sacou a parada e emendou: "Rapá, esse cara é tão maluco que os pelos do cara passam rapando as canela, morô?..." "E então, qual é o nome do cara?"... "Aê, guarda o nome dele: o cara se chama Frank Zappa, que, além de ter um cabelão, também cultiva um cavanhaque enfezado, quadradão, debaixo do queixo, aê... maneiríssimo. Tu vai pirar nas ideia do maluco, te garanto, aê!"

Não preciso dizer a vocês que, além de gravar todo o disco (a essas alturas, meu pai me havia emprestado seu *tape recorder* Philips estéreo), aproveitei para ouvir tudo no escuro, de fone, no volume 11...

Chego do colégio e, como de sempre, me preparo para o almoço com minha mãe e minha irmã vendo o jornal "Hoje"... Fico bem calado, sem mencionar a visita do nosso Caguto.

Minha irmã, que estava atrasada, sai logo e mamãe, bem, mamãe decidiu ficar em casa, pois o sr. McGregor, chefe lá do centro espírita do Jardim Botânico, estava pensando em lançar sua candidatura para deputado estadual e estava transformando o segundo andar da casa do centro num comitê eleitoral, e, por isso mesmo, os trabalhos estariam suspensos até a semana seguinte... "Isso vai ser o meu fim!", pensei... "Como vou explicar essa situação pra ela?" De repente, toca a campainha! "Cecília, quem é?" A Cecília tinha acabado de chegar lá em casa e ficaria com a gente por mais uns cinco anos... "Dona Ruthinha, é pro João Luiz... São dois rapazes cheios de tralha pedindo pro João Luiz dar uma ajudadinha." Minha mãe me fulmina com os olhos... "Quem são esses rapazes?!" "É que... é que ontem um garoto veio tocar aqui comigo... e hoje a gente... ia fazer um outro ensaio..." Ela foi imediatamente até a porta, deu uma filmada nos caras, olhou-os de cima a baixo e sem dizer uma palavra retirou-se para dentro... "João Luiz Woerdenbag Filho: o que é que você me arranjou pra botar dentro de casa?!!" "Mãe, pelo amor de Deus, confia em mim, ele é um cara educado, me tratou legal, só é um pouco mais velho, mas quanto a isso não tem problema, por favor, mãe, não fala nada com eles, deixa que eu me safo dessa, senão vão me encarnar o resto da vida!"... "Um pouco mais velho?! João Luiz, aquele sujeito já tem barba na cara, deve ter uns vinte e poucos anos, anda por aí sabe-se lá com quem, deve estar emaconhado, e você me pede para deixar ele com você? E se eles têm um surto e saem fora de si? Quem é que vai controlar? Esses maus elementos tomam maconha pra assaltar, para roubar..." "Mas, mãe, ele é um cara quietão, parece só que ele é doidão, mas é moda... todo mundo anda assim... mãe, pela última vez, me deixa resolver esse problema. Vou mandar eles entrarem, na tranquilidade, dou uma tocadinha pra despistar e logo invento que estou passando mal, tá?"... "João Luiz: vou te dar 15 minutos para você despachar esses dois desocupados daqui. Se passar do tempo, você sabe o que vai acontecer, né?" "Pô, mãe, não precisa aparecer, não! Deixa comigo que você vai ver..." E todo cagado, pedi pra Cecília buscar os dois lá fora...

Pois é... tinha esse detalhe: o Caguto, como bom carioca, além de se autoconvidar, achou por bem trazer um brother seu... Sim! E não era um guitarrista, não! O cara não era nem músico, mas tinha uma pinta de chincheiro que vou te contar! Cabelo encaracolado dividido ao meio, louro de parafina, queimadão, camisa Hang Ten, calça Lee rasgadona, olhos vermelhos e nariz fungando... me apavorei todo... "Aê, garotão, esse aqui é o Dalessandro, meu brother, gente finíssima"... Tentei levá-los direto para o terraço a fim de evitar o meu quarto com a retumbante galhada... O sujeito já estava se aboletando no sofá de zebra do tio Cocó... "Aê! Beleza?", murmurou Dalessandro... "Tudo joia, né?", respondi, sem graça e visivelmente embaraçado. E o pior é que a recíproca estava longe de ser verdadeira. Os dois estavam muito à vontade, o surfire já esticara as pernas em cima da mesa de centro e disse: "Aê, tô fissuradão pra ouvir uma sonzeira esperta, aê... maneiríssimo, mete bronca, aê..." "Aê, o garotão leva um som da pesada na batera. Tu vai ver." Enquanto isso o tempo se esvaía rapidamente e cada vez mais eu não sabia como me livrar daqueles dois.

O Caguto, com seu baixo plugado no Ipame, esperava as válvulas aquecerem para disparar seus primeiros *riffs*... "Aê, garotão, vai pra batera! Vamos mandar um 'Jumpin' Jack Flash'"?, quando uma voz surge lá debaixo: "Vamos mandar com coisíssima alguma!!!!" A voz vinha subindo e, com ela, surgindo mamãe furibunda adentrando o gramado já com o dedo em riste no nariz do Caguto: "Vocês tratem de ir embora imediatamente senão eu chamo a polícia, entenderam?"... "Aê, minha senhora, não é nada disso, a gente tá aqui pr..." "Tá aqui pra nada! Tá é acolá! Fora, fora! E o senhor aí, João Luiz, pode descer que eu quero ter uma conversa muito séria com você"... Pronto, estava feita a cagada! Era tudo que queria evitar... que vexame, puta que pariu!... "Aí, desculpa aí... foi mal, vocês querem que eu ajude a desmontar?..." Tentei ainda alguma amenização, mas mamãe voltava à carga: "Que desmontar, que nada. Desça já e me espera que eu já estou indo logo após acompanhar esses... rapazes até a porta da rua. E você, pra baixo! Já!"

Nunca mais vi o Caguto nem o Dalessandro...

Capítulo 14

1971 foi um ano de muitas transformações e inúmeros acontecimentos importantes. Estava com 13 anos, minha irmã, 12, portanto, instaurara-se a adolescência no lar.

Com o desabrochar do encanto feminino, Maninha desperta para a música... o adolescer fez eclodir em Maninha todo encantamento poético que a música produz na imaginação de uma menina prestes... a virar moça.

Foi um momento de convergência de vários fatores que estimularam minha irmã a se tornar a fã mais ardorosa da *Família Dó Ré Mi*, ou, para ser mais exato, pelo *crooner* do conjunto, o David Cassidy, o maior *teen idol* da década.

A coisa foi ficando séria... Havia uma banca de jornal na praça General Osório onde tanto eu como meu pai comprávamos revistas estrangeiras, de automóveis, logo em seguida as de música (*Rolling Stone, Melody Maker*), de humor, tipo a *MAD*, as de terror que tanto amava, mas não sabia que a tal banca também vendia aquelas revistinhas infames de garota adolescente com retratos de cantores juvenis, bonitinhos de sorriso Colgate nas capas... Numa noite daquelas, depois de uma sessão de cinema no *drive-in* da Lagoa, papai dá a sua habitual passada pela tal banca quando nós quatro aproveitamos para bedelhar as novidades. Maldita noite! Quando minha irmã entra na banca, imediatamente se depara com uma parede inteira só daquelas revistinhas *teen*, TODAS tinham o David Cassidy nas capas. Eram mais de vinte publicações, TODAS falando da mesma coisa: o universo encantado das *protoboy bands* da época.

E não deu outra: alimentada pelos conselhos platônicos de mamãe e espectadora assídua da série de TV *A família Dó Ré Mi*, Maninha, ao se deslumbrar com a quantidade absurda de publicações, todas elas dedicadas ao mundinho de sonhos açucarados que tanto amava, fez mamãe comprar umas vinte revistinhas daquelas.

Apesar de infeliz e vergonhoso, o episódio com o Caguto me catapultou para o mundo dos discos importados. Meus primeiros compactos 45 foram do Ringo Starr (*It Don't Come Easy*), do Wilson Pickett (*Don't Knock my Love*), Flaming Ember (*Robot Little Robot World*) e Elephant's Memory (*Momm Goose*), comprados na Symphony, uma loja que existiu na Santa Clara, quase na esquina com a Barata Ribeiro. Logo em seguida descobri que, ao atravessar o sinal da Barata, do outro lado da rua, iria me deparar com o que foi o grande manancial de música da minha adolescência: a Modern Sound. Lá só se achavam LPs, e de todos os gêneros: do clássico ao jazz, da rumba ao rock 'n' roll e, em todos eles, uma variedade inacreditável!

Foi lá que comecei minha coleção de discos importados. Meu primeiro LP importado foi o *Survival* do Grand Funk, que tinha na capa os caras vestidos de homens das cavernas, além dos três minipôsteres da banda inseridos no LP. A partir de então, não parei mais... toda semana estava lá eu fuçando as prateleiras, tentando descobrir bandas novas, novos tipos de sons que brotavam aos borbotões naquele rebelde e psicodélico início de década. Os discos foram a minha escola, e eu só aprendi a tocar bateria por causa deles.

E por falar em bateria, meu pai, percebendo o meu entusiasmo, começou a montar uns amplificadores caseiros e logo chegou com uma nova invenção: "Ô João Luiz, já que você não para de tocar essa bateria, inventei uma que não faz barulho." "Como, pai?" "Estava montando esses amplificadores, quando tive uma ideia. Se a gente pegar umas placas de alumínio e inserir uns relés para fazer contato, podemos decodificar o sinal desse contato e transformá-lo em som, ou seja, se você bater com a baqueta naquela superfície, o impacto da baqueta é levado pelos relés e decodificado em sinal sonoro pelos amplificadores. Se eu tiver certo, a gente pode construir uma bateria com placas de metal achatadas, como pratos de pizza, o bumbo e os pratos, tudo de chapa! Inserimos os relés em cada chapa e mandamos os sinais para um banco de sons pré-gravados. Ligamos um fone de ouvido na saída e pronto! Só você vai ouvir o barulho que faz!"

Ele tinha inventado uma geringonça que só iria aparecer como novidade em meados dos anos 1980! Tudo isso movido pelo justo incômodo de ter uma bateria em cima da sua cabeça.

Mas isso só ficou no papel, e eu, a cada semana, aumentava minha coleção de discos. Queria conhecer novos sons para poder tirá-los na bateria. Tinha conseguido todos os discos do Grand Funk, e arriscava comprar discos de bandas desconhecidas, mesmo sendo obrigado a comprá-los selados. Com esse expediente ousado, logo de primeira, acabei conhecendo o Atomic Rooster, uma banda inglesa de funk espacial, o Mountain (Nantucket), o Cactus, o Jeff Beck, o Incredible String Band, o Osibisa... Mas tudo tem seu preço: não demorou para a Maninha intuir que, se o irmãzinho estava fazendo aquela festa comprando seus discos prediletos, ela também poderia arriscar a dar um pulo na Modern Sound e, quem sabe, adquirir algum material da... *Família Dó Ré Mi*!!

Como era uma garota precavida, havia economizado a mesada (quem sabe intuindo aquele momento) e não teve dúvida: comprou uns três discos da *Partridge Family*.

Ao chegar em casa é que realizei a cagada. Só tínhamos uma vitrola, e Maninha, em todo seu direito, pleiteou junto à mamãe e papai uma divisão fraternal de horários para que os dois pudessem ouvir seus discos prediletos, irmamente, cada um em seus respectivos turnos.

Como estudava pela manhã e ela à tarde, ficou estipulado meu turno das duas às quatro, e o dela, de cinco às sete da noite.

Eu não podia reclamar, pois tratava-se de uma divisão justa, no entanto, meu acesso restringiu-se pela metade em relação ao tempo que tinha, não só para ouvir discos, mas para tocar bateria.

Iniciou-se uma rotina torturante para a minha pessoa. Além de ter de parar justamente na hora em que começava a esquentar, era obrigado a ouvir à exaustão todos os três discos enfileirados da *Família Dó Ré Mi* durante as duas próximas horas. Contudo, impávido, recusei submeter-me a essa sórdida rotina... Insurgi-me de forma criativa.

Foi aí que decidi intensificar a minha vida espiritual, aproveitar o tempo ocioso para ler e experimentar novas práticas metafísicas e voltar a tocar mais assiduamente o violão, desta vez, trancado no meu quarto, à prova de David Cassidy.

Entrementes, no colégio, as aulas haviam começado, estava no terceiro ginasial (o terceiro C).

Voltei a estudar na mesma sala do Guilherme, mas o Zé Luiz tinha ido morar em São Paulo por uns três anos. Dos novos colegas, posso ressaltar o Carlos Jorge (ou Jarlos Corge, ou, simplesmente, Naralho, apelido adquirido por mérito de seu erótico nariz), o Barbalho, o Paulo Maluco, guitarrista e letrista. Outra figura importantíssima, o Luiz Augusto tinha ido para o terceiro B, em virtude de sua ótima escolaridade.

Enquanto isso, meu pai finalmente consegue um sócio para encarar a empreitada de montar a tão sonhada oficina mecânica. O Raul... Foi um período cheio de planos, procuras e oráculos.

O Raul se incorporou à aventura e todos os fins de semana saíamos juntos a procurar um galpão que atendesse aos requisitos da empreitada.

O espiritismo tomava conta de nossos corações e mentes. Enquanto eu devorava meus livros de Allan Kardec, Ramatis, André Luiz e companhia, mamãe e tia Janine iniciavam uma exploração mais ampla pelos centros da cidade, até que se deparam com um terreiro de umbanda. Após um breve período de adaptação, minha mãe se viu livre dos conceitos "errôneos" que fazia dessa formosa religião e passou a ser uma ardorosa frequentadora e médium, pois mamãe recebia um sem-número de entidades.

O único problema é que a nossa vida girava em torno do mundo espiritual: sempre ocorria o desagradável evento do encosto.

Vivia cheia de intervenções do além, tanto para o bem como para o mal... Vira e mexe, estávamos conversando inocentemente e, de repente, uhuuhu, misifio!, minha mãe recebia aquele influxo ectoplasmático, provocando sacudidelas, espasmos, catrancos, quando não, a própria incorporação da entidade aflita.

E pra botar fogo nessa fogueira, descobrimos que a mulher do Raul era uma médium profissa. Fazia altas jiras, desfazia altos ebós, e era cavalo de Pombajira.

No afã de se descobrir um bom galpão para a oficina, no afã de desvendar os desígnios dos acontecimentos futuros, iniciou-se uma jira particular, todas as sextas-feiras, no terraço lá de casa.

A mulher do Raul (não me lembro o nome dela), a grande estrela da parada, era especialista em receber a Maria Padilha...

Me lembro perfeitamente da primeira vez que encontrei com a Maria Padilha... Estávamos nós no terraço, pra lá da meia-noite, quando desce uma entidade nunca dantes recebida. A médium se esgarçava toda e com as mãos na cintura, um estalar de língua característico das Pombajiras, gargalhava exigindo um marafo e umas baforadas, exigência esta cumprida imediatamente por seu cambono (o Raul era cambono da própria esposa), entregando-lhe uma garrafa de cachaça e um charuto, consumido vorazmente pela entidade.

Rapaz... a pomba bebia que nem maluca! Eu ficava observando pra ver se ela cuspia aquela quantidade astronômica de cachaça, mas não! Ia tudo gogó abaixo! E logo quando acabava, vinha ela: "Marafu, Maria Padilha qué marafu!! Maria Padilha qué fudê!!!"

Pensem bem... a tendência da plateia era inquiri-la sobre os desígnios da nova sociedade, se o galpão recém-descoberto ia ficar bacana, se o locador não ia pentelhar muito durante a vigência do contrato etc., mas, para meu espanto, a coisa se desenvolveu de outra forma, o assunto descambou para outras praias... Num dado momento lá, a Maria Padilha me dá uma encarada e dispara: "Ô!! guri, tá na hora de trepá, num tá sabeno?... tu tá precisano dá uma 'tepada', muleque... tem uma namoradinha pra cumê? Tô veno aqui que tem, hein? E é fromosa... lorinha... que tá fim de te dá, muleque, abre os ôio! Tu fica brincando suzinho no banheiro, a lorinha acaba dano pra outro... se apruma, muleque!" Fiquei perplexo com aquele monte de meias verdades...

E continuou olhando para um tio meu: "Esse aí nem cum barbante levanta esse troço!! He-he-he-he-he-he... tá fudido esse aí..." Inconveniente, a pomba...

Enquanto a Maria metia o pé na jaca e detonava todo mundo na sala, eu meditava profundamente... É claro que eu estava me desmilinguindo de tanto tocar punheta, mas... quem seria a tal loirinha a fim de me dar?...

A despeito de toda a minha aflição e constrangimento em virtude daquela exibição pública sem precedentes da minha sexualidade, pesou mais o mistério de quem poderia ser...

Só sei que essas jiras começaram a mexer com os meus sentidos e acabei me apaixonando... pela Pombajira.

Passava noites e noites sozinho no terraço me concentrando e abstraindo pra ver se a Maria Padilha dava um *help* e aparecia, e me desse umas dicas, tipo, se eu ia continuar traumatizado com o ato da penetração, até que uma noite, em estado de conexão cósmica, por mais de meia hora, sempre pensando num rosto que elegi pra ser o dela, materializando os trejeitos que deveria fazer para me seduzir, imaginando quais seriam as feições verdadeiras daquela entidade puramente feminina..., que me deixou apaixonado, quando, de repente, ouço atrás do meu cangote um sibilo... algo do tipo: psssssiu! Me deu um arrepio na nuca e, todo encagaçado, despistei o medo com um assobio sórdido e saí correndo para baixo chamando as pessoas... "Mãe, já começou a novela? Tô indo, aê!"... "Cecília, meu macacão tá lavado pra amanhã?"...

Capítulo 15

Aqui no Brasil estamos testemunhando o fenômeno efervescente da música *black*, com o Tim Maia arrebentando um hit atrás do outro nas rádios, Os Diagonais, cheios de moral, o Big Boy lançando a série *Baile da pesada*, aplicando a rapaziada de James Brown, Roberta Flack, Isaac Hayes, Otis Redding, foi ele que apresentou pra galera o mítico festival "Soul to Soul", realizado em Gana, e, junto com o Ademir, outro DJ enlouquecido, plantou a semente do que viria a se transformar nos bailes funks cariocas... Em São Paulo rolava o Chic Show, o baile *black* lendário dos anos 1970 que acontecia aos domingos na quadra do Palmeiras.

Nesse meio-tempo, acontece uma tragédia, estamos no início de 1971: estava chegando do colégio, quando minha mãe me chama. Meus três pintinhos e o peru estavam completamente desmilinguidos! Era pena pra tudo quanto é lado... e em estado de choque perguntei: "O que aconteceu aqui?"... e mamãe me explicou que durante a manhã, bateu uma ventania e a barraca de sol da mesa que estava desarmada desabou sobre os pequeninos...

Aos prantos, fui recolhendo os corpos e providenciando uma caixa de sapatos para que eles tivessem um funeral digno.

Minha mãe, que sempre se preocupara com meu sentimentalismo exacerbado, tentou argumentar algo como...: "Meu filho querido, assim você vai sofrer muito na vida..."

Para amenizar a perda dos meus pintos e peru, compus minha primeira balada... se chamava: "Três pintos e um peru"... uma canção que dizia coisas do tipo: "Era uma vez três pintos e um peru... vendaval...

ciscavam tanto no quintal... e agora, penas soltas pelo galinheiro, e um pote d'água perto do varal... do varal..."

Essa minha estreia como compositor turbinou ainda mais a vontade de formar uma banda e, sendo assim, me pus a procurar no colégio. Na minha turma, tinha um cara com pinta de músico, o Paulo Maluco.

Me aproximei dele na hora do recreio e perguntei se ele tocava alguma coisa... "Eu toco guitarra... por quê?" "Porque eu quero fazer uma banda, você tem aparelhagem?" "Olha, eu tenho uma guitarra Snake e uma viola caipira de dez cordas"... "E amplificador?" "Bom... isso eu consigo com um amigo do meu irmão que tem um Kustom azul metálico bonitão..." Eu fiquei excitadíssimo e mandei um convite na lata: "Tá a fim de tocar lá na minha casa?" Fui pra casa ansioso pra chegar o dia seguinte e, para prevenir desencontros, já daria um toque na minha irmã pra negociar um pouco mais de tempo de "ensaio". Acabei tendo que abrir mão de toda a tarde do dia posterior ao evento... mas consegui!!

Com o amp ligado, era a vez de pegar a guitarra. Era uma linda Snake azul-turquesa, daquelas semiacústicas, bojudas, e vinha com a onda do momento: uma distorção embutida!! Nunca tinha me deparado com uma distorção! O Paulo liga a guitarra e sai tocando um monte de canções de sua autoria... Pensei: Pô, o cara tem aparelhagem, tem uma distorção embutida, é compositor e irmão de um cara do meio artístico! Que espetáculo!... "Vamos formar uma banda!... Se a gente encontrar um baixista, já dá pra começar, né?" O Paulo diz: "Lá no Leblon tem um amigo meu que leva um baixo. Se chama Tetê, quer que eu chame?"

Começamos a tocar umas duas vezes por semana lá em casa, com o Tetê já incorporado no baixo. A próxima etapa era escolher um repertório e colocar um nome na banda: Nádegas Devagar.

Nesse meio-tempo, durante uma hora do recreio, eu e o Paulo confabulávamos animadíssimos sobre os desígnios da banda quando esbarramos no Luiz Augusto: "E aí, Guto, tudo joinha? Esse aqui é o Paulo Maluco, ele toca guitarra", e o Guto, se dirigindo para o Paulo: "Ah, é? você tem guitarra, qual é?" "Uma Snake..." "Ah, bacana, eu toco guitarra também." Fiquei perplexo! O Guto era um cara que tirava boas notas, tinha pinta de CDF e era artilheiro da nossa turma... não tinha pinta de guitarrista... "Aê, Guto, o cara leva o maior som! A guitarra dele tem até distorção embutida, cara, o maior barato! Por sinal, você tem um instrumento?" "Tenho, sim, uma guitarra Univox, réplica da Les Paul, um pedal de *wah-wah* e distorção Vox e um Tremendão Giannini."

Vocês não podem imaginar o que era ter uma guitarra importada, além de um pedal do Jimi Hendrix e um amplificador Tremendão que era o top de linha da Giannini... Só faltava ele tocar alguma coisa...

Às 14h em ponto, chega o Luiz Augusto: "O que você sabe tocar?"... "Uns rocks aí... Se amarra em Santana?"... Eu já estava esperando por um vexame, quando o Luiz Augusto pisa naquele pedal e sai tocando igual ao Santana! Em seguida, emendou "Goin' Home", do Ten Years After, "Sunshine of Your Love", "Whole Lotta Love"... O Guto tocava guitarra alucinadamente... Ele devia estar com uns 13 anos, assim como eu! Ficamos tocando a tarde inteira...

Minha mãe, com todo o seu ardor e dedicação, haveria de passar por uma grande decepção naquele período. Se lembram do sr. McGregor? "Meu filho, você mesmo viu o horário eleitoral de ontem, né? Que canastrão! Mandando passes de cura pela TV! Que coisa mais vulgar... acho que perdi o encanto... não vou conseguir olhar mais para a cara do sr. McGregor..."

A minha casa acabou virando o centro das nossas atividades. Depois da aula, a rapaziada dava uma parada lá em casa para conversar, brincar de imitar o National Kid, ouvir muita música e ensaiar, com todo mundo batucando em alguma coisa... Os Nádegas Devagar eram uma banda modular...

O Guto, certa vez, trouxe um amigo de prédio que tocava baixo: o Paulo Maurício (Paulo Anormal). Certo dia me aparece o Paulo Maluco todo esbaforido contando que conseguiu inscrever o Nádegas Devagar para um festival de música! Era o festival do colégio Notre Dame, que naquela época só tinha menina e a amiga dele nos inscreveu, mas com um detalhe: ela tinha que ser a nossa *crooner*! "Oba!! Quando que ela vem ensaiar?"

Só que tinha um detalhe: ela não cantava xongas! Não sabia quando começava a introdução, não tinha ritmo nem afinação... "Tudo bem, tudo bem, a gente tem um tempo pra ensaiar e ela vai acabar conseguindo cantar legal, vocês vão ver", assegurou o Paulo Maluco. "E, além do mais, eu vou cantar junto com ela e no fim vai dar tudo certo, falou?"

A música era um rock meio psicodélico que começava todo viajandão, meio sem ritmo definido, com a letra dizendo algo mais ou menos: "Que bom te ver, numa luz do vácuo do meu ser, irmão, irmão, irmão"... e a letra se repetia, ao final, e a banda estourava num *groove* furioso, com as congas de "Jarlos Corge". Eu misturava as levadas do "Soul Sacrifice" com a "Festa para um rei negro", o Tetê fazendo a marcação no baixo, o Paulo Maluco na guitarra e vocal e o Guto na guitarra solo. A primeira coisa que providenciamos para a Tereza Cristina foi colocar um pandeiro em sua mão, pois parecia que ela não sabia o que fazer com as mãos e a parte instrumental da canção era enorme.

Pois bem: chega o grande dia e a banda toda carrega seus equipamentos para o auditório do colégio Notre Dame. Achamos o lugar lindo, enorme, um teatro, afinal! Quando é que a gente poderia imaginar em tocar num teatro?

Agora, tinha um detalhe: nós éramos a única banda de rock do festival. O resto da galera ia se apresentar naquela tradição de banquinho e violão. Não poderíamos esquecer que estávamos num colégio de freiras. Hoje em dia fico na dúvida de como fomos parar lá... A Tereza Cristina deve ter trocado a fita cassete que a gente gravou para a inscrição.

Inicia-se aquele rosário sem fim de músicas completamente inexpressivas, e nós, os ETs da noite. Quando chegou a hora de entrar, a primeira surpresa: já estamos todos posicionados no palco esperando o apresentador nos dar a deixa quando ouvimos: "...E agora, com vocês, a cantora Tereza Cristina e banda!!"

Todos olharam para o Paulo Maluco, que com cara de quem não estava entendendo nada, olhava puto para a Tereza Cristina, que simplesmente sussurrou: "Gente! Sem grilo, por favor!" E deu uma rápida piscadela pra mim, que comecei a contar, 1, 2, 3, e foi!... A música começa, para espanto da plateia... e olha que só estávamos na parte viajandona, calminha... quando de repente explode a segundona e eu, lá de trás da bateria, podia observar a cara de susto das pessoas presentes ao teatro. Quanto mais batucávamos, mais o auditório apupava em fúria, até a hora do solo do Guto, que acabou não se consumando, pois alguém tirou o cabo de força do seu amp.

Só nos restava espancar com mais fúria os nossos tambores, pois eram indesligáveis e, num improviso enlouquecido, terminamos nossa apresentação com a plateia totalmente dividida: 50% vaiavam indignados com nossa presença, os 50% restantes foram embora...

Capítulo 16

A jira começava com umas orações, as luzes apagadas, muita concentração, e em poucos minutos manifestava-se a primeira entidade da noite, geralmente criança. Sinceramente, eu tinha um certo nojo daquelas crianças... elas faziam uma lambança incrível.

Em seguida vinham os pretos velhos. Depois vinha o caboclo Pena Branca... os caboclos são muito sérios, quase enfezados, e não têm muita paciência para lero-lero... De repente, anunciavam: "Salve o Seu Tranca-ruas! Senhor das Esquinas, Salve!... O Tranca, de pernas abertas e arqueadas numa posição de enfrentamento, mãos nos quadris e olhos injetados de cachaça, pedia um pito e seu coquinho (seu copo) cheio de marafo.

O fato é que esse Exu me deixou muito impressionado. Já estava mais ou menos enturmado com livros de espiritismo, mas precisava urgentemente me informar sobre essa área da umbanda/candomblé.

Acabei conhecendo um Exu que raramente desce para uma jira. Quando desce nos terreiros, ao invés de pedir cachaça como os outros, quebra uma garrafa, mói o vidro com as mãos e come: Exu Caveira... que personagem fantástico! Me apaixonei pela história, e, daí por diante, fui à luta procurar mais informações sobre essa extraordinária criatura que tanto me impactou.

Uns meses mais tarde, soubemos que houve um entrevero entre o meu pai e o sócio. O galpão ficou com meu pai.

Depois daquele fiasco no festival do Notre Dame, estavam abertas as inscrições para o festival do Colégio Rio de Janeiro! Taí, não iria perder a oportunidade de inscrever meus "Três pintos e um peru". Como tratava-se de uma canção muito tranquila, não precisei da banda para gravar minha fitinha cassete. Só pedi a viola de dez cordas ao Paulo Maluco, pra dar uma caprichada.

Quando fui inscrever a canção lá no colégio, percebi que a comissão julgadora era composta... pelas duas professoras de Moral e Cívica!!!! A dona Yolanda e a dona Elza!

É bem verdade que eu não nutria a menor esperança da minha música ser classificada, mas esperava ao menos que fosse inserida na fase eliminatória. Ledo engano!... Meus "Três pintos e um peru" foram desclassificados sumariamente. Começava a constatar que não era só lá em casa que implicavam com o meu gosto musical. Na maioria dos lugares, as pessoas só podiam conceber música brasileira de qualidade se você cumprisse um rosário de regras bastante rígidas.

Já estamos em plenas férias quando, numa daquelas tardes, chega uma figura que iria ser peça fundamental na minha formação: o Luiz Otávio, namorado da Nuxa. Desde o ano anterior, quando rolou o armistício entre mamãe e tio Hã Hã, já vinha trocando umas informações musicais comigo. O Luiz Otávio devia ter uns vinte e poucos anos, eu uns 14. Adorava jazz, música experimental, música erudita contemporânea, enfim, era um típico produto de uma época... Era fã de Miles Davis e tinha recém-adquirido o *Bitches Brew*, que a gente ouviria até furar. Foi um cara que me apresentou um mundo inteiramente novo. Durante os próximos anos ele haverá de me mostrar gente como Gary Burton, Oscar Peterson, Charles Mingus, Art Blakey, Dave Brubeck, Lionel Hampton, Billie Holiday, Nina Simone, Sarah Vaughan, Modern Jazz Quartet. Me apresentou também o Pink Floyd, o *Ummagumma* e o *Meddle*, que tinha acabado de sair.

Foi aí que a minha paixão pelo violão aflorou de vez. Foi também o Luiz Otávio que me arranjou como entrar para a escola do maestro Guerra-Peixe. Agora, a maior contribuição que o Luiz Otávio me deu foram os livros que me emprestou: *Além do bem e do mal*, *O acaso e a necessidade*.

Também foram nessas insólitas férias que comecei a tentar downloadear o Exu Caveira, impressionadíssimo com o que havia escutado falar dele nas jiras, impactado com o *Além do bem e do mal*, *O acaso e a necessidade*, misturados à *Umbanda no Brasil*, o que fazia um verdadeiro coquetel de abstrações na minha cabeça.

Engraçado... toda vez que pronunciava seu nome, tinha um piripaque, uma ausência, um espasmo. Mamãe ficava apavorada. É engraçado porque parecia que um fio estava meio solto na minha cabeça e, de repente, tudo ficava escuro, a existência entrava em suspensão e, apesar dos riscos de acidente, eu adorava passar por aquilo tudo... me sentia especial, diferenciado... apesar de sentir uma sensação de inexorabilidade asfixiante...

Esses livros, acoplados ao meu fascínio pelo povo da rua, principalmente por Maria Padilha, Tranca-ruas e Caveira, formariam uma bomba-relógio que estava à beira de explodir...

Mas logo na volta de Pedro do Rio, um pouco antes de começar a trabalhar na Motorfix, acontece um episódio mais estranho ainda que iria mudar todo o meu cotidiano e me acompanharia por um bom pedaço da vida.

Estava às voltas com minhas descobertas filosóficas... Ler o Nietzsche me libertava das amarras que o catolicismo havia me colocado.

Um certo dia, fazendo algumas analogias entre as entidades da rua como Pombajiras e Exus e os questionamentos do Nietzsche sobre a relatividade do Bem e do Mal, entrei numa de realizar uma "jira" no meu quarto para ver se o Exu Caveira descia.

Queria proporcionar a ele um porto seguro.

Para isso, coloquei um som bem cavernoso, tipo "Saucerful of Secrets" do Pink Floyd, acendi um monte de velas em cima do meu ar-condicionado e, ajoelhado e concentrado, repetia seu nome a invocá-lo: "Alô, alô, Caveira... pode descer por aqui que dessa vez você não vai ter nada o que fazer... Só dar uma descansadinha!"

Após um lapso de tempo, deve ter sido de alguns minutos, sei lá, acordo deitado na minha cama sem saber o que se passava... quando dou por mim, percebo que o quarto está todo destruído! Todas as gavetas estavam jogadas no chão, a cadeira de madeira partida ao meio, as cortinas tinham sido puxadas, rasgadas, velas se despedaçaram, uma garrafa de álcool Pring estava rasgada ao meio com o álcool todo esparramado no assoalho! O gravador cassete que tocava o Pink Floyd jazia em pedaços no meio do quarto, as roupas, os brinquedos, a mesa de botão, a escrivaninha, tudo estava destroçado. Foi aí que percebi o meu mal-estar... Sentia um enjoo tremendo, uma vontade de vomitar, a cabeça parecia dormente. Levantei chamando por minha mãe: "Manhê! Caiu tudo no meu quarto, tô enjoado, preciso vomitar..."

Mais tarde, quando voltava ao normal, contei à mamãe o que acontecera e ela, como não poderia deixar de ser, ficou preocupadíssima e me marcou uma consulta no médico. Fui a um monte deles...

Ninguém sabia o que eu tinha. Era uma batelada de exames, eletroencefalogramas, jejuns, e ninguém chegava a uma conclusão. Uns afirmavam que era epilepsia, outros, uma pequena disfunção, alguns diagnosticavam disritmia, outros tantos juravam que se tratava de uma descompensação de adolescente, pois eu estava crescendo muito e meu cérebro não devia estar acompanhando o corpo... me senti um avestruz... Já minha tia achava que era mediunidade...

Minha mãe já estava literalmente em pânico só de pensar que eu podia ser um epiléptico... "Meu filho, isso é uma besteirinha de nada, quando você tiver terminado sua fase de crescimento tudo volta ao normal." Da minha parte havia uma espécie de orgulho por me achar diferente dos demais e aflição, pra saber até onde eu poderia aguentar sem tomar remédio sem ter um piripaque.

Quando me acostumei mais ou menos à medicação, meu pai me recrutou para o trabalho.

Com essa nova condição de epiléptico *light*, a primeira coisa que mamãe fez foi uma promessa. Segundo ela, se o próximo eletroencefalograma desse normal ela pararia de fumar e subiria de joelhos a escadaria da Penha.

Como não paravam de me fazer exames, um dia desses deu normal no EEG. Mamãe não podia se conter de alegria e de imediato pegou um táxi direto para a igreja da Penha.

Ela tinha saído pela manhã e só chegou em casa ao anoitecer... carregada por duas senhoras caridosas. "Mãe! o que aconteceu?", perguntei, e uma das senhoras respondeu: "Encontramos ela no fim da escadaria, já na porta de entrada da igreja; ela gritava de dor e não podia se levantar... também pudera... subiu tudo de joelhos!"

Essa brincadeira deixaria minha mãe entrevada numa cama por uns dois anos.

Minha irmã estava em plena adolescência e, ao contrário do que eu imaginava, iniciava-se uma guerra sem limites entre mãe e filha. Não sei o que deu na minha mãe que ela começou a pegar no pé da minha irmã de maneira obsessiva.

Chegou uma hora que Maninha não mais queria acordar. Acabou perdendo o ano.

A partir daquele momento as brigas entre as duas seriam diárias e pontuais: sempre na hora de acordar.

A coisa foi ficando tão absurda que Maninha teve de deixar a casa. Primeiro foi morar na rua do Senado com os meus avós, passou uns seis meses por lá e em seguida se mudou para Petrópolis, para a casa da tia Gilda e do tio Mendonça, seus padrinhos. Ela tinha uns 13 anos.

Me lembro que íamos visitá-la em Petrópolis.

Após anos de brigas, turras, pragas, juras de ódio eterno, minha mãe e minha avó se encontravam através da morte. Vovó teve um enfarte, foi hospitalizada e logo em seguida morreu.

Foi nesse período que minha mãe se entrevou de vez. A pele começou a encarquilhar e ela assumiu a idade da minha avó. Parecia uma mulher de oitenta anos! Não podia se mexer, e eu passei a ser o seu enfermeiro e médium particular. Como já estava grandinho demais para ficar de castigo, agora passava o dia inteiro do lado da cama da minha mãe. Dando comida na boca, dando passes com as mãos e, às vezes, com batatas (diziam que a batata tinha uma energia mediúnica curativa). Acabou-se o tempo de ir pra oficina. Agora tudo se passaria dentro do quarto da minha mãe... muito incenso, muitos passes...

À noite, na hora de deitar, é que eu conseguia ter um tempo pra tocar violão e ouvir umas músicas... Encasquetei que eu queria ser concertista e maestro.

Tentava aprender a tocar jazz na bateria colocando na vitrola coisas de Joe Morello, Buddy Rich, Elvin Jones, Billy Cobham, iniciava-se o período de rock progressivo... e tinha muito Emerson, Lake & Palmer, Van der Graaf Generator, Gentle Giant, Curved Air, Atomic Rooster... no violão tirava as coisas do Yes, Genesis, Villa-Lobos, Tárrega, Leo Brower, João Pernambuco, John Dowland, numa mistureba inacreditável de estilos... Naquela época havia concerto de rock por toda parte... em teatros, cinemas, clubes... Tinha o famoso Bruni 70 e a sessão maldita da meia-noite onde tocavam Mutantes, Novos Baianos, o Terço, a Bolha...

O primeiro show de rock que eu fui foi no Teatro da Praia, pra ver o Módulo Mil. Depois não parei mais e cansei de ver Mutantes no Tereza Rachel à meia-noite, a Bolha no Teatro Ipanema, Paulo Bagunça e a Tropa Maldita, Equipe Mercado, o Som Nosso de Cada Dia, Paulo, Cláudio e Maurício.

Eu vivia, pensava, dormia e comia música.

Capítulo 17

1972. No colégio, algumas novidades na sala de aula... Seria nesse quarto ano ginasial que viria a conhecer o Cláudio (Cláudio Nucci), que tinha acabado de chegar de Campinas. O Cláudio era um sujeito com um humor peculiar, um grande desenhista e, para o meu espanto, o rei da bossa nova... Tocava muito violão e cantava bem, além de compor suas próprias canções.

Também é necessário ressaltar que, mesmo naquele Rio dos anos 1970, lotado de vários bichos grilos por metro quadrado, era meio raro você encontrar um sujeito mais jovem que tocasse, vivesse e respirasse bossa nova.

Pois bem, nossa turma naquele ano contava com o Guilherme, que assim como eu estávamos em franca fase da busca de afirmação através da dignidade intelectual. Só queríamos ouvir jazz, música erudita, MPB, Milton, Edu, Chico...

O Cláudio, não. O Cláudio, antes de tudo, era um bonachão, sem a menor afetação, produzia suas canções com genuinidade.

Seria nesse ano que o festival do colégio despontaria como umas espécie de celeiro para a nova MPB.

Os Nádegas iriam competir com a canção homônima "Nádegas devagar" (nosso novo *crooner* era o Guilherme Isnard), um *groove* meio *à la* Sex Machine, desclassificado logo nas primeiras eliminatórias.

Bem, o Guilherme era um cara mais velho, cheio de histórias... Adorava contar suas peripécias sexuais. Certa vez nos explicou que toda a mulher de mais de trinta anos, quando tinha um orgasmo, expelia um fluido turquesa... Como fomos sumariamente desclassificados e com a proximidade e a admiração que nutria pelo Cláudio, concordei em tocar bateria pra ele na final.

Como as juradas das eliminatórias eram as nossas onipresentes professoras de Moral e Cívica, não havia jeito de um rock ser selecionado. Elas estavam numa missão cívica de desencavar um novo Chico Buarque e quem aparecia despontando nessa área era o nosso Cláudio e mais um outro garoto talentoso um ano acima que acabara de chegar do Paraná: o Zé Renato.

Chega o grande dia da final, um sábado no teatro do Jockey, o auditório repleto, expectativa no ar... Agora, o mais divertido foi a *jam session* que rolou depois de anunciada a vitória do Zé Renato. A Maria Alcina e o Paulinho da Costa, que estavam no júri, subiram no palco, o Cláudio pegou no violão, eu corri pra bateria esperando ela mandar o "Fio Maravilha"!

Após um ano meio conturbado, chegam em boa hora as férias e lá vamos nós pra Pedro do Rio.

No sítio, durante o banho de piscina matinal, o fundo musical era o rádio ligado, em cima do banco de pedra, no pregão da bolsa, se não me engano, de 11h à uma da tarde. E era um tal de comprar ações, Índice BV... um papo de ação ao portador, preferencial, Petrobras, Vale, Banco do Brasil... e, como vocês podem esperar, mamãe se tornara, da noite para o dia, uma expert na matéria. E quando acabava o pregão, atochava o rádio na Mundial.

Na rádio só dava aquela melô que eu adorava, naquele ritmo pesado: "...Diz que deu diz que dá... e se Deus não dá...", etc., que acabou virando a cara dos pregões ensolarados da piscina... Rolava muito aquela do Antonio Carlos e Jocafi: "Você abusou, tirou partido de mim, abusou..."

Além de proto-hippie/intelectualoide, eu era um vegetariano em defesa dos animais. O mundo ao meu redor parecia não me merecer com as minhas ideias avançadas...

Nessas férias de 1973, a atividade principal seria o lambretocross.

Lá em Itaipava, meu pai descobriu uma oficina só de lambreta velha, cujo dono era um tal de Leleco: "Leleco... quanto custa essa aqui?"

Era uma merreca, e meu pai comprou a lambreta no ato, carregando-a pro sítio na mala do carro.

Com a chegada da primeira lambretinha, o Luiz Otávio não pestanejou e foi lá no Leleco comprar a sua. O João Tomás não acreditou no que viu e acabou descolando uma outra. Papai, meio insatisfeito com o desempenho de sua máquina, comprou uma outra, toda arrebentada, e a outra ficou na minha.

Adorava aquele cheiro de gasolina misturada com óleo pra motor de dois tempos...

A velocidade daquelas geringonças não cabia naqueles chassis, proporcionando aos espectadores das corridas tombos dos mais vexaminosos... aquilo era uma alegre carnificina. Tiramos tudo que não era motor e chassi.

A partir de então, transformamos o pomar em pista de cross. Era algo casca-grossa... pois valia tudo.

Era um show de crocodilagem e emboscadas que, não raro, nos deixava cheios de hematomas, severas escoriações, fraturas, furos e rasgos que eram suturados com grampos de ferro, uma vez que a farmácia do seu Paim ainda não possuía sutura de linha cirúrgica normal.

Não posso deixar de ressaltar que estávamos vivendo um fenômeno musical que revolucionava a MPB: os Secos e Molhados!!!!! Foi o disco daquelas férias... Foi o disco daquele ano.

Ouvíamos freneticamente os dois lados do LP até furar, e adorava tocar "Sangue latino" na viola caipira, embrenhado no meio do mato, atolado de micuins e carrapichos.

Com a nossa convivência com o Luiz Otávio, eu e Guilherme ficávamos cada vez mais "eruditos". Nos anos seguintes, iríamos a vários concertos importantíssimos. Me lembro da gente no Municipal todo empolgado pra assistir Miles Davis. Vimos também, no mesmo Municipal, o Oscar Peterson, Charles Mingus, Bill Evans e muitas sinfônicas, como a da Filadélfia.

Continuava a estudar violão clássico... apenas me recusava terminantemente a ler música.

Preguiçoso mental que era, tirava tudo de ouvido, até um dia que meu professor, meio desconfiado, enquanto executava um prelúdio de Villa-Lobos, trocou as partituras e eu continuei tocando a peça até o fim, crente que convencia... Só vim aprender a ler e escrever música no início dos anos 1990...

É necessário ressaltar também que estávamos na era do Yes. O Yes era a banda mais importante da época, e surgira no meio daquela onda do rock progressivo... Ainda continuava ouvindo freneticamente Humble Pie, Deep Purple, Led Zeppelin, *Edgar Winter's White Trash,* Johnny Winter, Wilson Pickett, David Crosby, Pink Floyd... bandas de soul brancas como Cold Blood... Stravinsky e Tim Maia.

Capítulo 18

1973. Na escola, eu estava entrando no recém-criado Segundo Grau... Cortaram filosofia, latim, francês e transformaram o que era o clássico em área de ciências humanas. O curso para ciências humanas era o de turismo, e só. A área de ciências exatas compunha-se de cursos de desenho industrial, engenharia eletrônica e análises clínicas. Ou seja: não tinha um só profissionalizante que me seduzisse... Fazer turismo, nem pensar, ser médico não estava nos meus planos, desenho industrial até que era bacana, mas não possuía nenhuma intimidade com a prancheta. Só me restava escolher por aproximação, engenharia eletrônica, imaginando que poderia me valer daquele conhecimento na área musical... poderia me tornar um engenheiro de gravação ou fazer engenharia acústica.

E lá fui eu... Estava cercado de CDFs, *nerds*, mentes brilhantes e, entre os meus amigos, só encontro... o Zé!!! O Zé Luiz esteve fora todo esse tempo e retornara cheio de novidades...

Logo em seguida, conheci outro cara cuja amizade se estenderia também até os dias de hoje... o não menos figura rara Francisco Magaldi, o Chicaço.

Mas aquela alegria duraria pouco. Voltar a ter aula com o Arísio (um professor de matemática durante o ginásio) era pior do que ir para o inferno. E como estávamos no curso de engenharia, a carga horária de matemática era cavalar! Fiquei surpreso por conseguirem transformar meu interesse por amplificadores, acústica, alto-falantes, ondas sonoras em fobia, em tão pouco tempo. Passaram-se dois meses e já havia percebido que minha atuação no colégio era completamente cenográfica. Nosso trio eletrônico, eu Zé e Chico, passava a hora do recreio lá na minha casa. Às vezes, dava tempo pra gente levar um som, outras vezes gostávamos de filosofar e jogar conversa fora e escrever os delírios no caderno. Uns anos atrás o Chico me deu um papel desses, todo amarelado... cheio de divagações esquisitíssimas... mas muito interessantes...

As aulas, todas muito chatas, não conseguiam gerar o mínimo interesse em minha pessoa. Precisava fazer algo... Enquanto isso, na turma de desenho industrial, rolava aquela festa. A grande maioria da minha turma do ano anterior estava por lá... O Claudionor, o Guilherme, a Virgínia, a Lilian, a Cristina, a Miriam Lane, a Verena. Pensei: então é pra lá que eu vou!

Não tinha absorvido praticamente nada no outro curso, estávamos em meados de maio e boiava solenemente em química, neca de física... desenho, nem pensar... só aproveitei mesmo as excelentes aulas de história da arte com o Galileu. Alguns meses depois de muitas festividades lá em casa, depois de muitos passeios escondidos na motocicleta do meu pai, percebi que perdera o ano já em agosto.

E foi mais ou menos em agosto que surgiu uma proposta que me abalaria muito...

Os Secos e Molhados se preparavam para gravar o segundo álbum e havia uma grande expectativa no ar.

Em meio a essa espera, acontece uma visita de um cara, um grande guitarrista, rei do pedal *steel*, que conheci através do Mú, que chegou a tocar no Nádegas, irmão do Dadi, dos Novos Baianos e do Sérgio Carvalho, produtor musical do Chico, da Elis, o Rick Ferreira. O Rick era um músico consagrado, tocava com todo mundo... gente como o Erasmo, o Raul Seixas, e um dia chegou lá em casa me perguntando se eu não queria fazer um teste pra gravar o próximo disco do Secos e Molhados. Fiquei congelado. Estava com 15 pra 16 anos... sem saber o que fazer da vida. Me lembro de papai me carregando para a praça Tiradentes num domingo para testemunhar com os próprios olhos a miséria de músicos desempregados, malvestidos, se arrastando ao redor do chafariz... velhos, pobres, perdedores...

Após algumas horas divagando, esperei mamãe chegar e contei a novidade. Aquele silêncio e... de súbito...: "Você está ficando louco!

Já sabe a resposta, né? Pode ir tirando o cavalinho da chuva, NEM PENSAR, ouviu?!!!!!!"

E o ano letivo se esvaía numa prazerosa e inconsequente forma de desfrutar o convívio dos meus colegas, certo de que estava à margem daquele processo. Apesar do triunfo social que desfrutava naquele momento, estava cada vez mais preocupado com o meu futuro, não conseguia me enxergar fazendo coisa alguma... Me lembro que minha desmotivação chegou a tanto que, numa prova de química, tive a pachorra de responder uma pergunta de "como se comportavam os gases" da seguinte forma: "Os gases se comportam muito mal. São elementos desagregadores, etc. e tal." Minha querida amiga Virgínia guarda essa prova com ela.

Em outubro já era considerado um mero observador, um diretor de clima, um *vibe coach*... Mas foi um ano adorável. Fiquei muito triste em perceber que meus amigos iam para o segundo ano e eu... bem... mamãe achou por bem me mudar de colégio... "Já que vai rodar, que mude o cenário. Vou matricular você no São Vicente de Paulo..."

Me lembro da festa de despedida da turma do primeiro ano no La Mole lá do final do Leblon. Fiquei muito triste em perceber que, provavelmente, aquela seria a última vez que veria a maioria daqueles companheiros...

E nesse clima meio sem horizonte começa uma nova e definitiva fase na minha vida. Depois de seis anos no mesmo colégio, lá estava eu caindo de paraquedas numa outra realidade inteiramente diferente e antagônica. A estada no São Vicente me poria num profundo processo de individuação. Através de um de seus alunos, meu futuro grande amigo, muito mais que amigo, uma entidade que descortinou e pavimentou o meu destino, o meu muito querido Ignácio: Ignácio Augusto Machado... que me colocaria, num curtíssimo espaço de tempo, numa banda profissional, mudando de nome, de endereço, de cidade e quem sabe até de planeta. Anos mais tarde, ainda bancaria o que viria a ser o meu primeiro disco. Estava prestes a virar o que sou.

1974... Começaram as aulas, e, de cara, percebo que tudo mudou... Agora o colégio não é mais no quarteirão ao lado... tenho que me dirigir a um ponto de ônibus lá na Prudente de Morais, esperar o 584,

Cosme Velho/Leblon, minha nova realidade, e me mandar para o outro lado do túnel, área totalmente inexplorada por minha pessoa até aquele presente momento.

O São Vicente fica ali no final do Cosme Velho, num prédio amplo, uma quadra de terra batida de futebol soçaite ao lado, um enorme pátio interno com uma quadra de futebol de salão. Ao fundo, em cima do paredão de concreto, uma espécie de jardim suspenso que devia dar para a misteriosa clausura, um pátio sob pilotis, que abrigava várias mesas de pingue-pongue com a cantina instalada em seu interior. Tinha também, no quarto andar, um auditório onde passavam filmes, shows e peças de teatro, sem contar o indefectível Sarau. Apesar de ser um colégio de padres, notava-se muito pouco aquela atmosfera religiosa característica dos colégios tradicionais. Não se percebiam imagens nos corredores, eu nem sabia onde era a capela, ou mesmo se existia uma. A única referência que indicava ser um colégio de padres era a diáfana figura do padre Almeida, nosso diretor.

Na verdade, o colégio estava envolto num halo de efervescência ideológica. Havia um grande estímulo à atividade política, à reflexão, à participação, com um grêmio estudantil presente, eleições com chapas de situação e oposição, o jornalzinho atuando no dia a dia dos alunos. Nunca houvera experimentado tanta participação dos alunos, tanta liberdade para se exprimir... pelo menos foi o que presumi. Comecei a achar aquilo bem mais legal do que um repetente vindo de fora poderia achar.

Meus primeiros dias de aula foram bastante agradáveis... talvez pela minha condição de repetente me tornar um pouco mais *blasé*, ou, simplesmente, me sentir simpatizado pela minha nova turma

Lá também você tinha que fazer um profissionalizante, só que o curso correspondente ao do Rio de Janeiro chamava-se publicidade. Na primeira aula de português surge a indefectível questão: "O que você vai ser quando crescer?" "Músico." Pronto! Na hora do recreio já aparecia um cara ensaiando me chamar de Beethoven. "Aê, Beethoven, me dá um tasco!" Não colou... na semana seguinte começaram a me chamar de Lobão, pois eu só ia pro colégio com um macacão de jardineiro todo detonado que só tinha uma alça. A princípio, não sabia ao certo se gostava daquele apelido...

Como era repetente, tirava uma onda e o Ignácio logo veio puxar assunto comigo. Ele era um aficionado por música. Tinha uma vasta discoteca de rock progressivo e adorava trocar informações a respeito.

"Lobão, você já ouviu o Premiata Forneria Marconi?" "Eu parei de ouvir rock, rock progressivo... estou estudando pra ser maestro", resmungava. Mas o Ignácio não estava nem aí e me pediu um dia pra dar uma chegada lá em casa. Quando viu minha bateria montada não resistiu... "Pô, dá uma tocada aí que eu quero ver... o que você anda tocando ultimamente?" Estava com o disco da Mahavishnu Orchestra na vitrola, que eu há um tempo atrás dissecava na bateria.

Liguei a vitrola, botei o fone na orelha, e sentei pra tocar.

O Ignácio pirou: "Cara, você tem banda?" "Tenho, o Nádegas Devagar, mas agora a gente está em recesso. Bem, Ignácio, eu estou parando de tocar bateria e vou me dedicar ao violão. Quero ser concertista e maestro." Fui buscar o meu Di Giorgio e toquei algo como o prelúdio número 2 do Villa-Lobos.

Todo dia, lá vinha o Ignácio me "converter" ao rock outra vez: "Lobão, você tem que ouvir um grupo alemão espetacular, o Amon Düül... e o Van der Graaf Generator?" Esnobava tudo que ele me oferecia, ouvia até furar o *Clube de Esquina 1*, que já tinha saído há um tempo, fora o *Milagre dos Peixes*, Chet Baker. Tudo muito inteligente... Não mais ouvia Edgar Winter, Slade, Humble Pie, Roxy Music. Ainda ouvia o Yes, com bastante frequência, meio escondido, também o Jethro Tull, Gentle Giant, e principalmente, naquele momento, o Genesis.

Um outro cara que se tornou meu amigo de cara foi o Luís Cláudio, o Quenquém. Um sujeito bem grande, ceceoso como Cazuza e com uma espécie de rádio de pilha incrustado, na altura do coração.

O apelido de Quenquém era porque tinha uma voz meio anasalada. O Luís Cláudio era novo no colégio, assim como eu, e também estava estudando violão clássico. Passou a fazer uns sons comigo. Ele morava na Barão da Torre ou Redentor, e por ser pertinho da minha casa, a gente ficava o dia todo tocando choro e ouvindo disco. Parecia que todo garoto de classe média que queria ser músico estava estudando violão clássico. E o Luís Cláudio era especializado em choro, tocava bem que ele só.

Mas voltando ao ambiente colegial: ou você gostava de choro, samba, ou você era um colonizado que gostava de rock. Não havia meio--termo. Naquele tempo eu estava vestindo a casaca de ouvinte de música erudita, culturalista metido, assim como a maioria dos garotos da minha idade com síndrome de dignidade intelectual, mas, num lampejo poético, acabei lançando mão dos meus conhecimentos de roquenrou pra dar um sacode naquela galera de nariz pra cima...

Já o Quenquém era um cara eclético... Além de música brasileira, se amarrava em Incredible String Band, Fleetwood Mac. Enquanto, para a grande maioria do São Vicente, o quente era Gonzaguinha, Chico, Edu Lobo, Mercedes Sosa...

Me lembro do Pedro Paulo, um jovem esquerdista típico... barbicha, sandália de couro... seria o redator do jornal e uma espécie de adversário político da nossa corrente. Havia eleições para o grêmio e o Ignácio se candidatara a presidente pela chapa do partido hedonista.

Tenho que salientar que o Ignácio era um gênio da matemática, tirava dez em todas as provas: "Adoro dizer pra esses otários que sou fã do Delfim Netto. Porque sou fã do Delfim mesmo e também pelo fato de me divertir com a total falta de senso de humor desses sujeitos", fulminava ele, se divertindo.

A eleição foi concorridíssima, mas o Ignácio ganhou. Se tornou presidente do grêmio, e a partir de sua posse o colégio nunca mais seria o mesmo. Havia ciclos de grandes cineastas como Buñuel, Fellini, Glauber Rocha, documentários dos mais variados tipos de assunto, Goddard, Bergman... ele conseguiu trazer e montar no colégio uma companhia que encenava CALABAR, censurada na época.

Lá em casa, minha irmã voltara ao nosso convívio e estava prestes a fazer 15 anos. Minha mãe teve uma ideia retumbante: "Vamos fazer uma viagem para os EUA?" E passou a procurar agências e planos dos mais variados. Maninha não gostou muito da minha inclusão naquela viagem, afinal de contas, se era pra ser um presente de 15 anos, o que é que eu estava fazendo ali? Eu bem que achava razoável aquele argumento, mas fiquei eufórico com a novidade.

Agora só restava saber pra onde a gente ia. Minha mãe chegou com alguns planos, algumas rotas diferentes.

Escolhemos junho/julho para fazer a viagem... Na partida, aquele clima de excitação, embarcamos num voo da American, papai foi nos deixar no Galeão.

Naquela época, Miami era o retiro de todo aposentado americano, por isso as ruas ficavam apinhadas de velhinhos de muletas, andadores prateados, cadeiras de rodas com soro ao lado... Enquanto passeávamos por suas amplas avenidas à beira-mar, percebíamos de quando em vez uma ambulância recolhendo um corpo aqui, outra ambulância atendendo um enfarte acolá.

Estava um calor dos infernos, subo no meu quarto de hotel e ligo a TV. Estava passando... a Copa do Mundo!... Foi aí que realizei como estava tudo tão diferente.

Fomos nos divertindo a cada lugar que aportávamos. Orlando, a Disney... comprei uma máscara de velho horripilante... Em Washington, já comecei a comprar peças para a minha bateria. Estava ansioso para chegar a Nova York e encontrar com o Guto, que sairia de Boston pra se juntar à gente.

Nova York foi sensacional. De cara, percebo que estou num hotel defronte ao Madison Square Garden, no Hilton, e o David Bowie ia fazer ali a estreia mundial do Diamond Dogs em dois dias. Assim que me encontrei com o Guto, fomos direto comprar os tíquetes. Conseguimos dois lugares no meio das arquibancadas. Foi um show memorável!

Quando o show já se encaminhava pro bis, a gente se levantou correndo e saímos ao som de Jean Genie com o Madison Square Garden cantando a plenos pulmões. Foi lá que senti pela primeira vez o cheiro de maconha.

Na noite seguinte fomos ver o *Exorcista*, que estava estreando também. Quando voltávamos para o hotel, passamos por umas putas, umas negonas lindas, de microssaias, todas de perucas loiras até a cintura... maravilhosas!

Comprei muitos discos, uns pratos e uma caixa Ludwig...

Depois de Nova York, Los Angeles num calor miserável...

São Francisco estava linda, ainda com eflúvios do *flower power*, os bondinhos deslizavam pelas lombadas cheios de flores e guirlandas, nas ruas se notava uma forte, porém decadente, presença hippie... era o tempo do Watergate. Em todas as lojas de suvenir sempre tinha um rolo de papel higiênico com a cara do Nixon, bandeirinhas clamando por *impeachment*, canecas com aquele nariz e bochechas presidenciais dizendo "*spit on me*". Pensei: imagina a gente fazendo isso lá no Brasil...

Em Las Vegas foi um tanto chato... tudo era impróprio para menores de 21 anos... ficamos hospedados no Stardust no meio daquela cafonália exuberante.

E assim voltamos cheios de novidades e fôlego renovado pra casa.

Que venha o segundo semestre...

Capítulo 19

Nós éramos a escória de uma instituição basicamente constituída por uma seleta cepa de filhos de intelectuais, em sua maioria bastante influentes, artistas e afins... tudo de esquerda... ou quase tudo... Nossa chapa hedonista estava a mil pelos corredores e pelas salas de aula, arrebatando corações e mentes com nossa simpatia e eficiência. Talvez o que nos irritava mais naqueles jovens empolados, é que nós também éramos jovens empolados, só que tentávamos desempolar de alguma forma.

Nesse ínterim, vou conhecer um cara que se tornaria outro grande amigo e, em alguns momentos, até faria parte da formação do Nádegas Devagar. Era o Ronald ou, simplesmente, o Nald Rock. O Ronald, por seu turno, ficava me cutucando com o rock 'n' roll e eu ficava sempre em cima do muro, sem saber o que fazer.

Sempre havia gente nova chegando no São Vicente depois das férias de julho, e naquele ano não seria diferente... Na nossa turma entraram duas meninas vindas de fora: uma delas era a Beatriz, que vinha dos States, onde estava estudando.

Assim que conheci a Beatriz, senti que poderia facilmente me apaixonar por ela. Garota inteligente, olhos castanhos, cabelos longos e avermelhados, uma certa atmosfera existencialista, ao mesmo tempo uma típica colegial americana, fumava cigarro e falava um português todo misturado com inglês, sem afetação, o que lhe dava um charme.

A gente estava indo muito ao cinema naquela época, e me lembro que uma certa tarde daquelas fomos assistir o *Ladrões de bicicleta,* do

Vittorio de Sica. Confesso que me flagrei um tanto enfadado, enfurnado na poltrona, pensando mais em como me aproximar da Bia do que propriamente ver o filme.

Pelo menos saí do cinema me achando (sem mérito algum) mais inteligente do que entrei... Devia ser uma espécie de prêmio de consolação.

Passam-se os dias, quando ela se convida para ir lá na minha casa à tardinha, ouvir uns discos novos que comprara.

Ao chegarmos na minha casa damos de cara com a Cecília, minha cozinheira e cartomante. A Cecília era uma cearense muito engraçada e querida que estava conosco há muito tempo. Quando me viu a tiracolo com a Bia, ninguém em casa, piscou o olho pra mim, como confirmando suas predições. No dia anterior, ela pôs as cartas e me assegurou que ia rolar "fandango": "Ô esse menino... se prepara que as cartas não mentem: amanhã vai ter fandango lá em cima no terraço."

Naquele tempo, tinha me mudado com armas e bagagens pro terraço. Coloquei minha cama colada à parede que dava para o patiozinho. À medida que subíamos as escadas, meu coração disparava mais e mais... não havia uma porta para resguardar o ambiente. Simplesmente adentramos o recinto.

A Bia não era exatamente uma fã de rock, apesar de aparentar ser uma típica garota norte-americana. A Beatriz vinha de uma família de intelectuais e, ao examinar a capa, as letras e, logo em seguida, as músicas, ficou impressionada. Conversa vai, conversa vem, estou molhado de suor, o coração a mil e a cabeça dando voltas, imaginando como poderia chegar mais perto dela... Comecei a resgatar algumas informações na minha cabeça e tentava me lembrar de tudo o que já tinha ouvido falar sobre beijo na boca... e não parava de tagarelar comigo mesmo: "Chupão? Desentupidor de pia? Bem, isso deve requerer uma boa dose de sucção... mas... se eu mirar errado e o ar escapulir?... Porra! João Luiz, se você ficar esperando a hora perfeita, você nunca vai sair do lugar em que está... Queres continuar amando o ar? Se joga, rapá! Vai fundo! Acelera! Banzai!!... Fechei meus olhos, respirei fundo e me atraquei na Bia colando minha boca na dela, e, para meu desespero, ao tentar roubar o ar sofregamente de sua laringe percebi que havia muitos vazamentos pelas bordas dos nossos lábios (ainda bem, senão poderia ter arrancado as vísceras dela). Eu só faltava entrar de cabeça na boca da Bia e, em extremo esforço, tentava sugá-la a todo custo como um mega-aspirador de pó. Isso deve ter durado alguns segundos até perceber que aquele método não era exatamente o recomendado. Morri de vergonha, mas não me intimidei, e no final acabei me achando.

Tivemos um feliz namoro de uns três meses... Em janeiro, fui pra Pedro do Rio e ela tinha uma casa em Petrópolis. Nos encontramos umas duas vezes lá em cima, mas logo na segunda semana, ela me disse que estava indo para Nova York e ficava lá por um mês.

Fomos nos falando por telefone um tempo até ela voltar em fevereiro e me chamar pra conversar em sua casa.

Cheguei um dia antes no Rio pra comprar um presente pra ela. Andei por umas livrarias e achei umas litogravuras do Vasarelli (ela me daria umas gravuras do Escher). Embrulhei e me mandei correndo ao seu encontro.

Chego ansioso em sua bela casa rodeada por frondosas árvores para revê-la e dar o meu presente. Ela chega meio distante, recebe o presente meio sem graça, me agradece a atenção com um sorriso entristecido e logo deixa claro que tem algo mais sério a me dizer: estava esperando por seu antigo namorado.

Fiquei muito triste, tinha ido ao Rio só pra recebê-la.

Acabei voltando de ônibus com a tia Janine, que foi um amor comigo. Me selecionou uma coleção de clássicos como Rimsky-Korsakov, Rachmaninov. Paramos na rodoviária e pegamos outro ônibus até Pedro do Rio... fomos a pé até o sítio aproveitando os últimos raios de sol...

Cheguei e corri direto pro boliche ouvir aquele monte de coisas com o coração partido...

Aquelas férias deveriam se tornar as mais intensas e divertidas entre tantas que já havia passado em toda a minha vida até então.

As lambretas estavam em plena efervescência, além das corridas enlouquecidas pelas encostas do pomar, de subir e descer pelas escadarias, começamos a explorar a região com passeios mirabolantes, descobrimos trilhas, cachoeiras paradisíacas, um bando de lambretas ao sol, eu levava meu violão preto às costas pra tocar em qualquer daqueles recantos, o Luiz Otávio e a Nuxa começaram a fotografar à vera e montaram um laboratório atrás do quarto deles, a Nuxa deve ter um material vastíssimo dessa época... o vôlei juntava cada vez mais gente pelas manhãs, os campeonatos de sinuca às tardes, voltamos até a jogar boliche à noite. Fui o padrinho do casamento da Nuxa com o Luiz Otávio... e fiquei todo orgulhoso... as *jam sessions* no escuro do boliche eram cada vez mais criativas... minhas idas solitárias ao platô geravam um monte de novas ideias... meu avô dava suas chopadas feéricas com aquelas sonoras cantorias, parecia que o mundo inteiro se amava e, num espaço de pouquíssimos dias, sequer me lembrava da dor que carregava quando adentrei o sítio naquela tarde ensolarada de meio de semana.

Fora isso, numa das nossas descidas à cidade, em plena telefônica, avisto um amigo de pré-primário, da época em que eu amarrava os cadarços dos sapatos um no outro... o Roberto! O Roberto, na verdade, era o meu melhor amigo daquele tempo... Um cara louro, de olhos azuis, com uma certa gagueira que lhe conferia um charme. Tinha uma linda irmã por quem já me apaixonara platonicamente naqueles idos do Fontainha, a Branca, e eles eram primos do pessoal do sítio do Leite de Rosas. Fizemos uma grande festa ao nos reencontrarmos e relembramos nossas molecagens. "Se lembra quando você tentou me aplicar um golpe de judô e caímos estatelados no chão? Tenho a cicatriz no punho direito até hoje... olha aqui, ó... Você ficou todo sem graça e me mentiu que o tombo fazia parte do golpe, lembra? Sassaricumikumiachi? Se lembra, Robertaço?..." E a gente caía na gargalhada: "Mmmas vvvocê ssse mmexeu nnaa hora eerradda e acabbou raspanddo a mmmãoo na pa-parede chapiiiiscada..." "É... e eu ia esperar você me aplicar um golpe parado? Me ralou todo, né?"

Ao nos despedirmos falei pra ele dar um pulo lá no sítio e perguntei logo se ele jogava um voleizinho: "Cccara! a a ggente aadoora joggar um vvvoleizzzzinho tambbbém...! LLá em ccasa tem futebol sssoçaiittee ttodo ddia... mmas éhhé ssó ppros mmarmaanjos."

Pronto! Estava feita a conexão com um outro sítio lotado de garotos e garotas! No dia seguinte, junto com o Luiz Otávio e o Guilherme, conseguimos achar a entrada para o sítio Leite de Rosas. Subimos uma ladeira íngreme de pedra, fizemos uma pequena curva e logo nos deparamos com um imenso jardim com uma piscina cheia de meninas. Só meninas! Os marmanjos estavam em plena pelada no campo de futebol soçaite que se desvendava à frente do jardim da piscina. A visão era muito agradável. Havia por ali um monte de garotas bonitas e alegres a se banhar enquanto ouvíamos os berros dos meninos lá do campo.

Assim que chegamos, tudo parou. Vieram todos ao nosso encontro e o Roberto me apresenta as garotas que tomavam sol na piscina: "Aquela é a Tetê, Nena, Gugu... Ah! essa você já conhece, a Branca, minha irmã, e aqui do meu lado, a Lobélia, minha namorada." Todas me deram um efusivo "ooooi".

De repente senti que a Lobélia estava dando atenção demais à minha pessoa.. uma garota linda, loura, toda dourada do sol, cabelo até a cintura, fumava, corpo escultural, olhos azul-esverdeados, mas... namorada do Roberto...

Passamos a noite jogando boliche e, para afastar o sono, fomos de lambreta até a padaria de Pedro do Rio dar uma reabastecida. Já eram cinco e tanto da madrugada e eu não queria apagar... faltavam só três dias para o final das férias... não queria perder um só segundo daquelas sensações intensas. Em meio a toda aquela efervescência, começo a sentir que a atenção por parte da Lobélia crescia mais e mais... cada vez que ela se aproximava de mim, ou pra jogar uma inocente partida de pingue-pongue ou uma parceria de dupla no vôlei, ou dar uma desfilada de biquíni...

Chegava mais uma noite, todo mundo virado, e decidimos fazer um luau no jardim da piscina. Toquei a noite inteira tudo o que tinha no meu repertório... quando o sol clareou, de repente, tudo fica escuro. Tive uma convulsão devido à estafa e à falta de sono e acabei me estrebuchando, caindo com a cabeça dentro da piscina. Meu corpo não acompanhou por ter ficado preso na escada de metal. A meninada acabou me retirando a cabeça d'água... e me estendeu na grama. Quando recobrei os sentidos, estava deitado na grama, todo mundo em cima de mim me olhando... Depois de uma crise, parece que nada será como antes... Enxergava a realidade de forma oblíqua.

Sentia um gosto de morte e de vida na boca. A convulsão, no seu imenso abismo, me dava sempre uma sensação de recomeço e proximidade do fim... estava muito feliz...

A novela com a Lobélia se arrastou por entre os primeiros meses do ano, quando, lá pela Semana Santa, ganho um tremendo estabaco de lambreta, no meio da estrada, a caminho do Leite de Rosas. Adentrei o portão do sítio a pé, todo estuporado, perdendo muito sangue. Me colocaram numa espreguiçadeira, e quando dou por mim estou com minha cabeça no colo da Lobélia. Ela me contou baixinho que tinha terminado com o Roberto. Começamos a namorar ali mesmo.

Afobado, acabei namorando a Gugu nas duas semanas seguintes... e pensava, como é que pode, né? Há três meses, nunca havia beijado uma garota! Apesar de encalacrado, não me cabia de tanta felicidade.

Naquele meio-tempo, já de volta à Barão de Jaguaribe, meu pai aparece com uma novidade, aparentemente reagindo logo depois de um sombrio acontecimento, e que me soou de muito mau agouro: "Vamos nos mudar dessa casa! Ela está muito carregada." Ele alegava que depois da morte do Burunga por um suposto ebó, a doença da mamãe com o encosto da vovó, suas constantes crises de depressão. Mas como adivinhar? Eram novos ventos que batiam à nossa porta... Mas voltemos ao início daquele emblemático ano de 1975.

Capítulo 20

Logo ao chegar das férias no sítio, decidi que me mudaria de novo para o quarto. Estava me sentindo meio desprotegido sem nenhuma porta para fechar lá em cima. Saiu o novo disco do Yes, *Tales from Topographic Ocean*, um álbum duplo, e, para ouvi-lo, pensei em começar a ler o *Reinações de Narizinho*, o único do Monteiro Lobato que ainda não havia lido. Aquela leitura, naquele momento, já era passível de ser considerada excêntrica, pois já estava bem grandinho pra voltar a ler Monteiro Lobato.

Meu pai continuou insistindo pela nossa mudança imediata e já veio com umas anotações da oficina... Minha mãe, no rebote da depressão suicida, no vácuo da euforia readquirida, também enxergava um horizonte de delícias e felicidade na nossa próxima morada. Já a minha irmã e eu estávamos tristes por sair da nossa casa.

Minha irmã estava namorando o Mauro, desde o final das férias, e eu tinha abruptamente terminado com a Lobélia, fato que promoveria, depois, o meu primeiro porre de vinho...

Nosso programa de fim de semana era visitar imóveis para escolher a casa nova. Meu pai arranjou uma ampla casa na Leite Leal, em Laranjeiras, com piscina, biblioteca, de frente para um velho casario do século XIX, caindo aos pedaços, transformado num cortiço. Não me sentia bem naquele bairro... detestava a nova condição de além-túnel...

Antes do fim de julho, lá íamos nós rumo à terra prometida, com minha mãe em rejúbilo de esperança, não parando de cantar: "Viver e não ter vergonha de ser feliz!!!"

A rua Leite Leal era velha, triste e abandonada... Meu novo quarto dava direto para a rua e minha janela era bastante devassada. Eu também podia ver todo o movimento do cortiço do outro lado da rua.

Nossa turma permaneceu praticamente intacta e o Ignácio tinha voltado muito animado das férias: "Aí, Lobão", ele pronunciava o Lobão saboreando cada sílaba com dedicação e sonoridade, "vou a um show imperdível na quarta-feira na sessão maldita do Bruni Copacabana. Você conhece uma banda chamada Vímana?" "Vímana? Aquele inca venusiano do National Kid?" "Vai continuar me esnobando ou vai comigo?" Decidi ir com ele... Chegamos às 11h30, o show era meia-noite e nós ficamos na porta do Bruni Copacabana, que se enfurnava no fundo da galeria. Aquele clima hippie progressivo rondava a porta da galeria... a portaria abre, e quando estamos entrando, nos fura a fila uma figura ... cabelão, cinto peruano, passou por nós meio esbaforido o que seria o baixista do Vímana e o Ignácio, que tudo sabia, me informa: "Aí, Lobão, esse cara aí é o baixista do Vímana... é o Fernando Gama."

Nos aboletamos logo nas primeiras fileiras, estávamos a poucos metros do palco. De repente, fica tudo escuro, a banda entra e começa a tocar... as luzes se acendem e o som é uma porrada: "Ei, Ignácio! Aqueles caras ali eram do Módulo Mil!!! O tecladista e o baterista!", eu era um fã de carteirinha da banda. Aquele cara de cabelo cortado em camada que furou nossa fila agora tocava num baixo Rickenbacker: "Pô, esse cara toca pra caralho! e o batera! Era o Candinho! um dos meus ídolos. Ele tocava rock misturado com um sotaque da escola do Edson Machado, e tinha uma técnica incrível! O Luiz Paulo Simas! O tecladista do Módulo Mil, eu tinha até medo daquela figura cavernosa, magro, com olheiras cavadas e dois imensos olhos verdes... Jamais poderia imaginar, naquele momento, de que se tratava de uma das criaturas mais doces que conheceria.

E na frente, nos vocais e na guitarra, uma figura que enchia o palco: "E esse cara com essa cabeleira de Luís XV? Porra, ele toca rápido pra caralho, hein? Tira o maior som daquelas guitarras! E ele tem uma Strato Sunburst, e uma Rickenbacker de 12 cordas, preta!!!" "Pois é, Lobão, esse cara é que deu o nome pra banda. É o Lulu. Ele é tão rápido que alguns o chamam de Lullulullulululululublublullll..."

Foi aí que percebi que não havia piada no nome; Vímana, em sânscrito, significa carruagem dos deuses, nada de incas venusianos do National Kid... era puro "hippismo" mesmo...

As músicas eram quilométricas, todas com média de uns dez minutos cada e complicadíssimas. Confesso que fiquei muito mais impressionado do que queria e fiz questão de debrear meu entusiasmo para o Ignácio: "E agora, Lobão? Senti que você ficou meio balançado, vai continuar dizendo que rock progressivo é uma merda?" "Não é essa a questão, Ignácio. Eles tocam bem, sim, mas não estou interessado em ouvir nem rock pesado, nem rock progressivo, chega de rock!"

Chega o segundo semestre e nós temos o grande evento do ano: o Sarau.

As inscrições estavam abertas, e lá fui eu me inscrever animadíssimo. Decidi inscrever as "Vaquianas", que era uma parada meio classicosa, com uma letra surrealmente babaca e pretensiosa... Mas, no meio da inscrição, de brincadeirinha, disse que estava a fim de colocar um rock no Sarau, e, para meu espanto, houve uma resposta dura por parte do nosso querido administrador: "Rock aqui, não! De jeito nenhum! O nosso Sarau é feito para despertar a musicalidade e o gosto pela boa música", rebateu ele. Aí é que me deu a maior vontade de tocar um rock dos infernos no Sarau... e retruquei: "Mas querido mestre, aqui no São Vicente a gente só ouve falar de luta pela liberdade de expressão, abaixo a censura... A gente não viu aqui mesmo, nesse auditório, *Calabar* censurado no mês passado? Não aprendemos como é feio e nocivo censurar? Você, não me deixando tocar rock no Sarau, não está assumindo o papel que tanto abomina? Agora, faço questão absoluta de tocar um rock além das 'Vaquianas', inscreve aí." Meio embananado, o administrador propôs o seguinte: "Tudo bem, vou deixar você tocar, mas será o último a tocar." Eram cinquenta inscritos!! As "Vaquianas", considerada filé, estava bem no miolo, e o que seria o mega-hit, "Entuba na gatinha", fora colocada na quinquagésima posição! Fiquei puto da vida com aquela demonstração de arbitrariedade... Estava condenado ao limbo tocando por último. Tinha que falar com o nosso presidente do grêmio, o Ignácio, pra ver o que é que ele tinha na manga: "Até que enfim, Lobão! Isso, sim, é roquenrou! Quer dizer que você decidiu dar uma chacoalhada na galera? Não se preocupa quanto ao fato de ser a última atração. O Sarau não tem produção nenhuma. Comunistas do jeito que são, acham que iluminação e gelo seco depõem contra a pureza da música, por isso é realizado debaixo de luzes fluorescentes. Vou colocar o serviço secreto do grêmio para espalhar entre a população surfista do colégio que um show de rock 'n' roll vai acontecer no final do Sarau! Quero ver quem vai arredar pé!"...

E a semana inteira foi dedicada aos ensaios! A proibição colocou a apresentação de rock na boca da rapaziada, tornando a apresentação um manifesto ideológico. Na urgência em obter uma música, numa tarde, com os Nádegas Devagar outra vez reunidos, em nova encarnação, nos pusemos a fazer uma canção pra sacanear os surfistas, já, de antemão, sacaneando os esquerdistas. Nascia o "Entuba na gatinha", saída de uns dois *riffs* de canções do Aerosmith... Nossa banda contava com o Tetê no baixo, eu na bateria e voz, o Ronald na guitarra... acabamos colocando umas garotas para o *backing vocal* e as chamamos de As Gatinhas Depravadas, entre elas a minha irmã, a Paula, a Mary e mais umas três ou quatro...

Foi nessa ocasião que dei minha primeira entrevista. Foi para o Pedro Paulo. Me lembro que ele foi lá em casa com uma prancheta na mão. Éramos de lados antagônicos, mas ele se portava de maneira bastante civilizada e começou a entrevista com a seguinte pergunta: "Por que perder tanto tempo anunciando um número de rock quando você tem um trabalho mais elaborado para mostrar?" "As 'Vaquianas'?" "Gostaria muito de saber qual foi a fonte de inspiração para compor uma letra dessas? Está claro, desde já, que a vaca, na sua letra, é a metáfora do povo oprimido... não é verdade?" Foi aí que me baixou um Nelson Rodrigues: "Meu caro Pedro Paulo, há coisas nessa vida que são mais simples do que nossa vã observação pode imaginar! Não, meu querido Pedro Paulo... as vacas de que falo não são uma metáfora: as vacas são simplesmente vacas!"

O Sarau se inicia lá pras oito da noite com as luzes de serviço acesas, aquela absoluta falta de *glamour*, enquanto esperava pela minha vez de executar as "Vaquianas", dei uma cutucada no Ignácio. "Porra, mas que sarauzinho sarapa esse!"

Quando entrei no palco pra tocar, já eram umas 11h30 e ainda estava bem no meio do evento. As primeiras filas lutavam contra o sono, mas, inesperadamente, a canção foi "digerida" pela plateia como se eu estivesse proferindo metáforas socialistas, convocando a multidão à grande mudança, um miniVandrezinho!, e, para minha surpresa, fui muito aplaudido pelos espectadores: "Minha vaca... minha vaquinha... te tiraram a língua, o rabo, os ossos, o chifre, o couro, a alma e a vida." Supercabeça...

O Sarau se arrastava em tédio geral quando, já de madrugada, parecia haver uma abrupta troca de turno na plateia. A maioria das senhoras orgulhosas e sonolentas e dos intelectuais nacionalistas foi abandonando a sala, que, de repente, fora invadida por um bando de gatinhas usando Melissinha no pé, pregador no ladinho do cabelo, calça *saint--tropez* e camisa Hang Ten. Pelo outro lado, um bando de surfistas tomava seus lugares, envergando orgulhosos e faceiros suas cabeleiras parafinadas.

A partir daí, o auditório começou a participar intensamente! Lá pelas tantas, deviam ser quase duas da manhã, quando o Ignácio entra no palco, faz um sinal para os lados, e a luz de serviço, num passe de mágica, se apaga. A plateia se acende ainda mais. A mudança de clima era abrupta, bem-vinda e radical. De um enorme almoxarifado sem vida, o auditório se transformou em um endiabrado templo do rock! Em meio à fumaça de gelo seco e ao colorido feérico das luzes, o Ignácio apresenta a última atração da noite: "Senhoras e senhores! É com emoção e orgulho que temos o prazer de apresentar... os Nádegas Devagar e as Gatinhas Depravadas!! Com... 'Entuba na gatinha'!!"

Nós fomos subindo aleatoriamente ao palco em meio ao delírio da molecada, cada um de nós estava em um lugar na plateia, eu me lembro que vestia uma camisa Lacoste turquesa e a primeira coisa que fiz ao subir foi retirá-la, rodopiando como um laço de cowboy, jogando-a para dentro do bumbo da bateria. A plateia ululava em polvorosa com a súbita mudança de atmosfera. As meninas já estavam em formação, amplificadores ligados, ruídos anunciatórios, o baixo enchendo o ambiente de frequências graves, eu sento na batera e conto: "1, 2, 3, 4!!!", e começa o fuzuê... todos no auditório se esbaldavam cantando freneticamente o refrão: "Entuba!! Hey, hey, hey, entuba!!!!!!!! Hey hey, hey, entuba!!!!... na gatinha!" Como não tínhamos mais nenhuma música no repertório, tivemos que tocar "Entuba" umas três vezes e o auditório estava virado num antro de rock 'n' roll... Aquilo, sim, era subversão pra mim!

No dia seguinte, na sala de aula, entra o queridíssimo e carismático Kenka, nosso professor de história, gato e socialista...

De estilo largadão, uma barba tipo *five o'clock shadow*, uma minibarriguinha sexy de chope, o Kenka era um ícone da juventude conscientizada, tinha o maior ibope com as meninas... e os meninos tinham o maior respeito por ele. Estava puto da vida com a minha já tão questionada pessoa, e desferiu: "E agora? Tá satisfeito em ser o Mick Jagger do colégio? Isso que você fez é um passo pra trás! Nunca vi tanta gente alienada! Meus parabéns pelo estrago, *pop star*, você conseguiu!" Achei aquela advertência chiquérrima! O São Vicente nunca mais seria o mesmo depois daquela noite.

Como dá para notar, o segundo ano já estava perdido. Perdido no meio de setembro. Dancei mais uma vez. Também fiz por onde, foda-se... Continuava habitando o colégio só pra saber das novidades e jogar uma peladinha. Me lembro que estava saindo do final de uma sessão do *Pagador de promessas* quando me vem o Ignácio com uma das suas: "O Vímana está sem baterista, você quer ir lá tocar com eles?" "Como é que é?" "O negócio é o seguinte, Lobão: estava eu na Modern Sound ontem à tarde quando me aparece o guitarrista do Vímana na loja, o Lulu. Como sou enxerido, me aprocheguei dizendo ser um fã da banda e perguntei quando eles tocariam outra vez. Ele me respondeu que não sabia ainda, pois o baterista tinha saído. Quando soube da novidade, emendei uma terceira e disse que conhecia um puta batera... se ele quisesse... Ele me olhou de lado, meio incrédulo, e não levou muito a sério minha proposta. Eu continuei insistindo, dizendo a ele que tinha uma cara que, além de bateria, tocava violão, até a hora em que ele me perguntou como era o nome do tal cara. Lobão, eu respondi. Ele repetiu: "Lobão? Legal, então me aparece com o tal Lobão lá no teatro Casa Grande pra fazer uma audição, sem compromisso. Nós estamos ensaiando toda tarde... Vai lá com o cara..."

"E aí? Vamos lá? Não vai tirar pedaço, cara! Eu levo sua bateria, vai ser engraçado!" E eu nem aí. Não queria por vários motivos, mas estava numa situação muito sem escolha... e pensei: estou mal no colégio, não sei se vai dar pra continuar dizendo que vou ser maestro... se acabar caindo numa banda dessas, periga deu gostar e aí fudeu: nunca mais consigo fazer outra coisa. Vou acabar faminto e desempregado na praça Tiradentes. Mas o Ignácio não desistiu, conseguiu entrar na minha casa e, através da Cecília, desmontou a minha bateria levando-a de táxi até o Leblon, no Casa Grande. Quando eu cheguei do colégio, percebo que alguém mexeu nas minhas coisas. De repente, sobe a escada o Ignácio com um sorriso de felicidade no rosto a dizer: "Aí, Lobão, agora é só dar uma chegadinha lá no teatro e fazer uma *jam session* com os caras. Te garanto que não vai doer, não. Além do mais, eles estão muito curiosos pra saber quem é esse tal de Lobão. Até o Sérgio Dias, que estava por lá de bobeira, disse estar a fim de te conhecer. Pô, qualé? Vamo lá que eu pago o táxi."

E lá fui eu ao encontro da banda, no teatro Casa Grande.

Capítulo 21

Mamãe passava por um momento de mudanças... se afastou definitivamente do tio Cocó... brigaram feio. Tinha saudades dele entrando lá na Barão de Jaguaribe, sem camisa, de nanossunga azul-neném... o *Pasquim* debaixo do braço...

Depois que ela saiu da gerência da Motorfix, ficou sem nada pra fazer. Já não ia com a mesma frequência aos centros espíritas e estava ficando cada vez mais hipocondríaca. Certa manhã ela me falou: "Meu filho, vou fazer um teste num curso de inglês, o Brasas, pra ver como me saio. Vou voltar a estudar..." Vibrei com a notícia.

À tarde, chega minha mãe eufórica do cursinho: "Joãoluizinho, você não vai acreditar: eles me contrataram como professora! Começo amanhã com uma turma de intermediário!" E em menos de um mês, mamãe já era o xodó das suas turmas. Só que o papai não gostava daquela independência. Uma atividade tão benfazeja como a de professora haveria ironicamente de se tornar o prenúncio do fim de um relacionamento de 18 anos... Ninguém sabia, mas meu pai parecia estar meio encalacrado de dinheiro. Nunca ninguém poderia imaginar. Tinha acabado de trocar de carro: agora estava desfilando num Dodge Charger todo branco, com um enorme SHALOM colado no vidro traseiro... "Quem diria, o João Luiz desfilando de Shalom! Quem te viu, quem te vê!"

Estamos no táxi, eu e Ignácio, rumo ao teatro Casa Grande, e lá vem ele com mais novidades: "Ah, esqueci de te contar um detalhe: eles estão de cantor novo. Um inglês muito louco com um cabelão até os ombros com um V raspado na frente!" "De onde surgiu essa criatura?" "O nome dele é Ritchie e parece que aportou primeiro em São Paulo, esteve num grupo chamado Scaladácida e, agora, parece que o Lulu chamou o cara para ser o *front man* do Vímana..."

Chegamos na porta do teatro e logo uns dois caras colaram no táxi. Eram o William e o Benito, *roadies* do Vímana! Nunca tinha visto aquilo! Eles pegaram minha bateria e, num piscar de olhos, ela já estava montada ao fundo do palco do teatro... Havia uma sutil cenografia, muita tule preta, muito filó... era o cenário da peça da Marília Pêra, *A feiticeira*, e os Vímana Boys se preparavam para substituir o primeiro plantel de músicos acompanhantes e cair na estrada viajando pelo país...

Somos recebidos por todo o grupo, que estava aboletado nas primeiras cadeiras. O Luiz Paulo, meu ídolo desde o Módulo Mil... "E o Candinho? Por que o Candinho saiu?" "Ah, o Lulu teve um arranca-rabo com ele..." "Mas ele era um dos melhores bateristas que já vi tocar!" "O Fernando ainda tem esperanças de que ele volte" "Seria ótimo", emendei. De repente chega o Lulu convocando todo mundo para o palco: "Aí, Lobão, toca aí alguma coisa, vai...", pediu o Lulu, sem transição... Eu pensei: "Vou meter aquela levada de escola de samba e sair o mais depressa daqui." Estava apavorado, mas alguma coisa me fascinava naquilo tudo. Peguei as baquetas e saí tocando uma levada de escola de samba frenética por uns dois minutos. Ao contrário do que esperava, os caras ficaram impressionados. O Lulu puxou logo um *groove*, o Fernando foi atrás e todos caíram dentro. Eu nunca tinha tocado numa estrutura com um nível profissional! No final de uma hora, já tínhamos ensaiado uma música: "On the Rocks".

O Vímana tinha PA próprio, um sem-número de microfones, monitores, tinha técnico de som próprio, *roadies* (nem no *mainstream* MPB daquela época haviam inventado a figura do *roadie*). Estava completamente fascinado! Todo o equipamento deles era de última geração, os instrumentos!!

O Lulu me explicou que a banda alugava o PA para outros artistas... E logo em seguida emendou: "E aí... quer entrar na banda?" "Bem, eu... tenho alguns problemas... sou menor de idade. Vou fazer 17 anos daqui a uns meses." "Ihhh, isso é muito sério", exclamou o Ritchie. "Calma, calma calma! Eu posso resolver isso tudo. Conheço muito a mãe dele e dona Ruth tem muita confiança em mim."

Ignácio acabou negociando a minha entrada na banda... "Eles estão sendo contratados pelo escritório do Nelson Motta, vai tocar com a Marília Pêra..." Pra resumir a ópera, o Nelsinho acabou meu tutor e lá fui eu pra São Paulo."

O Nelsinho alugou um apartamento, em Higienópolis, onde passaríamos toda a temporada, estimada a princípio em seis meses! De uma hora pra outra, saio de casa, caio de paraquedas numa banda de rock progressivo, vou tocar bateria num musical com a Marília Pêra... morando em São Paulo!! Passei meu último fim de semana em casa imaginando o que seria da minha vida dali por diante... E o colégio? Bom, acabei jurando pra mim mesmo que continuaria meus estudos de violão clássico e no ano seguinte voltaria a estudar num colégio para, depois, ingressar numa faculdade qualquer.

Era segunda-feira e eu me aprontava para a viagem com esmero... Verificava meus pertences, minhas roupas, meus livros, cadernos... A bateria já tinha ido com a aparelhagem... Fiz a mala e, além dela, carregava meus dois inseparáveis violões. Peguei um táxi e fui até Copacabana me encontrar com o Benito, que ia junto comigo. Era a primeira vez que pegava uma ponte aérea... Era o tempo do Electra! O Benito me ajudava a carregar um dos violões, e nós fomos direto para a salinha no fundo da cauda do avião...

Chegamos em São Paulo, pegamos um táxi direto para a nova morada. Era um edifício antigo na Dona Antônia de Queirós, de entrada vetusta, toda de mármore preto, elevadores de grade, corredores sem fim. Morávamos, se não me engano, no segundo andar. Bato na porta e me aparece o Lulu com a maior cara de sono e nos manda entrar. Ia ficar no quarto do Fernando, que já namorava a Betina... mas ela vinha aos fins de semana, quando eu estava viajando... O Ritchie era o mais casado e, por isso, tinha um quarto pra ele e pra sua mulher, a Leda (tanto o Fernando como o Ritchie estão casados com as mesmas pessoas até hoje), o Lulu dividia o quarto com o Luiz Paulo. O William dormia na sala... o Benito ia ficar na casa da irmã...

Era um apartamento bem amplo, com duas salas geminadas. Foi o tempo de organizar minhas coisas e irmos direto para o teatro da Cultura Inglesa, onde a peça estrearia.

Cheguei e percebi todo o equipamento montado, o cenário, as luzes... tudo pronto para a estreia na terça-feira, o dia seguinte. Fomos lá, não só para conhecer o local, mas também para começar os ensaios do que seria o show novo da banda. O repertório da peça não foi tocado. Eu teria que estrear no osso...

À noite, o Lulu me convidou pra dar um rolé pela cidade... Nos dirigimos diretamente para o Piolin... todo mundo frequentava o Piolin, e naquela noite, eis que nos deparamos com a figura lendária, e única, Luiz Sérgio Carlini! A Rita Lee e o Tutti Frutti tinham acabado de lançar o *Fruto proibido*, "Ovelha negra" era o grande hit nas rádios e o solo mais famoso do roquenrou local fora concebido e executado por ele... ali... na minha frente, terminando uma pizza! Acabamos de jantar, pegamos a rua abaixo e, logo na primeira esquina, topamos com... o Liminha! Caralho! O Liminha! Baixista dos Mutantes!! Era demais para uma noite só. Em poucos segundos, somos os três surpreendidos por uma blitz! Minha primeira blitz... só faltei me cagar todo... fui dormir minha primeira noite em São Paulo em estado de êxtase!

Mas... ao chegar em casa, o Lulu, relembrando o jantar, percebeu que eu não comia carne de espécie alguma... e iniciou uma batelada de perguntas sobre os meus hábitos alimentares... E eu respondia: "Bem, eu como arroz, purê de batatas, ervilhas zero zero, batata frita, salada de batata com maionese feita em casa e um ovo estalado." Ele me olhou arregalando os olhos: "Mas você só come *starch*!! (Lulu, como morou na América quando criança, era dado a falar cheio de termos em inglês!) Só amido! Isso é meio louco, né? E por que toda essa história de não comer carne?" "É... a gente tem que aprender a ter mais compaixão pelos animais" "Você está com um baita terçol nesse olho! Isso é falta de vitamina!" Subitamente teve um estalo e, como se estivesse à beira de uma grande descoberta, me perguntou com o dedo indicador no canto da boca: "Por acaso, como seu pai se alimenta?" "Ah! Olha só que gozado!", gelei, já pressentindo o desfecho: "Ele também não come carne! Mas é diferente! Ele não come por nojo... Ele tem aflição...", disse, tentando me defender... "Então ele come o quê?" E foi somente aí que me caiu aquela ficha... Eu estava imitando papai e nem havia me dado conta! E com uma cara de palerma respondi: "Ihh, é mesmo! Arroz, purê de batata, ervilha zero zero etc. e tal."

Na semana seguinte, quando voltava de Electra pra Sampa, desencanei e pedi um croquete de carne à aeromoça...

No dia seguinte, um pouco antes da estreia, fui apresentado ao resto da companhia. O Djalma, gerente-geral. O Leonardo Neto, secretário do Nelsinho, o Guto Graça Mello, o nosso querido maestro, e as nossas *backing vocals*, Sandra Pêra e Nayla Scorpio. Eu era tratado como o caçulinha...

A peça era um musical autobiográfico e só a Marília aparecia em cena. Me lembro a noite de estreia... a Marília estava bem apreensiva com a minha entrada e não parava de me dar uns últimos lembretes, tudo com carinho...

Terminamos a primeira semana no domingo bastante aliviados. Agora era só no piloto automático...

Adorava sair sozinho de manhã pra tomar um copo de iogurte batido com leite. Almoçava no Arouche, no restaurante macrobiótico, meio a contragosto e à tardinha ia comer uma torta de morango na Casa Holandesa ... à noite, teatro... depois saíamos pro Piolin ou para uma sessão maldita da vida...

Os estudos de violão se intensificaram, pois o Fernando também tocava e nós dois formamos um subgrupo dentro da banda: o Duo Deno. Tocávamos choros, e começamos a compor juntos. Posteriormente, nos shows do Vímana, sempre depois dos solos de baixo e bateria, pegávamos os violões e fazíamos um número de choros modernosos que estávamos compondo... Ao contrário do que podia imaginar, o Vímana era uma espécie de monastério. Era um núcleo de *nerds* obcecados por música... pensei que a coisa fosse mais esculachada...

A vida transcorre calmamente até nós sermos notificados que a peça iria acabar antes do tempo. Não estava indo bem de bilheteria... A temporada começou, se não me engano, em novembro e lá pro final de janeiro fomos obrigados a levantar acampamento... Pra onde ir? Fiquei matutando e tive uma ideia! "Por que a gente não vai passar uns tempos lá no meu sítio? Estamos em férias de verão e nós podemos ficar morando lá até o final de fevereiro!" "Será mesmo? Nós estamos lotados de equipamento. Temos que fretar um caminhão para transportar o PA de volta para o Rio... Imagina esse bando de maluco aportando lá no seu sítio..." "Tranquilo, Lulu, eu acho que minha mãe vai até preferir me vendo de novo em casa. A gente monta o PA no boliche e fica ensaiando até o Carnaval."

E assim foi: chegamos em Pedro do Rio numa tarde de sol, na caçamba de um caminhão, repleto de traquitanas eletrônicas, prontos para causar pavor, espanto e estupor ao meu pobre avô, que, com toda a razão, ao perceber o que se desvendava à sua frente, ficou em vias de fazer picadinho da minha pessoa. Muitas aventuras estavam prestes a acontecer... mais mudanças se aproximavam... como nuvens negras se arrastando pelo céu...

Tivemos sorte em chegar no sítio sem ninguém. Era meio de semana, meus pais, não sei por quê, pela primeira vez em anos não tinham subido, meus tios também, e meus avós e primos só subiriam na sexta-feira.

Capítulo 22

O caminhão estaciona bem na frente do boliche e inicia-se o traslado da tralha. Montamos as duas colunas de caixas de som de uns dois metros e meio de altura em cada lado da grande lareira que ficava no centro do salão.

Com meus pais ausentes, acomodei o nosso grupo na casa pequena, trancando o quarto dos meus pais a título de resguardá-lo. Como havia mais quatro quartos, três salas e mais um simpático jardim de inverno, não houve problema em assentar a rapaziada. Eu dormia no meu quarto com o Fernando, o Lulu e o Luiz Paulo, no quarto da minha irmã, o Ritchie e a Leda, no quarto dos meus tios. O Benito e o William dormiam no quarto das minhas primas...

Na sexta-feira à noite, os primeiros a chegar foram meus avós...

Fui correndo falar com a vovó: "Vó, sabe o que é..."

"Jonny, você devia ter falado antes... Seu avô vai ter um ataque quando souber. Mas até quando vocês pretendem ficar por aqui?" "Pô, vó... você não existe! É só este mês!"

Pela manhã do dia seguinte, acontece o inevitável: "Lulu! Venha cá! O que é que esse moleque está pensando?"... Tadinho do meu avô... Sabia que ele tinha toda a razão do mundo, mas, por outro lado, nós não tínhamos onde cair mortos, não estávamos destruindo nada... era só por um mês... Naquela manhã, meus primos já haviam chegado... Acabou que o meu avô e o resto da família fizeram vista grossa...

Num dia daqueles, caiu um temporal dos infernos, uma daquelas chuvas de verão, aquele pancadão de 15 minutos, com direito a um sol retumbante. O William teve uma ideia espetacular: "Aí, vou até o pasto lá em cima catar uns cogumelos." E lá foram eles, o William, o Benito e o Fernando com um saco de batatas vazio catar cogumelo... "Ah... sabe de uma coisa? Vou experimentar!..."

Passam-se uns quarenta minutos, e lá vêm eles com o saco lotado de cogumelo de zebu...

Cada um tomou um copo. Eu não me lembro de ter bebido nada tão horroroso em toda a minha vida. Era tão ruim que meu rosto fabricava umas caretas, uns esgares... Não sei como não vomitei toda aquela pasta nojenta... Logo em seguida, nos sentamos e esperamos "bater"... Eu e Fernando estávamos sentados na sala da casa pequena... no sofá. Na nossa frente, havia uma mesinha de centro com algumas revistas e um colorido pato de cerâmica, muito abundante naquela região: "E aí, Lobão? Tá sentindo alguma coisa estranha?..." "Eu? Não... só um puta nojo com esse gosto de merda que fica na boca... e você?" "Bicho, não sei, fiquei meio sonolento... ihhh! olha o pato! Ihh, ah-ha. Olha só ele voando, ó!" "Pô, Fernando, isso é um pato de cerâmica!!!..." Não me lembro direito como os outros se comportaram, na manhã seguinte ainda perseverava aquele gosto abjeto na boca...

Num certo fim de semana, os rapazes escolheram dar um pulo no Rio para começar a procurar algum lugar para aterrissarmos... Eu mesmo fui, mas programado pra voltar no mesmo dia... Cheguei na Leite Leal e fui logo procurar o Armando... um amigo recém-adquirido que morava nas redondezas: "Armandaço, eu queria ver se você me quebra um galho. Sabe onde tem maconha pra vender?" "O quê!! Mas você é o cara mais antimaconha que eu já conheci!?" "Pois é, mas agora quero experimentar..." E o Armando, num gesto de generosidade, me levou na esquina da Leite Leal, ao lado de uma oficina, lá tinha um cara que vendia umas trouxinhas. Comprei um mutucão de 250 gramas... naquela época só tinha bagulho solto no Rio, portanto a mutuca fazia um volume enorme!... Adquirida a substância, bato um fio pro Guilherme e pro Cláudio convidando-os pra passar aquele fim de semana vacante lá no sítio...

Os dois toparam entusiasmados. Pegamos um busum na rodoviária, e já à tardinha adentrávamos os portões do sítio.

Só então que contei a novidade pros meninos: "Aê... descolei uma mutucona, alguém sabe apertar um baseado?" Os dois se entreolharam surpresos com a nova: "Vamos lá no Cordeiro chupar um picolé que eu disfarçadamente sequestro uns guardanapos pra gente montar o baseado."

Ao desembrulhar a mutuca, sai aquele cheiro de erva fresca adentrando nossos narizes... Ninguém ali tinha a menor prática em enrolar os cigarrinhos, portanto, fabriquei verdadeiras deformidades, que, a muito custo, acabamos por carburar. Quando o baseado pegou, cada um deu uns catrancos... Os três ficaram rindo à toa e eu dizia... me desmantelando de tanto rir: "Ah-ah-ah-ah... não estou sentindo nada, quá-quá-quá!!!! Essa porra é pior do que o chá de cogumelo, kkkkkkaaakkkkaaaaaa!" O Guilherme também se escangalhava de rir. O Cláudio ficou mais para o meditabundo... sorria como se estivesse alcançado o Nirvana. Pegamos os violões e pusemo-nos a cantar, improvisar coisas...

Desde que passou por minha cabeça provar maconha, fiz questão de tirar a responsabilidade dos ombros dos rapazes da banda. Afinal de contas, eles nunca me forçaram, nem sequer sugeriram nada... Por isso, chamei meus amigos da minha idade...

Passaram-se umas duas horas e a gente lá, na maior cantoria, em meio a gargalhadas, quando de repente: "Pô... aí, não sei por quê, mas bateu uma fome de lascar!... Vamos voltar no Cordeiro, chupar picolé e tomar um guaraná?" E lá fomos nós cultivando sem saber nossa primeira larica, às gargalhadas, rumo a Pedro do Rio...

Na segunda-feira, chegam os meninos com boas notícias. Eles recuperaram a posse de uma casa em Santa Teresa... "Podemos nos mudar no final dessa semana." Passamos aqueles últimos dias no sítio fazendo muito som... é claro que eles levaram um susto quando souberam da minha experiência maconhífera. Mas houve também uma distensão no clima. Só então eu soube que o Luiz Otávio fumava! Eles se refugiavam atrás da casa do trem elétrico, entre os pés de jabuticaba, para que eu não percebesse nada... A partir de então fumávamos em qualquer canto, uma vez que não houvesse nenhum outro habitante do sítio, é claro...

Nos mudamos para a casa mal-assombrada da rua Teresópolis, mas eu acabava dormindo a maioria das vezes em Laranjeiras. Começamos a ganhar uma graninha alugando o PA...

Quando volto às Laranjeiras percebo que o clima da família está muito diferente. Meus pais estão brigados, não se falam mais... Isso nunca havia acontecido! Na minha cabeça, eles eram o exemplo de um casal perfeito... Maninha tinha viajado com o Ignácio, a Cecília andava macambúzia, estava prestes a largar a casa...

Não demorou para eu ter uma conversa séria com minha mãe...

"O que é que está acontecendo entre vocês dois?" Ela tentou fugir do assunto, mas acabou desembuchando: "Eu descobri que seu pai tem uma amante. Sabe aquele Shalom atrás do carro dele? Presente dela! E se chama... sabe como ela se chama? Ruth! Ela se chama Ruth, meu filho... tem cabimento um negócio desses?"

Meu pai com uma amante. Como é que nunca passou isso pela minha cabeça?

Em muito pouco tempo, minha mãe saberia de um novo fato, absolutamente rodriguiano, que implodiria de vez seu casamento. Aquele clima rançoso se arrastaria por mais uns meses.

Não é preciso ser um adivinho para perceber o que veio a seguir: minha mãe entra em profunda depressão e tenta se matar mais uma vez. Novamente o telefone, a ambulância, o hospital, a lavagem estomacal, a internação... e, em seguida, por sorte, a recuperação...

Quando mamãe voltava das crises, sempre explodia de alegria e esperança: "Viver! E não ter vergonha de ser feliz..."

Nesse ínterim, o Lulu e o Luiz Paulo arranjaram um fim de semana no teatro da Galeria... Sexta e sábado, sessão maldita à meia-noite. Lá íamos nós colar cartazes por toda a cidade... Depois de tanto tempo, era o meu show de estreia na banda. Estava morrendo de ansiedade. Sexta-feira, meia-noite, o teatro lotado... percebi que a banda tinha um prestígio, um fã-clube. Era a estreia do Ritchie também...

Após o primeiro show de sexta-feira, logo ao acordar no sábado, lá pelas cinco da manhã, senti que estava muito defasado em termos de equipamento. Ainda tocava com minha Pinguim modelo Ringo Starr... Estava mais do que na hora de realizar aquele sonho de infância... em que passei a grande maioria das aulas me abstraindo a desenhar, a minha bateria... toda preta... dois bumbos, um monte de tambor... um monte de prato... Peguei um táxi às cinco e meia na rua das Laranjeiras... "Bom dia, por favor, rua do Senado."

Como era sábado... a oficina não abria, peguei vovó, sentada na copa, molhando um pão na caneca de café: "Que bicho te mordeu? Caiu da cama?" "Vó, tô precisando muito da sua ajuda... Você sabe que estou tocando num conjunto musical profissional? Todo mundo na banda tem instrumentos de primeira linha, só eu é que tenho uma bateria de amador... Preciso de uma bateria nova..." "Vamos lá, vou acordar o motorista e rezar pro seu avô continuar dormindo!" Eu cantarolava bem baixinho e pensava com meus botões: "Rapaz... minha avó... não sei o que seria de mim sem ela!"

Chegamos na loja e logo na entrada me deparo com uma bateria monstruosa! Uma Tama preta, com dois bumbos, oito tons, dois surdos! "É essa!" "Mas a gente nem entrou na loja!" "Amor à primeira vista, vó... já conheço ela dos meus sonhos..."

Em meia hora estava montando a bateria na Leite Leal...

Naquela sessão maldita de sábado, estreei a Tama preta na teatro da Galeria.

Com aquela atmosfera estranha, meu pai cada vez mais ausente, minha mãe se jogando nas suas aulas, Maninha viajando, achei melhor desanuviar e passar uns dias lá no sítio... Subi sozinho de ônibus, como sempre...

Quando cheguei em Petrópolis vi uns cartazes colados por toda a cidade... MUTANTES NO QUITANDINHA. Nem vou pra Pedro do Rio... dou uma passeada na avenida XV... vou até a banca e compro uma *Rolling Stone*, tomo um chá com torradas no Copacabana e quando for umas oito horas, me mando pro Quitandinha...

E assim sucederam-se os fatos: lá estava eu numa fila na entrada do clube, com meu violão preto nas costas e uma mochila peruana que carregava uma muda de roupa... Percebo na fila uma turma animada. Era um grupo de garotos e garotas, todos ansiosos para pegar um bom lugar, cheios de animação. Foi inevitável o contato, e ele se deu através de uma menina muito bonita que sorriu pra mim. Ela parecia uma odalisca, morena, olhos negros e amendoados, os cabelos negros e encaracolados... me deu um oi e sorriu. Perguntei seu nome e ela me disse que se chamava Carla...

As portas do Quitandinha se abrem e a turba invade o salão principal, ávida por roquenrou... Os Mutantes estão em plena turnê promocional do seu último disco, o *Tudo foi feito pelo Sol*, com sua última formação: Rui Motta na batera, Antônio Pedro no baixo, Túlio Mourão nos teclados e o Serginho nos vocais e guitarra. O show começou a mil pelo Brasil com a clássica "Não sou daqui, nem sou de lá... eu sou de qualquer lugar... meu passaporte é espacial, sou cidadão da Terra..." O show foi antológico, o Quitandinha proporcionava uma atmosfera de cassino com suas pomposas dependências... Quando me flagro abraçado na Carlinha e já sendo apresentado à numerosa patota...

"Oi... tudo joia?" Tinha mais uns dez malucos... Quando um deles perguntou: "E agora? Qual vai ser a boa?" E aí, eu, na minha santa imbecilidade, sugeri: "Que tal a gente passar esse fim de noite lá em Pedro do Rio... Eu tenho uma casa lá..." "Sensacional! Vamo lá, galera!..." Conseguimos pegar o último ônibus pra Pedro do Rio, a galera foi entrando e quase que lotou o veículo. Paramos na rodoviária de Pedro do Rio e ainda havia um botequim aberto... A turba saiu correndo em direção ao balcão e começou a se abastecer de cachaça. Todo mundo já estava atapetado, mas achamos melhor levar um bom estoque de Sangue de Boi lá pra cima. Éramos uns 15 a vinte malucos, cada um com um galão de cinco litros de Sangue de Boi, rumo à maior esbórnia que aquele sítio já haveria de presenciar.

Capítulo 23

"Aí, Quenquém... sabe da última? Tô fumando maconha!" "Porra!!! Mas era só o que faltava! Você fumando maconha!" O Luiz Cláudio sempre fumou um baseado, mas achava inadmissível eu fumar maconha... "Mas por quê, cara?" "João Luiz, você é o tipo do cara que não pode fumar maconha... você tem fortes preceitos morais. Eu acho o maior barato você ter esses preceitos morais. E agora... você fumando maconha!" Na verdade, nunca consegui fumar um baseado na frente do Luiz Cláudio... que, por sinal, de fininho, saiu de cena... nunca mais soube do seu paradeiro... sempre vou sentir sua falta... Era um verdadeiro amigo.

Enquanto nossa dupla se desfazia, o ano letivo começava e, sem muitas opções, fui parar no Anglo-Americano... Era minha última oportunidade de seguir o caminho do bem... Mas... ledo engano... Porra! Aquilo, sim, é que era capitalismo selvagem! Era odioso como nos tratavam como mercadoria.

Cheguei ao ponto de querer explodir aquele pardieiro junto com um colega meu. Nunca chegaria a completar o segundo grau...

E foi nesse andar da carruagem que chego a esse fatídico fim de semana em Pedro do Rio.

Logo quando chegamos, já percebia que havia perdido completamente o controle da situação... Sem que eu soubesse, já em Petrópolis, um daqueles caras telefonou pro resto da turma... e no meio da madrugada, era um tal de chegar neguinho de tudo quanto era lugar... se apoderaram da casa! Pegaram meus violões e começaram a fazer um luau na piscina... amanhecia e eu peguei a Carla e levei para o meu quarto... Os galões de Sangue de Boi se esvaziavam numa velocidade vertiginosa... era época do Mandrix. As pessoas babavam, ficavam meio libidinosas e, literalmente, perdiam a chave do cu... E as pessoas estavam se empanturrando de Mandrix regado a Sangue de Boi... havia pelo menos umas cinquenta pessoas no sítio... Uma menina gordona acabou dando pra metade da galera... bebeu feito um gambá, passou mal e começou a vomitar... Vomitou primeiro a piscina... subiram com ela carregada vomitando a sala, o corredor, o quarto, a cama estava toda lambuzada, um cheiro acre de vômito no ar.

E eu começava a chorar de desespero quando eles cantavam... "Helpless, helpless, helpless, helpless"...

Na noite de domingo, finalmente, toda aquela gente se cansa, e desaparece como por encanto... O cenário é de desterro.

O boliche estava destroçado, vômito em cima da mesa de sinuca... cortinas rasgadas...

Vovô obrigou meu pai a se livrar de sua parte no sítio... Fui deserdado e expulso... meu mundo não tinha mais chão... nem teto...

Com o fiasco daquele fim de semana... entro numa espiral descendente...

Minha mãe tenta outra vez o suicídio... telefone, ambulância, hospital, lavagem estomacal...

Na esperada recuperação de minha mãe, ocorre algo insólito... Maninha descobre um mutucão no meu *closet*, aperta um baseadão e aparece doidona pra mamãe!... Foi ali que ela sacou que eu estava fumando... e que minha irmã tinha acabado de entrar na roda também!... Era muita informação pra ela... Engatei uma terceira e argumentei... "Pô, mãe, já que tá tudo desmoronando, dá uma chance pra se divertir! Quer experimentar? Você vai morrer de rir!" Maninha também ficou eufórica com a ideia e nos pusemos a enrolar um baseado numa folha de embrulhar pão... Com a minha mãe topando, nós dois nos animamos tanto que confeccionamos um baseado do tamanho de uma bisnaga de rabanada!... "Mãe... o negócio é o seguinte: puxa a maior quantidade de fumaça que você puder... prende o máximo que aguentar e bota pra fora, falou?" Eu incinerei o bisnagão... carburei e deixei no ponto para o consumo... "Vai nessa, mãe!" E lá foi mamãe, tadinha, só por amor a nós, empunhou o petardo e deu uma tragada... quase um minuto depois... uma baforada... "Joãoluizinho... Glória Maria...

não estou sentindo nada..." Incrível!, pensei eu. "Pô, Maninha, acho que a gente tem que dar um reforço!" "Não adianta, meu filho... não estou sentindo nada... ai... ai... ai, que enjoo. Ai... quero vomitar...", e mamãe saiu correndo para o banheiro passando muito mal... vomitou até a alma e em seguida pôs-se a chorar copiosamente... "O que é que eu fiz, meu Deus do céu?... Fumei maconha com meus próprios filhos..." Me deu uma pena dela... fiquei muito preocupado, quer dizer, paranoico, apavorado, em pânico!... Maninha também... que ideia idiota!...

Quando meu pai soube que a gente estava virado num monte de maconheiro a coisa ficou muito feia...

Enquanto isso, meu namoro com a Carla decolava... só que tinha um detalhe... naquela esbórnia lá no sítio ela me confessou que era virgem! Caralho! Eu também! Em algumas oportunidades, eu havia tentado, sem sucesso... Não conseguia desvirginar a Carla! Estava em apuros... Ia fazer 18 anos em outubro... "Porra, João Luiz... você toca numa banda de rock, fuma maconha e ainda é virgem?!" Uma situação insustentável! Era preciso me desvirginar para tentar adquirir mais experiência e desvirginar direito a Carlinha."

Vasculhando minhas ideias, me lembrei de uma coisa: "Ah!... a Casa Rosa!... João Luiz, é agora ou nunca! Chega de virgindade." Era dia 25 de agosto, Dia do Soldado... então eu fui à luta... tomei um banho, fiquei todo perfumado e me mandei pra Casa Rosa com o cu na mão... Meu coração estava a mil... e eu tagarelando comigo: "Cara, como é que você vai ter a cara de pau de chegar num lugar, dar uma piscada pra uma mulher que você nunca viu e, de repente, estar em cima dela num quarto?" "Mas sabe de uma coisa? Foda-se! Seja o que Deus quiser." Subi resoluto as escadarias, adentrei uma sala escura que mais parecia um bar... Sentei numa das mesas e pedi logo um guaraná caçula. Percebi várias mulheres espalhadas pelo recinto... dei uma especulada e escolhi a mais puta de todas. Uma loura cheia de maquiagem, com uma cara de sem-vergonha dos infernos! Paguei o guaraná e arrecadei a... mina. Subimos para o andar de cima numa escadaria de dar inveja a qualquer filme de Boris Karloff... Entramos no quarto, tiramos a roupa e, sem transição, pulo em cima da mulher... "É a primeira vez, ném?" "Eu? Primeira vez? Que isso!" E parti pra dentro, com urgência e sofreguidão! Logo em seguida fui encaminhado para um banheiro onde tomei um banhozinho, paguei no caixa e saí a assobiar... Sabia que não tinha sido lá aquelas coisas, mas deu pro gasto... Finalmente perdi a tal da virgindade... Acabei pegando gosto e logo na segunda visita à Casa Rosa contraio uma gonorreia... Tudo bem... naquele tempo uma doença venérea era status... viva a Benzetacil!

Uma vez devidamente desvirginado, parti mais confiante para desvirginar a Carla... Passei mais uns três meses para finalmente conseguir! Minha felicidade era intensa... só que tinha um pequeno detalhe... a Carla engravidou!... Puxa! que azar... e o que fazer?! Casar? Nesse meio-tempo, o pai da Carla morre do coração... dizem que ele não resistiu à novidade e morreu nos braços da Carla... de desgosto... Providenciamos o aborto... aquilo foi um sofrimento... imaginava o neném no ano 2000, eu velhão...

Logo em seguida acontece uma coisa mais desconcertante ainda: minha mãe, depois do *affair* do meu pai com a outra Ruth, começou a bancar a detetive e obteve uma terrível revelação: papai, antes de namorar a Ruth do Shalom, tinha namorado a... minha tia! Mamãe ficou apoplética... estava enlouquecida. Engraçado, da minha parte, não senti nada além de preocupação pela saúde de minha mãe... Não me lembro de ter ficado indignado com alguma coisa... amava minha tia... não sabia o que sentir... Era o fim...

Entrementes... sem meu pai saber que minha mãe se atualizara a respeito de suas puladas de muro, num rompante, telefona esbaforido da oficina querendo falar comigo... "João Luiz, quero lhe notificar que você está expulso de casa. Se manda... e isso vale para sua irmã também." "Tudo bem, pai... estou saindo... só me dá um tempo para tomar um banho." Ficava indignado quando me chamavam de fedorento... Fiz minha mala, escolhi minha melhor camisa, de caxemira xadrez, uma calça Lee, meu tênis, minha bolsinha de Machu Picchu... coloquei meus dois violões em cima da cama e fui tomar meu banho. Saio do banheiro com a toalha enrolada na cintura... adentro meu quarto, quando... do nada, recebo um cruzado na cara! Era meu pai emboscado atrás da porta... O sujeito teve a pachorra de se deslocar lá de Botafogo, subir a escada e se entocaiar atrás da porta do meu quarto... "Mas que papelão! Não tem vergonha, não?" "Eu já te falei que estou saindo... não tem por que você me emboscar e me dar um soco pelas costas, sem mais nem menos! Só me deixa acabar de me vestir! Tá sentindo o perfume?! Fedorento é o caralho! Agora faz favor de sair do meu quarto. Tenho o direito de me vestir sozinho..." (Detestava ficar nu na sua frente.) "Ah! Quero ver quem é que me tira daqui... Vou ficar te olhando até a rua!" "Mas não vai merrrrmo! Tu vai sair e é agora, senão..." Olhei prum lado, olhei pro outro, e vi meus dois violões pousados na cama... Me deu uma dor no coração: o preto ou o de nylon?... Valeu o tempo de casa... Optei pelo de nylon... Peguei o violão pelo braço e o exibi ameaçadoramente: "Escuta aqui: se você não sair AGORA, vou desmantelar esse violão na sua cabeça, ouviu bem?" Ele cruzou os braços e deu um risinho maroto: "Quero ver... você não é homem pra isso... nunca foi de nada!" E sem transição, uma violada *à la* Pepe Legal desaba em sua fachada! Cabum!!!! E cascabau!!! E cabong!!!! Eu não parava de arremessar o violão em cima daquele sujeito... Ele caiu... Na minha cabeça, eu ouvia um silêncio lúgubre, como se estivesse assistindo de fora aquele cenário. Só percebia aquele cara rastejar, se esquivando em vão da porradaria pesada. A cada segundo, mais uma estocada rasgava sua pele... eu vi o pavor na sua cara! E bati mais! Ele rastejava pra fora do quarto, tentava escapar dos golpes, o violão já estava aos pedaços... a tampa ainda presa à ponte pelas cordas fazia do ex-instrumento um chicote. Ele chegou na borda da escada, todo escalifado... não abria a boca, apanhava em silêncio... atirei-o escada abaixo. E ele rolou como um saco de batatas... Só sosseguei quando não havia mais violão para continuar batendo. Naquelas alturas, meu pai jazia ensanguentado no chão da cozinha... tentava limpar a boca... não emitia um gemido sequer... Subi calmamente, me vesti, resgatei meu violão sobrevivente, peguei minha malinha de Machu Picchu, chamei minha irmã que assistia impassível ao pugilato parricida com a mochila nas costas e um ursinho de pelúcia nos braços... Foi me seguindo, catatônica. "Vem, Maninha! Vamos sair desse hospício!", e descemos as escadas em direção à rua... Passamos de mãos dadas mais uma vez pelo meu pai e disse com o violão na sua cara... "Você está vendo isso aqui? Tá vendo esse violão aqui? Esse eu não vou quebrar na sua cabeça, não!... Vou ganhar a vida tocando nele, você tá me ouvindo?! Praça Tiradentes é o caralho! Saímos a esmo da Leite Leal sem saber pra onde íamos... Fui bater na porta do Luiz Paulo, em Ipanema... "Pô, Luiz Paulo... aconteceu um probleminha lá em casa e meu pai me expulsou com minha irmã... dá pra passar a noite por aqui? Eu te explico depois com mais detalhe..."

Capítulo 24

"Mas Lobão! O que você aprontou dessa vez?... Vai entrando, mas, como você está vendo, o apartamento é bem pequeno, tô dormindo no quarto dos fundos e o outro fica pro piano. Você pode dormir no quarto do piano, mas só essa noite, combinado?" "Pô, Luiz Paulo, nunca vou esquecer esse favor, valeu mesmo. Amanhã eu começo a procurar um lugar." Estava exausto, minha irmã telefonou pro Ignácio e se mandou pra lá por um tempo...

No curso do próximo mês, meu pai alugaria um apartamento na Voluntários pra Maninha, de frente para o que haveria a se tornar o Estação Botafogo... Ficou morando ali por uns dois anos...

Era começo de noite e eu precisava ficar sozinho. Fui pro quarto do piano e desabei num improvisado colchão feito de algumas cobertas que o Luiz Paulo me arranjou. Precisava de um tempo pra digerir o que acontecera. Não tinha como telefonar pra Carla... a gente tinha brigado...

Minha vida se passava em *flashback*... acho que estava em estado de choque... entrava em devaneio... surgiam, do nada, imagens da minha família... a igreja Nossa Senhora da Paz... eu fazendo o pedido pra são José... Santo atavismo! Como é que as coisas chegaram àquele ponto?

E em meio a todas essas sensações difusas, começo a surfar na lembrança dos acontecimentos que se sucederam nos últimos meses, desde o meu primeiro show no Vímana, no teatro da Galeria... A banda desandou a fazer shows.

Vivíamos em pleno "hippismo"... os shows de rock pipocavam nos teatros, nos cinemas, nas sessões malditas. Tudo era novidade... nas ruas, só se via cabeludo doidão, calça boca de sino, beijo na boca, superoito, LSD, costeletas e bigodes, restaurante Natural, as sessões do Bruni 70, os shows nos teatros... todo mundo fora do sistema...

Nesse tempo, fizemos várias temporadas quinzenais. O nosso então empresário, o meu querido Carlos Alberto Sion, sempre ajeitando sua revoltosa cabeleira para trás... sempre me chamava carregando num som anasalado, e cantarolando gaiato mandava... "Lobaaum! vai ter um monte de show esse mês!..." tinha nos dado uma agenda cheia... Uma temporada no MAM, sala Corpo e Som, mais duas semanas no Tereza Rachel, o Filmore de Copacabana... Nos embrenhamos em shows pelos subúrbios, Marechal Hermes, Campo Grande, festivais em lugares como... embaixo das arquibancadas do estádio da Portuguesa, na Ilha do Governador.

O Vímana estava fazendo um razoável sucesso. Os shows de rock daqueles tempos eram intermináveis, as músicas não acabavam nunca, solos quilométricos, quanto mais esquisito, complicado e viajandão, melhor...

Tirei proveito dessa improvável popularidade e comecei a dar aulas de bateria... Era péssimo professor... pobres dos meus alunos... Anexei o pequeno influxo de renda que recebia das aulas ao dinheiro retirado das bilheterias que repartíamos dos nossos shows, mais uma merreca que pingava dos aluguéis do equipamento... acabava chegando ao final do mês com um orçamento "hippongamente" bem confortável...

No meio daquele ano de 1976, ia fazer 19 anos, haveria de acontecer um grande marco do rock nacional: o Festival de Saquarema! Quem estava organizando era o meu eterno tutor, o Nelsinho, e o Vímana estava dentro, é claro! Seriam três dias de paz e amor, muito surfe e muito som! Iam se apresentar no evento a Rita Lee e o Tutti Frutti, Raul Seixas, Ney Matogrosso, Mutantes, o Som Nosso de Cada Dia, o Veludo, o Vímana e muitos outros... No entanto, surgiu um contratempo: o Fernando contraiu uma hepatite. Que maçada! Mas nem tudo estava perdido. Como a produção do festival consistia numa espécie de mutirão entre as bandas, nosso PA iria ser requisitado. Resultado: lá fui eu de *roadie* pra Saquarema, na caçamba do caminhão, feliz da vida por poder estar participando daquele momento histórico, mesmo que naquela humílima coadjuvância.

Chego ao local... aquele caos, um palco bem grande à minha frente. O caminhão estacionou atrás do palco e começamos a tirar a aparelhagem da caçamba. Quando estava concluída minha tarefa, fui dar uma passeada pela área. Continuo a caminhada e me deparo com uma figura a contemplar o pôr do sol... todo de branco, cabelão até o ombro, cinto peruano amarrado na cintura. Tinha na mão um baseado de dimensões assustadoras, e, me passando o baseado, proferiu: "Esse pôr do sol tá demais, brother!" E eu, que já estava na mesma posição contemplativa, emiti: "Pô, que emoção, aí... tu é músico?" "Sou jornalista e poeta..." "Pô, legal... ah, por sinal, qual é o seu nome?" "Júlio Barroso, e o seu?" "Bom, me chamam de Lobão..." "Grande Lobo! É um prazer imenso te conhecer!", e me deu um tremendo aperto de mão com um sorriso escancarado... Continuamos a assistir o antológico pôr do sol em silêncio quando, de repente, o Júlio desaparece... Só voltaria a encontrá-lo novamente em 1983, no morro da Urca...

A noite chegou em Saquarema e percebi que não havia planejado onde dormir... Fui dar uma pesquisada, quando me dá uma súbita vontade de dar uma mijadinha... Me dirijo ao banheiro químico e calmamente vou desabotoando a braguilha, quando, saindo do nada, percebo um cidadão ajoelhado, de boca aberta, implorando para que mijasse em sua boca! Saí correndo apavorado, procurando alguém conhecido, abro uma porta lá e, ufa! Era o quarto do Nelsinho, que, pelo avançado da hora, já estava deitado de pijama e tudo... "O Lobãozinho está sem lugar pra deitar? Eu posso arranjar um quarto." "Não, não, obrigado, Nelsinho. Eu já arranjei um cafofo legal pra mim... Valeu mesmo, Nelsinho... Não sei por que recusei ajuda do meu querido tutor, o fato é que saí perambulando pela área que circundava o palco e acabei por conhecer o Serginho Delamônica, baterista que iria estrear no Tutti Frutti naquela noite.

Na verdade, minha solução foi tomar um ácido e, assim, fiquei acordado os três dias. Passava o tempo conversando com pessoas que nunca tinha visto... fiz um monte de amizade...

Outra grande personalidade que adentrou o local era uma celebridade mundial. O tecladista do Yes, Patrick Moraz! Estava acompanhado por uma morena que estava grávida! Os bastidores estavam em alvoroço... Estava, naturalmente, muito assediado, e eu, na minha infinita insignificância, só fiquei de longe... observando...

Quando voltei para casa, dormi uma semana inteira...

Já devia ser madrugada... o piano do Luiz Paulo fazia uma sombra esquisita na parede... não conseguia dormir... continuava à deriva, lembrando...

Algo de extrema importância estava para acontecer: Fomos convidados para estrear (testar) o primeiro estúdio de 24 canais do Brasil, na rua Assunção, o estúdio Level, a menos de cinquenta metros da oficina do meu pai. Era um estúdio que viria a se tornar, em pouco tempo, a sede da Som Livre... gravamos uma fita com o lendário Peninha Smith, que produzia gente como a Rita Lee e o Tutti Frutti...

Foi nessa época que acabei compondo minha primeira música com os rapazes... Compus um *riff* no violão, achando que era uma levada meio Jorge Ben... o Lulu gostou e mandou que eu repetisse... Estávamos na casa do Luiz Paulo, nessa que estou agora, e o Lulu escreveu as primeiras linhas: "Canto e danço em menos de um segundo, jogo tudo na batalha, pago pra curtir... o prazer já não dura tanto tempo, enquanto vai passando a onda continuo aqui..." Então o Ritchie tem uma ideia para o refrão... Em uma tarde, estávamos com o nosso primeiro hit... Lulu, inclusive, havia procurado o nosso querido Big Boy para uma consulta e ele recomendou que nossas músicas fossem mais curtas, música pra tocar no rádio... Foi quando o Lulu chega retumbante da rádio Mundial e profere: "Vamos fazer canção, vamos tocar no rádio. Se a gente não toca no rádio, a gente não existe. Temos que parar com essa frescura de tocar só pra elite da Zona Sul... Aquela declaração seria o início da transformação de todos os nossos conceitos...

Acabamos contratados pela Som Livre. Nosso Guto Graça Mello assumiu a direção da gravadora e nos contratou junto com a fita que já estava gravada e já superexecutada pela primeira rádio FM estéreo do Brasil, a Eldorado FM, a ELDO POP... Com "Zebra" no repertório, partimos para mais uma temporada de 15 dias de quarta a domingo no Terezão, com duas sessões nos sábados e domingos. Foi um sucesso... Até meu ex-professor de química, o Moreira, estava numa sessão de quarta-feira! Tocar todo dia deixava a banda quicando. O Bernardo meio que ficou como sexto elemento e assumiu as luzes.

A Lilian, irmã do Lulu, era a nossa fotógrafa e artista plástica. Foi ela que pintou a enorme mandala de flor de lótus num bumbo e a Pedra da Gávea, no outro

Quem estava pilotando a mesa de som era o jovem Franklin Garrido.

No final de cada show, tinha neguinho desmaiado em frente ao palco... Eram os tempos de muito ácido, Artane, Mandrix, Mequalon...

Minha mania antes de cada show era tomar duas colheres de sopa de Karo. Muita glucose de milho, pois tratava-se de uma incumbência atlética... chegava a perder uns dois quilos por show. Peguei uns óculos escuros de bolha da minha mãe, tipo o Homem-mosca... Minha grande ambição era um dia poder tocar vestido de aqualouco... nunca consegui achar a roupa...

Aterrisso de novo no quarto do piano... Acabei adormecendo...

De manhã, o Luiz Paulo já está com uma caixa de ferramentas do lado... "Sabe duma coisa... me ajuda a construir esse móvel (era um minimezanino, na verdade) que eu passo a viver lá em cima e você dorme aqui embaixo, porque no quarto do meu piano não dá pra dormir ninguém."

E assim foi... O minimezanino de madeira ficou pronto num final de semana e passei a morar por ali, na Visconde de Pirajá, em cima da panificação Eldorado, defronte ao Bob's da Garcia, embaixo da cama do Luiz Paulo... "Só que tem uma condição: durante a tarde eu quero estudar, e é melhor você inventar alguma coisa pra fazer... vai dar suas aulas de bateria..."

Foi ali que acabei me tornando um puta rato de praia. Botava uma sunga, bolsinha peruana a tiracolo, uns trocados e... praia! Na falta do que fazer, caminhava quilômetros, andava sem parar do Arpex ao final do Leblon...

Como andava por toda a extensão da praia, em pouco tempo era figurinha carimbada em toda a orla. Tínhamos uma turminha lá no Arpoador... O Danilo Lontra, o Luiz Penetra, o Ronald, o Siboney... e o Zé Luiz! Lá vinha o Zé com sua última novidade: começou a estudar flauta e sax e em seis meses estava tocando feito gente grande!

Enquanto isso, o Luiz Paulo passava a semana inteira gravando...

Certa vez, ele chegou do estúdio me dizendo que teve uma reunião com um artista gráfico da Globo, um tal de Hans Donner, e o cara encomendou uma nova vinheta para representar a nova imagem da emissora... "Acabei gravando uns ruídos lá..." Ele tinha acabado de criar o que viria a ser o Plim-Plim da Globo...

Vindo da praia, tinha duas opções: quando estava muito duro, comia um pão de queijo com um suco de maçã na Eldorado, quando estava mais abonado, ia comer no Natural.

Não é que fosse um fã de comida natural, muito pelo contrário, mas o lugar era cheio de meninas.

Quando nos mudamos da rua Teresópolis, arranjamos um estúdio de ensaio numa galeria mínima na rua do Riachuelo. Devia ter uns quatro por quatro e, depois de muito esforço, conseguimos ensaiar entalados umas oito horas por dia.

Como o Ritchie compunha em inglês e o Lulu se sentia um letrista bissexto, resolveu-se chamar um letrista.

O Ritchie, através do grande Carlos Vergara, acabou conhecendo um pessoal que estava revivendo a poesia... Era a Nuvem Cigana... poetas itinerantes que estavam causando uma efervescência em todo o meio literário. E dentre aqueles poetas estava o Bernardo Vilhena. Estava lançando um livro, o *Atualidades Atlântida*, e amava rock 'n' roll e Carnaval... Começou a frequentar nossos ensaios na rua do Riachuelo e iniciou parceria com o Ritchie e com o Lulu.

Quando aparece um show pra fazer no Bennett...

O colégio possuía um belo auditório, começamos o show como de sempre, e logo na segunda música, soubemos que o Patrick Moraz veio assistir e filmar a gente...

Nesse meio-tempo, os Mutantes estão de passagem marcada pra Itália, vão passar uns tempos por lá e desocupar o sítio do querido e saudoso Samuca (Wainer), que alugava sua propriedade por uma merreca para todo pop star local... tratava-se de um idílico sítio em Itaipava!

Nos mudamos com armas e bagagens pra nova morada, prontos pra ensaiarmos o que seria a turnê promocional do lançamento do LP pela Som Livre...

"Zebra" saiu em compacto e chegou a pipocar nas rádios... Estávamos prestes a começar uma nova fase da banda...

Capítulo 25

Nas primeiras semanas quase ninguém ia pro sítio. Como não tinha pra onde ir, virei uma espécie de capataz do local, passando semanas sozinho, aproveitando a solitude pra ler, me exercitar na batera e no violão...

Estava passando por um período de muita dureza, só comia o que brotava na horta do sítio.

Certo dia, me aparece, todo lampeiro, quem? O Zé Luiz! Ele já se tornara um mestre nos seus instrumentos!... Ficava embevecido ouvindo o Zé proferir aqueles nomes complicados. "João, esse intervalo de nona aumentada que tu fez aí pode dar o maior caldo..." Eu não entendia bulhufas...

Nós estávamos envolvidos num projeto paralelo, o Semente, grupo que veio a se tornar uma espécie de elo perdido da música popular brasileira recente... Era formado pelo Zé Luiz, Lulu, eu, Fernando Gama no violão, o Zé Renato, o Mário Adnet, o Jukka Filho, o Antonio Santana, no baixo de pau, o Claudinho Infante na batera (eu tocava violão nesse projeto), o Cláudio Nucci, parecia um Crosby, Stills, Nash & Young tupiniquim com pitadas de toadas caipiras, bossas novas e muito vocal... a formação variava constantemente.

Finalmente chegaram os rapazes e, com eles, uma infra mais robusta...

Ficamos divididos da seguinte maneira: me aboletei no quarto que dava direto pra sala, onde estava montado todo o nosso equipamento. Era o lugar mais devassado e mais barulhento, mas eu era o caçula... o resto da moçada se alojou nos quartos mais distantes do barulho.

Além da horta, havia um córrego idílico que passava por baixo da casa, fazendo divisa com o jardim... tinha uma ponte de madeira que desembocava num pátio com uma árvore frondosa ao centro... Naquele meu período monástico, voltei a ler Nietzsche e devorava mais uma vez o *Zaratustra*...

Eu e a Carla reatamos... ela veio passar uns dias comigo...

Uma nova notícia bombástica aterrissa em Itaipava com o Lulu e o Luiz Paulo chegando totalmente transtornados do Rio: "Lobis... O Patrick Moraz nos convidou para formar uma banda!" "Caralho! E dispensar o Yes?"... "É mais ou menos isso. Ele combinou com a gente de dar uma passada por aqui nesse fim de semana..."

Depois daquele incidente com meu pai, o casamento desmoronou como um castelo de areia.

Contudo, após o baque, minha mãe se revigorou impávida e, num influxo de rejuvenescimento, começou a ficar mais bonita... emagreceu... Saía de casa depois do almoço e só chegava em casa de madrugada.

"Meu filho, você não sabe da última: vou sair de passista pela Vila Isabel, e no asfalto..."

É difícil pra chuchu tocar lento... Estava diante de um dos mais poderosos desafios: tocar devagar...

Meus exercícios antiansiedade consistiam em me forçar a executar andamentos mais lentos do que qualquer marcha fúnebre, almejando sempre o *coolness*...

Começava a compreender a importância da pausa, da respiração, do espaço e do silêncio...

Vivíamos um clima de ensaios em Itaipava.

Num sábado ensolarado, chega o Patrick com sua esposa, a Liane, já refeita de sua gravidez.

Um retumbante sábado... Dona Maria caprichando numa feijoada vegetariana.

Em seguida veio o papo sério... o Patrick nos informou que estava com um contrato com a Famous Carisma Label, para uma carreira solo e desejava se pertencer a uma nova banda.

O Patrick nos colocava a par das mais novas descobertas da tecnologia...

Incrédulos, revezávamos sem parar, admirando as polaroids tiradas de cima da mesa de mixagem do Yes.

Nenhum de nós poderia imaginar que receberíamos semelhante proposta... Vamos morar na Suíça e nos preparar para uma turnê mundial!

O Patrick, com seu álbum de estreia, conseguiu catapultar seu nome para as altas esferas do *showbizz*.

Tinha acabado de lançar seu disco solo, *History of I*. Basicamente o disco era uma superprodução... complicada, enfadonha e cafona.

A primeira deliberação daquela insólita parceria seria nossa sumária rescisão de contrato com a Som Livre.

A gente lutou tanto pra ter esse contrato, e eis que surge uma situação surreal: um pop star internacional, membro de uma das mais prestigiadas bandas do mundo, entra numa de formar uma banda com uns caras lá do Brasil e exige a imediata rescisão da banda com a gravadora...

Capítulo 26

Diante de tamanho impasse, nós cinco fizemos uma reunião que selaria nosso destino: continuar com a Som Livre e desenvolver nossos planos já traçados, como lançar o LP, shows etc. e tal... ou se atirar numa aventura arriscada, sem nenhuma garantia... Se escolhêssemos a empreitada do cara, teríamos que esperar e acreditar...

Acabamos por decidir mergulhar de cabeça no "megaprojeto".

Era muito tentador pensar que em poucos meses estaríamos ingressando no circuito internacional...

Para isso, deveríamos rescindir nosso contrato, que significava nossa ida até a gravadora falar com o Guto Graça Mello...

Foi um vexame... Chegamos na Som Livre e fomos atendidos de imediato pelo Guto: "Quer dizer que vocês querem desistir de tudo? Logo agora?" Pra piorar a situação, o Guto, macaco velho, já sabia de tudo...

A rescisão foi patética... mas nós estávamos eufóricos... Quando que alguém entenderia ver uma banda rescindir um contrato com uma grande gravadora e sair pra comemorar no primeiro botequim da esquina?

Estávamos novamente à mercê do udigrúdi... e da palavra do nosso então agora novo patrão...

Os ensaios começaram na semana seguinte, em Itaipava, enquanto o Patrick organizava a rápida construção de um estúdio na estrada do Joá, onde estava morando, na casa da Liane...

Em pouquíssimo tempo, estaríamos de volta ao Rio... o que significava arranjar um lugar pra morar...

Em Itaipava, o Patrick, numa preleção matinal, combinou conosco que ele daria uma "ajuda de custo" para que nós abandonássemos todas as outras funções profissionais... e nos dedicássemos integralmente ao projeto... Só que com um detalhe: não especificou quanto nem quando daria a tal ajuda...

Fizemos vista grossa para esse "pequeno detalhe" e topamos tudo que nos propôs.

Passávamos umas oito horas seguidas tocando juntos.

A Carla vinha quase toda semana. O Luiz Otávio e a Nuxa se tornaram *habitués*... Pedro do Rio era ali do lado...

Foi quando percebi uma certa curiosidade mais acentuada por parte da Liane em relação à minha pessoa... O Patrick de cara reparou... o diapasão da nossa relação foi todo baseado nessas primeiras impressões...

Recebemos o material do disco solo do Patrick com a incumbência de executá-lo exatamente da mesma forma como fora gravado.

Ele deixou bem claro que nós começaríamos tocando o material já gravado, mas que, gradativamente, nos tornaríamos uma banda, e gravaríamos um disco com material próprio...

Mas o Lulu não estava nos planos do Patrick: havia um outro guitarrista, o Ray Gómez, amigo conterrâneo, que havia gravado o *History of I* por completo... e que seria agregado à banda quando chegássemos em Genebra...

Passamos aquele primeiro mês ensaiando ainda em Itaipava, quando se deu o desfecho... O clima com o Lulu estava muito pesado...

E o Lulu deveria sair do projeto...

Como o clima da banda estava especialmente tenso, não foi difícil haver um acordo tácito em permitir a saída do Lulu...

Não é necessário dizer que ele ficou arrasado e puto... voltou pro Rio e foi morar num apartamento no final da General Urquiza... e iniciou uma parceria com o Bernardo... estava começando a formar sua assinatura de compositor...

E nós arrumando a bagagem para voltar ao Rio... Não éramos mais o Vímana.

Chegamos na cidade sem eira nem beira... afinal, nossos planos não incluíam voltar tão cedo.

Agora, era começar a arranjar um lugar pra morar e resolver rapidamente a situação de grana.

Não haveria mais show, nem aluguel de equipamento. Só nos restava cruzar os dedos e concentrar nos ensaios com o Patrick, lá na estrada do Joá...

Nessa pindaíba, dei uma aterrissada no apartamento da Maninha, na Voluntários... Ficaria por lá até encontrar um lugar pra alugar...

Logo na primeira semana, chove na minha horta! Eis que surge uma gravação pra fazer!

O Carlinhos Sion estava na produção do disco do Walter Franco, *Respire fundo*, e me chama pra gravar uma faixa! Cheguei cedo no estúdio Havaí. Era um estúdio de 16 canais...

Gravei uma canção chamada "Um lindo blue" com o Paulo Cézar do Renato e Seus Blue Caps, no baixo, Lulu na craviola, Serginho Dias, guitarra, Arnaldo Baptista no piano...

Saí da gravação me sentindo muito orgulhoso... Gravei com esse monte de cara que sempre admirei.

Mais emocionante ainda foi a bufunfa que recebi! Não me lembro ao certo as cifras, mas foi o bastante para comprar uma bicicleta Caloi de três marchas, mais um mês inteiro comendo hambúrguer com espinafre e suco de maçã no Polis Sucos. A vida, por um momento, me pareceu fácil...

Começaram os ensaios no Joá. A Liane tinha acabado de ter uma filha com Patrick, e já tinha mais dois filhos do primeiro casamento. Cheguei de Caloi (achava muito natural pedalar da Voluntários da Pátria até o Joá... todos os dias)... Os outros iam chegando aos poucos e nos reunimos na sala, impactados pela modernidade da casa.

Havia um sem-número de objetos e *memorabilia* do Yes espalhados pela casa... camisas, moletons, balõezinhos, pôsteres...

Recebemos um almoço e alguns bons conselhos da Liane, que percebia o nosso estado de pisar em ovos com relação à grana...

O primeiro pagamento já foi atrasado e continuaria atrasado pelo resto da empreitada.

Ensaiamos muito duro, logo no primeiro dia. As músicas não podiam ser mais complicadas.

Era meio esquisito a gente não ter um guitarrista...

No segundo mês, já começávamos a gravar nossas próprias composições.

O Patrick conseguiu um *lockout* nos estúdios da Polygram. Gravamos muito material nosso naquele período...

Fora isso, alguns grandes empresários do *showbizz* internacional pipocavam na área, todos se mostrando muito interessados. Nossa expectativa aumentava mais e mais.

Enquanto isso, meu cotidiano lá na Voluntários era mais ou menos o mesmo: voltava do ensaio morto e ia dormir direto...

Mas, certa vez, quando já estou me preparando para o sono, chega o Armando... O Armando trouxe uns acidinhos... uns *purple haze* que tinham acabado de chegar da Califórnia...

Era o que eu precisava... Diversão. Aquela minha rotina de ensaios exaustivos estava drenando minhas energias. Definitivamente, não estava gostando da estética que o Patrick nos impunha. Sem transição peguei um conezinho roxo daqueles e engoli...

Me deu uma puta vontade de andar de bicicleta... já era madrugada...: "Armandaço, tá a fim de dar um rolé de *bike*?

Peguei minha Caloi, o Armando subiu na garupa e saímos pelas ruas de Botafogo. Entramos batidos na rua Jardim Botânico, quando nos deparamos com a entrada para o Rebouças... Sem pestanejar, virei bruscamente em direção à entrada do túnel: "Eu não estou acreditando no que você acabou de fazer! Vamos pegar o Rebouças na subida! E fomos nós túnel adentro... os carros passavam em alta velocidade... Era um misto de pânico, gargalhada e conquista...

Por estarmos severamente intoxicados, tudo tinha uma textura porosa... parecia que eu estava dentro de uma cartolina... Acabamos por sair na boca que dá pra Laranjeiras... Caralho! Ar puro outra vez!... Peguei o contorno e saí no Cosme Velho. Passamos pelo Palácio Guanabara, praia do Flamengo, praia de Botafogo, São Clemente... Que loucura! Demos uma volta inteira! "Agora, Armando, que a gente conhece o caminho, vamos dar uma volta à vera!"

Lá pelas quatro da manhã chegávamos no apê da Voluntários... demorou mais uns dois dias para que tudo voltasse mais ou menos ao normal... se é que voltou...

Capítulo 27

O Luiz Paulo, finalmente, conseguiu arranjar um lugar pra morar no Vidigal... Daí pensei... o Vidigal é mais perto e, com o Luiz, eu fico mais concentrado...

O apartamento ficava em cima da mercearia, bem na entrada do morro. A vista era deslumbrante... O Luiz Paulo estava namorando uma americana, a Barbara. Naquele exato momento, o Luiz começava a estudar a macrobiótica a fundo!

Definitivamente o Luiz era um Visconde de Sabugosa!

Eu estava com vinte anos...

Nesse meio-tempo, o Fernando casa... o Patrick é seu padrinho... os dois se dão às mil maravilhas...

"No Vidigal, pude ter um pouco mais de privacidade, o apartamento era amplo, uma sala com um janelão dando pro mar... uma boa cozinha e um quarto grande para cada um!"

Estava lendo o *Lobo da estepe,* de Hermann Hesse... devaneios...

A Carla passou a ficar mais tempo comigo...

Só que um dia a Carla me aparece com uma notícia desmantelante: ela estava grávida outra vez!

A mãe ficou fora de si... afinal, enviuvara em função da primeira gravidez... Agora seria diferente... "Você dessa vez não me escapa..."

Eu gostava da Carla... queria cuidar dela, ficar com ela... mas ter um filho! Aquela pressão estava me deixando claustrofóbico e apavorado...

Estava morrendo de culpa... aceitei o ultimato.

Num espaço de menos de um mês, estaria eu casado e futuro papai de um bacuri...

Enquanto isso, os nossos ensaios estão se tornando cada vez mais complicados, tediosos, e meio esquecidos pelos grandes empresários do *showbizz*... a cada mês que se passava, mais atrasado o nosso pagamento chegava...

O Patrick tinha que se ausentar do Brasil de três em três meses...

A Carla começa a fazer um tricozinho pro neném, ela tinha acabado de entrar no terceiro mês.

No Joá, estávamos ensaiando algo chamado de "Flying Mosquitos". O Patrick chegou ao desplante de colocar um quadro-negro na parede do estúdio com signos ininteligíveis! Nós tínhamos que seguir aqueles hieróglifos...

Nunca estivemos numa atmosfera tão desanimada e parada como aquela...

Àquelas alturas, já estava envolvido emocionalmente com a Liane... Estava ciente da terrível encrenca em que me encontrava.

Estamos vivendo aquele final de festa... estava na cara que nenhum de nós ali estava mais acreditando em coisa alguma... nem conseguíamos sequer manter aquela encenação de gatas borralheiras do rock.

Chega a semana do meu casório... como a Carla estava morando em Laranjeiras, perto da Leite Leal, decidi passar as próximas noites em Laranjeiras. Minha mãe já estava embrulhando tudo para se mudar para Copacabana, a casa estava uma bagunça...

Tinha uma consulta marcada para aquela tarde. Tinha que retirar um cisto que havia nascido bem no centro da minha cabeça...

O procedimento cirúrgico é muito simples e rápido. Logo o médico está em poder de um vidrinho com o negócio dentro... e ele me diz... "Rapaz, você está ótimo! Isso aqui que foi retirado da sua cabeça é um cisto embrionário!... Isso deve ser o que restou de seu irmãozinho gêmeo!" Aquilo me impactou profundamente.

Vou dormir com a ideia de ter matado meu irmão na barriga da minha mãe...

Quando acordo... sinto que não tenho condições pra ir até o fim com aquele teatro todo... aí pensei: "Vou morrer agora." Peguei a espada de coronel que meu tio Mendonça me dera... desembainhei, coloquei-a contra a barriga e pensei... isso vai doer pra chuchu e ainda vai sujar o quarto todo... e periga de eu ser socorrido...

Ah! Meus remédios... chega de casamento, chega disso tudo... e engoli uns quarenta comprimidos de Rivotril...

Algumas semanas depois, acordo na UTI.

A primeira pessoa a me visitar é a Liane, e eu cometo o seguinte ato falho. Quando a vejo entrar, disparo: "Pô, 'mãe', gostou? Zero a zero, hein?"A Liane era 12 anos mais velha que eu...

Os acontecimentos que se sucederão ocorrerão numa velocidade estonteante: minha mãe se muda da Leite Leal para um apartamento minúsculo na Inhangá... por ironia, no mesmo quarteirão onde também vieram a morar seus irmãos, Leda e Lula, o tio Cocó...

Não é necessário dizer que a Carla acabou abortando o bebê com mais de três meses... nunca mais a vi...

Nesse ambiente de deliquescência total, o Patrick, como sempre, tem que sair do país mais uma vez e decide passar uma semana em Londres...

Assim que saí do hospital, voltei a morar no Vidigal...

Mas, com a súbita viagem do Patrick, minha situação com a Liane tinha que ser resolvida definitivamente.

Resolvemos nos encontrar escondidos, numa pracinha lá na Urca, à noite...

Resumindo: estávamos namorando, apaixonados, a gente passava os nossos primeiros dias a ouvir Joni Mitchell: "Hissing of Summer Lawns"...

Mas havia muita coisa a ser recolocada... A partir daquele momento, sabíamos que o projeto do Patrick tinha ido definitivamente pro espaço, pelo menos da minha parte.

E ele chegou em poucos dias. Também chegou com algo terrível a nos contar. Havia uma nova febre na Inglaterra, um movimento que enterrava de vez toda aquela grandiloquência e complicação do rock rococó. Ele chegou com uma penca de discos numa sacola... Era quase tudo de uma gravadora chamada Stiff Records, que tinha como símbolo os pés balançantes de um enforcado...

Foi a primeira vez que ouvi falar de Madness, Ian Dury, Elvis Costello, Specials, The Tourists, Ramones, Dead Kennedys, Sex

Pistols, Clash... um mundo absolutamente diferente e antagônico a tudo que havia me tornado até então! O Patrick declarou que era o fim, que aqueles supergrupos que fizeram uma era estavam obsoletos e eram sinônimo de velharia e cafonice... o rock progressivo jamais se recuperaria desse tombo...

Para arrematar o cardápio de agruras, chegou a nossa vez de contar as nossas "novidades"... Ele já esperava aquele desfecho... Estava de malas prontas... fim do projeto, fim de casamento, fim de uma era. Voltou a morar na Suíça... e eu me vi, de repente, no centro de uma nova família. Resultado: ...em menos de um mês estava eu me mudando de armas e bagagens para a estrada do Joá... sem saber o que fazer da vida, onde atuar... não tinha mais banda, nem casa, nem família, nem renda, nem destino, nem nome, nem futuro. De repente, percebi que eu não era nada nem ninguém...

Enquanto o mundo desabava sobre minha cabeça... vim a saber que meu pai havia se casado novamente e que sua nova esposa estava esperando um filho...

Minha mãe continuava com sua vidinha lá no Brasas, adorada por seus alunos, mas sempre se sentindo muito só... nunca se acostumou com a vida de divorciada...

Em meio a esse cenário de incerteza, ruína e romance, inicio uma nova etapa em minha vida... passarei os próximos quatro anos às voltas com a minha precariedade, minha covardia... minhas descobertas.

Capítulo 28

A bateria já estava lá... Peguei no depósito da mudança da Leite Leal a minha cama pra colocar no canto do estúdio... Carregaria para o resto da vida, para onde eu fosse, o ambiente de meu quarto. Precisava achar um meio de obter grana... E eu me perguntava... Como um cara de vinte anos, sem nenhuma gabaritação que não fosse tocar bateria numa banda de rock progressivo, se colocaria no mundo?

E como iria ser chamado dali em diante? Já questionava se continuaria utilizando aquele apelido... Se eu quisesse me tornar um escritor, ou mesmo um compositor, até mesmo um advogado, haveria de inventar um sobrenome, um nome duplo era imperativo. Começava a rabiscar nos cadernos as possíveis combinações de meu nome artístico... João Lobão? Lobão Woerdenbag? João Luiz Lobão? JLW Filho? JL Woerdenbag? Wonderwolf?

Foi quando meu amigo Zé Luiz salva a lavoura... Ele estava tocando com o Luiz Melodia e conseguiu uma vaga na banda. O Melô tinha acabado de lançar o poderoso *Mico de circo*, com a Black Rio. Entrei pra banda justamente num show realizado no circo que tinha ali colado à PUC, na Gávea.

Foi a primeira vez que toquei como músico contratado.

Porém, havia um pequeno problema logístico: a Liane, acostumada às grandes turnês, queria viajar junto, com direito a suíte, e eu era companheiro de quarto do Waldecir, grande baixista, grande figura... O que fazer?

Aquela casa enorme exigia uma boa quantidade de grana para mantê-la... e, em muito pouco tempo, percebemos as coisas despencarem.

Nessa terrível situação de total decadência, a Liane tem uma ideia: uma confecção de *silkscreen*, na laje em cima do estúdio.

Fomos comprar os rudimentos básicos com nossas últimas economias.

Chegamos cheios de telas, espátulas, latas de tinta, rolos de algodão cru... colocamos tudo na bancada e *voilà*!

Ainda devia estar em pleno estado de choque desde que saíra da clínica...

Percebendo meu precário estado emocional/psicológico/neurológico, Liane, que havia conhecido minha avó num casual encontro por Itaipava, me convenceu a me aproximar dela.

Meu avô havia recém-morrido e, como era de se esperar, não pude ir ao enterro... Colei na vovó Lulu... Todos nós sabíamos que, quando um daqueles fosse embora, o outro iria atrás rapidinho...

Uma atividade que me veio à cabeça foi a de alugar o estúdio para gravações caseiras. Tinha que arranjar pelo menos um gravador de rolo razoável... tinha "herdado" uns microfones do Vímana, umas girafas, um par de monitores e uma mesinha Teac... Precisava arranjar um gravador de quatro canais!

Conseguimos umas facilitações aduaneiras e a Liane pediu a seu amigo Andy Newmark pra comprar o gravador lá em Nova York...

Tive que pedir uma ajuda à minha mãe... e ela me emprestou mais da metade do dinheiro.

Pronto! Agora estava com um estúdio montado... Mas estava sujeito a entrar em regressão por qualquer motivo...

Minha função naquele lar era bastante indefinida. Mas sempre tive em mente que havia três indivíduos pra cuidar. Fui ficando muito ligado às crianças.

E foi numa dessas idas e vindas que vim a conhecer a irmã da Liane, a Liège, e o Neville, seu marido e cineasta oriundo do *underground*, que viria a se celebrizar dirigindo vários campeões de bilheteria. Moravam num apartamento próximo ao Clube do Flamengo quando, certa vez, numa rotineira busca dos meninos, eis que me aparece uma visão extraordinária: enquanto as crianças corriam em direção às escadas, uma silhueta numa cadeira de rodas, em meio àquele lusco-fusco de portaria, esboçava um chamado ao Neville... Era o Nelson Rodrigues em carne e osso! E gesticulava impávido, com seus braços estendidos em direção ao quarto andar e em êxtase exclamava: "Meu querido Neville de Almeida... você é um gênio, tá me ouvindo? Um gênio!"

Neville estava acabando as filmagens da *Dama do lotação*, e o Nelson comparecia religiosamente a todos os dias de filmagens.

Em poucos meses, se mudariam para uma cobertura na Farme de Amoedo, que se tornaria uma espécie de QG dos cineastas que mais estavam atuando naquele momento... Cacá Diegues, Bressane, Jabor, Paulinho de Almeida, Sarraceni, e outros tantos.

Tudo isso eu assistia completamente à margem... o desenturmado. Tinha me tornado uma espécie de apêndice insignificante. Foi quando comecei a ter acessos de pânico...

Continuo tentando sincronizar a minha vida matrimonial com os shows do Melodia...

Para inaugurar o Teac de quatro canais, me lembrei das *love songs* do John Dowland para quatro vozes e alaúde! Era uma boa oportunidade para aprender a gravar, a ler música.

A casa estava cheia de livros fantásticos, muitos, bem raros... Obras sobre pintura, artes plásticas, cinema, poesia, música, magia etc. e tal... Já era um bom começo pra mim. Comecei a ler em espanhol *El hombre y sus símbolos*, de Jung, Alarcón e *Don Quijote*... e comecei a ler em inglês... nunca soubera falar com fluência, embora pudesse entender praticamente tudo... Comecei a ler em voz alta... o que não entendia, procurava no dicionário.

Fiquei fascinado pelas cartas de tarô... a Liane tinha uma coleção de baralhos... todos eles lindos, coloridos e misteriosos... aprendi a jogar com todos esses baralhos e acabei me viciando. Não saía pra fazer nada sem botar um baralho. Li o *I Ching* e aprendi a jogá-lo com moedas ou varetas... a mesma coisa com o *Ouija* e outras tantas práticas... Começava a me interessar por um livro de magia que me parecia ser muito antigo... lá se ensinava a conversar com os mortos, ficar invisível, voar... Estava prestes a colocar em prática a fórmula de ficar invisível. Me lembro que a fórmula exigia itens bem esquisitos... consegui todos, menos um pedaço de pergaminho... não houve como encontrar um pergaminho! Daí tentei trapacear amarelando um papel comum. Fui dar uma andada pela sala pra testar minha invisibilidade e logo fui surpreendido pelo Daniel me puxando para uma partida de Genius...

Foi por essa época que recebo um telefonema do meu sempre querido Nelsinho Motta... Ele estava se transferindo para o morro da Urca e queria montar uma banda residente, ou melhor: uma superbanda.

Iria tocar com o Arnaldo Brandão, o Lulu e o Arnaldo Baptista... uau! todo fim de semana!

Mas, desafortunadamente, as coisas não aconteceriam dessa maneira. Liane embarreirou alegando que eu poderia ter um piripaque daqueles etc. Estava refém de minha epilepsia. Mortificado, tive que declinar do convite. Meus acessos de pânico estavam chegando ao paroxismo! Se chegava uma visita qualquer me enfiava atrás da bateria! Tremia dos pés à cabeça por qualquer motivo... Não conseguia segurar um andamento nas músicas...

Meu negócio de alugar o estúdio era muito do furreca...

Mas, numa certa tarde, me aparece uma rapaziada de Niterói, encabeçada por nada mais, nada menos que o Cassiano! Eles fariam uma demo pra dar para o Roberto Carlos gravar.

Só pra resumir a história: o Cassiano ficou morando lá em casa por uns dois meses. O que foi maravilhoso, pois aprendi muita coisa de arranjo e orquestração que, segundo ele, aprendeu na Lapa, com um maestro argentino que trabalhava numa gafieira... Aprendi preciosidades com o Cassiano em relação a espaço, respiração, harmonia, emissão de voz e, antes de mais nada, menos... sempre menos...

Nossa confecção não estava propriamente fazendo grande sucesso. Acabamos por trocar a razão social da firma e iniciamos uma microindústria de perfumes caseiros.

O Bernardo havia contraído o hábito de me visitar e travar longos devaneios comigo. E, a partir dessas conversas, nasceu nossa parceria. Dessa primeira leva ficou "Tudo veludo".

Nunca pensei em me tornar um cantor... sempre me enxerguei como baterista, mas começava a desenvolver um certo gosto por compor, mesmo sem saber o que fazer daquele repertório que nascia feito mato num terreno baldio...

As minhas idas ao apartamento do Neville eram um sofrimento. Tinha que resgatar minha dignidade pessoal o mais rápido possível.

Contudo, em meio a essa atmosfera de total rejeição, aparece uma figura que me acolheria, me respeitaria e se tornaria um grande amigo: Jim Capaldi.

O Capaldi era baterista e compositor do Traffic, lenda viva do rock que aterrissou no Brasil... Acabou casando e ficando por aqui... Era um tricolor fanático, e pusemo-nos a frequentar o Maracanã todo domingo...

Adorava me mostrar suas últimas composições... e, não raro, dava um monte de palpite nas minhas... "Lobão... só com essa introdução aí eu fazia um álbum duplo... pra que encher a canção de acorde...?"

Em mais um outro acesso de ânsia por recuperar meu caminho, entabulei uma fuga no primeiro dia de sol...

Fomos à praia na Barra e meu plano era aportar numa daquelas ilhas que a gente vê quando tá na praia... (Cagarras) ...mesmo amando aquela mulher, ligado profundamente aos meninos, tinha que sair...

O mar estava uma piscina... o céu, de um azul transparente... e sem pestanejar, aviso a todos que vou dar umas braçadas por aí e voltar num instante... Estava crente que iria me tornar uma espécie de Robinson Crusoé protopunk...

Muito concentrado, como alguém que está num procedimento de fuga em Alcatraz... iniciei a minha jornada, lembrando sempre de não olhar pra trás e nadar compassadamente...

Adentro o mar alto... um silêncio... a água vai ficando cada vez mais escura e eu realizo que estou em alto-mar... ai, meu Deus do céu! se aparece um tubarão de repente...? "E quanto mais focava meu olhar nas praias da ilha, menos diferença de tamanho notava... Estava a mais de quarenta minutos nadando, quando resolvi dar uma olhada para a orla... Caralho! Eu estava muito longe! E se me desse câimbra? E se um tubarão me pega? Passei a boiar, respirando pausadamente, e nadando de costas, lentamente, rumo ao retorno humilhante...

Duas horas se passam e aporto na praia, rosa berrante... "Que demora!" "Foi nada, não... Peguei uma correnteza..."

Capítulo 29

Estava ficando insuportável viver às custas da mesada do Patrick!

Durante aquele período também tentei fazer um projeto com várias pessoas.

Alguns dos meus amigos chegavam de Berkeley... o Guto e o Júnior Hommrich, que fora estudar baixo! Talvez a onda punk não tenha penetrado nesse reduto porque essa turma em que me incluía acreditava que o *fusion* era a grande parada.

Quanto às minhas leituras, estava prestes a me iniciar no próximo elemento constituinte do meu ser: Salvador Dalí...

Eu e Liane vivíamos uma espécie de batalha contra o mundo.

Nossa diferença de idade e minha situação de penduricalho sempre causavam desconforto às pessoas... deixei crescer uma vetusta barba para tentar aparentar ser mais velho, mas a minha cara de desamparo me delatava o tempo todo...

Sempre procurávamos ícones que representassem nossa vida, nosso direito de estar juntos... Bonnie & Clyde, Maria Bonita e Lampião, Yoko e John, meu avô e minha avó, quando a Liane me apresenta um livro de entrevistas com Salvador Dalí: *As confissões inconfessáveis de Salvador Dalí*.

Esse livro eu iria ler e reler algumas vezes... Dalí casado com Gala, mais velha que ele... com uma infância surreal, ele com seu método paranoico crítico... eu com minha onipotência epiléptica...

Percebi que aquele influxo de energia emanado daquela leitura me dera uma lufada de autoestima...

Dalí se tornou o centro do meu universo. Havia uma dezena de livros sobre Dalí naquela biblioteca... li todos.

No finalzinho de 1979, o Zé Luiz me telefona com a seguinte proposta: "Aí, descolei uma *gig*! Tô tocando com a Marina... Seguinte: o Claudinho Infante tem um trabalho e vai deixar a vaga... tá a fim de entrar? Vou te mandar o disco dela recém-lançado..."

Me agarrei àquela oportunidade como minha tábua de salvação: passei os 15 dias antes do ensaio ouvindo e tirando nota por nota todas as partes da bateria.

Passei na audição! Quando fui efetivado, dei a ideia de chamar o Guto... que tinha chegado de Berkeley, e o Júnior... ele também estava recém-aterrissado de um curso de baixo... E numa festa daquelas, na casa do Júnior... comentávamos como poderia ser divertido viajar pelo Brasil tocando com um monte de amigo, para uma pessoa como a Marina... e o Júnior comentou: "Será muito divertido... apesar da nossa condição de proletários… não é muita grana, mas a *gig* é chique! *Décadence avec élégance*!"

Na batuta e no comando dessa patota ficou o Paulinho Machado (que, por acaso, era primo do Ignácio), nos teclados, o nosso maestro.

Entrar na banda da Marina me deu um outro tônus.

Começamos a ensaiar o show da turnê e os diretores do espetáculo eram uma dupla simplesmente formidável: Waly Salomão e Antônio Cícero.

Esse núcleo tinha uma química poderosa... Zé, o Guto, amigos de infância; o Júnior, figura querida por nós, o Paulinho… com Waly e o Cícero...

No dia da estreia da temporada no Ipanema, eu, Waly e Zé decidimos ir direto para o teatro... O Asdrúbal Trouxe o Trombone atuava no horário anterior ao nosso... encenando *Aquela coisa toda*...

Estamos saboreando a peça, tendo ideias mirabolantes, quando, de repente, entra em cena um personagem chamado… Lobão! "Waly, esse cara se chama Lobão!" Pegou um violão, chamou mais um cara e levaram um sonzinho esperto na borda do palco... Era o Evandro Mesquita! Conheci o Evandro fazendo o papel de Lobão! E Waly emendava com o seu vozeirão: "Vocês têm que fazer alguma coisa juntos! Periga, Lobão... de Chacal, escrevendo para Evandro nessa peça, ter se inspirado em sua pessoa passeando pelo Arpoador, ah-ah-ah-ah! Quer augúrio melhor?" Ao final da peça fomos direto aos camarins e, quando me passa o Evandro na minha frente, estendo-lhe a mão: "Aí, Lobão, muito prazer. Lobão." E o Evandro, aquela simpatia, me apresentou seu parceiro inseparável, o Ricardo Barreto, que viria a ser nosso Homem-Baile, figura impoluta, singular e anacrônica.

Imediatamente os convidei para dar um pulo lá no Joá e fazer um sonzinho com a gente...

Foram esses dois caras que me tiraram de um limbo criativo... não aguentava mais aquela tecnocracia *fusion*... pensei no Cassiano... voltei a ouvir aqueles discos punks que o Patrick trouxe...

O Evandro e o Barreto tinham um repertório de extrema criatividade... Tudo baseado em levadas folk, luau surfire, mas com um frescor, uma originalidade, um senso de humor e estilo únicos... As letras eram sensacionais e hilárias.

Minha amizade com a Marina vai ficando cada vez mais estreita... Não podia imaginar como a gente se combinava tanto e, ao mesmo tempo, éramos tão diferentes!! Ela parecia me compreender, se interessava pela minha vidinha...

Foi a Marina que um certo dia me disse: "Lobão... não adianta... você é compositor."

Começamos a fazer música juntos... Aqueles momentos eram de uma rara felicidade...

Mostrei a ela uma levadinha com um tema que estava desenvolvendo com o Bernardo... Li num lugar uma manchete com os dizeres KISS AND RIDE... uma cena de cinema... justamente quando passava por uma estação de metrô...

"Me deu um beijo na corrida, correndo ela sumiu... desceu voando a escadaria do metrô... cena de cinema..."

No refrão, a Marina sugeriu uma sequência de acordes que dessem uma sensação de distensão e compôs a melodia... "Lá embaixo não tem estrela... é a maior ficção, fico meio alucinado... e a luz no fim do túnel vem me hipnotizar." E a partir daí, não paramos mais de trocar ideias... só que eu estava absolutamente apaixonado por ela, mas eu amava a Liane...

Estávamos em 1980...

Nosso núcleo com o Evandro e o Barreto continuava a se encontrar esporadicamente...

Chega o início de dezembro e corre a notícia de que o Lennon fora assassinado na porta de casa por um débil mental...

A morte do Lennon teve um efeito devastador. Parecia que tinha perdido alguém muito próximo. Fui criado ouvindo a voz daquela figura, prestando atenção no que aquela figura dizia, amando profundamente aquela figura... chorei copiosamente por uma semana... não podia acreditar naquele absurdo... John Lennon estava morto.

Umas semanas depois, Liane recebe um telefonema... Era o Andy, o Andy Newmark, amigo da Liane, batera que tocou com o Patrick e que havia acabado de gravar o último disco do Lennon, o *Double Fantasy*.

Tinha acabado de chegar no Rio e pedia que lhe acolhessem em virtude de sua imensa dor... precisava de tirar umas férias longe de tudo... estava arrasado e acabaria passando alguns meses conosco, dormindo lá no estúdio...

Capítulo 30

Soube que minha irmã estava morando em um pensionato no Catete... meu pai fora morar com sua nova esposa em Jacarepaguá, junto de seu novo filho, o João Eduardo, e das duas meninas da Cecília...

Cheguei a visitá-los por algumas vezes, Cecília e Liane tinham a mesma idade e acabou rolando uma afinidade...

Meu pai, depois daquele episódio no quarto da Leite Leal, nunca mais tinha se encontrado comigo... Parecia que nada havia acontecido... ele me tratava com a mesma distância amigável de sempre... nunca mais viríamos a falar sobre aquele episódio...

Conheci meu irmão... era a cara do meu pai quando guri, bom... eu também... Mas, lamentavelmente, vim a saber que descobriram um problema sério no desenvolvimento mental dele... uns diziam que era autismo, outros refutavam, mas o fato é que meu irmão é um cara especial... Hoje ele está com uns vinte e tantos anos, é uma criatura, gentil, um puta amigão... e mora com sua mãe.

Minha mãe, naquela história de sempre: Brasas, roupas cada vez mais extravagantes e muitas noites festejando com seus alunos... para depois enfrentar os baques da solidão...

Meus amigos de banda se espalharam por aí... Saíamos de vez em quando com o Luiz Paulo e a Barbara. O Ritchie, soube que estava dando aula de inglês no Berlitz, o Lulu, casou com a Scarlet Moon, o Fernando entrou para o Boca Livre e foi fazer seus projetos pessoais...

Entrei numa engrenagem da qual não sabia como sair... Mas aquilo não podia se perpetuar indefinidamente... apesar da minha entrada na banda da Marina ter me feito muito bem, era uma *gig* esporádica... um show aqui, outro acolá...

Comecei a pensar em fazer um repertório de canções. E... se por acaso conseguisse fazer algo que prestasse, poderia me estabelecer como compositor...

Chamei o Bernardo e expliquei que havia decidido reunir umas canções e fazer um repertório.

O Bernardo gostou muito da ideia e nós saímos desembestados a fazer canções de rock e de amor...

A primeira grande influência do início dessa jornada foram o Lennon e os The Beatles. Ouvia o *Double Fantasy* e *Rock 'n' Roll Music* noite e dia... Peguei um *songbook* dos The Beatles nos *leftovers* do Patrick e tirei todas as canções do livro...

Inspirado nessa *vibe*, compus o que seria a primeira canção daquela leva: "Squizotérica". É bem verdade que "Cena de cinema" já estava sendo feita e "Tudo veludo" e "A voz da razão", da fase anterior, mais MPB seria gravada bem mais tarde.

Peguei os discos da Stiff Records que jaziam jogados no canto da sala. O primeiro que comecei a ouvir e não parei mais foi o *My Aim Is True*. Na verdade, aquele disco do Elvis Costello produziria uma verdadeira revolução de conceitos na minha cabeça! Punk, rock, Beatles e as canções que ouvia daquela dupla Evandro/Barreto!

Tirei o disco do Costello por inteiro, e "Allison" se tornaria meu hino e meu farol na escuridão de meus dias...

Nesse clima de retomada, morre o Lennon...

A depressão e a tristeza tomam conta de tudo... passamos o fim do ano de 1980 totalmente de luto...

Logo na segunda quinzena de janeiro, ocorre o tal telefonema do Andy... ele estava no aeroporto...

Encontramos com ele no saguão... Eu olhei pra ele e dei uma risadinha de espanto... Ele me cumprimentou efusivamente se apresentando: "Hi, Lobão! Andy!"

Arrumamos o estúdio que, na medida do possível... parece que ele curtiu as acomodações. Precisava de alguns meses para digerir aquela tragédia...

Apesar do Andy ser um baterista extremamente requisitado — ele sempre me dizia: "Lobão, eu não sou o melhor baterista do mundo, eu sou o baterista mais bem-pago do mundo", ou seja, tocava com quem você pudesse imaginar... James Taylor, Roxy Music, Carly Simon, Sly and Family Stone, Ronnie Wood... —, passeávamos a pé por toda a estrada do Joá... Parávamos na Joatinga pra olhar o mar...

Em todo o tempo que passou conosco, o Andy jamais sentou na bateria... mas acabou me ensinando coisas que levo comigo até hoje...

Com a estada do Andy lá em casa, passei os encontros com a banda/projeto com o Evandro lá pra casa dele, no Jardim Botânico.

Morava numa garagem toda cheia de chinfra...

Era época da primeira vinda do Queen ao Brasil, e a gente passou a noite assistindo, na televisão, o show ao vivo direto do Morumbi...

Já estávamos com um monte de música pronta, eu, por meu lado, pensava numa maneira de me encaixar como compositor. Apresentei "Cena de cinema" e a recém-saída do forno, "O Homem-Baile", feita em homenagem ao Barreto.

Marcamos um ensaio lá no Joá... O Andy estava de namoro com uma *hostess* famosa da noite carioca e o estúdio estava mais tranquilo...

Aproveitamos aquele ensaio para dar um acabamento numas canções, arranjar outras... quando o Guto pega o refrão "Você não soube me amar" e faz o *riff* de guitarra... Em seguida, pediu pro Evandro falar o texto corrido e metrificou as palavras na cadência, dando um ritmo na letra e a forma final. A outra parte existente, o Evandro tinha composto na praia, com o Zeca Mendigo, e assim nascia o primeiro mega-hit dos anos 1980...

Empolgados pela química que rolava entre nós, Evandro vem com uma grande novidade. "Aê, rapaziada, pintou um lance maneiríssimo pra gente fazer... Sabe o Caribe, aquele *night club* na estrada das Canoas, ali em São Conrado? Pois é... a minha amiga é *hostess* das parada e perguntou se a gente não queria dar uma tocada por lá. Vamo nessa?"

O telefone toca... Eu atendo... é a menina do Caribe... está querendo saber o nome da banda pra agilizar as filipetas, os lambe-lambes etc... "E aí? Qual é o nome da banda?" Pedi a ela um tempinho pra gente fazer um *brainstorm* para em seguida voltarmos a nos falar...

Cada um inventava uma barbaridade qualquer, eu, pessoalmente, queria um monossílabo, meio punk, como Clash... algo que qualquer pessoa entendesse em qualquer lugar do mundo... hummmm: "Blitz! Que tal?..."

Empolgação zero... todos se entreolharam com cara de paisagem. Não houve quórum necessário para o nome ser aprovado... alegavam sermos uma banda da paz, do amor, nascida de uma realidade feliz de beira de praia etc. e tal... nada a ver esse nome...

Fica aquele silêncio... deu um branco em todo mundo, quando a garota do Caribe volta à carga... "Cumé que é? Qual vai ser o nome?..." "Bem, a gente não chegou a nenhuma conclusão ainda..." "Mas eu preciso desse nome a-go-ra... JÁ!!" "Bom... eu achei um nome, mas não rolou consenso." "E não tem outro? Então pelo menos fala esse nome lá que você sugeriu..." "O nome? Blitz..." E de repente explode um grito do outro lado: "Blitz no Caribe!!! Fechou!"

A gente entrou no palco com aqueles capacetes de mineração que têm uma lanterna no topo... entramos com tudo escuro e... *blitz* na plateia. O primeiro show da Blitz foi um sucesso... até o baixista do Queen estava lá pra conferir...

Mal saímos da maternidade e já tínhamos nossa primeira defecção: ...o Júnior, que não se sentiu muito à vontade tocando aquele estilo musical... Portanto, a primeira formação da Blitz a subir num palco era... Arnaldo Brandão no baixo, eu na batera, Guto, guitarra, o Barreto, guitarra e o Evandro nos vocais, na gaita e no repique... O Guto e o Zé Luiz faziam quase todas as frases em naipe sempre respondendo ou "comentando" a fala do Evandro... e davam um clima meio Frank Zappa, meio Roxy Music no som...

Mas depois da grande estreia, caímos num marasmo incrível... não pintava nada pra fazer, um show aqui, outro acolá... Foi a época em que fiz uma dupla com o Barreto e íamos às quartas-feiras tocar blues em Niterói.

Tomávamos uma dose de Velho Barreiro e pegávamos a barca, eu com uma caixa e um prato, ele com uma guitarra e uma vitrola portátil que fazia as vezes de amplificador...

Íamos levando um som pela baía de Guanabara...

Chegávamos em Nity City direto para um clubinho bem fuleiro com um barzinho do lado... Montávamos nosso *set up* e mandávamos uma saraivada de blues...

A Blitz se tornaria uma banda bissexta até o início do ano seguinte... quase acabamos por nos dispersar... O Zé voltou a tocar com o Caetano na outra Banda da Terra... o Arnaldo também... o Guto ficou sem paciência e voltou pra Boston... Só sobraram eu, o Eva e o Barra...

Mas nesse espaço de tempo o Bernardo, nos nossos encontros de parceria, topou com os meninos e acabou se tornando um parceiro constante no trabalho da Blitz...

E depois de uns três meses se refazendo do luto, nosso querido Andy anuncia a sua volta ao lar... E, para isso, ele fez questão de nos dar um presente. Reservou uma mesa no restaurante do Paul Bocuse, no terraço do finado Méridien, para uma noite de despedida.

O Andy foi embora, a Marina deu uma parada de show, a Blitz na geladeira... Passava todo o meu tempo compondo, tocando bateria e lendo, lendo muito... Tinha descoberto Fernando Pessoa e Baudelaire...

O ano vai se escoando num grande marasmo... os meses passam... o Capaldi dá uma desaparecida, o Zé não me telefona...

Em meio a essa aflição e marasmo, me telefona o Arnaldo Brandão, querendo dar um pulo lá em casa. Estava junto do Arnaldo Baptista e eles queriam me fazer uma proposta. Não acreditei! Mandei os dois se mandarem pro Joá.

O dois chegam e sobem direto pro estúdio... o Baptista traz um clarinete e o Brandão, um baixo...

Logo fiquei sabendo da proposta: o Arnaldo Baptista tinha comprado uma Kombi e queria cair na estrada como saltimbanco e armar o circo em qualquer lugar... Até para aquela época, aquilo já soava um pouco hippie demais, mas a se tudo desse certo, a gente faria um *power* trio dos infernos! Órgão, baixo e bateria... começamos os ensaios no mesmo dia. Segui com os ensaios sem dar muita informação detalhada pra Liane... aquela ideia de grupo itinerante soaria muito mal...

Chegou um certo dia e eu pensei: "Mesmo que seja loucura, vou pra estrada com os dois... não posso mais ficar à mercê dos acontecimentos, estou com minha vida à deriva..."

E contei a empreitada pra Liane, que se horrorizou e disse algo como: "Se você for, não quero mais ver a sua cara..."

Pensei com meus botões: é o fim.

Era uma tarde de sol, umas duas horas, e Liane tinha que dar uma saída... Me incumbiu de ligar pro Arnaldo e desmarcar tudo... mas não o fiz...

Estava absolutamente sozinho naquela casa... Estava com a maior vergonha de ter que passar por um vexame daqueles, preferia morrer do que chegar pra eles e dizer "Puxa, gente, a Liane não quer que eu vá, sabe? Foi mal, aí."

Olhei para uma garrafa de álcool Pring... com um pouco menos da metade sobrando... tinha acabado de comprar os meus pacotes de Rivotril 2,5mg. Tinha umas três cartelas cheias. Abri todos os comprimidos, peguei a garrafa de álcool e bebi o que tinha...

Esperava a morte tranquilamente a meditar sobre minha conturbada existência, quando o Arnaldo Brandão liga: "Aê, tamo chegando! Falou?"

Desci vagarosamente a escada do quarto e me dirigi ao estúdio... começava a sentir dormência em todas as extremidades do corpo... mas achava que a coisa ia bater com muito mais força... Passaram-se uns dez minutos e eles chegam... Entram no estúdio e eu já estou sentado na bateria, em estado semibúdico...

A princípio, ninguém notou, afinal, estávamos acostumados a lidar com pessoas bem esquisitas naquela época...

Foi o tempo deles ligarem os instrumentos, o Baptista contar 1, 2, 3 e atacarmos a introdução. E quase que imediatamente eu apago...

Algumas semanas depois, acordo na Casa de Saúde de Portugal... dessa vez tinha certeza que morrera, portanto, quando vi enfermeiras, soro, UTI, fiquei puto a pensar que o André Luiz estava certo...

Quando a enfermeira me avisa que tem uma visita pra mim... Era o Arnaldo Brandão... e já chegou falando: "Puta que pariu... tu dá trabalho, hein? Cara, o Arnaldo ficou enlouquecido quando viu você naquele estado... saímos correndo pra te socorrer... ele ficou em choque, e dizia: 'Eu sei o que é isso! Eu sei o que é isso!' E começou a telefonar pra ambulância... Tivemos que te carregar até a sala, porra... Tu é magrela, mas é pesado pra cacete!"

"E o Arnaldo... cadê o Arnaldo?" "Flipou geral, pegou a Kombi e foi pra São Paulo num estado emocional deplorável."

Chegou em São Paulo e acabou internado!... Caiu de cabeça do quarto andar!... E não morreu!...

Passei muitos anos imaginando ter sido eu o pivô do que acontecera com o Arnaldo... mas, felizmente, soube que não tinha nada a ver com aquela história...

Passei uns seis meses com a cabeça inteiramente dormente e com uma sensação de revelação espiritual. A luz me invadiu... uma forte sensação de inexorabilidade tomava conta do meu ser!

Exalava felicidade e compreensão... e a coisa mais forte que me vinha à cabeça era... "A noite é a única coisa entre todas que continuará existindo, mesmo depois da morte de todas as estrelas, mesmo com a morte de todos os universos, mesmo sem tempo nem espaço, restará, incólume, a noite... a noite nunca vai mudar..." Peguei um papel e escrevi "Girassóis da noite", logo no primeiro dia de retorno ao Joá... Mas não ficaria lá por muito tempo... já tinha chegado sabendo que estava na hora de sair... Era um rito de passagem, uma despedida, cheguei na frente do espelho, peguei uma tesoura e saí picotando meu cabelo... não queria fechar um ciclo com a mesma cara, nem tampouco saindo de um hospital... mais uma vez...

Capítulo 31

Continuaria a sair com a Liane... na verdade, esse relacionamento se estendeu por quase um ano mais...

Comecei a procurar lugar pra morar, e estava bem difícil... estava duro e não tinha nenhuma perspectiva de entrada de grana até o próximo mês...

Minha mãe estava namorando um jovem de Campinas, e eles meio que estavam morando juntos por um tempo... quando surge uma ideia... "Pô... o tio Cocó mora a vinte metros da mamãe... quem sabe ele não tem uma vaguinha lá, só por umas semaninhas?"

Não via tio Cocó havia anos... não sei como reagiria ao vê-lo depois de tanto tempo, nem ele a mim...

Tio Cocó me recebeu com a efusividade e resplandecência de sempre... "Cotchó cotchó cotchó, meu querido, amado sobrinho, tomou chá de sumiço?..." "Bem, tio Cocó, na verdade eu vim te pedir um favorzão... Dá pra ficar dormindo aqui por umas duas semanas?" "Meu querido, seu tio tem uma vida meio esquisita, o apartamento é um ovo..." "Que isso, tio Cocó, eu só preciso pernoitar numa cama... prometo que fico fora o dia todo... e à noite também, é só me dizer o horário pra voltar... posso ficar com meus amigos no Baixo até o sol nascer."

Tio Cocó aceitou...

Me mudei no mesmo dia, apenas com uma mala pequena... meu violão preto tinha sido roubado lá no Joá... precisava arranjar um outro instrumento...

Foi uma época difícil aquela... realmente meu tio tinha seus hábitos e manias, e era inevitável me deparar com eles...

Peguei de cara uns livros do Stephan Zweig na biblioteca... *Maria Antonieta* e *Mary Stuart...*

Foi nesse período que comecei a beber... Foi aí também que me tornei um *habitué* do Baixo Leblon... Me acostumei a pedir um copo de chope e passar a madrugada toda filando as vintes dos colegas...

Fiquei mais umas duas semanas por lá... tio Cocó me ensinou a fazer compotas... enquanto procurava alguma coisa nos classificados...

Quando de repente eu leio... *Alugo dúplex em São Conrado, preço imbatível!* Pensei, esse é meu! Fui ver o apartamento imediatamente... era uma gracinha de frente para o que seria o São Conrado Fashion Mall, do lado do já lendário Caribe, dois pisos, uma sala enorme com uma cozinha, em cima uma suíte com *closet*, banheiro e um quarto com banheiro bacana ao lado...

O aluguel estava ao meu alcance, uma vez que começasse a fuçar *gig* pra tocar...

Agora eu poderia chamar minha irmã... ela tinha que sair daquela espelunca do Catete...

Quando estou saindo, já na portaria do edifício, eis que me deparo com quem? Com o Ritchie! Era meu vizinho de porta! Inacreditável! Foi uma festa! Aquilo era um excelente augúrio!

Finalmente, depois de quase um mês morando com o tio Cocó, me mudo com tudo pra estrada das Canoas...

Estava entrando numa fase de grandes mudanças. e tudo aconteceria num ritmo frenético...

A Marina voltou a fazer uns shows, o Bernardo e eu trabalhávamos com afinco no repertório, a Blitz continuava pipocando, mas a gente começou a ensaiar lá no apê...

Sentia uma sensação indescritível de liberdade... e numa das primeiras noites no novo local, decidi ir ao cinema ver o Monty Python... estava passando a *Vida de Brian* num extinto cinema no início de Copacabana...

Gargalhei dramaticamente durante todo o filme! Desopilava meu espírito, no escuro do cinema...

Ao sair, ouço uma voz familiar falando comigo... "Só podia ser você com essa gargalhada!" "Lulu! Há quanto tempo! Esporrante o filme, né?

E aí, qual é a boa?" "Estou lançando meu primeiro LP e estou montando um *power* trio, já falei com o Antônio Pedro, que acabou de sair dos Mutantes... Tá a fim de tocar com a gente? Amanhã, às 17h em ponto... Temos uma semana para aprontar o show de estreia no morro da Urca."

No novo lar, estou trabalhando duro com o Bernardo quando me lembro do encontro com o Ritchie: "Sabe quem mora aqui! O Ritchie! Você bem que poderia dar uma conferida nas novas canções que ele anda fazendo...", e o Bernardo foi ao encontro do Ricardinho e, em menos de um mês, estavam com material mais do que suficiente para gravar um LP...

Minha irmã chega na casa nova... ela vai dormir na suíte e eu fico no quarto bacana com banheiro...

Ela estava namorando um cirurgião especializado em pulmões, um sujeito finíssimo, de família nobre, português e... completamente *junkie*!

O cara era muito *junkie*, e toda noite a sala ficava coberta de seringas. O pior é que ele tinha uma aparência de um *lord*, um *gentleman*, e eu é que acabava sendo o cara visado...

E eis que ressurge meu querido Ignácio, do nada, já formado em economia e diretor do Ibope. Tinha um futuro brilhante pela frente...

Ao saber das novidades em relação ao meu novo repertório, me propôs de supetão: "Tá a fim, Lobão, de que eu banque uma produção independente pra você 'escoar' essas músicas todas? De repente isso pode até virar um LP... Topas?"

Começamos a fazer o orçamento, a planilha e o local pra gravação, no caso, o TOC Studio, com máquina de oito canais, localizado em Botafogo...

Entrementes, minha relação com a Liane persiste com seus vínculos... ela estava trabalhando na equipe de filmagem do novo filme do Neville: *Rio Babilônia*. Ali conheceu um cara... Quando soube, meu mundo caiu! Só ouvia "Allison", só cantava "Allison".

Foi nessa semana que compus "Amor de retrovisor"... Mas, apesar das aparências, nosso romance ainda duraria mais algum tempo...

Já estávamos com o repertório todo pronto, dez músicas... "Love pras dez" era o bis da Blitz, também nós chegamos a tocar "Cena de cinema" e "Homem-Baile"... coloquei todas no disco... Mais outra que fiz num rasgo de amor foi: "Doce da vida"...

"Robô, roboa", o Bernardo veio com uma letra que tinha feito pra sua filha de dois anos, a Ritinha; "Scaramuça" foi um rolo com uma menina no Alto Leblon... "Sem chance", "Stopim", "Squizotérica", "Amor de retrovisor"... O repertório estava completo... daquele que seria meu primeiro álbum: o *Cena de cinema*.

A parceria do Ritchie com o Bernardo deu excelente resultado: Liminha ouviu, gostou... e conseguiu improvisar um estúdio de oito canais no porão da casa, sede da WEA... Eles mostram a fita para a CBS e Ritchie é contratado imediatamente... iniciam-se as gravações do LP que se chamará *Voo de coração*, nome tirado da faixa demo da WEA...

Em poucas semanas de lançado, "Menina veneno" vira mania nacional... o Ritchie vira *sex symbol* da noite para o dia...

Gravei todo o disco do Ritchie, com exceção da faixa-título.

No rádio, era uma atrás da outra... uma fileira de mega-hits. Seria o primeiro artista na história da música brasileira a ultrapassar as vendas do Roberto Carlos...

Com a perda do meu violão seresteiro preto, pensei: por que não comprar uma guitarra? Eu nunca tive uma guitarra... Vim a saber que o Zé da Gaita, um aristocrata do blues, estava vendendo uma Rickenbacker 330, *maple*! E com o meu dinheirinho das gravações, comprei minha primeira guitarra.

Estava numa fase exuberante em termos de trabalho... A Marina recomeçou a fazer shows com sua nova banda (eu fui o único que restou).

Porém, aconteceu um imprevisto qualquer e a Marina teve que desmarcar a agenda...

O Lulu estava compondo o que seria seu próximo trabalho, neca de show... A Blitz, reduzida a três, estava fora de jogo no momento...

Fiquei numa pindaíba total... Os dias iam passando e a cada dia verificava impotente os cortes de gás, de luz, de água...

Me valendo da amizade com a Marina, atravessei a avenida das Américas e, com minha última moeda, telefonei pra ela. "Oi, e aí, tudo legal?... Sabe o que é, Marina? Dava pra você me emprestar uma grana pra resolver minha infra aqui em casa?..." "Lobão, faz o seguinte: pega um táxi e vem pra cá... Traz umas roupas." "...Pô... eu adoraria fazer isso, mas vou ficar com a cabeça nessas contas..." "Lobão, vem pra cá que eu estou te esperando", e desligou...

Minha cabeça estava muito confusa... eu tinha uma tremenda paixonite pela Marina... ela é quem estava no comando e me convidava pra passar uns tempos lá com ela... mas aquilo me incomodava um pouco... é claro que, por um outro lado, estava vibrando...

Chego na casa dela, ali, no Humaitá, um apartamentozinho bem descolado, a cara dela...

Marina logo começou a fazer um pequeno interrogatório emocional... "Sabe duma coisa, Lobão... hoje a gente vai sair na noite, vamos ao Harry's que o Caetano também vai. Quero que você conheça o Caetano..." "Pô, será um prazer e uma honra conhecer o Caetano... mas sair para uma parada dessas sem um tostão no bolso..." "Pode deixar, você é meu convidado..." Fui tomar um banho e colocar uma beca mais caprichada.

Marina sai do quarto gata, gata, gata...

E saímos em seu Puma conversível...

Chegamos no Harry's, que ficava no Leblon... Havia uma grande mesa, cheia de gente em intensa animação... juntamo-nos ao feérico grupo quando constato a presença de Caetano do outro lado da mesa... Sorria resplandecentemente, e deu uma piscadinha de olho pra Marina... ela, por sua vez, fez um gesto rápido, tipo me apresentando...

Marina pede uma garrafa de champanhe Cristal... e o papo rolando... Marina queria me apresentar ao Grand Monde... Mas, o efeito era oposto. Ficava cada vez mais refratário... me sentia constrangido e não havia jeito de relaxar... "Pô, Lobão... relaxa."

Chegamos no Humaitá, depois de algumas boas garrafas de champanhe... Continuamos a conversar animadamente sobre música, filosofia, poesia... quando Marina me diz... "Vamos dormir... você fica no meu quarto..."

E tinha um colchão todo caprichadinho encostado na parede das portas espelhadas. A cama dela se colocava no lado oposto... Marina ordena: "Lobão, vira pra parede que eu quero me trocar..." Eu gelei... estava na frente dela e automaticamente virei para a tal parede espelhada... Ou seja, impossível de não ver o que acontecia logo atrás de mim... Me concentrei o quanto pude... fechei os olhos, respirei fundo, cantarolei um lá lá lá interior... Aquele momento parecia uma eternidade... quando ela me tira do transe dizendo: "Pode virar... Vou apagar a luz... Boa noite..."

As semanas que se sucederam foram todas dedicadas ao planejamento do projeto da demo... a feitura da capa...

Nisso, atrás dessa onda de acontecimentos, o Ritchie, estouradão, é convidado pra fazer um show no morro da Urca para as filmagens de uma produção chamada "Garota dourada", estrelado pela minha querida amiga de infância, a Cláudia (Magno).

Ricardinho me convoca e a banda vai passar o som, à tardinha... Em meio àquele deslumbrante cenário, percebo que não é o Ritchie que vai fechar a noite. Seria a Gang 90!

Passamos o som e somos liberados...

Quando já estou na boca do bondinho, passo por uma figura muito intrigante... a princípio, parecia um garoto, depois percebi que se tratava de uma menina! Vestia calça, paletó, cabelos cortados bem curtinho e um par de brilhantes olhos azuis... eu pensei: "Deve ser paulista, pra se vestir assim, toda moderninha, cheia de novidade..." Ela me encarou e sorriu... Me apaixonei na hora... ela se virou pro lado e saiu andando... e pensei: "Mas que menina esperta..."

Chega a noite da filmagem... a casa cheia... clima de superprodução no ar... devem ser umas 23h... ninguém havia se apresentado ainda...

Vou dar uma bordejada pelo mirante e eis que me deparo com uma figura muito familiar... de costas... um gim-tônica na mão... na outra a segurar um papel cheio de anotações... meio que automaticamente me coloco a seu lado e pergunto: "O que é que você tanto olha para o horizonte?" É bom ressaltar que ainda não sabia ao certo de quem se tratava... foi um lampejo de empatia irresistível... Ele me passa o gim-tônica com a maior naturalidade e então nos reconhecemos: "Júlio Barroso!" "Grande Lobo! que prazer te ver novamente! Estava mesmo por aqui dando uma espiada no Santos Dumont pra ver se o grande Gigante Brasil já chegou..." "Gigante Brasil?! O que ele faz?" "É o nosso baterista... por sinal estou sentindo que o Gigante não vai aterrissar... Estamos sem batera... Grande Lobo, dava pra quebrar esse galhinho?" "Qual?!" "Tocar uma batera no nosso show..." "Mas eu tô aqui na *gig* do Ritchie, a gente nunca ensaiou... Quantas músicas são?" "Lobo, vai por mim, é tranquilo, são 23 músicas, mas não se assusta com a quantidade... é tudo barbada!... Pô, grande Lobo, tu não vai deixar seu amigo na mão, né?" "'Meu amigo' é ótimo!! Mas tudo bem, vamos lá... mas vamos combinar uma coisa: quando você entrar, me dá o andamento pra pelo menos começar a música... se lembra que vou tocar de voo cego e vou precisar da tua atenção, falou?" "Sabia que você não ia me decepcionar... vai ser mole... se liga só numa coisa: o show abre com uma marcha militar... tipo aquelas de paredão de fuzilamento... moleza..." "A gente se encontra no palco." A Gang era a atração da noite e ia fechar o show...

Se apresentam o Ritchie e o Rádio Táxi... uma pausa de 15 minutos e fecham-se as cortinas... Começa uma correria de contrarregras e músicos... instalavam umas colunas de monitores de TV dos dois lados do palco... vão se posicionando os músicos e eu já estou aboletado na minha bateria... "Ihhhhhh, alá, rapá, com quem é que me deparo!!! Rubão Sabino, emérito contrabaixista! Quer dizer que tu tá tocando com a Gang? Vamos fazer a cozinha!" "Olha, Lobão... vai se acostumando... a coisa aqui é meio caótica, mas você vai ver... é divertido!"...

Nisso, um *roadie* me dá um sinal para começar a tocar a marcha... As luzes se apagam e eu... *à la* Allan Kardec, inicio a marcha militar...

No meio daquele escuro, começam a surgir pelo chão do palco centenas de ursinhos de pelúcia de pilha tocando tambor. Quando o palco se enche daquelas coisas, surge do nada... uma bailarina!... uma linda menina, a rodopiar delicadamente, toda vestida de bailarina... parecia uma bonequinha daquelas que a gente dá corda na caixinha. Ela vai evoluindo graciosamente até chegar ao microfone... as colunas de vídeo transmitem a cena, a bailarina começa a cantar "Lili Marleen", uma marcha nazista que se celebrizou na Segunda Guerra Mundial! E a garota começa a cantar, a caixa de guerra continua a rufar... mais duas garotas invadem o palco e tomam suas posições... Do meu lado esquerdo, aparece a figura impoluta do Júlio, com um copo de gim-tônica na mão, me acena com um gesto que interpreto como o andamento da próxima música... e sem pestanejar, grito a contagem pra banda... só que, a mil por hora... 1, 2, 3... o Júlio se esqueceu de me dar o andamento, e nós entramos numa rapidez de envergonhar qualquer banda de *speed metal*...

A canção que rolava era uma versão do Blondie: "I know, but I don't know...", virada em "Eu sei, mas eu não sei".

A sensação de começar um show tocando em voo cego numa banda que você nunca soube da existência é muito surreal! A cada música que se apresentava, acabava na mesma velocidade estonteante...

E o pior: o Júlio adorou! E depois do show, alegre a comemorar, dizia: "Esse Lobo tem muita criatividade, o show agora está com o maior pique..." E depois daquele evento, fui efetivado na banda... E nunca, jamais, chegamos a ensaiar, nunca passamos um som!

Estava tudo muito bom até eu saber de algo que me embaraçou profundamente: se lembram daquela garota meio esquisita, de lindos olhos azuis, que se vestia feito paulista, que flertou comigo na fila do bondinho? Era a bailarina! Era a Alice Pink Pank, namorada do Júlio, e era uma das três Absurdettes... Fazia um trio infernal com Denise Barroso (irmã do Júlio) e a Mae East, uma loura, de olhos verdes, sexy e punk...

A formação da Gang 90 naquela ocasião era: eu na batera, Billy Forgueri nos teclados, Miguel Barella numa guitarra, Rubão Sabino no baixo, Herman Torres nos vocais e na outra guitarra, o Júlio na frente e as garotas em toda parte!

Nunca participei de nada tão esfuziante quanto um show da Gang... tudo era um caos, tudo parecia que ia desmoronar, tudo parecia um blefe e, na hora H, rolavam shows antológicos... Vivíamos a gargalhar, vagando pelos corredores dos hotéis, nos saguões dos aeroportos, dentro do palco... entre jatos de amor!

O único fator obscuro era o meu flerte com a Alice, que se maximizou em pleno show, quando a reconheci tão linda... Que mudança abrupta! De tarde parecia um menininho, à noite, uma bailarina de porcelana... tão menina...

Fiquei apaixonado... E ao final do evento, vim a saber, chocado, que ela era a namorada do Júlio!

Pra completar, a Alice estava de malas prontas pra fazer uma viagem à Holanda, rever seus pais... "Ela é holandesa?" "Na verdade ela nasceu na Austrália, em Brisbane, mas foi criada na Holanda, de família holandesa."

Pensei... há males que vêm pra bem... É bom que ela vá viajar e fique um bom tempo fora... isso vai dar uma esfriada nas coisas...

Mas a história só estava começando... já incorporado à banda, saímos em turnê pelo país... A cada lugar, uma incógnita, a cada palco, uma aventura...

A essa altura do campeonato, estava fascinado pelo Júlio... onde nós parássemos, fatalmente iria rolar alguma coisa de relevante. Fizemos Salvador, tocamos no reduto hippie de Arembepe.

Fomos fazer um show de *réveillon* de 1983 em Florianópolis... se não me engano, no Iate Clube local... Ao verificar os equipamentos, percebi que a bateria do lugar não era feita para o roquenrou... tinha tambores com pele de couro... aquilo não ia durar nem duas músicas... "Pô, Júlio, acho que essa batera vai peidar na farofa... não tem a menor condição... vou acabar desmilinguindo o instrumento... tenta ver aí com a produção se rola algo mais adequado." "Grande Lobo... acho que não vai rolar tempo útil pra isso... Mas não se preocupa, não..."

E começa o show... "Eu sei, mas eu não sei..." e pow! prank! ploft! Logo na primeira música, já não havia um só tambor com a pele intacta: furei todos em menos de dois minutos... Olho apavorado pro Júlio e faço a mímica, mostrando que não tinha mais condições de prosseguir...

Não se fez de rogado: pediu silêncio e atenção da plateia, ele estava todo de branco, como sempre... Avisou que a banda iria fazer um pequeno intervalo, pois, segundo ele, fazíamos parte de uma seita, e como se tratava de um *réveillon*, haveria uma pajelança no camarim, a enviar preces e *good vibes* pra todos no recinto... "Daqui a pouco a gente volta, rapeizy!"

Em meio aos aplausos da audiência, o Júlio se vira pra gente e calmamente declara... "Aí, rapaziada... procedimento de fuga... andando discretamente em linha reta até o microbus... E ainda teve o desplante de fazer um salamaleque reverente antes de escafeder-se... Foi uma sucessão vertiginosa de eventos: entramos no microbus e o Júlio me solta... "Aê, motora, se manda para o melhor hotel da cidade que hoje, início de ano, não estou nem um pouco a fim de dormir naquela espelunca em que estamos hospedados..."

Uma ordem do Júlio é algo impactante e persuasivo... o motorista se mandou para o que seria o melhor hotel da cidade... Todos estamos perplexos dentro da van... O Júlio salta com galhardia altaneira e se dirige para a recepção... Cheio de razão, lança o seguinte H:

"Ô, serviçal! Por favor, quero imediatamente a chave da minha suíte... Verifique aí na sua lista de reservas... Está em nome de... Júlio Barroso." Solícito, o rapaz põe-se a procurar a tal reserva e, após alguns exaustivos minutos, declara que não achou nada parecido com Júlio Barroso... "Impossível! Aviltante! Onde é que já se viu?! Eu aqui parado na recepção de um hotel... barrado! Sabe qual é o meu nome, rapá! Olha pra mim! Meu nome é Barroso! Júlio Barroso em carne e osso! Faça-me o favor de retificar o que disse e me passa logo a minha chave... Ah, e já ia me esquecendo: quero um balde de champanhe gelado imediatamente..."

E dá-se o milagre... o pobre recepcionista, depois de tanta pressão psicológica, só faltava bater continência pro Júlio... "Perdão, senhor Barroso, deve ter havido uma falha no nosso sistema de reserva... por favor, aqui estão as chaves... O balde de champanhe já está subindo..."

E o Júlio arremata: "Pois bem... esses aqui são meus convidados... Obrigado, rapaz, dá pra se ver que a culpa não foi sua, muito boa noite... ah, e uma caixa de charutos cubanos!"

A gente entra na suíte e eu não estou acreditando no que acontece ao meu redor... Entramos meio perplexos com aquela jogada de joão sem braço do Júlio... Era um dúplex e o Júlio me chamou para a cobertura... com um copo de champanhe na mão apreciava orgulhoso a caçada que se iniciara em virtude da nossa ausência no show... e observava o barulho das sirenes... "Chiquérrimo! Estão nos procurando!" "Júlio! Eu não acredito que você esteja nessa calma toda! E o show? E as pessoas?" "Grande Lobo... eu estou apaixonado... quero fazer uma canção de amor pra minha gata! Por sinal, já deu uma olhada na última *Playboy*?" E tira da mala um exemplar, todo amarrotado... e abre na página do meio... Lá está a Alice, linda... Mas a foto estava meio borrada: "E aí, que gata, né?" "Porra, Júlio, o que é isso nessa foto?" "Ah! Isso aqui foi uma gozada que eu dei pra mostrar a todo o mundo meu amor!" "Júlio! Você tocou uma bronha em cima da revista?" "Só pra mandar pelo correio!" "Bem... Júlio, por falar nesse assunto, eu tinha que te falar algo bem sério." "Manda." Dei uma engasgada e emendei: "Eu estou apaixonado por duas mulheres ao mesmo tempo... isso já te aconteceu?" "Mas é o que acontece comigo nesse exato momento! É claro que eu estou siderado pela Alice, mas... sabe a Marina? Vou te confessar: a Marina é uma paixão antiga... sou vidrado naquela gata!" "Então somos dois!" Eu juro que não esperava por aquilo... e apanhando carona daquela novidade, acabei por confessar: "Júlio, a gente está apaixonado pelas mesmas mulheres! A Marina e a Alice!" "Você está apaixonado pela Alice?" "Eu... tinha que te contar... aconteceu mesmo antes da gente se rever... Nós estamos tocando na mesma banda. A Alice chega no próximo mês... Temos que falar de coração aberto o que a gente está sentindo, né?"

O Júlio ficou pensativo... em silêncio, e de repente me manda... "Sabe duma coisa, grande Lobo... depois a gente resolve isso na prática, mas agora eu só queria escrever uma canção de amor..." Ele já tinha uns esboços escritos. "Olha só... dá uma olhada... 'nos lençóis da cama... bela manhã... no jeito de acordar... a pele branca, gata garota, o peito a ronronar... seu fingir dormindo... lindo.'" "Bacana essa estrofe... Tenho uma melodia que estava guardando, mas nunca consegui desenvolver...", mostrei a melodia e a harmonia em estado bruto... Imediatamente, ao ouvir a linha, ele manda: "Já sei, já sei... vê se você gosta", e cantarolou o estribilho: "Você está me convidando, menina, quer brincar de amar", que substituiu o meu antigo refrão "Nem sempre se vê mágica no absurdo"...

Confesso que achei, a princípio, um apelo meio cafajeste... O Júlio arrematou a segunda estrofe e estava pronta "Noite e dia".

Quanto ao show da Gang, depois de muito tumulto, foi realizado no dia seguinte, ao ar livre, na praia... A Marina acabou gravando a canção de amor, que virou sucesso nacional. Por sinal, foi a minha primeira música gravada por alguém...

Capítulo 32

Na chegada de Floripa, o Billy the Kid vem morar no apartamento de São Conrado... Minha irmã, após o incidente com o cirurgião português, foi namorar um outro jovem aristocrata, também de linhagem lusitana... Se mudou com armas e bagagens pra casa do cara.

Sozinho, me mudei para a suíte vaga e o Billy ficou no meu ex-quarto...

Viramos uma dupla inseparável. Ele e o Antônio Pedro, que fazia a cozinha comigo na banda do Lulu, entrariam imediatamente na banda da Marina. Foi um período de estrondosas festas, noites viradas, Baixo Leblon, muita loucura... comecei a treinar na minha Rickenbacker 330, ligada no meu ancestral Gradiente Pró 2000... o Billy pilotava seu Polymoog... começamos a elaborar os arranjos das canções do *Cena*. Como éramos unha e carne, nada mais natural do que apresentá-lo ao Evandro e ao Barreto... Convoquei uma reunião. Disse a eles que o Billy estava muito a fim de ensaiar na banda. A chegada do Billy nos deu outro ânimo e, imediatamente, começamos a pensar num baixista... O Antônio Pedro! “Nós estamos tocando com o Lulu, e agora também com a Marina.” E não deu outra: eis que surgia, e das cinzas, uma nova e incipiente Blitz... Mas não ficou só nisso...

Relatei ao Eva e ao Barra as minhas peripécias esfuziantes na estrada com a Gang... como era bom e refrescante ter umas meninas maluquinhas nos vocais... umas duas delas poderiam preencher a lacuna deixada pela saída do poderoso e original naipe do Guto e Zé Luiz, de guitarra e sax.

“Por sinal... Taí!... A gente podia agilizar umas garotas pra dar um *élan* na banda... que tal?” O Barreto estava namorando a Márcia, que já tinha virado nossa colega. Muito engraçada e de uma franqueza avassaladora, a Marcinha já frequentava os primeiros ensaios dessa nova formação, lá em São Conrado...

Barreto põe a mão no queixo, com o sorriso permanentemente estampado no rosto, e diz: "Gara (cara)... Vou dar um toque na Marcinha, sim..."

Barreto já adiantou o serviço e consultou a Márcia sobre a possibilidade de ela ter uma amiga pra compor os vocais.

No ensaio seguinte, chega a Márcia com a Fernanda a tiracolo...

Estava reunida a formação que iria gravar o primeiro disco da Blitz...

Logo em seguida, conseguimos dois lugares pra tocar... Um em Juiz de Fora, outro em Teresópolis... Foi todo mundo de Kombi, junto com os instrumentos... Tive duas convulsões: uma indo pra Juiz de Fora e outra pra Teresópolis... Estava num período em que trabalhava muito, festejava muito e dormia quase nada... e a falta de sono era fatal...

Vim a saber que Alice tinha chegado da Holanda e haveria uma festinha de recepção nas Laranjeiras, na rua Alice, na casa da nossa grande amiga, ex-modelo, psicóloga e, atualmente, música, a Ana Luiza Cavalcanti.

Todos os amigos da banda foram convidados... Como ainda estava numa relação indefinida, porém persistente, com a Liane... fomos juntos à festa.

Chegamos à cobertura, toco a campainha e quem abre a porta? Alice, com um sorriso radiante a nos saudar... Gelei... não tinha calculado direito a potência daquele impacto... Imaginava que aquela viagem dela desse um desvio de rota daquela colisão... Ledo engano.

Muita animação e alegria em rever aqueles caras e aquelas garotas que, em muito pouco tempo, se tornaram meus grandes amigos...

Júlio, como sempre, ensandecido, contando piadas escabrosas, casos mirabolantes... gargalhada geral...

À margem de toda essa confraternização, Alice me olhava... Eu não conseguia me concentrar em nada...

Acabamos por entabular uma conversa... afinal de contas, nós nunca havíamos nos falado antes. Nos vimos apenas duas vezes e no mesmo dia: vim a perceber nessa primeira conversa que ela ainda não falava bulhufas de português...

Engraçado... já tinha feito uma canção pra ela... com o seu namorado...

Às vezes, eu dava uma escapada, me servia de um drinque, ia dar umas risadas no terraço, mas não adiantava: quando menos esperava, lá estava eu, falando com ela, olhando pra ela... até as coisas ficarem absolutamente flagrantes... e, como num romance de fotonovela, a Ana Luiza, anfitriã de mão-cheia, dá um jeito de terminar a festa num passe de mágica... Em poucos minutos, o apartamento já estava quase vazio... quando Alice me olha e me diz: "Eu não vou voltar com o Júlio essa noite...", e me encarou esperando a minha resposta: "Eu também vou ficar aqui...", e, assim, não havia mais o que discutir... Cheguei pra Liane e disse: "Eu vou ficar com a Alice..."

O nosso caso terminou de vez naquela noite...

O Júlio? Porra, o Júlio quase morreu de dor... No dia seguinte, foi pra São Paulo, raspou a cabeça, foi até a casa da nossa querida amiga Mônica Figueiredo, que, segundo ela me contaria mais tarde, chegara em sua casa, de cabeça raspada, com uma garrafa de 51 debaixo de um braço e uma pilha de discos do Roberto Carlos debaixo do outro, dizendo: "Moniquinha... vou ficar em *off* por uma semana, falou?"... E se enfurnou num quarto a ouvir Roberto Carlos com 51...

Eu não conseguia acreditar no que estava acontecendo... e para completar a noite, a Ana montou um grande colchão com almofadas no terraço... ao relento... banhado pelo luar... pra nós dois...

Passamos a noite juntos... não sabia exatamente se estava num sonho ou num pesadelo...

Esperamos o alvorecer... e descemos... Tomamos um café na padaria e pegamos um ônibus pra Ipanema... Eu tinha que deixar a Alice na casa do Barrosão, o muito estimado pai de Júlio... Eram umas sete da manhã quando deixei Alice na portaria do edifício na Vieira Souto... Imaginei que nunca mais a veria, que havia cometido um deslize torpe, recriminável, mas que acabaria por ali... Sabia o quanto o Júlio a amava... sabia quanto eu o amava também... mas tem certas coisas na vida que não tem querer...

A relação com meu amigo, como não poderia deixar de ser, azedou geral... Passamos sem nos falar por uns meses...

Alice volta pra São Paulo, volta pro Júlio e a vida, na medida do possível, vai retornando ao normal... por pouquíssimo tempo...

Depois de toda aquela sucessão de atos improváveis e definidores, ao fechar a porta do meu apê, realizei que, daquele momento em diante, estaria só... solteiro... Saindo de um relacionamento de quatro anos...

Paralelo a esses acontecimentos, finalmente, o Ignácio tem o dinheiro na mão e o estúdio reservado: vamos começar na segunda-feira...

Todos os músicos envolvidos tocaram de graça... no amor.

Comecei a convocar meus amigos: o Billy já estava com tudo ensaiado... com todo aquele tempo tocando as canções no apê, ele havia criado timbres superelegantes e criativos no seu Polymoog... O Ritchie, meu vizinho, também já conhecia o repertório... o Antônio Pedro era meu parceiro de cozinha no Lulu e na Marina... O Lulu saberia interpretar como ninguém aquilo que gostaria de ouvir de um guitarrista... o Zé Luiz se tornara um grande saxofonista, produzia frases e *riffs* geniais... o Barreto, sendo o Homem-Baile, tinha que dar o ar de sua graça e reviver sonoramente nossas aventuras *blues brothers* na barca da Cantareira. E a Marina... bem, ter a Marina cantando no meu disco, e saber que ela foi uma das grandes responsáveis por aquilo tudo estar acontecendo, era uma felicidade e uma emoção muito grande.

O Marcelo Sussekind era o técnico do estúdio (o Marcelo é um dos poucos grandes guitarristas que também toca baixo feito um animal, além de ser um dos melhores técnicos de som do país), acabou se envolvendo com o clima e acabou gravando baixo numas quatro faixas (cometeu uma linha de baixo antológica em "Robô, roboa").

Primeiro, telefonei pro Lulu e ele simplesmente trouxe todo o seu poderoso *set up* de amp e guitarras e não saiu mais do estúdio! Podemos dizer que ele praticamente coproduziu e comandou o disco. Tocou em todas as faixas, arranjou outras, fez todos os vocais...

Marina e Ritchie vieram completar meu luxuoso trio de *backing vocals*. Se internaram no estúdio também, dando mil palpites... participando intensamente...

O Velho Barreto deu o ar de sua graça gravando sua guitarra de prata em "Love pras dez", que é de sua autoria junto com Bernardo... e no "Homem-Baile", feita por mim, Antônio Pedro e Bernardo, justamente em homenagem ao próprio.

Ao final de todas as sessões, só faltava gravar a minha voz, a minha bateria... e a minha Rickenbacker!

Fiquei todo orgulhoso de ouvir pela primeira vez o som da minha guitarra gravada... Tinha adquirido o instrumento há apenas dois meses...

Quanto à voz, nunca houvera cantado diante de um microfone de estúdio... minha voz era uma incógnita...

O fato é que acabei gostando de me ouvir...

No fim, restou o que geralmente se faz primeiro: a bateria. Nós tínhamos apenas mais duas horas de estúdio... Com a corda no pescoço, pedi pro Marcelo passar gravando direto, sem parar, como se estivéssemos num show, e pau no burro.

Terminei as dez faixas em 1h40. Praticamente uma atrás da outra... não havia mais tempo pra nada.

Agora só faltava a mixagem...

E o Ignácio? De vez em quando vinha dar uma olhada, exalando felicidade... Meu amigo estava, talvez, mais exultante do que eu...

Aquele cara me amava de verdade... e adorava me provocar: "Viu, Lobão?! Eu não falei que o teu destino era o roquenrou?"

No ano seguinte, meu fiel amigo morre aos vinte e poucos anos de enfarte... já era diretor do Ibope.

Morreu o cara que simplesmente pavimentou a estrada que trilho até hoje...

Descanse em Paz, meu camarada... Amor eterno.

Terminamos todos os trabalhos por volta de novembro de 1981...

Não poderia imaginar que aquelas memoráveis e inocentes sessões com meus amigos poderiam se transformar num dos pivôs da minha saída da Blitz... e de algumas outras histórias cabeludas também...

Nessa época, a Marina estoura com "Noite e dia"... É engraçado ouvir a sua música tocando no rádio... mais engraçado ainda quando ela se torna um hit nacional...

Capítulo 33

No Carnaval do ano seguinte, minha mãe estava lá na avenida, defendendo as cores da Vila Isabel.

Ela ficava exultante no Carnaval... nasceu numa terça-feira gorda...

"Meu filho... eu adoro a Vila, mas você sabe que sou Portela, assim como sou Botafogo... por sinal, já ouviu o samba-enredo da Portela desse ano? Tem um refrão que me arrepia toda quando ouço", e cantarolou: "Do índio à nobreza, a beleza da ressurreição." No meu enterro, quero que você cante esse refrão do samba da Portela pra mim e, se puder, me coloca uma bandeirinha do meu Botafogo... combinado?" "Ih, mãe, que papo brabo..." "Falando sério, meu filho, estou com 49 anos e não estou com a menor vontade de entrar na casa dos cinquenta..."

Em meio aos preparativos do Carnaval, minha avó sofre um derrame e tem a metade do corpo paralisado...

Ela ficou em tratamento por alguns dias, mas seu estado piorava...

Quando chega o Carnaval, seu quadro se agrava e sou chamado ao hospital juntamente com minha irmã...

Minha vó Lulu nos chamou porque queria se despedir de nós dois...

Entramos no seu quarto, ela estava toda entubada, mas conservava o mesmo e imutável semblante sereno de sempre.

"Queria falar com vocês dois", disse ela com muita dificuldade, mas com muita calma... "Tenham paciência, que não é fácil conversar com a boca pela metade... Eu queria dizer a vocês que, provavelmente, não vou durar até o final desse Carnaval, e gostaria de me despedir. Gostaria de ter certeza de que vocês estarão bem... Jonny, me parece que você encontrou o que gosta de fazer. Não desista do que você ama, nunca... Glorinha, você é tão inteligente, criativa, independente, vá à procura de algo que você se apaixone... Quanto a mim, estou muito feliz, estou satisfeita com a minha atuação, vivi intensamente...

"Sabe quando a gente trabalha o dia inteiro, de sol a sol, com todo amor e dedicação? Ao chegar a noite, a única coisa que você deseja é encarar um bom travesseiro, uma cama bem aconchegante e dormir profundamente...

"Assim é que me sinto agora.

"É hora de descansar..."

E, surpreendentemente, ela levanta o seu braço útil e dá uma bênção em forma de cruz... "Ué, vovó, você não é ateia?" "Sou..." "E por que você me deu essa benzida?" "É só um carinho...", e sorriu.

"Mas, vó... se tiver vida após a morte e você perceber que se enganou, vem dar uma puxadinha no meu pé? Vai!... promete pra mim..."

"Tá bom, tá bom... eu puxo o seu pé... Então fica atenta: se você levar um puxão de noite, pode saber que é a tua avó com insônia." A enfermeira entra no quarto e avisa que ela será transferida para a UTI. "Minha avó... quero muito te agradecer por ter acreditado nas minhas maluquices... acreditado e investido... e aturado... Você vai sempre estar comigo para o resto da minha vida, viu?" Ela me deu uma abanadinha com a mão restante pra cima. Fez o mesmo com a minha irmã e se dirigiu à enfermeira: "Pronto. Pode me levar... Ah! Não! Eu ia me esquecendo... espera só um pouquinho... eu queria muito ver a Ruthinha desfilar na TV... Sempre passa a reprise de tarde, e, no meu caso, chegar um pouco atrasada na UTI não vai fazer muita diferença, né?"

E assim foi... vovó assistiu a reprise do desfile da Vila Isabel, viu a Ruthinha e entrou na UTI...

Morreu à noitinha... dormindo, sorrindo, tranquila... Foi-se embora o meu esteio e o meu farol...

No transcorrer das semanas, o Evandro chega trazendo grandes novidades... "Aí, galera: tava batendo a minha pelada semanal no Caxinguelê, e eis que encontro o Baba! O Baba é um fodão lá da Odeon e pediu pra ouvir uma fitinha da gente... maneiríssimo, né?"

Nós nos reunimos imediatamente em São Conrado e gravamos precariamente uma fita cassete. Na pelada seguinte, o Evandro entrega a fita... e na manhã posterior, acorda com Baba a gritar: "Evandro, toda a direção da companhia adorou o clima jovem, descontraído e irreverente da banda. Se tudo der certo, vocês assinam com a Odeon na segunda-feira que vem... que tal?"

E daquela data em diante, a Blitz faria parte do *cast* da Odeon... e pasmem: com prioridade total... a gravadora era Blitz da cabeça aos pés... a grande aposta do ano...

Eles queriam lançar alguma coisa já em março, abril...

Legal! Todo mundo assinou contrato e pegou um *advanced*! Menos eu...

Me enquadrei como músico de estúdio e gravamos a música do que seria o primeiro compacto simples da banda: *Você não soube me amar*! No espaço de poucas semanas, a Blitz estaria em todos os cantos... em todos os lugares... a Blitz se transformaria em mania nacional.

Agora... vocês podem me perguntar: Por que você não assinou?!!

O diretor artístico da gravadora, ao saber da existência do meu projeto paralelo, deu uma encrespada. Manifestou um certo receio de, uma vez a Blitz estourando, o meu disco vir atrás... pra dividir as atenções... Fazia sentido? "Loba... o cara só quer ter a certeza total que você vai se livrar do *tape*... queima a fita na frente dele e pronto... bola pra frente... Pensa bem... a gravadora tá investindo um caminhão de dinheiro na gente... é normal do cara ficar meio grilado... Assina logo! Vamos todos vestir a camisa da Blitz! Não é hora de dividir..."

Achei aquela proposta o fim da picada! Mas, ponderando, tentei estabelecer uma negociação mais razoável: "Então tá bom... Faz de conta que eu rasguei o *tape*... e como é que eu fico? Sou compositor, sou sócio-fundador da banda, dei o nome a ela, mesmo que a contragosto de todos, arregimentei os músicos e pessoas envolvidas até agora no projeto... então eu te pergunto, Eva: ...Qual seria a minha participação como compositor na banda?" "Loba... veja bem... Nós estamos estourados nas paradas... a Blitz é um fenômeno nacional... tipo... beatlemania... Você mesmo tá vendo a coisa acontecer... O que posso te oferecer é uma parada tipo os The Beatles: eu e Barra somos o Lennon e o McCartney e você pode se tornar o nosso George!... Trocando em miúdos: se um LP tem dez músicas, uma vai ser sempre sua, garantido!" "E você acha que a sua proposta cobre a dor de apagar um trabalho como o *Cena*? Só no *Cena*, tem quatro músicas que a gente toca em show. Será que é justo apagar uma fita onde meus amigos deram seu tempo, sua criatividade e seu afeto, se dispondo a gravar todo o trabalho na brothagem? E meu patrono, o Ignácio, que bancou a parada, me deu o disco, com o dinheiro suado dele? E a memória dele? Além do mais, o critério de escolha de repertório numa banda cheia de compositor deveria ser pela qualidade e não por política. Você acha que é justo o que você está me propondo?" "Pô, Loba... pensa bem... só com esse estouro do compacto, a galera já está cheia de planos, a gente tá falando de *heavy bizzness*, grana alta... Assina aí, Loba... Estamos todos no mesmo barco... Vamos começar a gravar o LP na semana que vem e a gente, até pra distensionar as gravações, queria estar com esse assunto definido."

É claro que não se resolveu coisa alguma... as gravações se iniciaram, eu participando como músico contratado...

Transformada em coqueluche nacional, as rádios não parando de tocar, convites para participar dos maiores eventos... Todos já se preparavam para comprar carros, roupas, instrumentos... outros já haviam adquirido imóveis. O clima era de total prosperidade...

Menos pra mim... continuava duro, comendo um sanduba de pernil no boteco do Manolo, lá na Marquês de Olinda...

Estava sendo travada uma verdadeira queda de braço. Um teste de resistência. E a parte mais fraca, por incrível que pareça, não estava prestes a ceder.

Todos apostavam que eu iria bater na lona a qualquer instante... "Pô, Loba... a gente tá até ficando preocupado com você... será que não rola uma rejeição ao sucesso, pode ser uma paradinha psicológica... talvez seja o caso de você fazer uma terapia por um tempo... dá o maior resultado... Pensa bem: quem é que rejeita assinar um contrato com a maior banda do país?"

Confesso que morria de cagaço pelo fato de ficar batendo pé e bancando o do contra, mas rasgar um trabalho daquela maneira...! Afinal, era tudo o que tinha...

Inclusive, passarei o resto da minha vida tendo que ouvir a galera me chamar de maluco em praticamente toda empreitada que irei me meter.

E tinha mais outro fator preponderante pra não querer assinar: a gravadora estava fazendo da Blitz um fenômeno infantojuvenil, como fazem com essas bandinhas que tocam no rádio hoje em dia.

Queriam evidenciar exageradamente a parte humorística e as vozes estridentes das garotas para vender a Blitz como bandinha de iê-iê-iê, uma espécie de patotinha do rock inofensivo...

Mas... por outro lado, de que valia aquela minha pérola de disco se ninguém fosse ouvir, ou nem mesmo ser lançado? Na verdade, tinha que admitir: nem cantor eu era... muito menos guitarrista... Como iria defender com proficiência as minhas canções? Virando *crooner*? Não conseguia me imaginar naquele posto... Já me caguei todo numa vez que a Marina me botou na frente do palco...

Eu cheguei a propor de lançar o *Cena* sem trabalhá-lo, sem sair por aí fazendo show, só pra ter o registro, mas não houve jeito...

Me predispus a dar total prioridade pra Blitz, mesmo porque não tinha a menor ideia nem vontade de me mostrar enquanto cantor... tava na cara que eu era um baterista, mas não houve jeito...

As semanas iam se passando, o sucesso da banda ia aumentando e a pressão para que eu assinasse, mais ainda... Quando, por pura obra do acaso, venho a saber de um acontecimento que mudaria todo o curso da história: a Blitz, enquanto fenômeno, ia ser capa da *IstoÉ*...

No turbilhão dos acontecimentos... tenho uma ideia perversa! Uma ideia mefistofélica... de fazer inveja a qualquer inimigo do Batman!

No dia seguinte, esbanjando simpatia e fulgor, chego com a novidade: "Aê, galera maluca! Ok, vocês venceram! Pensei, pensei, ponderei e... Tchan-tchan-tchan-tchan! Aviso aos navegantes: desisti do disco! Agora não tem mais volta! Assino com a gravadora na semana que vem! É um, é dois, é três... BLITZ!..."

Ehhhhh... comemoramos efusivamente!... Todos estavam aliviados daquela tensão.

Finalmente, a Blitz contaria com a sua força máxima!...

Como novo membro realocado na banda me sentia como se fosse um implante, uma prótese... um corpo estranho, ou pior, um assassino premeditado, frio... prestes a dar o bote...

Tinha tanta ternura por todos eles e sabia que ninguém ali iria me amar pelo que estava planejando... e muito menos pelo que iria cometer...

Mas, por enquanto, a banda toda era só alegria e, assim como esperava, fui convocado imediatamente a participar da tal megaentrevista de capa para a *IstoÉ*...

E como já dizia o ponta de lança rompedor: felicidade é uma bola quicando na área...

E veio o dia da entrevista. Não é preciso dizer que me esbaldava internamente como um Mutley silencioso! Como ninguém sabia das minhas torpes intenções, flanava livre e dissimulado entre as perguntas e respostas... saboreava sem a menor culpa a minha pragmática crueldade...

Fiz questão de dar um monte de palpite, falei pelos cotovelos, me exibia milimetricamente, como um animal marcando seu território... E na hora da foto? Me coloco estrategicamente no meio!... E dá-lhe click, click, click... Eu sou uma simpatia!

A expectativa pela saída da revista era intensa... Na manhã da segunda-feira seguinte, corro para a banca e compro a *IstoÉ* fresquinha, saída do forno! Não podia acreditar! A foto me beneficiava por demais! Saí no meio da capa, no meio da banda, e pior, com uma irresistível expressão de canalha do bem.

E não deu outra... embevecido com minha retumbante fotogenia e minha surpreendente malandragem, peguei aleatoriamente as páginas amarelas e saí alegre a cantar procurando por uma gravadora... Folheando, pensei: vou escolher a primeira que surgir... tipo, uni-duni-tê, salamê minguê...

Quando paro numa página...

Está lá o endereço de uma gravadora: "Adoro esse cachorrinho com o gramofone! É pra lá que eu vou. RCA Victor!" Anotei o endereço e fui pegar um ônibus.

Chego na sede da gravadora, na rua Santa Clara, com a *IstoÉ* debaixo de um braço e a fita master do *Cena de cinema* do outro... Subo os elevadores assobiando de rejúbilo e, ao chegar no *hall* de entrada, percebo um enorme cartaz na parede frontal: BEM-VINDO À CASA DO SAMBA.

Confesso que, naquele momento, não tive a perspicácia suficiente para farejar qualquer tipo de problema com a minha pessoa...

E justo na entrada, cruzo com duas lendas vivas do samba, já de saída: "Mas quanta honra! Salve, Alcione! Salve, João Nogueira!!", e estendi imediatamente a minha mão na direção do João, que me alertou: "Aê... não me leva a mal, mas não costumo apertar mão de roqueiro." E saíram céleres a confabular em direção dos elevadores... E eu, na minha santa onipotência epiléptica, bradei convicto pra que eles ouvissem bem: "Sabem duma coisa? Vocês vão me amar muito ainda! Podem escrever! E querem saber por quê? Porque eu sou uma simpatia e porque eu amo vocês!"

E foi exatamente isso que aconteceu: tanto o João como a Marrom, assim como a galera do samba, me deram a honra de receber seu carinho, respeito e amizade. Isso, alguns anos mais tarde...

Quanto a Blitz, saí meio chamuscado, me retiraram da capa desenhando a cara do lobo mau, desenvolvemos algumas discussões públicas, principalmente em relação ao nome.

Nunca cheguei a ter raiva do Eva e do Barra. Eu realmente tinha e continuo tendo muito afeto e admiração por ambos...

Mas na hora de me despedir do Barreto, não perdi a piada e vaticinei: "Barra, do jeito que a Blitz vai, não me espantará se vocês pousarem junto do Papai Noel no Maracanã." E não deu outra.

LOBÃO NA MÍDIA

- A primeira grande aparição de Lobão na mídia é uma capa da revista *IstoÉ*, em 27 de outubro de 1982. São seis páginas assinadas pela jornalista Regina Echeverria. A manchete de capa é "Ok, Blitz, você venceu". Lobão está acima dos outros seis membros da banda, como uma epígrafe da foto. A reportagem começa assim: "Esta é a história de uma rapaziada muito animada: curtiu jovem guarda e rock 'n' roll, viu televisão de montão, aprendeu a rir lendo histórias em quadrinhos! É a história de uma turma vulcânica, super-heróis debochados e sem pose de um tempo veloz e visual — o Brasil de 1982, uma loucura a cada dia, comícios, bebês de proveta, voleibol. Tempo da comunicação instantânea: você não soube me amar, garçom, uma cerveja. Ok, você venceu."

Para a jornalista, "no princípio eram sete personagens, cinco rapazes e duas moças, em busca de um palco. Eles se encontraram depois que o fardo de viver sufocado pela ditadura-censura partiu, ou ficou mais leve — e deixou menos culpa pela impotência criadora do que se imaginava".

Na reportagem, Caetano Veloso proclama que "Blitz é vital, vitalizante e estimulante", e a linguagem da banda, ainda para o cantor, "é uma construção bem-sucedida num discurso que beira a prosa, é espontâneo e ao mesmo tempo superpoético". Rita Lee também tece loas à banda: "Fiquei de quatro, acho que é um grupo sem pretensões, sem cheiro de jogada, tem uma guitarrinha ótima que não quer imitar Eric Clapton, ninguém querendo ser Mick Jagger, tem uma coisa de teatro. É tudo muito bom, tudo muito bem."

A reportagem dedica entre os membros da Blitz o maior espaço de perfil para Lobão. Em 34 linhas justificadas, ele aparece assim: "Lobão, 25 anos, carioca, baterista. Começou incrivelmente aos três anos, tocando acordeom! Aos cinco anos optou pela bateria! E aos 14 já se considerava um profissional, usando seu nome verdadeiro, João Luiz Wolrdenbarg (*sic*)! Pouco depois, enlouquecido pelo violão clássico, dedicou-se furiosamente a esse novo instrumento. Quando ia aperfeiçoar os estudos na Espanha, brigou com a namorada. "Faço tudo assim, por impulsos emocionais", diz ele. Explica-se desse modo o fato de não aparecer na foto de capa do disco, embora tenha participado como baterista em todas as faixas. Na hora de assinar o contrato com a Odeon descobriu-se que Lobão tinha acabado de gravar um disco independente. Briga pra lá, briga pra cá, Lobão resolveu só na semana passada assinar com a Blitz e esquecer seu LP. Detesta o que chama de "intelectualidade falida", pessoas que cultivam a neofobia, odeia a música leve que toca nas rádios e é sempre enfático em suas opiniões. "Acho que é uma debilidade ideológica certas pessoas da nossa idade estarem produzindo besteiras. Poderiam estar fazendo coisa melhor."

Capítulo 34

Vou entrando até encontrar a mesa da secretária do diretor artístico... "Bom dia, por favor, eu gostaria de falar com o responsável pelas contratações..." "Contratações? Você deve estar falando do diretor artístico, não?", e remexeu os telefones em sua mesa para logo em seguida me avisar: "Sinto muito, mas toda a diretoria está em reunião... humm, mas que falta de sorte! Lamento muito, mas... na semana que vem eles estão saindo de férias, agora, só em março." Com essa resposta, fui obrigado a utilizar minha munição... Peguei a capa da *IstoÉ*, joguei na mesa dela e apontei pra minha figura na foto... "Tá vendo esse aqui?"

Ela deu uma pigarreada e me disse: "Bom, mas nesse caso as coisas mudam de figura, um minutinho só..." Em poucos minutos eu já estava na sala do Hélcio do Carmo discutindo percentual... Em vinte minutos saía da RCA Victor com um contrato na mão. Eles decidiram lançar a fita do jeito que estava, o mais rápido possível...

Agora, era tomar fôlego e anunciar a novidade pra rapaziada...

Nesse meio-tempo, acabo por conhecer uma figura que daria o acabamento final ao disco. O Carlão, amigo de fé, que desde aquela época era um feliz proprietário de um selo independente, era técnico de som da SIGLA, o mesmo estúdio Level lá na Assunção, se amarrou nas músicas e conseguiu umas horas vagas no domingo pra fazer, na amizade, uma mixagem mais profissional...

Nesse ínterim.. em São Conrado... Estou acordando, lá pelas 11h da manhã, quando ouço alguém bater na porta... Era Alice, toda vestida de oncinha... de malas e bagagens... tinha brigado com o Júlio, se mandou de São Paulo e veio morar comigo...

Foi uma surpresa... a princípio eu não sabia o que sentir... fiquei preocupado por todos os motivos do mundo, mas, ao final, prevaleceu a minha alegria por vê-la de novo... e tê-la comigo... meu coração estava em polvorosa... e assim começamos nossa vida juntos...

Logo ao sair da gravadora, vou direto pra casa do Bernardo contar as boas-novas e me preparar para a colisão que estava em vias de acontecer...

Os meninos da Blitz não gostaram muito da emboscada que armei... mas a diretoria da Odeon encrespou muito mais... eles queriam me comer vivo... Até hoje, sofro algumas represálias... Ninguém levou na esportiva... que pena... mas eu estava exultante... Saboreava o golpe de mestre que tinha dado e fui comemorar na Marisqueira com o Berna.

No entanto... apesar de toda a felicidade, havia uma ponta de tristeza por não poder ser mais parte de uma banda. Achava ser artista solo cafonérrimo, como acho até hoje, mas não havia outra alternativa: estava sozinho, sem uma banda para dividir as responsabilidades e as alegrias... nunca me imaginei naquela posição. Como deveria ser cantar na frente das pessoas?

Com todo o *élan* do mundo, iniciamos o trabalho da capa. O Bernardo tinha um amigo, um talentoso artista gráfico chamado Zeca Barroso, que assumiu o *layout* da parada. Nos encontrávamos nos finais de semana na casa do Berna pra entabular o conceito do visual. Foi nessas sessões que conheci o surreal e impalpável Ciro Pessoa, um dos fundadores dos Titãs do Iê-iê-iê.

Começamos a procurar um empresário e eis que aparece: a Maria Juçá. Encontrar a Juçá foi amor à primeira vista, loirinha, espertíssima e vivaz, sempre com um sorriso radiante no rosto, jornalista, trabalhava na Rádio Cidade e estava a fim de agitar o meio musical. Em pouquíssimo tempo ela se tornaria uma das minhas maiores amigas, parceira e comparsa de muitas aventuras...

"Que tal fazer o show dentro de um cinema?", sugeriu o Bernardo. "Genial!", exclamamos todos. Logo em seguida, surgiu o nome do Ricamar, onde hoje fica a sala Baden Powell, ali pertinho da Inhangá.

A RCA banca a promoção do show e a Juçá marca a data, se não me engano, na primeira quinzena de dezembro de 1982.

Eu tinha pouquíssimo tempo pra achar uma banda e ensaiar.

Por coincidência, meu querido amigo de Rio de Janeiro, o Claudinho Infante, estava comprando metade da minha Tama preta. Aproveitei a oportunidade e lancei o convite: "Dá pra quebrar o meu galho e tocar comigo daqui a uma semana?" O Claudinho topa na hora e, automaticamente, reboca o Arthurzinho Maia pra *gig*. Já tinha uma supercozinha. Mas como eu seguraria um *power* trio tocando guitarra há dois meses? Mal sabia como afinar o instrumento. Daí me surge um nome perfeito para o momento: o Luiz Paulo! Ele estava completamente envolvido em estudos profundos de macrobiótica, mas aceitou de bom grado participar da minha estreia de *front man*.

Quanto ao visual, Alice era uma puta *designer*... Como boa holandesa, desenhava e pintava muito e, ainda por cima, costurava com plena desenvoltura.

De repente, chega ela cheia de tecidos, fazendas, botões, agulhas, tesouras...

Pegou a medida de todos da banda e começou a produção em série.

Ela bolou um traje que era uma calça xadrez preto e branca, camisa de malha preta e um inseparável Vulcabrás. Para os garotos a mesma coisa, só que o xadrez era rosa e preto. O resultado ficou excelente.

Chega o dia da estreia... no letreiro da frente do Ricamar estava escrito: hoje em cartaz *CENA DE CINEMA*.

Horário — sessão única à meia-noite.

Aproveitei o ensejo e fui almoçar com a minha mãe para convidá-la...

Chega a noite, estamos todos no camarim... Eu, a banda, o Bernardo, a Juçá, a Alice... Olho pro Luiz Paulo me lembrando de toda a nossa trajetória... engraçado... ia estrear, mas me sentia um homem rodado, um tanto gasto, um veterano, um velho de guerra... estava com 25 anos...

Faltava um minuto pra começar. Soa a campainha... tá na hora... MERDA PRA TODO MUNDO!!

O cinema não chegava a estar lotado, mas tinha uma bela plateia à minha frente. No meio do show, me deu uma certa curiosidade em saber onde estava minha mãe. Até aquele momento, não tinha tido notícias dela... quando, de repente, focalizando na última fileira, percebo algo brilhante, reluzente, meio que balançando no ar... Era ela, com um aplique feérico em cima da cabeça, que, discretamente, se sentara destacada de todos, na última fileira...

O show foi um sucesso. Não sei como, mas consegui desempenhar meu novo papel sem que comprometesse a execução da banda... tive o prazer de ter o Luiz naquela data tão significativa, ver o Claudinho e o Arthur formarem uma cozinha sensacional...

Nos camarins, aquela comemoração, champanhe espocando... quando entra minha mãe com seu poderoso aplique na cabeça. "Espero que não tenha dado vexame, você deve ter percebido que fui sentar lá na última fila... só vim aqui te dizer que estava lindo o show, me surpreendeu a sua desenvoltura... e agora... bem, agora eu já posso morrer em paz..."

A música de trabalho começa a tocar nas rádios timidamente... vou dar uma conversada com o pessoal da gravadora...

Percebi que o *staff* do segundo e terceiro escalões não me suportava. Eu era um roqueiro.

Sinceramente, não podia imaginar que havia essa intensa rejeição nesse nível.

Estava rolando aquele corpo mole, aquela operação tartaruga... Acho que os diretores não realizaram que seus comandados não exalavam a mesma empolgação, na verdade, não tinham a menor intenção de fazer o disco acontecer. Apesar disso, foram confeccionados pôsteres, *displays* e todo o material promocional. Tudo de alto nível. A gravadora agia de maneira esquizofrênica com meu trabalho.

Passam-se os dias e meu querido Guto Graça Mello, agora diretor de trilhas de novelas da Globo e autor do tema de abertura do *Fantástico*, estava às voltas com a nova roupagem da vinheta, que a todo ano era modificada... "Lobão, me quebra um galhão? Dá pra você aparecer por aqui e gravar a bateria da nova introdução do *Fantástico*?"

Gravei a vinheta e o Guto me saúda: "Estou gostando de ver! Virou artista agora, hein?! Você sabe que estou na direção de trilhas e gostaria muito de ouvir o teu disco... dá pra você me mandar um?"

Fiquei eufórico! Imagina, uma música na novela das oito... vou direto à RCA contar a novidade! Pois bem, chego na Santa Clara e vou direto para o departamento de divulgação. Encontro um sujeito meio sonolento. Deve ter chegado do almoço, sei lá... Cumprimento-o contando-lhe as novas...: "Ô garoto... esse negócio de entrar em novela é muito complicado... Você acha que é assim que as coisas acontecem?" "Mas, amigo, o Guto é praticamente meu padrinho... você poderia fazer o obséquio de me liberar o material de divulgação? É simples... Está tudo aí na sua mesa."

"Escuta aqui, garotão, de uma vez por todas, não vou dar colher de chá pra roqueiro *playboy*, você me entendeu? Agora se manda daqui que eu tenho mais o que fazer..."

Eu não podia acreditar no que estava ouvindo! Corro direto para a sala do Hélcio... peço a sua secretária para falar imediatamente com ele... "Lobão, o Hélcio está numa reunião em São Paulo. Ele só volta na semana que vem." "Mas é um assunto urgente!"

"Você vai me perdoar, mas não posso fazer mais nada por você, lamento muito." "Lamenta muito?"...E com a agilidade de um ninja, invado a sala do Hélcio e me tranco lá dentro. Sento na polpuda cadeira e começo a tentar achá-lo pelos telefones. Chegou uma hora lá que finalmente consigo falar com São Paulo... "Por favor, diga que é o Lobão e que estou dentro do seu escritório. Preciso falar com ele." "Não será possível, ele está incomunicável." "Então diz pra ele que se ele não vier me atender AGORA, não vou deixar um objeto inteiro por aqui, viu? Vou destruir a sala dele em trinta segundos, 29, 28, 27... é melhor se apressar que o tempo está correndo... 21, 20, 19..." "Por favor, acalme-se, as coisas não podem ser resolvidas dessa maneira." "10, 9, 8... vou começar pelo gravador de rolo... quer ouvir? 5, 4, 3, 2, 1, 0..." CASCABAU! POW! CRÉU! PIMBA! CABONG!...

Ainda tive a pachorra de, ao terminar, pegar no telefone e dizer: "Viu? Eu avisei..." Saí calmamente pela porta, dei uma piscadinha simpática pra secretária, fiz um sinal de positivo com o polegar e mandei: "Aê, valeu, hein? Aproveita e diz lá pro cara da divulgação que roqueiro *playboy* é o caralho, tá?"

"Bom", pensei eu, "de qualquer maneira, iria apodrecer na gravadora mesmo..." Estava me sentindo um Sid Vicious dos trópicos, orgulhoso do meu atentado, mas, em muito pouco tempo, perceberia a encrenca em que tinha me metido.

O incidente na RCA foi num meio de semana, e para minha surpresa... aquele silêncio perdurava no ar. Na segunda-feira, corro para o orelhão e vou dar uma telefonada, ver o que tinha acontecido. Na verdade, estava torcendo para que, depois daquilo tudo, houvesse uma rescisão imediata. Infelizmente, estava muito longe da realidade dos fatos...

Recebi um ultimato para comparecer imediatamente à gravadora.

Lá fui eu...

Adentro as dependências e o clima é de inquisição total... Os caras estavam realmente emputecidos com o meu comportamento, e um deles começou o sermão: "Tá pensando que vai sair por aí, solto pra assinar com outra gravadora? Errou! Você vai pra geladeira. Quando estiver livre, ninguém mais vai se lembrar do que você foi. Isso é pra você aprender a se comportar direito... por sinal, a conta do prejuízo do escritório destruído será descontada do seu faturamento, portanto desfrute bastante de suas férias nesses próximos... quatro anos."

Estávamos perto do Natal, o disco saiu em novembro, contudo, em pleno Natal já estava retirado de todas as prateleiras das lojas. Acabou por ter umas seis mil cópias vendidas, o que é pífio. Parou a execução nas rádios e eu via a minha carreira condenada ao total esquecimento. Apesar de tudo isso, o *Cena* se transformaria em disco *cult* (foi aí que ouvi pela primeira vez essa expressão).

Chega o Natal... a Alice foi pra São Paulo gravar o primeiro LP da Gang, *Nosso louco amor*...

Pois bem: estava sozinho e fui dar uma passada na casa da minha mãe... "Meu filho, quero te pedir um favor, eu sei que é uma coisa chata, mas... É que estou noiva e fui convidada para ser apresentada à mãe dele, nessa noite de Natal, dá pra imaginar meu nervosismo, né? Se tudo der certo, nós marcamos o casamento ainda essa noite... Você poderia vir comigo?"...

"Como é o cara?" "Olha, não vai me encarnar, mas ele é mais velho, careca, bigode, barrigudo e bem alto. Deve ser maior que você." "Você está feliz? É isso que importa." "Sabe o que é? Sou uma mulher divorciada e meu noivo é muito ligado à mãe." "Ainda?" "Isso acontece, meu filho, mas, por isso mesmo, me sentiria mais amparada se você estivesse do meu lado..."

"Pode contar comigo, mãe, vou caprichar na beca... vou parecer um advogado respeitável, você vai ver."

Escolhi as minhas melhores peças de roupa e me vesti da maneira mais "normal" possível.

Cheguei no apê da mamãe lá pelas 21h, surpreendentemente ela estava muito discreta...

Tirou o seu Fiat 147 amarelo da garagem e lá fomos nós ouvindo Lionel Ritchie para aquela singular noite de Natal.

Ao chegarmos no *hall* de entrada, mamãe, nervosa como uma garotinha, aperta a campainha. Surge o noivo. Devia ter seus cinquenta e tantos anos e estava muito ansioso para apresentar a amada à sua mãe. Me cumprimentou com cerimoniosa deferência, imediatamente retribuída no mesmo diapasão. Ele nos faz uma pequena preleção, alertando que sua mãe era um pouco conservadora, muito rigorosa quanto aos costumes e, portanto, deveríamos relevar seu comportamento um tanto arredio.

Ok, vamos lá... Minha mãe me olha assustada e nós vamos adentrando o corredor do apartamento. Chegamos na sala onde se encontrava a senhora. Estávamos por nos deparar com uma matriarca tirana avessa a qualquer influxo de modernidade.

Ela perscruta mamãe por uns longos segundos, depois, a mim...

São feitas as apresentações e o clima era de total falta de assunto. Na verdade um anticlima. A velha senhora definitivamente não simpatizara com a minha mãe e não fez a menor questão de esconder.

O filho careca olhava pra mãe com bovina subserviência, e pra noiva, meio humilhado, como que dizendo: "Ih!... Mamãe não gostou..."

E foi exatamente o que aconteceu: minha mãe foi rejeitada sumariamente pela ex-futura sogra. O meninão, seu noivo, acatou imediatamente tudo que a velha matriarca deliberara: "Essa divorciada não serve pra você, meu filho." Nos escoltou até a saída e simplesmente decretou: "Ruthinha, eu lamento muito, mas mamãe não aprovou nosso relacionamento. Mamãe está velhinha e eu não posso fazer coisas que a desagradem, me perdoe mesmo."

Minha mãe desabou: "Meu filho, vamos parar num bar na praia pra dar uma respirada e beber um chope?"

Foi uma noite muito triste... minha mãe estava catatônica, não conseguia digerir o que acontecera... "São essas coisas que eu quero que você entenda...Não aguento mais fazer o papel da mulher divorciada, quando tudo que quero é estar casada com um marido ao lado... Será que vou continuar vivendo de namoricos com rapazes mais novos do que eu?"

Bebemos profissionalmente até o bar fechar, minha mãe não conseguia se aguentar nas pernas. Coloquei-a no banco do copiloto e a levei pra casa. Subi com ela, pedi para que bebesse um copão d'água e botei ela na cama.

Quando cheguei na rua, percebi que não tinha um tostão no bolso...

Estava na Inhangá... A única alternativa era me deslocar a pé até São Conrado. Por essa eu não esperava... me encaminho em direção à orla... a essas alturas, já estou resignado, pego a calçada da praia e inicio o meu retorno... Era incrível perceber os apartamentos todos em festa, todo mundo comemorando e, invariavelmente, a única coisa que se ouvia era "Você não soube me amar"... começava a ventar forte, muito forte... ventos de até 80Km/h foram registrados naquela noite. Poderia me jogar todo pra frente que a pressão contrária me segurava. É claro que minha trilha era contra o vento. Durante toda aquela insólita caminhada, nunca me senti tão sozinho e sem ter pra onde ir... Minha mãe estava num beco sem saída... Estava terminado enquanto artista solo, recusei assinar contrato com a banda que se tornara o maior fenômeno desde os Secos e Molhados... "João Luiz, você é um imbecil! E agora? Sem dinheiro, sem contrato, sem banda... o que me resta?"...

E o vento batia forte, agora com gotas de chuva que, lançadas pelo vento, mais pareciam agulhas...

Chego em Ipanema e pareço que estou numa daquelas tempestades tropicais. O vento aperta, a chuva aperta e caminho com bastante dificuldade.

Enfrentava essa caminhada bíblica contra o vendaval... Tendo que ouvir, de Copacabana a São Conrado, por todas as casas, edifícios, apartamentos... a todo o volume... "Você não soube me amar", que não parou de tocar em todo o curso do trajeto: "Burro! Se fudeu."

Além do meu drama profissional, sabia que a partir daquela noite a vida da minha mãe rolaria ladeira abaixo... e não haveria jeito de detê-la...

No meio dessa tragédia mexicana, uma boa notícia: o Guto voltava de Boston e, pelo que parecia, era pra ficar...

Vou direto visitá-lo e ele está cheio de entusiasmo e novidades... Estava fazendo um monte de música nova... Veio com um esboço de uma canção que se chamava "Ronaldo foi pra guerra"...

Animado com as perspectivas, combinamos fazer um som no estúdio do seu irmão mais velho, o Buster, que também era baterista.

O Buster morava na ladeira Mundo Novo, ali em Botafogo, no final da Assunção. Tinha um estudiozinho bem-montado em sua casa. Ao chegarmos, percebi a presença de um cara caladão, de cabelão escorrido, meio esquisito... parecia que caiu num balde de ácido quando criancinha, apesar de ser careta até a alma... E o Buster nos apresenta: "Aí, João, esse aqui é o Odeid... ele é baixista." "Mas que beleza... era tudo o que a gente precisava... De repente, percebi que estava cercado de uma banda formada... Buster na bateria, o Odeid no baixo, o Guto na guitarra e eu na outra...

Começamos a tocar as novidades do Guto... ele estava numa fase inspirada e, com seu humor ácido, escrevia letras esporrantes... "Ronaldo foi pra guerra" tinha lances geniais... "Jair pra Tostão, valendo dólar, Pelé pegou na bola e invadiu como quis..." Empolgado com o tema, acabei por terminar a letra...

Também nos mostrou a melô da Gorete ("Não tô entendendo"), a insólita "Dr. Raimundo", que começava assim: "Se a mamãe tá doente e o neném tá chorando, você tá com dor de dente e desempregado, chame o dr. Raimundo... ele tem cura pra todos os grilos, do Joãzinho, do Antônio e do Murilo."

Nós estávamos admirados com as possibilidades estéticas que nossa futura banda haveria de alcançar. Finalmente, depois dos Nádegas Devagar, da Marina, da Blitz, eu e Guto estávamos fazendo a nossa banda dos sonhos de criança...

O Buster é um cara muito afetuoso, embora à primeira vista pareça um ogro enfezadíssimo. Eu mesmo tinha medo dele nos tempos de colégio. Era um ano mais velho... tinha uma Premier preta, linda, que eu paquerava desde os idos de 1972...

O Odeid era um excelente baixista.

Para arrematar, chega a Alice de São Paulo com o disco da Gang terminado... virou tema e título de novela. A Gang estoura com "Nosso louco amor". Muitas idas ao Chacrinha... taí... me lembrei que, até então, nunca houvera pisado no programa do Chacrinha. A única apresentação que fiz enquanto Blitz *boy* foi no programa do Raul Gil...

Mas as coisas estavam tensas entre Alice e Júlio e não demorou muito para ela se ejetar da Gang... Com Alice dando sopa, não foi difícil persuadi-la a se tornar uma ronalda interina..., compramos um Cassiotone MT 40 e pusemo-nos a compor. Alice tinha o dom de pegar coisas simplíssimas e transformar em algo interessante e misterioso. Passava horas tocando aquele tecladinho, concebendo uma série de melodias. Foi nessa época que surgiu a nossa primeira leva de composições como: "Bambino", "Abalado", "Canos silenciosos", "Teoria da relatividade", "*Intelligentsia*", "Nosso estilo" (dei pra Marina, que deu pro Antônio Cícero letrar).

O Guto vem com uma pedrada em inglês, um *ska* chamado "Rastaman's in the Army". De imediato imaginamos: caralho! Isso é um puta hit!

Nisso, acontece o imponderável: através de uma ordem central vinda de Nova York, todo o *staff* da RCA estava demitido! Isso com apenas um mês daquele episódio do escritório...

Não pude me controlar de rejúbilo! Essa era muito boa e eu não podia deixar de testemunhar aquela derrocada de uma era...

Peguei um busum de São Conrado e aterrissei nos escritórios da RCA. Sentei numa poltrona acompanhando tranquilamente aquele monte de otário retirando seus *personal belongings* das respectivas baias, das gavetas, papel pra todo lado, todo mundo no maior silêncio.

Só eu de vez em quando quebrava o gelo para alertá-los a cantarolar: "É hoje só, amanhã não tem mais."

Logo chega o novo elenco de executivos. Iniciávamos uma nova era.

A era do Manolo, do Miguel Plopchi e do Sullivan e Massadas...

Melhor pra mim, pensei com meus botões. Tanto é que a primeira deliberação do Miguel foi me chamar. "Lobão, você agora é uma das prioridades da gravadora"... Essa era muito boa... aproveitei o momento de total empatia para notificá-lo. "Fico muito feliz com a notícia, só que agora eu estou formando uma banda com o cara que fez 'Você não soube me amar', mais uma linda ex-Absurdette nos teclados... Estamos com o repertório quase pronto para entrar no estúdio e gostaria imensamente de alterar meu contrato, transformando minha carreira solo em grupo."

Ali nasciam Os Ronaldos. Fiz questão que todos assinassem com o mesmíssimo percentual para cada um.

Foi um dia de glória, alegria e confraternização para todos nós. Finalmente estava numa banda de irmãos.

O contrato só nos deu mais entusiasmo e determinação... Apesar da gente estar quase morrendo de fome, vivíamos como no paraíso. E tome sanduba de pernil no Manolo, que daqui por diante se tornará o escritório da ronaldagem.

No meio de toda essa felicidade havia uma ressalva: o nome da banda, na hora da assinatura do novo contrato, todos decidiram por conservar o meu nome na frente dos Ronaldos. Fui o único que pleiteava pelo nome ser simplesmente Os Ronaldos... e alertei: "Isso vai dar confusão, vão ser inevitáveis os equívocos... Vai ser um tal de neguinho chamar a banda de Lobão e SEUS Ronaldos... e por aí afora." E após aquela solene reunião na gravadora, ficou estabelecido que nos chamaríamos dali por diante de Lobão e os Ronaldos."

Mais outra vez, por um triz.

Capítulo 35

Antes de começar este capítulo, será necessária uma séria explanação:

A partir desse momento, irá surgir no curso da narração a minha célebre pendenga com o Herbert Vianna, que vai de 1983 até 1999.

Senti a necessidade imperiosa de falar sobre esta sequência de episódios por alguns motivos: primeiro, porque foi algo que mudou a minha vida radicalmente, segundo, por deixar claro que não se tratou de um episódio isolado nem muito menos uma frivolidade da minha parte, tipo: ah, hoje encrenquei com a cara de fulano.

Quero avisar a todos que, após o seu acidente, fui obrigado a rever as minhas posições em relação a ele.

Quero deixar pública a minha tardia admiração pela sua força e pela capacidade de ultrapassar os tremendos obstáculos que a vida lhe impôs. Não só desenvolvi admiração, como também, por incrível que pareça, um certo afeto pelo Herbert.

Decidi não suprimir essa sucessão de acontecimentos absurdos e, por que não dizer, horrorosos, quando verifiquei ser impossível apartar a minha história e a dos anos 1980 e 1990 da presença desses infelizes episódios. Foram exatos 17 anos de sérios conflitos. Gostaria de ressaltar também que tudo o que for dito e contado neste livro será sempre através do ponto de vista da minha pessoa enquanto inserida naquele tempo. Tudo o que for relatado aqui será em função do que sentia naquela época e vai revelar, sob esse estrito ponto de vista, um verdadeiro efeito cascata que essa querela provocou na minha vida pessoal, profissional e como artista. Me darei ao direito de mostrar toda a indignação e perplexidade que vivi naquele período, muito embora, hoje em dia, isso para mim seja muito doloroso de relatar e reviver.

Espero assim que algumas perguntas fiquem no ar: por todo esse tempo, será que fui um lunático paranoico com mania de perseguição? Um ressentido, um invejoso?

Não sou dono da verdade. Estando eu certo ou errado, não importa. O que importa são as consequências de grandes proporções que esse entrevero irá gerar… tudo na mais santa surdina…

É isso aí, então voltemos à nossa história:

1983 começava prometendo... A RCA já tinha marcado estúdio para a gravação do disco de estreia da banda.

Antes, porém, decidiram me mandar, ainda sozinho, para o então famoso encontro em Canela, Rio Grande do Sul, que as gravadoras promoviam reunindo todos os artistas, de todos os segmentos possíveis e imaginários... Nos colocavam num enorme hotel, que me fazia lembrar o Quitandinha...

Era um verdadeiro zoológico de variedades e também divertido à beça. Aquilo lá à noite era um festerê dos infernos! Parecia uma colônia de férias, só que com um monte de marmanjo pronto pra aprontar...

Havia também várias atrações musicais, como o Sérgio Mallandro fazendo Glu Glu, o trio Los Angeles, a Joanna, tinha atração para todos os gostos. E quem não ia fazer porra nenhuma, assim como eu, tinha a obrigação de se divertir muuuito.

Logo encontrei uns caras mais aprochegados como o Guilherme Arantes... Conheci um cara de um grupo chamado Barão Vermelho, era o Maurício Barros, grande tecladista.

Nesse clima de camaradagem, logo no primeiro dia somos convocados para uma partida de futebol entre artistas... como estávamos no Rio Grande do Sul, travaríamos um épico Grenal.

Já fui logo me inscrevendo na maior cara de pau, como ponta de lança. “Me dá a camisa 9, faz favor!”...

O juiz apita dando início à peleja e, como é de costume, fui cometendo minhas atrocidades futebolísticas. Mas acabei marcando os dois gols do nosso time.

O juiz apita. Final de jogo: Inter 3 a 2 no Grêmio.

Após a partida, corro para o ponta-esquerda do meu time, que me deu os passes para os gols, no intuito de me apresentar e, finalmente, saber o nome dele: “Muito prazer, Lobão, desculpa o mau jeito...

sou péssimo no futebol, mas deu pra gente se divertir, né? E você é?" "Meu nome é João Barone e sou o baterista de uma banda que acabou de vir de Brasília, somos os Paralamas do Sucesso!" "Prazerzão, aí; nome bacana, hein?"

O Barone veio a me explicar que os meninos da banda eram meus fãs. Algo que muito me lisonjeou.

Inclusive sabiam tocar o *Cena de cinema* inteiro!... "Ah... então foram vocês que compraram o disco, né?", brinquei, me referindo às vendas ínfimas que o *Cena* alcançou.

"Fico muito feliz e orgulhoso por ter, apesar dos pesares, músicos profissionais a apreciarem meu trabalho!"

"Se você quiser ser apresentado ao guitarrista, vamos lá no quarto que ele não vai acreditar."

"Simbora!"

Chegando no quarto, encontro um cara tocando uma guitarra desligada com uma puta cara de *nerd*, de óculos... Era o Herbert, que imediatamente veio me cumprimentar carinhosamente.

"Pô, Lobão, que prazer... o Barone já te falou que nós somos fãs do seu trabalho? Sempre tocamos alguma coisa do *Cena* nos nossos ensaios."

Pegou a guitarra desligada e começou a cantar "Amor de retrovisor"! Nunca tinha presenciado ninguém que tivesse tirado alguma música minha. Estava embevecido... E no trem desse entusiasmo, sugeri pegar a minha guitarra pra fazer um som desplugado...

Volto com minha Rickenbacker e pergunto: "O que é que a gente vai tocar?" E o Herbert: "Sei lá... Vocês estão preparando alguma coisa?" "Claro! E agora estou superfeliz porque virei banda de novo! Meu amigo de infância, o Guto, um guitarrista espetacular, voltou de Boston e decidi que formaria uma banda." "E já tem nome?" "Tem, sim: Lobão e os Ronaldos... Vou te mostrar um *ska* que o Guto fez... é em inglês e se chama 'Rastaman's in the Army'. Lá vai..." Saí tocando o *ska* do Guto e ele veio atrás. Acabamos por fazer uma *jam session* divertidíssima.

Ao retornar ao Rio, vou visitar minha mãe, sempre na hora do almoço, pois era o único horário possível, em virtude da pesada carga horária que se impunha no Brasas.

Ela não estava nada bem. Aos 49 anos, herdara da mãe uma forte patologia coronariana, e há algum tempo não podia passar mais sem

Isordil. Fora isso, não se recuperara do pancadão do Natal. Ela me pediu que saíssemos à noite pra tomar um chopinho.

Tudo bem... falei com a Alice que naquela noite sairia com minha mãe.

Ao nos sentarmos no bar, o mesmo de sempre, na avenida Atlântica, percebo que a noite vai ser pesada... Ela começou a beber num ritmo furioso, pediu logo uma batida de limão e foi tomando uma atrás da outra... e em menos de meia hora já estava em condições lastimáveis... "Meu filho, você acha sua mãe uma mulher atraente?" "Mãe, parece até que você não repara nesse monte de marmanjo te paquerando, já te disse que você está melhor do que nunca." "Sabe... eu acho um desperdício aquele bonitão namorar a Glória Maria... ela não é mulher para um homem como aquele...", se referia ao nobre cirurgião *junkie*... e eu não estava gostando nada, nada do rumo que a conversa estava tomando...

De repente, sinto algo se esfregando na minha perna. "Me fala se eu sou uma mulher atraente, vai?" Aquilo me deu um arrepio de pavor: "Pô, mãe, vamos pra casa que você já esgotou sua cota de álcool por hoje." "Tá bem, tá bem, mas você não namoraria uma pessoa que nem eu?" "Agora chega! Amanhã você vai acordar com duas ressacas: uma física e outra moral... sei que isso tudo que está acontecendo é fruto daquele encontro natalino, mas vê se para de se maltratar." "Meu filho... eu não quero mais viver", e desabou a chorar convulsivamente... "Até você não me dá mais bola... eu sei que me tornei um estorvo pra todo mundo." "Mãe, chega de falar besteira, você sabe que eu te amo e que pode sempre contar comigo." "Mentira... mentira, quantas vezes vou te visitar em São Conrado e você me despacha na hora, de saco cheio de mim... preciso morrer." Chorava copiosamente.

Paguei a conta e a levei com dificuldades até o carro...

Fiz o mesmo procedimento da noite de Natal... a coloquei na cama, e esperei que caísse no sono. Ela estava sozinha naquele apartamento... fiquei por lá até o amanhecer e fui pra casa aterrado com nosso encontro... Nunca vira minha mãe daquele jeito.

Como estávamos no início da produção do disco, a grana estava muito curta... Só conseguíamos comer no Manolo...

Apesar da dureza, minha vida com a Alice estava às mil maravilhas... estávamos nos amando e fazendo uma penca de músicas novas... As ideias brotavam aos borbotões... vivia uma fase muito profícua...

Era curioso estar vivendo dois extremos emocionais... A banda me dando cada vez mais alegria e entusiasmo e minha mãe definhando a olhos vistos.

Umas três noites depois me aparece um bilhete por debaixo da porta. Era da minha mãe dizendo que iria se matar porque ninguém mais a queria... Saí correndo para a Inhangá e ela já tinha se acalmado... "Pô, mãe... essa brincadeira não está nada legal... Você não pode utilizar suas agruras para tentar ter as pessoas do seu lado.

"O que você está fazendo é desgastar sua credibilidade e a vontade das pessoas estarem junto de você... Vai por mim... esse tipo de chantagem emocional, primeiro que não é nada bonito, e segundo, não vai resolver nada..."

Aquela sombria rotina estava me matando... Não sabia até quando ia conseguir lidar com aquela tensão toda... me lembrava da Leite Leal, das vezes que nós tínhamos que chamar a ambulância e enfrentar aquela repetição patológica de padrões... e a rotina extenuante das visitas ao hospital, as lavagens no estômago, e a posterior euforia... era uma verdadeira montanha-russa.

Em meio àquela fase ioiô, uma surpresa mais que bem-vinda. O Júlio chega no Rio e vem nos visitar. É uma festa!

Muitos beijos e abraços... e engatamos uma tremenda comemoração no Baixo.

Nos encontramos com o Bernardo e a Isabella, que na época já estavam casados... O Billy também comparecera. O Júlio estava impossível, engraçadíssimo, não parava de ter poderosos *insights*... escrevia onde podia, fazia odes a Man Ray, Duchamp e Mallarmé... geralmente nos guardanapos. Estamos apreciando sua última tirada — "O poeta é o traficante da liberdade" —, quando entra na Guanabara uma figura que falava alto com os cabelos encaracolados, espalhafatoso, esfuziante, barulhento, parava em todas as mesas, e quase sempre defenestrava cruelmente as vítimas que ali estavam sentadas, chegava com um séquito de pessoas atrás dele... Era o rei do Baixo Leblon. Era o Cazuza.

Chegou pra mim, me apontou ostensivamente com o braço e o indicador esticadíssimos e perguntou já afirmando: "Vothe é o Lobão, né?" (Vamos combinar que, na fala do Cazuza, utilizarei o *th* em substituição aos *esses* e *zês* em virtude de seu gracioso e característico cecear.) "E você deve ser aquele filho do João Araújo, né?" Não sei por quê, mas a minha relação com o Cazuza sempre foi pautada por severas encarnações mútuas. Nosso humor era extremamente ácido um com o outro. Percebemos no ato que surgiria uma profunda amizade entre nós.

E com toda aquela inspiração rondando a mesa, o Bernardo sugere que nos encaminhemos até seu apartamento que ficava entre aquelas ruazinhas do Jardim Botânico. O Cazuza com seus asseclas se dispersou Baixo afora.

Ao chegarmos, Alice e Isabella começam a ver uns *clips* do Thriller e do Bowie... Let's Dance... nós paramos pra reparar na banda multiétnica do Bowie...

Júlio, sincrético, queria juntar o mar do Caribe com Vladivostok... polca com marchinha, samba com tango, roquenrou com bossa nova. Naquele momento mágico, o mundo para nós era uma coisa só... Começo a tocar uma levada sem letra, pra ver se sai alguma coisa... E o Bernardo rebate lançando no ar uma frase: "Ainda me lembro daquele beijo *spunk* punk violento", e o Júlio emenda de bate-pronto: "Iluminando o céu cinzento... eu quero você na veia!"... e naquele clima de amor, confraternização, bebedeira e descoberta nasceu a canção mais alegre e otimista de que participei: "Corações psicodélicos".

Foi mais ou menos nesse período que surge na minha vida o que seria nossa empresária: a Leninha Brandão.

A Juçá teve que se dedicar exclusivamente a uma nova e épica empreitada. Estava abrindo um circo no Arpoador com o Perfeito Fortuna. Eu já tinha tocado lá enquanto Blitz... Estávamos fazendo um mutirão. O Evandro tinha um grupo de teatro, o Banduendes por Acaso, Estrelados, em que o Cazuza participava como ator... ele queria atuar naquela época. Estava nascendo o lendário Circo Voador, ainda no Arpex.

Mas voltando a Leninha, ela era um amor, uma dedicação conosco, começou a dar um trato na gente, e isso foi fundamental para o nosso projeto decolar.

Enquanto isso, estou prestes a receber um outro violento impacto, dessa vez, de alguém que jamais imaginaria receber.

O Jorge, meu amigo de São Conrado, um belo dia chega lá em casa esbaforido e manda: "Cara, você já viu o disco dos Paralamas do Sucesso?" "Ainda não, por quê?" "Porque é igual ao *Cena*! Cara, não acreditei quando ouvi... tem uma música que se chama 'Cinema mudo'. O carinha lá que canta tem a mesma voz que você... e o disco fala mais ou menos dos mesmos assuntos que o teu..." "Como assim?" "Além de 'Cinema mudo', tem uma outra que fala de lambreta; o som é praticamente igual ao que você faz, e a guitarra é meio totalmente Lulu Santos..."

Não dava nem pra dizer que ele estava exagerando só por saber que o título era aquele... Mas não ficou nisso... saí correndo para comprar um exemplar e tirar a limpo aquela questão. Quando ouço os primeiros acordes de "Cinema mudo", reconheço os *riffs* daquele *ska*, exatamente os mesmos de "Rastaman's in the Army" que apresentara ao Herbert, naquele quarto de hotel... A mesma linha melódica! Pera aí... que que é isso? Trata-se da mesma música com o tema "cinema" enxertado! E talvez o mais alarmante de tudo: parecia que estava me ouvindo! A voz era igual à minha! Como iria fazer? O *Cena de cinema* era praticamente inédito perante os ouvidos do público, a música em questão, "Rastaman's", era realmente inédita e, desde então, natimorta... Um disco suficientemente ignorado pela crítica para ter sido enterrado e esquecido... Quem se lembraria de um disco como aquele?

E o mais apavorante: o LP dos Paralamas virou realmente um sucesso! A minha sensação era de estar sendo enterrado vivo!

Duvido muito que tenha na minha vida sentido tanto ódio como senti naquele momento... Fiquei perplexo, tentando imaginar que estivesse maluco... o cara me parecia ser tão legal... não conseguia ver o Herbert fazendo uma atrocidade daquelas, mas a cópia era tão escancarada que não havia como ter dúvida: era só ouvir um, ouvir outro e afirmar que se tratava do mesmo artista se repetindo, dois anos mais tarde.

Quando cheguei pro ensaio no dia seguinte, contei a notícia, já me desculpando com o Guto por ter feito a cagada de mostrar justo a música dele, que a partir daquele momento estava inviabilizada.

Iniciara-se uma epopeia que iria me infernizar e, pior, transformar minha maneira de compor, de tocar e de cantar, tudo em função de um motivo externo... Iria passar os próximos anos da minha vida em fuga constante. E esse sentimento não poderia me deixar mais claustrofóbico e apavorado.

Capítulo 36

O Cassiotone MT 40 estava fazendo a diferença. Alice, com sua técnica de dois dedinhos, ligava a bateria eletrônica, escolhia um timbre pré-setado, buscava alguns acordes e saía fazendo melodias incríveis... Ela tinha uma voz linda, com um soluço que dava uma característica marcante na sua maneira de cantar. Me deu a maior vontade de experimentar esse método.

Em alguma horas de papo, uns copos de vinho e *brainstorm*, nasceu "Abalado".

Minha mãe está mais carente do que nunca, como não tínhamos telefone em casa, o único modo de nos contatar era ou alugando o Ritchie, nosso vizinho, ou indo pessoalmente ao local. Minha mãe adquiriu o hábito de chegar até a porta do apartamento e mandar um bilhete por baixo da porta. Quando percebia um papelzinho no vão da porta entrava em pânico.

Há certos momentos em nossa vida em que perdemos totalmente o controle da situação, e na manhã de um certo dia que acordei meio de ovo virado, vou até a cozinha tomar um café e lá está mais um bilhete dela. Abro e leio algo como: "Se você não vier me visitar hoje, não precisa mais lembrar que eu existo."

Não sei se foi acúmulo de coisas, se eu estava num péssimo dia, o fato é que, sem acordar Alice, botei uma roupa, peguei as moedas para o ônibus e saí transido rumo à Inhangá.

Cheguei justamente na hora em que minha mãe ia almoçar. Adentrei furibundo a sala e, transtornado, comecei a berrar com minha mãe coisa do tipo: "Escuta aqui: que merda é essa de ficar plantando bilhete debaixo da porta do meu apê? Tá pensando que é mole aturar uma mãe que só fala em se matar o tempo todo? Agora, quem quer que você morra sou eu, viu? Seja uma profissional do suicídio, seja dessa vez mais eficaz e para de brincar com a minha vida que eu não aguento mais!!", e atirei violentamente as moedas que esmagava na mão direita estilhaçando a vidraça da janela que dava pra rua. Quando percebi as marcas das moedas cravadas na vidraça, debreei... Ela não dizia nada... me olhava impassível, sangrava em silêncio...

Foram segundos que duraram uma eternidade. Ela suspira e quebra o silêncio: "Pode deixar, meu filho, dessa vez eu serei, como você mesmo disse, uma profissional." Virou-se serenamente, pegou a chave do carro e saiu deixando o apartamento aberto comigo dentro...

Enquanto o elevador não chegava, tive o ímpeto de correr pra ela e pedir perdão, que estava fora de mim, mas ela já tinha descido, já estava na garagem e, segundo o porteiro, ela avisou que ia direto para o Brasas da cidade.

Fiquei paralisado por alguns minutos, cravado no meio da sala no mesmo lugar... tremendo da cabeça aos pés...

Me recuperei, catei as moedas e voltei estilhaçado para São Conrado.

Fiquei preocupado que minha mãe fizesse realmente o que prometera e saí pro orelhão tentar falar com ela... Ligo pro Brasas e sou notificado que ela está na sala de aula e ninguém notou nada de anormal nela... Suspirei mais tranquilo...

Às 10h30 minha mãe cai fulminada em plena sala de aula.

A diretora-geral do Brasas, a Barbara, que era muito amiga dela e um amor de pessoa, é que me deu a notícia.

O tempo de repente parou, congelou, enquanto nada se movia, vieram na minha cabeça todos os momentos que vivi com ela... me ensinando a escrever, rebolando na piscina, ouvindo a bolsa, sambando no baile de Pedro do Rio...

A Barbara me dá um cutucão e eu volto... A única coisa que pensava era: "João Luiz, respira fundo, amortece a bomba, arquiva o problema pra depois pensar em qualquer solução... você não pode se dar ao luxo de desabar..."

A Leninha me ajudou pra burro no enterro e, posteriormente, no inventário, adiantou as primeiras providências do serviço fúnebre e a Barbara ficou comigo. Ela foi um esteio pra mim naquele momento.

Todavia, ela tinha uma missão dolorosa a cumprir. Tinha que me dar uma carta que minha mãe deixou antes de morrer.

A Barbara tentou me preparar, explicando que minha mãe, quando dava a última aula, parou pra falar do episódio ocorrido de manhã, que tinha um filho que mandou ela morrer, que não tinha mais razão para continuar vivendo. Posso imaginar as caras dos alunos... E para fechar com chave de ouro, às 10h30, já no final da aula, ela cai diante de todos, morta. Enfarte fulminante.

Ela parou de tomar o Isordil desde a nossa discussão, era daquelas pessoas que tinham que tomar o remédio três vezes ao dia.

Uma forma sutil e profissional de se matar...

Pego a carta das mãos da Barbara e começo a ler. Não é necessário dizer que fui absolutamente responsabilizado por sua morte, que iria morrer com aquela ferida na alma, que eu fui um filho relapso, ingrato, cruel.

Bom, a parte boa é que mamãe desatou a falar superbem de Maninha!

Sinceramente, aquilo me deu um alívio... perceber que ela elogiava minha irmã, com amor e um carinho que nunca se permitiu exibir. Sempre achei a situação dela com minha irmã algo absurdo, injusto... portanto, ponto pra mamãe. Quanto ao que ela tenha escrito em relação à minha pessoa, sinceramente, não dei muita pelota.

Meu único sentimento naquele instante era de dor profunda pela perda de quem se ama. Por mais doloroso e aterrador que parecesse, comecei a arrefecer os espasmos da dor, e um sentimento leve de carinho e ternura me invadiu.

Eu pensei... o que me resta fazer? Cumprir seu último desejo.

Na manhã, na capela do São João Batista, se aglomerava uma pequena multidão de alunos, o pessoal todo do curso.

Como ela era querida e amada por todos e como a imagem dela em relação a mim era tão diferente... Melhor assim... A Barbara vem me buscar na porta para que eu pudesse chegar até o caixão... Nesse meio-tempo, eu fui até a casa dela, procurar alguma coisa do Botafogo. Ela tinha só uma bandeirinha no porta-lápis. Era tudo que eu precisava.

Entrei no velório com a bandeirinha escondida no bolso da calça... a pequena multidão de alunos congela e todos passam a olhar pra mim ostensivamente, tipo: "O que é que você está fazendo aqui, seu matricida?" Pois bem, liguei o foda-se no volume 11 e calmamente me dirigi para o caixão... Lá estava ela com aquela característica coloração de cera, um semblante sem expressão, olhos simplesmente fechados. Peguei a bandeirinha no meu bolso e coloquei dentro da blusa dela: "Minha mãe... que loucura essa vida... nem sempre se vê mágica no absurdo..." Não podia nem queria chorar na frente daqueles idiotas. Segurei a onda, respirei fundo e comecei a marcar no caixão um ritmo largo, como um surdo-mor, e repeti duas vezes o refrão do samba-enredo o mais baixo possível: "Do índio à nobreza, a beleza da ressurreição."

Era um dia lindo de sol... Recebo da Barbara as chaves do Fiat 147 amarelo. Queria sair logo daquele lugar, não havia mais nada a fazer ali.

Só quando chego em casa é que Alice me lembra que Os Ronaldos vão tocar no Itanhangá, numa homenagem ao grande Erasmo. O Guto fez um *cover* endiabrado de "Pode vir quente que eu estou fervendo" e nós estávamos ansiosos por experimentar aquela versão ao vivo, com plateia.

Alice me pergunta se eu queria cancelar, o motivo era justo, não iria haver muito problema... "Alice, a melhor coisa que tenho a fazer agora é subir num palco. Vamos lá que a vida é bola pra frente."

O show era numa casa cujo pé-direito era mais baixo do que eu. Fiz o show todo meio agachado. Como é bom poder tocar um instrumento e botar a boca no mundo...

A nossa vida voltava à rotina lentamente... A ordem do dia era ACELERAR!... E era isso que estava acontecendo...

Outra feita, eu e Cazuza estávamos bebendo um breguete lá no Real, o Cazuza tinha show com o Barão no morro da Urca.

Demos um tempinho e combinei me encontrar com ele lá em cima.

Estamos em cima da hora do show do Barão, encontro o Cazuza na saída do bondinho, lá em cima... e peço uma fileira pra ele... Ele diz que não tem, que vai descolar depois do show... "Muquirana", pensei. "A gente the vê depois do show, Lobãothinho, tchau!" Eu sabia que ele tinha um papel... fominha...

O Barão entra no palco a plateia delira, só que com um detalhe: o Cazuza não tinha dado as caras... passam-se os minutos, a galera do Barão griladíssima, quando entra um Cazuza torto, com um copo de whisky na mão, todo encurvado... Parecia um Exu na jira... Chega ao microfone e manda a seguinte: "Porra, não se pode mais cheirar uma carreira em paz nethe morro. Cherei uma fileira, deu aquela vontade de cagar, dei uma cagadinha e, quando vou procurar o papel, cadê...? Não tinha papel nenhum... Ethe morro está uma decadênthia, e eu aqui DE CU THUJO!!!! É!!!!!!!! CU THUJO THIIIIIIIIIM! CU THUUUUUJO."

Os dias me pareciam mais suaves, voltei ao trabalho, voltei à tal canção inacabada, queria encaixar a frase "Nem sempre se vê mágica no absurdo" numa melodia nova.

Acabei compondo uma linha que tinha a princípio achado muito vulgar. Ainda sem letra, só uns *arpeggi* em ré... experimentei na minha Rickenbacker, repeti algumas vezes e achei uma porcaria.

Nisso, toca a campainha e é o Jorge... "Cara! Essa melô que você estava tocando na guitarra é lindona! Fiquei paradão lá fora só curtindo o som... anota aí, vai; não vai parar de tocar nas rádios."

Fiquei impressionado com a minha falta de perspicácia. Podia apostar que aquela sequência de acordes era absolutamente boba e descartável. Pois bem, aceitei o conselho do Jorge e mantive o tal *arpeggio* lindão.

Às vezes, quando você está compondo, pode se dar ao luxo de alterar a melodia original que pensou, mas em canções como aquela, era muito mais difícil. Portanto, não foi daquela vez que a música saiu inteira. Tem certas coisas que a gente não pode se afobar, temos que ser humildes, pacientes e esperar até que surja a coisa adequada para o que a música precisa.

A coisa estava fluindo, os ensaios na Mundo Novo estavam rendendo, quando a Leninha chega com uma grande notícia: "Vocês foram contratados pra tocar em Nova York, numa casa quente lá no Village, o Danceteria", lá só toca coisa esperta, vai ser o máximo! Preparem-se, vamos pra Nova York!"

Algumas semanas depois, a Leninha veio ter uma conversa comigo. Pedia que eu fosse mais compreensivo com o Herbert, que se tratava de um garoto bom, e que se porventura tivesse dado uma copiada nas minhas ideias, seria um sintoma de grande admiração. Por isso, uma vez perdoado, por que não levá-los para Nova York também? Era um pedido difícil de engolir...

Os próximos dias serão dedicados aos vistos dos passaportes, compra de dólar, passagem...

Estávamos prontos pra embarcar.

O nosso destino era o Earl Hotel, que ficava ao largo da Washington Square... uma espelunca caindo aos pedaços que tinha fama de hospedar um monte de artista, e por isso se achava no direito de cobrar os olhos da cara por uma diária...

Mais tarde, fomos dar uma espiada no local do show. Um lugar pequeno, com um palquinho bem charmoso. Começamos a desovar nosso sucinto equipamento e fomos dar uma saída para fazer umas compras. A primeira coisa a se obter foi um teclado Yamaha com uns alto-falantes embutidos daqueles bem normais... não era nada de mais, mas seria o nosso som de teclado nas gravações do próximo disco.

Alice tinha recém-estado pela cidade ainda com o Júlio e estava sabendo de um sem-número de lugares espertos pra gente ir.

No dia seguinte, temos uma grata surpresa. No Village Voice estava estampado um anúncio com o retrato da banda na programação do Danceteria convidando todos a assistirem o *State of the Art of Brazilian New Music*.

Que espetáculo! Nós éramos a única atração da noite...

Vamos passar o som, os Paralamas também nos acompanham. Estávamos doidos para testar as músicas novas, e entre elas uma música que tinha feito com o Tavinho Paes sobre a derrubada de um Boing coreano por MIGs soviéticos e que se chamava "Bang the Boing". Nessa música eu iria tocar bateria, pois tinha uma levada pesada de samba fúnebre que havia composto. Alice iria cantá-la, assim como "Bambino".

Íamos inaugurar outras canções como "Dr. Raimundo", "Abalado", "Teoria da relatividade"...

Naquele entusiasmo, me dá vontade de experimentar aquela tal canção que estava emperrada. Tinha acoplado mais uma frase nela: "Me chama, me chama", e pusemo-nos a tocá-la ainda crua, sem a letra do meio, só pra ver se dava pé. Quando acabamos, tivemos logo a sensação de que um mega-hit estava para nascer. Como soava bem aquela canção com a banda tocando junto...

Nisso, ouço uma voz na lateral do palco comentar: "Cara, essa música é daquelas que a gente morre de vontade de ter feito, parabéns, aí." Era o Herbert genuinamente embevecido.

Que bom! a canção funciona... precisava acertar na letra do meio...

O show foi memorável! Alice estava maravilhosa, a banda, impecável, e o *highlight* da noite ficou por conta de "Bang the Boing", que foi ovacionada. O que mais poderia desejar naquele momento?

No meio de um passeio pelo Village, Alice me propõe pegarmos um avião pra Bruxelas, que ficava do lado da cidade dos pais dela, bem na fronteira. Queria muito me mostrar a Holanda. Íamos percorrer todo o país de trem, parando nas cidades mais interessantes.

E assim sucedeu. Após uma temporada adorável, divertidíssima e bem-sucedida em Nova York, umas feriazinhas na Holanda.

Finalmente ia conhecer a terra do meu avô.

Capítulo 37

E lá fomos nós pra Bruxelas...

A cidadezinha da Alice, Reusel, ficava a menos de uma hora de Bruxelas.

Os pais dela moravam numa casinha no centro de um quintal, parecia uma casinha de bonecas... os dois eram professores primários e tinham oito filhos! Quatro meninos e quatro meninas.

Fomos alojados no sótão por uns dias.

Começamos os preparativos para nossa viagem de trem pela Holanda. A casa vivia cheia de gente.

Tudo era festa, quando ocorre o impensável: o pai da Alice tem um derrame fazendo jardinagem.

Foi levado ao hospital da cidade. Ficamos num impasse, a coisa foi muito grave, mas ele ainda consciente, fez questão que nós prosseguíssemos viagem.

E assim aconteceu: fomos à estação pegar o trem. Iríamos parar primeiro em Eindhoven, depois Tilburg...

Passamos por Roterdã, comemos muito arenque cru com cebolas e creme de leite, que vinha dentro de um saco de pipoca. Era o quitute do pedaço. Queria muito dar uma parada na cidade natal do meu avô, Den Haag, que nós chamamos de Haia, mas passamos batidos por ela e, finalmente, chegamos a Amsterdã. Estávamos prontos para continuar a viagem para o norte, Groningen, Haarlem, Den Helder, mas recebemos a notícia da morte do pai da Alice.

Na verdade, já estávamos esperando por aquele desfecho e, com isso, Alice teve que voltar para Reusel e, como nosso dinheiro estava acabando, peguei um avião de volta pro Brasil.

Chego em São Conrado, o apartamento vazio... tínhamos acabado de instalar um telefone, mas a linha estava cortada por falta de pagamento... só podia receber ligação de fora. Aflito por saber como estava Alice, ficava angustiado olhando pro aparelho, rezando para que ela me ligasse.

Aproveitei o ensejo para fazer uma reforminha básica no apê e prepará-lo pra chegada dela. Lá fora desaba um toró... de repente, o telefone toca e eu saio correndo para atender. Caiu a ligação! Naquele exato momento, nem sabia ao certo se a Alice estava em Reusel, se tinha ido pra Tilburg ou se estava na iminência de voltar... Voltei pro rodapé, pensando: "Porra... chove lá fora...", e, imediatamente, me veio na cabeça a tal canção cuja parte do meio estava faltando... Chove lá fora, e aqui tá tanto frio... encaixava perfeitamente! Parei de pintar e corri pra minha Rickenbacker. Liguei o amp, olhei pro telefone e completei... "Aonde está você, me telefona", e quando entrou o refrão, parece que tinha guardado a tal frase por todo aquele tempo para desaguar na conclusão: "Nem sempre se vê mágica no absurdo, mágica no absurdo, mágica..."

Era apenas constatar o que acontecia ao meu redor: "Tá tudo cinza sem você, tá tão vazio, e a noite fica sem por quê... e não foi difícil conceber a variação do refrão: "Nem sempre se vê lágrima no escuro..."

Nasceu "Me chama".

Em menos de duas semanas chega Alice e começamos a compor no seu novo teclado Yamaha.

E à noitinha havíamos acabado "Tô à toa Tokyo".

Nós já estávamos com o repertório pronto. Só faltava entrar em estúdio.

Estava fascinado com minha nova canção de amor... e estava doido pra mostrar pra Marina. Fui até a casa dela e toquei "Me chama". Ela, que estava em plena gravação de *Fullgás*, decretou que nós gravaríamos a canção no dia seguinte e me chamou pra gravar a bateria.

Sai *Fullgás* e "Me chama" estoura em poucas semanas. Fiquei muito impressionado pela canção sair direto como música de trabalho.

Nesse meio-tempo, os estúdios da RCA Victor de Copacabana estavam vagando. O cantor Antônio Marcos finalizava o que seria seu último trabalho. Morreria uns poucos meses depois.

A gravação do disco foi relativamente rápida... estávamos bem-ensaiados. Os únicos convidados especiais, como não poderia deixar de ser, foram os meus grandes amigos: o Zé Luiz no sax de "Corações psicodélicos" e o Luiz Paulo em "Rio do delírio".

O solo de "Me chama" ainda não tinha sido concebido... Eu pedi ao Guto que fizesse algo que as pessoas pudessem assobiar, tipo o antológico solo do Carlini em "Ovelha negra"...

Tivemos uma faixa vetada pela censura federal, proibindo sua execução pública. "Teoria da relatividade." Na hora da mixagem, pedi ao técnico de som que acelerasse um quarto de tom a máquina. O disco está mixado. Vamos escolher a música de trabalho.

Escolheram uma canção que adoro, mas era evidente que não se tratava de um hit: "Os tipos que eu não fui."

Saiu o compacto e nada... foi pro vinagre...

Nesse ínterim... estou andando de carro com Alice, quando ouço uma nova música dos Paralamas: "Me liga"...

A música estava longe de ser um plágio musical de "Me chama", mas, depois de toda aquela experiência constrangedora entre o "Cena" e o "Cinema", eu escolheria ficar bem distanciado das minhas ideias, e foi inevitável a comparação...

Começava a achar que havia algo de patológico naquilo...

Quanto ao disco? Foi tirado de circulação... não vendeu nada. "Os Tipos" definitivamente não emplacou e a ordem natural das coisas era a iminente rescisão de contrato... Isso é *showbizz*...

Nessa tremenda pindaíba, o Ritchie, que já morava no Humaitá, veio me visitar em São Conrado e me convidou pra gravar as baterias do seu próximo disco.

A gravação seria em São Paulo, no então novíssimo estúdio da Transamérica. Era uma superprodução, e a CBS me bancou um mês no Brasilton com tudo pago.

Me despedi de Alice e me mandei pra Sampa.

Me lembro que estávamos nas Olimpíadas de 1984, em Los Angeles.

As sessões de gravação eram sempre à noite e o Liminha era o produtor.

Estava sendo pago por todo aquele período, mesmo sem tocar uma nota...

Enquanto esperava ser convocado, ficava na sala da bateria com um pratinho, um canudo, uns cinco gramas de pó e uma televisãozinha portátil pra ver o nosso valoroso voleibol brilhar em Los Angeles...

E assim foram sendo gravadas as músicas... eu dava um palpite aqui, outro lá... e só acabei gravando a faixa que compus com o Ritchie: "I Just Can't Love Without You".

Volto pra São Conrado e nossa situação é terminal. Sem show nenhum pra fazer... a banda estava por um triz, quando o Buster chega todo entusiasmado... "Me chama" estava em primeiro lugar na Manchete!

E sem nenhum respaldo da gravadora, em menos de duas semanas, "Me chama", na versão dos Ronaldos, se torna o maior fenômeno de execução da década.

Volto para o Rio, passam-se algumas semanas, quando acontece uma tragédia: o Júlio morreu!

Com a morte do Júlio, inicia-se a derrocada dos meus sonhos de ver nossa geração existir de verdade...

LOBÃO NA MÍDIA

- Em 26 de julho, o jornal *O Estado de S. Paulo* informou que Guto e Lobão tocam juntos desde criança, tendo em comum o fato de terem perambulado por vários conjuntos e acompanhado cantores, além dos estudos de violão clássico. Mas com uma diferença: Guto perambulou pelos Estados Unidos e Lobão ficou por aqui. Segundo eles, o adjetivo ronaldo é abstrato, e significa "tudo que tem onda, que tem chinfra".

- No dia 26 de julho de 1984, a *Folha* publicou uma crítica de Miguel de Almeida sobre Lobão. "Lobão teve seu *Cena de cinema* destroçado por pessoas insensíveis. O mundo não tem muito mais espaço para quem ainda acredita na guitarra miúda de Pepeu Gomes ou na algazarra da Xuxa. Em companhia de Marina Lima, Lobão fez um genial disco, há quase dois anos, e mostrava como era possível se falar de uma geração 'inquieta e informada, envolvida com insolúveis vidas na metrópole urbana'", disse.

Segundo o jornal, Lobão "ainda era um pirralho lobinho", quando aconteceu o golpe de 1964. "Tinha um titio na Marinha e dele ouviu algo que seguiu à risca, como incrível e fundamental conselho: o movimento vinha para ficar por pelo menos trinta anos, tempo necessário para se deixar as escolas esvaziadas de qualquer ensinamento mais profundo."

- Em 28 de julho de 1984, a *Folha de S.Paulo* publicou uma matéria sobre Lobão e os Ronaldos. Escrita por Miguel de Almeida, o texto diz: "não tenha receio: se topar com Lobão e os Ronaldos na rua, cumprimente-os. Já os outros roqueiros de atual sucesso, evite-os, mas com classe (...) A coisa é mais séria do que um B-52 ou o camaleão David Bowie. Lou Reed jamais mudou o penteado para ser capa da *Time.*"

Para o jornalista, Lobão teve o disco *Cena de Cinema* destroçado por "pessoas insensíveis". Ele afirmou que, em companhia de Marina Lima, o músico fez um disco "genial", mostrando como era possível falar de uma geração "inquieta e inconformada, envolvida com insolúveis vidas na metrópole urbana".

"Sua voz, um misto curioso de deboche e angústia, dizia os versos em alta velocidade, sincopados pelo baixo e bateria (...) numa terra tão conservadora, de jovens velhos, Lobão e os Ronaldos apimentam um gênero hoje entregue a baladinhas de letras insossas e raciocínios medíocres."

"Lobão e os Ronaldos trazem o corte ágil do cinema e a poesia inventiva da oralidade misturada a muitas citações — nenhuma erudição, apenas civilização. Seria o rock *nonsense* de mãos dadas a Ferlinguetti, a loucura de Artaud flagrada no cotidiano de bananas, tudo travestido com a elegância requintada de Yves Montand. Há o romantismo e a dúvida; a rejeição ao que se diz moderno; e assim é vendido, para uma paixão com a invenção; o articulado dos sonhos e o abraço dos pesadelos; não há a inocência, nem a pureza, estados imperdoáveis para os seres humanos, mas há a sabedoria e o teatral; há o amor, a vida e a morte. E há o inconformismo diante de uma terra cada vez mais medíocre e passiva."

O primeiro disco de Lobão e os Ronaldos chama-se *Ronaldo foi pra guerra*, e saiu pela gravadora RCA Victor. Para Miguel de Almeida, "dentro do panorama infantil e inocente do atual rock de sucesso, Lobão e os Ronaldos surgem como o único bolsão de radicalismo e de classe".

A banda, no entanto, não tem nenhum integrante chamado Ronaldo. Guto, amigo de Lobão nos tempos de colégio, tinha uma banda nos Estados Unidos. Enviou para Lobão uma letra, esboçada, que contava a história de Ronaldo, "personagem de opinião, autodidata em tempos de negras aberturas e de sombrias repressões, que tinha visto seu País ser invadido". Ronaldo, então, foi pra guerra, ser piloto de avião, sem brevê e sem radar.

Um dia, os integrantes da banda estavam em um congestionamento no RJ, quando passaram a gritar "Saiam da frente, que aí vão os Ronaldos".

- Em entrevista do *Jornal do Brasil* no dia 29 de julho de 1984, Lobão afirmou: "Eu quero que o Maluf seja eleito para presidente da República. Assim explode logo uma guerra civil e apressa as transformações do país. Depois de uma guerra as pessoas ficam mais sábias e realizam modificações profundas. Com o Tancredo isso vai continuar a mesma porcaria, todo mundo conversando em busca de consenso, contemporizando. Se ele quiser mudar alguma coisa, vão dar uma *overdose* de cocaína pra ele, vai correr feito um pop star."

Lobão disse ainda que quando sentir o instinto paterno, vai adotar uma criança. "Mas quero criá-la de maneira anárquica, no bom sentido. Essa de pai guru é fascista. Ninguém é a verdade, a luz."

Capítulo 38

Com "Me chama" começando a tocar nas rádios de São Paulo, Leninha consegue fechar duas semanas no Radar TanTan, a casa do momento da cidade.

Aquele show seria decisivo para resgatar o interesse da gravadora. Se nós tivéssemos sucesso, os investimentos em promoção e divulgação voltariam a nos brindar.

A temporada não podia ter sido melhor. Fizemos oito shows, quatro em cada semana, e todos lotados. A gravadora retorna à cena, mas o disco não voltaria às lojas... acabamos por vender pífias 23 mil cópias, quando um sucesso do porte de "Me chama" orbitava na faixa de um milhão de cópias.

Foi aí que conheci uma figura ímpar: o Jonny B. Good.

Era o divulgador especializado em rock da gravadora. O Jonny acabou se tornando um grande amigo. Fizemos uma grande dupla nos anos em que ele esteve à frente da divulgação.

Ele tinha um Alfa Romeo caindo aos pedaços que ele chamava de "She's Only".

Logo após a temporada no Radar, fiquei sozinho em Sampa a título de fazer um *tour* de rádio com o Jonny.

Nada podia ser mais divertido do que perambular pela cidade de She's Only, parando de bar em bar e visitando um sem-número de emissoras.

Logo de início fomos visitar a Jovem Pan.

Rumamos em direção à emissora, pegamos o elevador e chegamos na rádio... Soubemos que o nosso horário de entrada no ar seria somente na próxima hora... então descemos e fomos fazer hora. Bem embaixo da Jovem Pan tinha uma padaria... e eu pedi uma cerveja... Como não se tratava de um botequim, não havia cerveja, mas o rapaz que nos atendia foi muito gentil e acabou quebrando o nosso galho: tinha uma garrafa de Cointreau cheinha!

Ok! Vamos de Cointreau. E o tempo passando e eu entornando Cointreau como se fosse água... De repente sinto a cabeça destampar... começou a me dar um enjoo dos infernos, quando o Jonny anuncia que está na hora de subir.

Estou troncho, bêbado e muito enjoado. Pegamos o elevador... me concentro ao máximo para não perder a pose. O elevador gasta uma eternidade até chegar na rádio. A porta se abre, o Tutinha, o dono da rádio, está na nossa frente. Eu estico a mão para cumprimentá-lo e... vomito por toda a entrada principal... Me levam pra dentro e o meu querido Emílio Surita era o DJ do horário.

Ele mesmo me contou, há pouco tempo, o vexame que eu dei... resumindo, vomitei a rádio toda.

Nisso, "Corações psicodélicos" foi escolhida para uma novela da Globo.

Estoura "Corações" nas rádios...

Rodamos todos os programas de auditório: Barros de Alencar, Raul Gil...

Saíamos nas noites e ficamos amigos de vários integrantes de inúmeras bandas. Me lembro que uma determinada noite nos convidaram pra assistir uma banda chamada Ultraje a Rigor... no porão de uma casa... O Scandurra ainda tocava guitarra na banda...

Logo quando entrávamos no recinto, saíram detonando uma canção que se transformaria no hino de toda uma geração: "Inútil".

Quem é esse cara cantando? Era o Roger com seu estilo característico. Nesse clima de camaradagem, todo mundo se encontrava na noite...

Tinha vezes que a gente saía, eu, Alice, o Jonny B. Good, Clemente dos Inocentes, Akira S., o Branco Melo e a sensacional mãe do Branco!

Depois de passar por todos os *points* da cidade, como Rose Bom Bom, Madame Satã, e outros tantos mais, a mãe do Branco sugeria tomarmos café da manhã no Eldorado do centro...

Com duas músicas estouradas nas rádios de todo o país, Os Ronaldos saem em turnê por todo o Brasil.

Fizemos 160 shows naquele ano.

Já de volta ao Rio, surge um garoto de seus vinte e poucos anos, a me procurar nos bastidores de um show no morro da Urca. Fazia cinema e estudou uns anos em Paris. Era o único e singular Chico de Paula, um visionário cujo sonho era fazer um filme reunindo toda aquela incipiente geração, incluindo atores, artistas plásticos, músicos, poetas. Estava com um roteiro na mão e me deu para que lesse.

Era uma trama surreal e cômica de um sequestro de um xcique árabe por uma turma de garotos terroristas a serviço de uma misteriosa organização. A história se passava numa cidade imaginária, fria. Havia uma tropa de elite, que perseguiria a tal turma.

Acabou por conseguir os melhores atores que despontavam na cena como Luiz Fernando Guimarães, Regina Casé, Cristina Aché, Diogo Villela, e muitos outros... Acabou me convencendo de atuar como um policial de elite, arrebanhou os Titãs, que atuaram também. A trilha sonora, eu faria junto com o Paulo Miklos.

Monique Evans estava escalada para atuar...

Enquanto isso, nos Ronaldos, inicia-se um período de turbulência. Alice estava prestes a sair da banda pra tentar a carreira solo. Achei aquela decisão precipitada...

Minha relação com Alice começa a se desgastar.

Enquanto isso, minha irmã fica viúva de seu namorado. Morreu num acidente de automóvel.

Isso significava sua volta a São Conrado. Não poderia ser em pior momento. Eu em crise com Alice, Maninha meio em choque pela perda do namorado...

Cairia na estrada no dia seguinte, para uma longa turnê. Alice não quis ir. Estava definitivamente fora dos Ronaldos.

Acabei deixando as duas lá em São Conrado e me mandei com a banda.

Ao chegar, percebo que não há mais clima para ficar morando lá, e como estava começando a ganhar dinheiro, optei por morar num hotel. Escolhi o Praia Ipanema, ali, no Jardim de Alá. Iria passar uns seis meses residindo no décimo sexto andar, de frente pro mar...

Já rolava desde o início do ano uma grande expectativa para um grande evento internacional que iria ser realizado em janeiro: o Rock in Rio.

Como "Me chama" estava no seu auge de execução, "Corações psicodélicos" também estourando nas rádios, fomos um dos primeiros grupos a ser procurados. Dois meses depois, surge um misterioso veto em relação ao meu nome. Estávamos fora da festa.

O Chico me telefona no hotel chamando para uma reunião em seu apê.

Ele morava num apartamento em Botafogo. Geralmente aquelas reuniões eram feitas na varanda.

Eis que chego todo revigorado e feliz em Botafogo. O Chico me recebe, me manda entrar e já dá pra ouvir o burburinho da rapaziada na varanda.

Havia um monte de gente, e entre o pessoal estava a Monique... Foi assim que a conheci...

Encafifado com a possibilidade de um romance, fui até o Baixo filosofar com meus comparsas. Encontro de cara o Cazuza.

A gente senta numa mesa no Real e ele me faz uma proposta: "Pô, Lobo, a gente se conhece há tanto tempo e nunca passou pela nossa cabeça fazer uma parceria, reparou?" "É verdade, vamos fazer alguma coisa juntos?" "Olha... eu tenho um poema e gostaria que você musicasse." "Posso dar uma olhada?"... Era "Mal nenhum".

Fui pro hotel, peguei minha guitarra desligada e comecei a tentar uns arpejos. No final da madrugada a música estava pronta.

Há certas coisas que acontecem dentro da gente que são indecifráveis.

No meio de toda aquela efervescência, me bateu uma saudade da minha tia Janine...

Decidi dar uma passada em sua casa, fazer uma visita e colocar o assunto em dia.

Foi assim que reencontrei com a Daniele. Ela estava com uns 17 anos...

Um outro personagem de outras eras, não tão remotas assim, também viria a se tornar um grande companheiro durante aquele período: o Neville. Enquanto meu concunhado acabou não tendo muito acesso à minha pessoa, talvez por me encontrar numa situação muito confusa e indefinida...

Ele também havia acabado de se separar...

Neville, empolgado com minha surreal trajetória, me contou que estava interessado em escrever um roteiro pra fazer um filme sobre a minha vida. É claro que fiquei muito orgulhoso de receber aquela proposta.

Viramos unha e carne. Pensei que o Neville estava fazendo uma espécie de laboratório com a minha pessoa e, nessa onda, começamos a sair juntos para todos os lugares.

Enquanto isso, os ensaios na casa do Chico estavam indicando que seria inevitável um romance com a Monique...

Começamos a namorar. Eu estava apaixonado e ela me parecia que também estava gostando de mim.

Apesar de nós vivermos em dois mundos completamente diferentes, conseguimos nos entender... por algum tempo...

Numa briguinha de ciúmes, ela vai, raspa a cabeça e sai do projeto do Chico. Mas nós continuamos namorando.

Apareceu uma pequena turnê por São Paulo e ela foi comigo.

Passei a dormir no apartamento dela, mas conservava a minha base no Praia.

As filmagens do Areia já haviam começado, e eu, arrependidíssimo de ter aceitado atuar. Estávamos no meio do verão carioca, as filmagens eram no Cais do Porto.

Era um período que estava consumindo muita cocaína, exceto ao lado da Monique, que tinha aversão. Mesmo assim, arranjava uma brecha pra pisar na jaca...

Invariavelmente chegávamos no *set*, o Neville e eu. Com isso, ele começou a participar de todo o processo e acabou até atuando...

Em todas as cenas que filmei, estava bicudo que nem o Pato Donald. E nesse estado tinha que dizer as minhas falas naquele calor insuportável. Além de participar como ator e autor da trilha junto com o Miklos, era o palpiteiro-mor do Chico.

Nisso, Os Ronaldos vão a São Paulo fazer um *Perdidos na Noite*. Estávamos fora do Rock in Rio e o Faustão faria um programa parodiando os excluídos do Rock in Rio, em meio ao festival, na hora das grandes apresentações, com um cenário bem chumbrega, e nós lá... tocando.

Soube que o Barão se apresentou naquele dia, na Cidade do Rock, e o Cazuza arriscou a pele introduzindo uma canção inédita. Todo mundo sabe que em festivais daquele porte, é quase suicídio tocar música que ninguém conhece. Pois bem, sabendo da minha ejetada do festival, fez questão de tocar "Mal nenhum".

Depois de um verão inteiro de filmagem, estava livre e curioso pra ver o resultado. O Carnaval chega e eu continuava morando no Praia.

Rolou um convite pra ir ao baile do Monte Líbano... Monique combinou de passar no hotel, toda coberta de lantejoula, a cabeça inteiramente raspada, não poderia estar mais linda nem mais emburrada com a minha pessoa... E, nesse clima, nos mandamos para o baile. Logo ao adentrar o salão, encontro uma chacrete muito amiga minha, que, em cima de uma mesa, me acenava animada...

Monique não gostou nada daquela chamadinha, se manda para o camarote de um então famoso apresentador de TV... saí atrás dela. Chego no camarote e o clima era tenso... A reboquei pra fora do camarote e pedi a ela que me levasse pro hotel...

Nós fomos em direção ao conversível, ela me leva até a entrada do hotel, acabamos discutindo... De repente, estava tudo acabado.

No dia seguinte tinha a Passarela do Samba... Estava no meu quarto cheirando umas fileiras quando o Neville me aparece na portaria a me chamar. Nós havíamos combinado com nossas respectivas ex-esposas ir juntos pra Sapucaí.

Só que tem um detalhe... No telefone, o Neville me manda: "Lobão, posso subir, é que eu estou com o Bob, um amigo meu que gostaria de te conhecer." "Legal, sobe aí..." Em alguns minutos toca a campainha com o Neville e o Bob... Robert De Niro...

Bob, que estava tentando engordar pra fazer um filme de época (*The Mission*), colocou uma pedra de pó debaixo da língua.

Ok, todo mundo aplicadinho e nos mandamos para a Nascimento Silva, no novo apartamento da Liane. Soube no elevador que ela estava namorando o baixista do Yes, o Chris Squire, e ele estava um pouco renitente em se mandar pra avenida.

Chegamos no apê da Liane. Estavam as duas irmãs na sala e o Chris... Bem, o Chris estava ouvindo Stravinsky e não estava no clima de folia. Enquanto isso, nós lá na sala, trincadíssimos, esperando a noiva do Chris Squire se decidir.

Liane convence o cara e ele, muito a contragosto, finalmente aparece na sala: "Caralho! O cara tem uns dois metros de altura."

Liane faz as apresentações e ele continua demonstrando pouquíssima empatia... estava visivelmente contrariado. Pois bem, vamos pra Sapucaí... Vamos pegar o elevador, que alívio! Vamos sair logo daquela saia justa. Mas o destino nos pregaria uma bela peça: o elevador enguiçou!!!!

Ficamos uns vinte minutos parados, enlatados feito sardinha... Ao sermos libertados pelo porteiro, finalmente seguimos para a avenida.

Bebia profissionalmente... foi então que percebi que estava com uma certa dor de cotovelo. E comecei a pensar na Monique, que por sinal desfilaria na última escola como madrinha da bateria da Mocidade Independente. A escola se sagraria campeã daquele ano. Quando vejo a Monique exuberante no meio da passarela, não resisti, saí correndo pelos corredores dos camarotes, trôpego a gritar, Moniquê, me perdoa, Moniquê... e saí em direção da concentração pra ver se pegava o bloco da rapinha que entrava na passarela assim que a última escola passasse. Não tive dúvida: passei pela cancela e saí adernando pela avenida a gritar, Moniquê!!

Ainda dava pra ver a Mocidade na Praça da Apoteose ainda em suas últimas evoluções. Não consegui alcançar mais a Monique...

LOBÃO NA MÍDIA

- Segundo o *Correio Braziliense* de 27 de setembro de 1984, "se você tem menos de trinta anos e sente indignação quando imagina o nosso céu cheio de mísseis e a vida carregada de estilhaços, você é um Ronaldo. E precisa urgentemente ir embora, antes que morra de tédio, com o país invadido e suas histórias antigas".

Para o jornal, Lobão é "praticamente o líder desse anti-heroísmo criado na convocação cada dia mais explosiva do rock brasileiro". Segundo o músico, "a guerra é uma coisa agressiva e o rock sempre foi muito agressivo também. A gente entra em conflito desde que nasce. A rebeldia tornou-se algo estereotipado e nós somos rebeldes de terno e gravata. Passamos uma imagem dúbia entre o gângster e o executivo. Isso é uma estratégia. Não dá para se vestir de doidão. O culturalismo de hoje é o hippie de ontem". O *Correio* explicou que Os Ronaldos foi a primeira banda brasileira a tocar rock numa danceteria em Nova York.

Capítulo 39

Já fazia alguns meses que adotara o Praia Ipanema como minha morada. Começava a sentir necessidade de mais espaço.

Estava mais do que na hora de arranjar algum lugar pra habitar.

Achei uma casa, no Jardim Botânico, ampla com várias salas, quatro quartos, um belo quintal nos fundos e uma piscina que fui dar conta da sua existência quando entregava o imóvel.

Não havia nenhum tipo de mobiliário ou eletrodoméstico.

Saí às compras para obter o básico: um equipamento de som, um liquidificador, colchão, roupa de cama, um abajur e uma televisão. Comprei uma mesa de pingue-pongue pra encher a sala.

Foi um período que me enfurnei em leituras *beat* como Kerouac, Burroughs, Ginsberg, Bukowski e adotara aquele estilo de vida e, pra engrossar o caldo, havia heroína no mercado.

Estava decidido a explorar o submundo...

Fora isso, Os Ronaldos deveriam se preparar para o segundo disco. Agora, sem Alice, a ordem do dia era fazer a maior quantidade de música possível...

Contudo, essa atmosfera gonzo propiciou aos Ronaldos começarem a se irritar com as minhas esbórnias. Quando se entra numa *vibe* de muita droga, as relações com os outros ficam completamente alteradas, ou seja: eu devia estar insuportável.

Foi nessa época que compus "Décadence avec élégance".

A letra foi fruto de uma sinopse de uma novela que recebi da Globo. A novela chamava-se *Ti-Ti-Ti*... A canção foi rejeitada depois de encomendada... Entretanto, mesmo rejeitada, "Décadence" sai em compacto simples, estoura e vira hit nacional. "Mal nenhum", seu lado B, entrou para a trilha sonora do *Areias escaldantes* e seu clipe finaliza o filme.

E foi a partir daquela sessão de gravação de "Décadence" que notei o clima da banda em estado de degenerescência.. O Guto não compareceu ao estúdio alegando ter uma pelada na Lagoa. Tive que tocar as guitarras sozinho.

"Mal nenhum" havia sido gravada anteriormente em virtude do filme.

Os acontecimentos políticos da época me passavam tão distantes como se estivesse em outro planeta. Mas como a coisa foi aumentando de tamanho, ficou impossível ignorar.

Na verdade, só me dei conta que estava acontecendo algo de importante no país, quando li no *Planeta Diário*, minha bíblia, minha bússola, a seguinte manchete: DONA RISOLETA PARTE PRA CARREIRA SOLO. Ih, o Tancredo Neves morreu!

No meio desse clima de efervescência política, comecei a compor feito um doido, sem me importar com o que estava acontecendo lá fora. Afinal, tinha certeza absoluta que arrumariam um jeito de continuar tudo exatamente como estava, só que com uma nova roupagem: o fardão do Sarney...

Estava muito compenetrado na minha rotina gonzo... Havia um rapaz muito educado, que vinha me trazer heroína todas as quartas-feiras.

Nesse clima de labuta intensa, convido o Bernardo pra gente fazer uma música de inauguração da casa nova.

O Bernardo compôs uma letra emocionante desenvolvendo a minha única frase sugerida: "A favela é a nova senzala."

Na semana seguinte, pintam o Tavinho Paes e o Arnaldo Brandão com uma novidade. A Globo ia fazer um musical infantil chamado *Pluct plact zum*, ou coisa parecida, e nos encomendou uma canção cujo tema era "O senhor da guerra". Diante de nossa jorrante criatividade, compusemos o teminha num final de tarde; e tinha um tremendo refrão: "Eu sou o senhor da guerra, eu sou! Eu sou o senhor da guerra", contudo, a música foi reprovada...

Evaporada a empreitada, deixei de lado a melodia e a levada. Quando já nem mais me lembrava mais da tal musiquinha, o Tavinho me surpreende e me mostra, já gravado pelo Hanói-Hanói, aquele mesmo tema do "Senhor da guerra", com uma letra inteiramente modificada. Nascia, da finada costela do "Senhor da guerra", "Rádio Blá".

Só a título de conclusão: "Senhor da guerra" foi gravada pelo Legião Urbana.

Como estava solteiro, minha vida pessoal era uma festa sem parar.

Festejei olimpicamente durante toda a feitura do que não seria o disco dos Ronaldos.

Não haveria mais disco dos Ronaldos comigo na banda.

Numa manhã daquelas, recebo um telefonema do Odeid. Sinto sua voz carregada, estava realmente pesaroso da sua incumbência. Ele me disse que a banda não podia mais suportar o meu comportamento desregrado, que, infelizmente, eu teria que sair, pois Os Ronaldos tinham um nome a zelar e uma carreira pra cuidar... E, ao final da dura explanação, me desejou muita sorte e, com um tom teatral, pronunciou suas últimas palavras: "Quit junk".

Quando desliguei o telefone, comecei a chorar feito uma criança. Sabia que, daquele momento em diante, estaria condenado a uma carreira solo.

Tristíssimo e carente, parti para o Baixo para filosofar com os colegas...

Encontro quem? Cazuza. E na mesmíssima situação!!! Fora dispensado do Barão Vermelho!!... Vamos combinar uma coisa: ser expulso de uma banda por mau comportamento é muito pior do que ser expulso de uma suruba por mau comportamento.

Não é que achássemos injustiça o que fizeram conosco, não, mas era a dor de não mais se pertencer a um grupo, misturada com um certo desamparo diante de um destino que acabara de alterar o seu curso...

"Rapá, sabe de uma coisa? Vamos fazer umas músicas?" "É... você tem toda a razão... inclusive eu fiquei tão triste que esqueci de te mostrar uma coisa." "O quê?" "O meu Escort cor-de-rosa! Vem ver, ele está estacionado do outro lado da rua." "Porra, Cazuza, só você mesmo!" "Não é a minha cara?"

Naquele momento passava minha irmã com um grupo de amigos. O Cazuza fazia a maior festa quando encontrava Maninha... tinha o maior xodó por ela: "Glorinha, meu amor, vothe está maravilhosa, vamos lá para casa do teu irmão fazer umas muthiquinhas?"

E lá fomos nós, umas nove ou dez pessoas, para a Visconde de Itaúna, tomar umas biritas e cheirar umas fileiras.

Nos dirigimos diretamente para uma espécie de jardim de inverno, no segundo andar, que era o lugar escolhido para compor.

Cazuza estava com uma poesia da Ledusha, poeta paulista, e queria trabalhar no texto.

Sugeri da gente fazer um rock meio AC/DC.

Escarafunchei alguns acordes na guitarra e em poucos minutos estava pronta "Baby Lonest".

Mas a noite nos reservaria um incidente surreal: estávamos nós naquela paz e harmonia, quando entram no recinto dois jovens deliquentes, com umas meias na cara, um três-oitão na mão, ordenando que todos ficassem de joelhos e com as cabeças voltadas para o chão.

Um dos meninos era bastante agressivo e fez questão de aplicar um desnecessário soco na minha cara: "Todo mundo pro banheiro. Cadê o outro, o *playboy*???!!! Só tô vendo essas duas guitarras aí." E mandou o comparsa ir embrulhando meus instrumentos. Não gostei do seu comportamento e, de joelhos, imbuído de minha santa onipotência epiléptica somada à onipotência inerente à cocaína, alertei a ele, com toda a educação, que iria levantar a cabeça vagarosamente. Ele estava com o revólver grudado na minha testa. Tentei convencê-lo de que as guitarras eram o meu instrumento de trabalho e o conduzi a imaginar se, por acaso, ele ficasse sem o seu precioso revólver, e mandei: "Escuta aqui, vamos fazer conta? Quantas pessoas você acha que tem aqui dentro? Dez, né? Quantos são vocês? Dois. Quantos revólveres? Um! Quantas balas? Meia dúzia. Vamos imaginar que você dê a sorte de acertar seis de nós. Já imaginou o que o resto vai fazer de vocês? E tem outra coisa, meu amigo, neguinho aqui tá muito louco, cheiradão, e vai ser ruim de arredar pé, hein?" E nesse momento surge a voz do Cazuza, que já estava ajoelhado dentro da *case* da guitarra, balançando as chaves do Escort cor-de-rosa. "Chega! Isso está ficando perigotho! Toma a chave do meu carro, vai." Nisso, minha irmã, de forma incauta, pula na frente do sujeito armado e começa a gritar: "Porra, o John

Lennon morreu assim!..." O cara levou o maior susto, eu paralisei a mão dele e fiz uma proposta: "Nós estamos trabalhando, ninguém aqui tá com a vida ganha, ninguém aqui é *playboy*. Vamos fazer um trato? Tu já tá com as chaves do carro, leva uma guitarra e deixa a outra, que eu te devolvo o revólver... falei?" Ele topou. Devia estar zonzo com tanta informação insólita, pegou a guitarra, já meio sem saber o que fazer, chamou o parceiro e saíram escafedidos.

Em seguida, depois de respirar fundo e aturar as lamentações do Cazuza, retomamos nosso trabalho e compusemos "Junkie bacana", mas o Cazuza, com o seu xodó por Maninha, teimou em colocar no título o nome da minha irmã, e o título acabou se tornando "Glória-junkie bacana".

LOBÃO NA MÍDIA

- Segundo o *Jornal do Brasil* de 30 de agosto de 1985, o fim dos Ronaldos durou nove dias: Guto (guitarra) saiu por não conseguir mais se entender com Lobão e a banda prosseguiu como trio, chegou até a participar do Chacrinha. Mas quando estavam no estúdio tentando fazer a base de "Canos silenciosos", Lobão se irritou com Baster (bateria), que se irritou com Lobão e foi embora. Três dias depois, Odeid (baixo) também deixou a banda.

Para Lobão, a separação ocorreu por "inadimplência mútua". A banda cobrava muito "o lance dele ser maluco". Ele afirmou que "acha até natural o fato de seus ex-companheiros se chocarem com seu modo de vida, tipo acordar às nove da noite e ir dormir ao meio-dia".

Segundo Guto, é impossível trabalhar com Lobão porque ele está sempre "cercado de um monte de sanguessugas que ficam lá enchendo saco num papo totalmente improdutivo, um bando de gente espalhada pelo chão jogando conversa fora até de manhã". Além disso, os três se queixam que Lobão era sempre o mais solicitado para as entrevistas.

- A *Bizz* de setembro de 1985 promoveu uma conversa entre Cazuza e Lobão, em que eles falam sobre rock, Madonna e máfia. "O rock é uma atitude... mas a caretice também é uma atitude; ou melhor, é uma síndrome", disse Lobão.

Para Cazuza, "Lobão não nega suas origens germânicas. Ele é um filósofo, Wolfgang Lobão". "Quando eu descobri o rock, descobri que podia desbundar. O rock foi uma maneira de eu me impor às pessoas sem ser o *gauche* — porque, de repente, virou moda ser louco", continuou Cazuza.

Ele disse ainda que "o rock não é uma lagoa, é um rio", e Lobão respondeu: "Pedras rolando para não criar limo. O rock é uma questão de velocidade de informação artística, é um fenômeno de final de milênio." Para Lobão, "rock seria a síntese". Cazuza concorda: "Porque não é para ser ouvido, é para ser dançado, é uma coisa tribal."

Lobão disse ainda que não é a favor "da precariedade, como eram a Tropicália e o Cinema Novo. Eu sou a favor da qualidade e sou a favor da internacionalização". Para ele, Madonna "utiliza a linguagem do rock 'n' roll em prol de outra dialética. Ela tem um elemento de estética rock e não de atitude rock".

Segundo o músico, "o primeiro grande negócio do mundo é a indústria de armas atômicas. O segundo é o *show business*. E drogas. E quem comanda essas três coisas? A máfia, no mundo inteiro".

- Sobre o fim da parceria com Os Ronaldos, Lobão afirmou à *Bizz* de outubro de 1985: "Hoje em dia fico em dúvida se fui eu que forcei a barra para eles se encherem de mim."

"Lobão e os Ronaldos era uma coisa mentirosa", disse Lobão. "Desde o começo deveria ter sido Os Ronaldos. Por essa e por outras acho que eles tiveram razão em sair, porque eu não estava calculando o nível de insatisfação deles. Eu não tinha a menor ideia do que estava acontecendo, tão grande era a incomunicabilidade. Fico triste com isso."

Capítulo 40

E a festa era diária, e contínua... também pudera... depois de uma vida inteira enfurnado num quarto e, logo em seguida, mais quatro anos casado, que, em virtude de várias circunstâncias, permaneceria encerrado dentro de uma casa na estrada do Joá... Mais quatro anos com Alice... e somente naquele momento desfrutava, pela primeira vez, a solteirice e uma liberdade que jamais experimentara antes. Já devia estar há uns seis meses nessa esbórnia, quando começo a ficar saciado daquela libertinagem toda. Afinal de contas, sou um cara que sempre teve como meta achar alguém que assumisse uma cumplicidade total comigo... Sempre sonhava viver a vida como os pares que me fascinavam: meu avô e minha avó, Bonnie and Clyde, Maria Bonita e Lampião, John e Yoko, Dalí e Gala...

Houve um episódio em que a fotógrafa Marisa Álvares de Lima me convidara para participar de uma sessão de fotografias cujo tema seria algo como religião e tabu.

Ela já havia convidado várias pessoas para participar do projeto e teve a ideia de me chamar para que me fotografasse vestido de padre com uma mulher "tentadora" a meu lado. Topei na hora! Achei a ideia o máximo.

Nossas primeiras sessões foram realizadas com uma mulher lindíssima, que chegou a posar comigo, mas acabou rolando um problema qualquer, inviabilizando sua participação.

Sem uma parceira para continuar o nosso trabalho, sugeri a Marisa o nome da Daniele. Disse que se tratava de uma menina bonita de 17 anos, minha prima (sempre apresentava a Daniele como minha prima).

Marisa adorou a ideia... só faltava dar uma conferida no visual dela.

E, sendo assim, em apenas uma tarde realizamos todo o trabalho: eu de batina e a Daniele nua...

Gostei tanto do resultado que logo imaginei uma capa de disco... que acabaria por se transformar na capa do *Rock errou*. As fotos estavam realmente impactantes.

Aquelas sessões nos aproximaram de outra forma. Ficamos a tarde inteira grudados a posar para uma infinita batelada de *takes*.

No fim de semana seguinte, papeando inocentemente no Real Astória, chope, piadas, uns olhares, pinta um clima e de repente a gente estava junto.

Começamos meio que namorar de uma forma um pouco extraoficial. Às vezes ela ia dormir lá em casa, mas continuava me sentindo e atuando como um solteiro.

Mas as coisas foram se definindo e foram caminhando justamente para essa união, e, como se nem houvéssemos percebido, a Daniele já estava morando comigo.

O episódio da minha expulsão da banda me desestruturara bastante.

A primeira coisa que naturalmente comecei a fazer foi tentar refugiar-me no aconchego de uma escrita... Comecei a entabular um romance... estava diante de uma carreira solitária...

Comecei a formular um conceito para o disco *O rock errou*.

Pensei também em iniciar um repertório com canções mais suingadas, com harmonias mais "brasileiras", só pra sair daquele circuito insuportável... afinal, tinha uma certa bagagem de cultura de bossa nova, aprendi alguma coisa de folclore na escolinha do Guerra-Peixe, tinha minhas incursões baterísticas no samba...

Ao ressuscitar "A voz da razão", composta nos idos de 1977, tinha um belo trunfo...

Uma vez estando com esse conceito fechado, percebemos que já tínhamos praticamente o disco inteiro. Ainda estava longe de ser um disco de MPB acadêmica (nem eu desejaria isso pra mim).

Nisso, o Bernardo, já sabendo da minha paixão pela Elza, sugere que a contatássemos. E se, de repente, ela topa? Será uma enorme realização na minha vida.

Já estávamos no final do ano de 1985 e tínhamos que correr para finalizar o repertório, procurar os músicos certos e partir para o estúdio.

Já no finalzinho de janeiro de 1986, recebo a visita não muito desejada de policiais. Receberam uma denúncia anônima. Estavam com um mandado de busca e apreensão. Vasculharam a casa e encontraram uma quantidade ínfima de maconha. O julgamento aconteceria no decorrer de alguns meses. (Serei absolvido a pedido da própria procuradoria, resgatando a minha condição de primariedade.)

Pago a fiança, sou liberado e entro em estúdio imediatamente.

A Leninha seria a produtora do disco. E, baseada naqueles conceitos mais brasileiroides que estávamos a fim de desenvolver, arregimentou uma cozinha com músicos de primeiríssima linha. Na bateria, Jurim Moreira, que foi por muitos anos músico da Maria Bethânia, o João Baptista, baixista de longa data do Milton Nascimento, e na guitarra o grande virtuose argentino, um carioca honorário, o Torcuato Mariano, que acabou se tornando um coprodutor participando intensamente dos arranjos.

O disco foi produzido em um pouco mais de um mês.

Estava chegando o grande momento: a Elza topou participar!

Me lembro que era uma sexta-feira, chega Elzinha. Nos tornamos irmãos no mesmo instante.

Mas houve um imprevisto. A máquina de gravação deu pau. Por isso ficamos a tarde inteira esperando e batendo longos papos. Me contou que o Garrinchinha, seu guri, estava demais, já treinava no Botafogo e todos já percebiam que o menino era um craque... um Manezinho em plena formação.

Ao final da tarde, o técnico nos informou que a máquina não ficaria pronta a tempo e marcamos outra sessão para segunda-feira.

Pois bem... passa o sábado, vem o domingo e, à noitinha, assistindo o *Fantástico*, recebo pela proa a trágica notícia: o Garrinchinha morreu num acidente de carro...

Chega na segunda-feira e, com o coração partido, telefono pra Elzinha. Ela tinha acabado de chegar do enterro do filho. Disse a ela para não se preocupar, dar uma descansada, que não se importasse com o compromisso de gravar disco algum (eu já pensava em não tê-la mais, por motivos óbvios).

Para meu espanto e admiração a Elza me diz o seguinte: "Lobão, faço questão de ir agora mesmo para o estúdio, me espera lá que eu estou chegando..."

Fiquei num misto de alegria e expectativa... Como aquela mulher, que devia estar destroçada, iria conseguir cantar em semelhante circunstância.

Eu e Bernardo nos dirigimos ao estúdio, e, por coincidência, o Neville veio nos visitar com sua nova namorada... Ele queria fazer uns *takes* da gravação. A sua garota estava com uma câmera.

Angustiados, esperávamos a Elza chegar... eu queria abraçá-la, tentar confortá-la de qualquer jeito.

No meio da tarde, chega a Elza, me abraça forte por longo tempo, me olha e me pede uma coisa inesperada: "Lobão, você me faz um favor? Sei que fui convidada pra gravar 'A voz da razão', mas você me deixa primeiro cantar em cima daquela música que diz 'A favela é a nova senzala'? Preciso cantar em cima dessa música, só pra aliviar um pouco a dor que estou sentindo..."

O técnico colocou "Revanche" no ponto e a namorada do Neville começou a filmar. Elza se dirige para a casinha de gravação, espera a música rodar e põe-se a fazer vocalizações impressionantes, nunca vira nada igual àquilo... aquela força imensa daquela mulher sangrando a costurar a melodia com fraseados impossíveis de tanta dor transformada em beleza. Foi uma das coisas mais lindas e mais tristes que já presenciei. Todos no estúdio estavam chorando... e... como por encanto, ao terminar aquela catarse, ela suspira fundo e manda: "Obrigada, Lobão, era tudo o que precisava agora." E como num passe de mágica, subitamente muda o clima, seca as lágrimas e, já com aquele jeito maroto dela, me pede pra botar a música que ela foi convidada para gravar. "Agora, Lobão, vem pra cá, traz a letra do samba aí que eu quero cantar junto de você."

Ninguém acreditava no que estava acontecendo. Em segundos, a Elza se reeditou, se recompôs, e como uma fênix saída das cinzas, já era aquela garotinha sapeca que ela nunca deixou de ser. Emendou num aquecimento com seu característico gorgolejar. Estávamos diante de um Louis Armstrong de saias!

A namorada do Neville filmou tudo aquilo e a máquina do estúdio estava com o registro de áudio. Agora, 24 anos depois, quando estou me preparando para lançar a minha caixa com os originais, pedi à gravadora a fita em que a Elza realizara aquele improviso inesquecível, mas me disseram que a fita se perdeu.... Vim a saber que o Herbert telefonara para a Elza Soares a convidando para participar do próximo disco dos Paralamas.

Por coincidência, havia um evento lá no Circo Voador, onde eu iria tocar com outros artistas. Quando acabo minha apresentação, topo com a Elza, justamente a adentrar o palco, e meio que se assustou com a minha reação apoplética: "Elza, você vai me escutar: eu te PROÍBO terminantemente de participar desse disco, entendeu?"

"Revanche" estoura e se torna um hit nacional, assim se sucede também com "Canos silenciosos", "Noite e dia" e "O rock errou".

- No dia 18 de outubro de 1985, a *Folha da Tarde* entrevistou a mulher de Lobão, Daniele Daumerie, na matéria "A sra. Lobão põe as manguinhas de fora". No texto, ela conta que a lua de mel do casal foi passada dentro de casa, a portas fechadas, e que agora o músico está vivendo um tempo de "badalação", preocupado com o lançamento do filme *Areias escaldantes*, de Francisco de Paula, onde participa como intérprete e na trilha sonora. Daniele, de 17 anos, explicou que o tempo passado em casa serviu para a reciclagem profissional do marido.

- À *Tribuna da Imprensa* de 8 de novembro de 1985, Lobão afirmou: "Eu sou um maluco que resolve. Qual é o problema do cara ser perneta se ele tem um bom drible? Maluco é o cara que tá malresolvido e não consegue dar cabo de seus intentos. Eu vou me cuidando como posso. Uma vez, quando estava no CTI, me espantei pensando que até no céu tinha soro. Percebi que ainda estava na terra e, já que estou aqui, vamos em frente."

Ele disse também que nunca teve problema com a censura, mas "se vetarem um trabalho meu, boto a boca no trombone e denuncio a ignorância".

- Em 29 de novembro de 1985, o *Jornal do Brasil* publicou uma reportagem afirmando que Lobão garante que sua mãe se suicidou: "Ela tinha que tomar umas pílulas e não tomou. Sempre me disse que não queria chegar aos cinquenta anos e eu dei a maior força para ela morrer mesmo. Ela pediu que eu cantasse um samba-enredo no seu enterro e colocasse a bandeira do Botafogo, mas eu esqueci. Ela era louca, completamente louca, doida varrida, maníaco-depressiva. Ela tinha uma fixação em mim e eu nela."

O músico se casou quatro vezes. A primeira com Carla, "uma menina quieta, muito novinha", a segunda com Liane, ex de Patrick Moraz, depois com Alice Pink Pank e Daniele.

Sobre sua tentativa de suicídio (quando ingeriu Rivotril com álcool, em 1980), Lobão declarou: "Eu estava de saco cheio, com uma depressão que não sabia de onde vinha. Quando acordei no CTI tive um ataque, fiquei paralisado de medo. Pensei que estava no purgatório e comecei a gritar: 'Não é possível, aqui também tem enfermeira?'."

Atualmente pesando oitenta quilos, Lobão contou que, por se drogar menos, está comendo mais, podendo chegar a seis pratos acrescidos de dois litros de suco de melão no almoço. Além disso, ele aprecia *Bloody Mary* e batida de cupuaçu e detesta usar cuecas. Em seu lugar, adotou calcinhas com cheiro de morango (apesar de achar "difícil" transar com homem).

- Em crítica da Renata Lo Prete, publicada em 14 de março de 1986 na *Folha de S.Paulo*, a jornalista diz que Lobão acha que a frase "o rock errou" pode ser lida de várias maneiras, "até mesmo como um álibi que pode ser usado pelos roqueiros desgastados pela repetição da fórmula".

"Não me culpem porque quem errou foi o rock, eu vou é tocar samba", diz Lobão. Na reportagem, o músico afirmou que não ouve rock em casa. "De barulho já basta o que eu faço." Sua maior fonte de inspiração, diz, é a música clássica, e antes de dormir ouve canto gregoriano.

Seus autores favoritos são Bach, Albinoni, Wagner e Debussy, além dos violinistas espanhóis Rodrigo e Romero. "As preferências literárias também não estão no século XX. Atualmente Lobão diz estar interessado em livros sobre alquimia e a vida dos santos na Idade Média. Suas preocupações místicas estão presentes na capa do disco, onde aparece vestido de padre ao lado da mulher, Daniele, nua e com um véu na cabeça", conta a matéria.

- O *Jornal do Brasil* fala, no dia 23 de março de 1986, sobre o lançamento de *O rock errou*, terceiro da carreira de Lobão e o primeiro depois de sua separação dos Ronaldos. O álbum foi concebido e gravado em um mês e meio.

"Eu não tenho compromisso com nenhum tipo de estilo a não ser o meu, e, por isso, queria diversificar mais, queria mais participação da banda com a qual eu tocava. Nada disso acontecia com os Ronaldos, pois o Guto queria aquela dureza do rock, nada de música negra, e a banda participava menos", explicou.

O jornalista Robson de Freitas diz que "se de um lado, o som de Lobão ficou mais variado, em função das diferentes origens de sua nova banda, Os Mutuários, o crítico mordaz e irônico de tudo que se estabilizou continua presente, a começar pelo título, uma brincadeira".

Em entrevista ao jornal, Lobão explica que o nome do disco, que ia ser *Bobagens no submundo do purgatório* — nome de um conto do músico sobre uma pessoa que cria um movimento *underground* no purgatório, derruba Deus mas depois morre de tédio —, "é quase um álibi e também um jogo de palavras".

"Um dia, quando eu estava assistindo ao *Roque Santeiro*, eu ouvi alguma coisa sobre o Roque ter errado e aí me deu o estalo. A música veio depois e reflete o que eu penso de tudo que está acontecendo por aí, e eu mesmo no meio de tudo."

- Texto publicado pela *Folha de S.Paulo* no dia 25 de março de 1986, intitulado "Lobão, contra a mediocridade imitativa", faz uma crítica do disco *O rock errou*, o terceiro do músico. Nas canções, ele reclama da mediocridade imitativa, que faz brasileiros reproduzirem bandas inglesas e europeias. "As pessoas estão reclamando que há subemprego em Manchester", ironiza Lobão.

"Não aguento mais essa conversa do cara que está aqui de papo pro ar, no ar-condicionado, compra um disco importado, descobre que não sei quem está usando um topete assim e resolve imitar (...) fica todo mundo cantando durinho. Eu também já cantei durinho, mas já encheu e me envergonho de fazer parte deste contexto." No disco, Elza Soares participa do samba-funk "A voz da razão".

- No dia 1º de abril de 1986, o *Jornal da Tarde* publicou uma crítica de Antônio Mafra intitulada "Lobão: meio cruel, muito inspirado". No texto, sobre o lançamento do álbum *Revanche* [*sic*], o jornalista afirma que "há vida inteligente no planeta rock: Lobão".

Para o autor do texto, a prisão de Lobão, em vez de prejudicar sua produção, "tornou-o mais criativo, mais inspirado, contundente, ácido, meio cruel e, quando preciso, romântico". Ele "cuida muito bem do aspecto técnico-musical do álbum. Rodeia-se de bons músicos que, quando solicitados para solos, mostram brilho e agressividade, cada um em seu devido lugar", diz o texto.

A faixa-título, "Revanche", "tem um clima meio pinkfloydiano que nos embala numa canção terna, agradável (...) quem gosta do punk e do samba também vai se deliciar. É esta mistura que se encontra em 'Voz da razão' (...) 'O rock errou' é outra pérola deste disco. É um rock bate-pronto que contém um manifesto irado contra aqueles que veem nesse tipo de música os grandes males dos tempos atuais", afirma o jornalista.

- Em 4 de maio de 1986, texto de Maria Esther Martinho publicado no *Jornal da Tarde* diz que, em fevereiro, Lobão encontrou a polícia em sua casa, quando voltava de uma festa portando heroína, e será julgado por tráfico de entorpecentes. Apesar de nunca ter negado ser usuário de drogas, o músico disse que o papelote era presente de "um grande amigo": o autor da denúncia.

"Vou para lá sem culpa no cartório. E vou dizer ao juiz que não sou traficante nem dependente, apenas faço experiências com a felicidade química", afirmou Lobão à repórter. Ele explicou, também, o nome de seu novo disco, *O rock errou*. "Quando me perguntam por que fiz um disco tão cheio de variações, quando deveria ter feito um disco de rock, respondo: o rock errou. É um álibi."

- A *Folha da Tarde* publicou, no dia 14 de maio de 1986, uma entrevista em que Lobão contou fatos como sua vocação latente para a música. O músico contou que "desde que acordou para a vida", aos três anos de idade, quis trabalhar com música, "excetuando-se, claro, uma fase em que queria criar galinhas".

Lobão contou que, ultimamente, tem ouvido muita música clássica, desde cantos gregorianos ao barroco renascentista. "Eu faço muito barulho, não há espaço mais para decibéis em minha cabeça."

A matéria diz que Lobão começou a aparecer com o LP *Cena de cinema*, de 1982, e que a cantora Marina — que já gravou várias de suas músicas — o incentivou a seguir carreira.

- *O Estado de S. Paulo* de 15 de maio de 1986: Lobão conta que durante a gravação do disco *Revanche* [*sic*], convidou Elza Soares para uma faixa. "Ficou ótima. Mas havia outra música, 'Revanche', que, num primeiro olhar, Elza decidiu que seria dela. Entrou no estúdio como uma louca, estava numa fossa incrível, seu filho acabara de morrer. Cantou, gritou, chorou num *swing* sensacional, botou toda a Elza para fora. Um arraso. No final, encurralado, reagi. Esta faixa não entra no disco. Você foi demais, roubou tudo, faixa, lado, enfim, o disco inteiro. Não pode, é sacanagem."

- Em 18 de junho, a revista *Amiga* explicou que *O rock errou* foi estruturado nos quatro meses que Lobão permaneceu "enclausurado" em seu apartamento. "Fui taxado de maluco, mas eu precisava reavaliar meu trabalho. Na época, as pessoas me cobravam outra balada como 'Me chama' e eu não queria fazer."

Sobre a absolvição do processo por porte de cocaína, Lobão afirmou: "Estou muito feliz porque o próprio promotor pediu minha absolvição. Me trataram tão delicadamente que cheguei até a duvidar. Mas valeu, foi lindo."

- A *Bizz* de julho de 1986 afirmou que Lobão "é Libra, com ascendente em Sagitário, com a Lua em Touro. No horóscopo chinês é Galo — 'cara de cocorocó bravo', como ele disse". Depois de sair do Vímana, passou a ensaiar, durante nove meses, com Patrick Moraz, ex-tecladista do grupo Yes, e acabou se casando com a ex-mulher de Moraz, Liane, 12 anos mais velha que ele.

Ele disse que quando falou mal de Chico e Caetano, quis criar polêmica. "Nunca fui inimigo de Caetano e só falo mal de quem gosto (...) Certas pessoas chegaram para mim: 'Como você faz isso? Falar mal de baluartes?' Você acha que o homem das cavernas achou o fogo como? O atrito gera fogo. Basta lidar com o atrito para que ele seja criativo."

Sobre religião, o músico declarou: "Eu sou um cara místico, no fim das contas. A religião é ritualística, e o misticismo, abstrato. Ultimamente tenho orado muito por Deus, acho que ele não é onisciente. Acho uma irresponsabilidade, uma covardia colocá-lo numa posição de onipotência. Se Ele fosse onipotente e onisciente, não brincaria de erro com a humanidade (...) Então, acho que Deus merece ser levado por nós. Em vez de pedirmos benefícios para nós, seria melhor pedir benefícios para Ele próprio, que se resolva logo e pare de brincar de autorama com a gente, por exemplo."

Questionado sobre o fim dos Ronaldos, ele explicou que uma das causas foi o fato de Guto, um dos integrantes, ter família. "A outra é que eu tenho uma personalidade difícil (...) Eram três compositores. Saiu Alice, ficamos eu e o Guto. Quando estávamos elaborando o segundo LP, tinha um problema com a mulher dele, que saco! Onde ele vai ela vai atrás (...) Eu estava num pique de tomar muita heroína e eles ficavam com medo: 'Quit junk, sai dessa.' 'Eu sei, eu sei... sou autossuficiente', falava. Aí fui ficando cada vez pior. Fiquei morrendo de raiva deles e eles de mim. Falei mal deles, eles de mim. Hoje sinto a maior saudade."

Segundo o músico, seu apelido vem do colégio. "É porque eu como muito. E detesto aquelas coisas de 'me dá um teco', 'me dá um pedaço', quando estou comendo alguma coisa. Não é por sovinice, não, é porque é a minha dose. Então eu comprava a minha dose, todo mundo pensava que eu comia à pampa, punha aqui um queijo quente, um cachorro-quente, um *milk-shake*, um *banana split* e dois sucos, só pra mim (...) Aí começaram a ver aquela coisa toda, eu comendo alucinado, e como eu sempre usava macacão, o pessoal falava assim: 'o lobo mau, lobo mau.' E aí veio Lobão."

Na mesma matéria, a *Bizz* entrevistou os ex-integrantes dos Ronaldos sobre o fim da banda. Baster, o baterista, afirmou que tudo foi "fruto de um desgaste. Muitas viagens juntos, aquela coisa de banda, quarto de hotel. Ele é muito cabeça-dura. Não o critico por isso. Só não queria ser vítima de coisas que ele fazia. Nossa amizade gelou na época, mas tudo passou e agora somos amigos de novo. Gosto muito dele, frequento sua casa. Foi só isso".

Já Alice explicou que "não foi bem uma briga de egos. Além do mais, eu tinha uma relação emocional com ele e alguém tinha que sair da banda para não ferir o outro. Saí eu".

- Lobão afirmou ao *Globo* de 16 de julho de 1986 que sente "falta de atrito, as pessoas estão com medo do atrito e, afinal, ele é que gera o fogo, a criação. Se eu falo sozinho, fico só esperneando e não leva a nada. Agora, se você quer saber, com relação ao episódio Paralamas, por exemplo, posso dizer que o Herbert sofre de síndrome do bem-intencionado, e isso pra mim é um saco. Eu já cansei de chamar o Herbert para um debate assim *tête-à-tête* e ele não topa. Para mim, o Paralamas é o Edu Lobo da nova geração. E aquela música, 'Alagados', é de uma culpa enorme. Nossa, que culpa! Que porre!".

O músico disse ainda: "eu sou feio, e tímido. É verdade, sou tímido demais. O Paulo Ricardo, não, eu acho bonito. E acho que ele está certo: um artista tem que aproveitar o palco."

- Em entrevista ao jornal *O Globo* no dia 16 de julho de 1986, Lobão declarou que "o rock errou foi apenas um álibi. Eu nunca quis dizer exatamente isso. Adoro rock. Não sei por que tanta gente ficou em cima de uma frase, interpretando, achando que eu estava numa de pesquisar samba, MPB ou fosse lá o que fosse".

Lobão afirmou que "Revanche" não é uma música *dark*. E "Me chama" pode ser considerada uma música de uma fase muito carente. "Foi quando minha mãe morreu, eu enfrentei uma barra pesadíssima e viajei para a Europa com a Alice Pink Pank, para a gente se casar. Ela é holandesa, eu sou filho de holandês, tinha tudo a ver um casamento em Amsterdã. Só que logo depois de toda a festa, o pai dela sofreu um derrame fulminante e morreu, eu voltei para o Brasil e Alice ficou. Estava um frio danado no Rio, chovendo sem parar, e eu sozinho naquele apartamento só podia pedir mesmo para ela me chamar no telefone."

- À *Tribuna da Imprensa* de 21 de julho de 1986, Lobão afirmou que no disco é o "seu patrão. Eu gravo, escuto, gosto ou desgosto, faço como quero. Mas, no show, o público é que é o patrão e eu obedeço a ele".

Lobão afirmou ainda que procura a paz para ele mesmo. "Com isso eu acho que faço muito pela humanidade. Cada um deve viver em paz consigo mesmo e respeitar a paz do outro. Sem uma administração central, sem procurar massificar o individual. O que cada um fizer por si, vai fazer por todos."

- No dia 24 de julho de 1986, no *Caderno B*, Jamari França afirmou que "Lobão andava fazendo falta na Música Popular Brasileira por ser portador de uma das mais saudáveis facetas do rock 'n' roll: atitude. Sua volta à cena nesse momento de extrema projeção RPMica [*sic*] funciona como um fator de equilíbrio para evitar que a balança se incline totalmente para a faceta mais *pop* do rock brasileiro".

Para França, os shows da turnê do disco *O rock errou* são "um dos momentos de mais forte expressão rock nos palcos cariocas". "A explicação está em outra faceta de Lobão, uma figura polêmica fortemente contracultural, de quem não se pode dizer que emanam propostas engraçadinhas no mau sentido", disse o jornalista.

- Segundo a *Folha da Tarde* de 29 de agosto de 1986, Lobão afirmou que sua intenção, com o disco *O rock errou*, não é estourar nas vendagens. "Aí começa a pressão, o compromisso. Prefiro ser o artista que causa status intelectual na gravadora." Diferente física e interiormente, o roqueiro disse que assumiu essa mudança de postura há mais ou menos um ano. "É uma tendência natural, uma maior capacidade de entender as coisas, o que não significa uma rejeição a um método de vida. É questão de autopreservação, temperança, não se atribuir o dom da verdade."

O músico diz que resolveu seguir o conselho de um médico, que diagnosticou seu caso como "onipotência epiléptica", e o avisou: "Você corre o risco de achar que pode, a qualquer momento, parar um ônibus com seu próprio pé." Acostumado desde cedo a sofrer com problemas de saúde, Lobão foi obrigado a ficar recluso por um tempo. Então, lia de Reich a livros de umbanda, e voltou-se para o estudo do violão clássico. "Eu sempre gostei de ouvir tudo, desde o folclore nordestino, cantos profanos de Bach, sinfonias de Debussy, Ravel, rocks vulgares, música renascentista. Nesse período estava muito ligado aos animais e, aliás, cheguei a compor duas sonatas dedicadas a eles: 'As vaquianas' e 'Três pintos e um peru'".

Com quase 17 anos, Lobão resolveu abandonar o segundo grau. Segundo ele, a gota d'água foi durante uma aula de Organização Social e Política. "O professor teve o desplante de dizer que em nosso país não existe racismo. Pedi, então, a ele para apontar um só negro que estivesse no colégio como aluno e não como faxineiro."

Ele contou também que foi nessa época que surgiu seu apelido: "eu era alto, esquelético, vivia vestido em um macacão de uma alça só e comia muito. Ficou Lobão." À *Folha da Tarde*, ele declarou também que interpreta sua carreira "como uma banalidade que eu respeito. Quando ficar de saco cheio, entro noutra".

- A revista *Contigo* de 22 de setembro de 1986 publicou uma reportagem intitulada "O drama que se esconde por trás do excêntrico Lobão". Segundo a publicação, "ele tem fama de pirado, excêntrico, debochado", mas em sua vida há "um pesado drama que, a muito custo, ele conseguiu superar".

Contigo cita, primeiro, o fato de Lobão ter ficado desenganado por dez anos. Aos dois anos de idade, "filho de um proprietário de uma oficina mecânica com uma professora de línguas", ele foi diagnosticado com nefrose. Até os 12 anos, ele consumiu "maciças" doses de cortisona.

"Nesse período da minha vida, mamãe sofreu demais. Eu poderia morrer a qualquer momento e ela vivia sob tensão e era superprotetora. Nosso relacionamento sempre foi estranho. Pintou uma relação perigosa, de amor e ódio. Ela ficava desesperada com a possibilidade iminente do filho morrer e acabava bebendo demais."

Para o músico, sua mãe chegou às raias da loucura com sua doença. "Às vezes, quando minha mãe bebia muito, ela me olhava, me acariciava e eu sentia que queria levar seu amor por mim a caminhos perigosos. Era ilógico, doido, mas acho que ela pretendia fazer amor comigo. Mas eu soube conviver com essa aberração."

- Em outra crítica (sem data), Jamari França diz que com *O rock errou* Lobão "parece finalmente recuperado de sua fase de transição pós-Ronaldos". Segundo ele, o músico mudou seu estilo de vida, deixando de acordar às 20h, tomar o "café da manhã" e virar a noite. Agora, Lobão deita às 23h30, acorda às 6h, lê a *Suma teológica* de são Tomás de Aquino, assiste ao *Xou da Xuxa* e vai malhar.

O músico instalou aparelhos de ginástica em seu estúdio, que não tem nada nas paredes, "só um pôster de alguém estendendo uma xícara para um macaco impassível". "Tenho andado mais disciplinado, mais amadurecido, mais velho, numa boa, mais tranquilo, tenho pensado em comprar uma terra em Friburgo, estou a fim de ar puro, vou entrar numa de superbucólico", disse Lobão.

"A anarquia poderia ser assim. Eu mereço viver bem e isso contém o bem-estar de todos: não quero ver tanta droga na televisão, não quero ficar coexistindo com a miséria (...) São coisas da vida e a vida é de Deus. Deus é tudo, é tristeza também, é fraco também, eu rezo por Deus porque se ele estiver esclarecido numa boa não vai precisar questionar mais a dúvida dele através da miséria humana. A gente não abre e estuda *hamster* em laboratório e acha normal? Acho que Deus faz laboratório com a gente e eu rezo para que ele entenda logo", afirmou Lobão.

- Em outra matéria sem data, Milton Abirached afirmou que o show de Lobão do disco *O rock errou*, realizado no Canecão, "foi bem-comportado, sem surpresas, burocrático até. Mas, por incrível que pareça, aí é que está a mudança: Lobão está 'arrebentando' com a indigência profissional quase sempre confundida com espontaneidade nos nossos palcos de rock".

"Não quero ser campeão mundial de suicídios nem ser *Homo sapiens*. Isto está *out*, é cafonérrimo", disse Lobão. "Eu sou de lua, e é pra ela que o lobo uiva", completou.

Capítulo 41

Era meu aniversário de 29 anos, e mais festa, festa, festa, e lá pelas cinco horas da manhã, toca o telefone. Gelei. Quem será? "Alô? Quem está falando?", perguntei eu rangendo os dentes e do outro lado me responde uma voz suave, aveludada, de extrema delicadeza... "Lobão, você não me conhece... aqui é o João." "Mas que João?" "Gilberto, João Gilberto."

"Mas que surpresa agradável, João! É um grande prazer falar com você", falei tentando debrear a travação...

Ele falou que tinha gostado muito da música "Me chama", me descreveu detalhadamente o que achava daquela letra e quase sussurrando: "Lobão, eu percebi que essa canção tem uma história muito profunda, sinto que ela foi feita através de muita história vivida." Era pura verdade... "Eu queria te dizer que gostaria muito de gravar essa música." "Mas será uma grande honra ter um cara como você gravando uma música minha."

"Que bom. Então, quando ela tiver pronta, eu te mostro." "Estarei aqui na escuta ansioso para ouvir o resultado."

Algumas semanas depois, estamos a festejar por um outro motivo qualquer e, por pura coincidência, me encontrava no mesmo estado que da noite do primeiro telefonema. E, mais ou menos no mesmo horário, umas cinco da manhã... "Alô? Quem esta falando?" "Oi, Lobão, aqui é o João novamente. Você poderia dar um pulinho aqui?"

Estava em petição de miséria, absolutamente incapaz de me mover da cadeira em que me encontrava: "Pô, João, acho que não vai dar... estou com uns probleminhas por aqui." "Ah, que pena, queria tanto te mostrar as versões dos arranjos do Valtel Blanco", um grande maestro e arranjador predileto de João. "Tenho oito versões da canção e existem algumas variações na mixagem das cordas... uma tem mais violinos, outras, os cellos aparecem mais e eu gostaria de que você escolhesse uma dessas oito... então, já que você não vem aqui, vou colocar pra você ouvir pelo telefone." "Mas, João, não seria melhor a gente ouvir isso com mais tranquilidade? Pelo telefone vai ser meio difícil de distinguir todas essas nuances." "Tudo bem, mas dá uma ouvidinha?" O João é uma das pessoas mais delicadas e sensíveis com quem já conversei pelo telefone e não pude negar o seu pedido. Ouvi as oito versões com o coração saindo pela boca, suando frio, num estado impossível de se ter algum critério. Meia hora depois, termina aquela insólita audição e ele me pergunta: "Agora, qual das versões você mais gostou?" "Puxa, João... está lindo! Todas são lindas, mas notei uma coisinha: o refrão 'Nem sempre se vê mágica no absurdo' eu não ouvi. É isso mesmo?" "Ah, é... Tirei porque não entendi muito bem o significado." "Puxa... isso acontece..." "Mas você poderia escolher uma das versões?" E sem mais ter como me esquivar, chutei: "A sexta versão ficou linda, João." "Mas será que você prestou atenção nos fraseados dos cellos da oitava? Espera um pouco que eu vou colocar de novo." Colocou a oitava e pôs-se a cantar as vozes dos cellos, o que, por sinal, na hora, ficou muito bonito... "É, João, acho que você tem razão, você me convenceu. Manda essa pro pau que realmente os cellos estão muito mais presentes, propiciando mais lirismo à canção." Eu gostaria de ressaltar que a minha fala não estava com essa fluência toda como se mostra aqui no papel. Tudo que pronunciava era balbuciado com muita dificuldade.

Pois bem: o João Gilberto acabou de quebrar o jejum de mais de vinte anos sem gravar nada de novo em seu repertório, fato que me lisonjeou mais ainda.

Agora, quero aproveitar o ensejo para pedir perdão ao João por uma tremenda grosseria que acabei fazendo com ele, daquelas que a gente comete só para não perder a piada.

Um dia me reencontro com Bebel, sua filha, companheira de noitadas no Baixo, quando era namorada do Dé, meu querido amigo e então baixista do Barão.

Nos cruzamos na madrugada lá no Cervantes. Estamos colocando o assunto em dia, quando me lembro da tal grosseria. "Pô, Bebel...

peguei pesado com seu pai sem ele ter nada a ver com a história. Peça minhas sinceras desculpas a seu pai, por favor."

Em junho de 1986, iniciamos uma turnê nacional que começava pelo Sul.

Estávamos em plena Copa do Mundo e iríamos excursionar com a Plebe Rude abrindo os shows. Fizemos umas vinte apresentações por toda a região e paramos no Rio pra uma folga de uma semana.

A próxima praça seria São Luís. Pego o avião e começo a sentir os primeiros sintomas do AC que tinha acabado de tomar, e para potencializá-lo, peço uma dose de whisky duplo sem gelo... Como estava me sentindo muito bem, fui tomando whisky feito água mineral. Aquela seria uma viagem gonzo...

Ao chegar no saguão do aeroporto, me aparece um sujeito muito simpático que veio em minha direção: "Lobão? Sou representante de Zequinha Sarney e ele faria muito gosto de tê-lo em sua casa hoje à noite, depois do seu show." "?!" — fiquei com cara de paisagem para o amável senhor... Mas que diabos iria fazer na casa do filho do cara que eu atacava toda vez que surgisse uma oportunidade? E ele conclui: "Olhe, você está intimado a aparecer, viu? Todos aqui gostam muito de você." Rapaz... pensei com meus botões: não se pode julgar as pessoas pelos pais que elas possuem... olha eu! Se fosse assim, teria que responder pelo nazismo diletante de papai... Mas mesmo assim fiquei extremamente preocupado com aquela visita...

Com aquilo tudo na cabeça, saio de carro do aeroporto, vou passando pelas lindas praias de São Luís e seus pitorescos telhados de palhoça... Ao percebê-los, pensava serem todos confeccionados pelos fios do bigode do Sarney. Como é figura onipresente na cidade, via bigodes flutuando na minha frente em praticamente todos os lugares! Cheguei no hotel com a barriga doendo de tanto rir. E já na recepção eu via bigode até na simpática menina que nos atendia.

Nós íamos tocar num grande ginásio e os Titãs iriam abrir o show.

Passo o dia inteiro na praia a reparar nos bigodes que desfilavam à minha frente, desta feita independentes das palhoças e dos seres humanos, os bigodes adquiriram vida própria! Estava fascinado com a desenvoltura deles. Tinha um bigode meio parafinado, vasto, com cerdas robustas que surfava a uns 300 metros da minha barraca. Um vendedor de queijo coalho me ofereceu... um bigode enrolado num palito... Bigodes caminhavam juntos à beira-mar com suas cerdas a flanar ao vento.

Chega a hora do show e já estou pensando como é que iria arranjar uma desculpa para não comparecer ao compromisso na casa do Zequinha... "Vou encher a cara, entrar em coma alcoólico, e com isso arranjarei um bom motivo." Entrei no meu camarim... De lá, podia enxergar o palco e ver os Titãs em seu ofício. Creio que poucas coisas sejam mais tediosas do que você ficar no camarim esperando a vez de subir no palco. Me deparei com uma garrafa de Grants e aí tudo se afunilou. Virado, viajando, convidado para a festa do Zequinha, os Titãs não paravam de tocar, um litro de whisky na minha frente, e shazam! Comecei a beber, tipo socialmente, pra fazer hora, só que os Titãs não saíam do palco... acabaram por fazer um show de três horas de duração... a partir de então, não me lembro de mais nada, mas pelo que o meu querido amigo Torcuato me contou, entrei no palco muito amoroso... jogava beijinhos para os populares, parecia extremamente comovido... dei uma olhada pro Jurim e 1, 2, 3 e já: começamos a tocar "O rock errou" furiosamente... a plateia vai ao delírio, e eu, comovidíssimo, agradeço: "Brigado, gente! aê, valeu, hein? Tchau!"

Na minha cabeça, talvez pela demora, pensei que já estivesse no fim do show, quando executávamos a primeira canção da noite. Segundo Torcuatito, entrei trôpego, feliz e fora de órbita, a comemorar no camarim, quando alguma alma caridosa, ao ver o meu estado, fora o barulho das oito mil pessoas lá fora me esperando, decidiu esticar uma fileira transamazônica para que pudesse readquirir o mínimo de sobriedade para continuar o espetáculo.

Pois bem: cheirei a lagarta quilométrica e me empurraram de novo ao palco. Segundo Torcuato, estava com aquele monte de pessoas na minha frente, aplaudindo, mas não havia aquele princípio de linchamento que normalmente ocorre quando um artista se demora excessivamente... Provavelmente, dei sorte dos Titãs terem feito um show de três horas... a plateia estava mais do que saciada, e com toda aquela simpatia que me é característica, intuí que eles queriam um bis. Gratificado com o cosmos, em harmonia com o universo, amando minha banda, os apresentei emocionado, um por um, cheio de orgulho e amor... e, resoluto, decidi tocar no bis justamente... "O rock errou"!

Quando recobro a consciência, estava no quarto de hotel tomando glicose...

Não tive como comparecer ao compromisso na casa de Zequinha.

Chegamos em Salvador, e pegamos um busum direto para o sertão... íamos tocar em Jequié, a Cidade Sol! É chamada por esse nome porque lá quando chove vira até feriado municipal. O calor era de rachar.

O show aconteceria num estádio de futebol, ao ar livre. E eis que acontece o impensável: desaba o maior aguaceiro da história de Jequié!!

O show foi adiado e tivemos que permanecer na cidade por mais um dia. Chega o domingo e chove até as cinco horas, e pensei: já sou um habitante honorário da cidade!... Me sentia um local, sentado numa cadeira de bar a tomar cachaça entre populares, crente que não haveria show naquele dia. Pois bem: a chuva parou lá pelas cinco da tarde... Chega a hora do show e já estou em estado deplorável. Me arrastam para o palco, me plantam bem no centro. Como não estava muito em condições de discernir onde estava, suspirei decepcionadíssimo e exclamei: "Porra! Não veio ninguém?" "Lobão, o palco é na direção contrária." Eu estava saudando a coxia.

Fomos descendo Brasil afora e chegamos a Belo Horizonte. O show desta feita não teve nenhum tipo de imprevisto. Dia seguinte, chegamos às seis horas da manhã em Confins. Fui dar uma bedelhada na livraria do aeroporto. Ao vasculhar livros e revistas de todos os gêneros, me deparo com um guia Michelin de 1986. Não sei por que cargas-d'água, comecei a folheá-lo. Abro justamente no capítulo dedicado ao Rio de Janeiro, vou folheando e desfilam os bairros até chegar o Leblon. Dei uma parada para ver o que recomendavam como atração turística do meu bairro querido. Entre elas, é claro que figura o Baixo Leblon. De repente, leio algo como: "O Baixo Leblon é um reduto da boemia carioca, e ao visitá-lo à noite você pode facilmente encontrar gente como Lobão, Cazuza..." Ah! essa ele tem que saber agora! Compro umas fichas, vou até um orelhão e disco pro Cazuza: "Rapá, vai direto comprar o guia Michelin... Nós dois estamos virados em atração turística do Baixo Leblon!"

Chego em casa já pensando no próximo disco. Estávamos no final do ano e já estava mexendo no meu material novo, estava cheio de coisas começadas, *riffs*, melodias, conceitos... o Bernardo também estava cheio de rascunhos e ideias... Passamos o mês de janeiro e um pedaço de fevereiro a trabalhar. No final de fevereiro, temos um show no balneário Camboriú.

Lá vamos nós pra Floripa, para, logo em seguida, pegarmos o busum rumo a Camboriú. O show foi excelente, animado etc. e tal.

Quando chego no hotel, tem uma companhia de teatro que iria performar a peça chamada *Oh, Calcutá!*, que se celebrizou por todos os atores atuarem inteiramente pelados em meio a um bacanal dionisíaco. Encontramos umas dez meninas da companhia e ficamos colegas. Decido ficar mais uns dias, a banda e a equipe vão todos embora, exceto meu querido empresário na época, Ricardo Leon, que ficou meio que de babá da minha pessoa.

Pois bem, estamos todos a festejar no meu quarto, na maior cheiração... Amanheço virado e percebo que tenho um avião pra pegar... Tomo meu gim-tônica e vou ao banheiro dar uma cafungadinha. E fiquei nessa até o avião decolar. Um gim-tônica, uma cafungadinha no banheiro. Como estava muito cansado, nada fazia lá muito efeito em minha pessoa. Pego o avião e continuo a cheirar no banheiro da aeronave. Não tinha gim-tônica e tive que apelar para o whisky.

Chego no aeroporto de Cumbica e nossa aeronave apresenta algum defeito técnico. Os passageiros são realocados num voo internacional que vinha de Buenos Aires. Passamos umas quatro horas esperando. Me lembro que cheguei a dormir debaixo de uma cadeira na sala de embarque.

Àquelas alturas, o pó já tinha acabado e eu estava morto.

Embarcamos, finalmente, e em quarenta minutos aterrissamos no Galeão. Tudo transcorria normalmente, já estava pegando minha bagagem na esteira, quando um sujeito de terno me aborda mostrando uma carteirinha: "Polícia Federal, faça o favor de me acompanhar."

Sabia que ainda tinha comigo o plástico em que guardava a cocaína e também, esquecido há meses, atrás na minha calça, um galho de maconha do século passado cuja existência só vim a saber na hora da revista. Fomos eu, o pobre Ricardo, que não tinha nada a ver com a história, nunca sequer provou alguma substância entorpecente que não fosse televisão. Acharam a bagaça no meu bolso e me deram voz de prisão.

Cheguei na delegacia, muito simpático, propondo reformas urgentes: o ventilador não funcionava, a máquina de escrever também... os telefones estavam cortados por falta de pagamento, realmente, uma penúria. Fiquei verdadeiramente penalizado com aquele pessoal trabalhando, dando duro em condições tão precárias.

Paguei a fiança e me mandei pra casa.

Encontram 0,8 decigramas raspados do plástico da cocaína e o tal centenário galho de maconha. Um Pablo Escobar de calças curtas!

Estava precisando mudar de ares... aquela nossa residência estava em petição de miséria. Não era um lar, era um antro!

Num rasgo de nostalgia familiar, entro numa de trocar de casa. E não precisou nem sair do nosso quarteirão. Uma casa enorme de estilo moderno, um pátio amplo, piscina, vários cômodos…

Hei de confessar a vocês que, naquele momento, não tinha nem conta bancária. Mas como minha autoestima estava lá em cima e tinha muita fé no resultado do meu trabalho, acabei assinando a compra do imóvel, com uma entrada mínima e prestações para a vida inteira.

Como era do lado da antiga morada e nosso mobiliário era exíguo, fizemos a mudança em um dia.

A casa nova me proporcionou um estado de profunda alegria e entusiasmo.

A primeira coisa em que pensei em adquirir foi uma bateria Sonor.

A bateria mudou a minha vida. Não possuía o instrumento desde que vendi a minha Tama... e o resultado foram horas a fio em cima do novo xodó. Percebi que seria interessante começar a compor a partir da bateria, algo que nunca havia experimentado ainda.

O Berna morava ao lado de casa e era muito fácil da gente se encontrar. Isso favoreceu a nossa profícua produção musical.

Quando ele ouviu a minha levada baterística, teve uma ideia. Se lembrou de um poema que ele havia publicado, em 1976, 1977, no *Atualidades Atlântida*. Era um poema muito difícil de metrificar! Daí pensei na bateria meio sambosa e imaginei como seria se repetisse algumas determinadas sílabas, e percebi que algumas tinham a sonoridade de um fraseado de tamborim, tipo "cara do cara a cara do cara caído", e adotando esse procedimento, naquela tarde nasceu "Vida bandida".

No dia seguinte o Bernardo me chega com outro rascunho. Era um refrão cuja ordem das palavras tinha que ser mais escandida e mais sonora... e em alguns minutos de trabalho chegamos à forma definitiva do refrão: "Vida louca vida, vida breve... já que eu não posso te levar, quero que você me leve/vida louca vida, vida imensa, ninguém vai nos perdoar, nosso crime não compensa." O miolo da letra, o Berna se inspirou na caçada que estavam fazendo à minha pessoa, com lances do tipo: "Se ninguém olha quando você passa, você logo acha, tô carente, sou manchete popular, já me cansei de toda essa tolice, babaquice, essa eterna falta do que falar."

Era o final de mais um dia de trabalho e tínhamos acabada "Vida louca vida"...

Iríamos pescar outra de velhos carnavais: "Chorando no campo", que fizemos ainda no Joá, na intenção de juntar o choro com folk. Foi a última canção que compus com o meu violão seresta preto Del Vecchio, antes de ser roubado.

Minha irmã tinha se apoderado de um poema que o Guto havia deixado num caderno, se identificou e fez um blues que veio a se chamar "Soldier Lips".

Na noite da feitura de "Vida louca vida", fiz um fraseado de violão que me fazia lembrar o Jethro Tull... o Berna fez a letra e já no dia seguinte estava pronta "Da natureza dos lobos".

Me lembrei de um *riff* que tinha feito no ônibus indo pra não sei onde... Bernardo desceu a caneta e fez uma letra que veio a se chamar "É nesse mundo que eu vivo" e... a última a ser composta no repertório foi um *riff* meio Zeppelin que acabou se tornando "Nem bem, nem mal".

Pelo que eu me lembre, *Vida bandida* foi o álbum que menos tempo levou para ser composto. Em duas semanas, já tínhamos tudo o que precisávamos para entrar em estúdio. Pra completar o repertório, peguei do meu baú as jurássicas "Tudo veludo" e "Girassóis da noite".

Estava com uma empresária nova fazia alguns meses, a Carmela... A Carmela iria ter um papel importante em toda a trama que está prestes a se desenvolver.

Ela sugeriu o nome do Marcelo Sussekind para produzir o disco.

Entramos imediatamente no estúdio, não tínhamos tempo a perder, estava tudo pronto e eu estava eufórico, pois iria voltar à minha posição de origem, a bateria.

Começamos a gravar as bases, ou seja: baixo e bateria Quando estamos finalizando as bases, é marcado o meu julgamento.

Não poderia vislumbrar o que estaria por acontecer com a minha vida.

LOBÃO NA MÍDIA

- Em 7 de dezembro de 1986, o *Estadão* entrevistou Lobão, que disse não ser um lobo mau, e contou que está disposto a escrever um livro chamado "O meu processo". "Nele quero explicar, entre outras coisas, por que ri diante do juiz. Foi de puro pânico, diante de uma situação absurda", explicou.

- O jornal *O Globo* informou, no dia 6 de fevereiro de 1987, em uma reportagem sobre o encerramento da turnê do show *O rock errou*, que no dia 11 de outubro, aniversário de Lobão, João Gilberto telefonou para pedir sua opinião sobre as dez versões que preparou para gravar "Me chama" para a trilha sonora da novela "Hipertensão".

Sobre a música, Lobão diz que foi composta em um período difícil de sua vida, e sua gravação o fez chorar.

"Minha mãe morreu, fui para Nova York com a Alice Pink Pank e decidimos nos casar e viver na Holanda. Em Nova York, primeiro, foi o choque térmico. Dias depois, o pai da Alice teve um derrame e morreu. Ela ficou para os funerais e eu voltei para o Rio completamente apalermado. O apartamento estava todo fechado, chovia e eu fiquei pintando os rodapés e olhando a chuva. Parava de pintar e escrevia um pedaço da letra. Alice, meu único vínculo emocional, estava longe. Gravei chorando muito, como em 'Revanche' também. Quando acabei, todo mundo no estúdio chorava. Eu estava agoniado. É a melô do carente", disse.

- Segundo o *Jornal do Brasil* de fevereiro de 1987 (sem dia), Lobão afirmou que "*O rock errou* foi um disco torto, como todos os que eu fiz. Quando lancei o primeiro [*Cena de cinema*], briguei com a antiga diretoria da RCA e ele não foi divulgado. O segundo [*Ronaldo foi pra guerra*] foi o pior produzido dos três, e o grupo [Os Ronaldos] já foi se desfazendo no estúdio. Passei então quatro meses escondido, no ano passado, trabalhando o último disco. Disseram que eu era *dark*, mas eu estava trabalhando...Quando entrei no estúdio, estava defasado duas ou três semanas, e as coisas foram meio às pressas. E entre o lançamento do disco e o show, levou mais um tempo. Quer dizer, *O rock errou* ainda saiu com uma dose de precariedade, por causa das circunstâncias".

- Em 12 de fevereiro de 1987, o jornal *Folha de S.Paulo* noticiou que Lobão foi preso em flagrante portando maconha e cocaína. O músico voltava de um show em Florianópolis na véspera, e foi detido por agentes da Polícia Federal ao desembarcar de São Paulo no Aeroporto Internacional do Rio de Janeiro.

Ele portava pequenas quantidades de maconha e cocaína, e foi levado à Superintendência da Polícia Federal no RJ, onde foi interrogado pelo delegado Barros Leal. Seu empresário, Ricardo Luiz Murça Leon Hadad, também foi detido para averiguação.

Lobão foi liberado no mesmo dia após pagamento de fiança de 2,5 mil cruzeiros, após a Polícia Federal receber um telex do Tribunal de Justiça do Rio de Janeiro com informações sobre sua absolvição. No ano passado, a 13ª Vara Criminal do TJ-RJ o absolveu de um processo de porte de drogas. O músico afirmou que recebeu a droga de um fã, e à polícia confessou ser viciado, informou a *Folha*.

Capítulo 42

Bom, agora terei que retroceder um pouco no tempo pra vocês entenderem tudo direitinho:

Nessa ocasião, tinha vendido a casa, e, como não tinha conta bancária, retirei o dinheiro bruto de um banco no centro da cidade. Coloquei um macacão extralargo e depois de uma tarde inteira vendo o pobre caixa do banco contar dinheiro, enfio tudo no meu macacão, que, inflado, me deixou um Rei Momo da cintura pra baixo.

Pois bem, saímos do imóvel e fomos pro meu segundo lar, o Praia Ipanema.

Agora, um pequeno parêntesis: tirando esse meu influxo desafiador do sistema, advindo, dentre outras coisas, do fato de querer provar da pseudoabertura que nos propunham e anunciavam, vamos combinar que, naquela época, todo mundo cheirava muuuuuito. Era *cool* cheirar cocaína, mas não era minha responsabilidade. Era um paradigma de uma década.

Mas, voltando ao Praia Ipanema, comprei logo uma caixa de champanhe, ácido, cocaína e haxixe, para comemorar a venda da casa. Só que tinha um pequeno detalhe que nós ignorávamos: como estava sob custódia do Judiciário, deveria informar sobre todos os passos que dava, e meu brilhante advogado da época se esqueceu de declarar ao juiz que eu havia mudado de endereço, o que foi interpretado por Sua Excelência como procedimento de fuga.

Estamos no terraço do hotel, *avec élégance*, quando aparecem dois policiais com mandado de prisão, busca e apreensão.

Os policiais tiveram a pachorra de selecionar na minha cara qual droga escolheriam para dar o flagrante. Escolheram uma quantidade ínfima o bastante para me incriminar... o resto... ficou com eles! Fui forçado a testemunhar os dois policiais esticando as minhas próprias fileiras, e cafungarem a gargalhar. Curtiam com prazer da minha cara... "É, *playboy*, vacilou, dançou..."

Fui parar na Polícia Federal, lá na praça Mauá, direto pro xilindró. Passo a noite na cadeia e, pela manhã, sinto que estou em apuros. Não tinha mais advogado. Estou lá numa sala, esperando pelo delegado, quando me aparece o mítico bicheiro Castor de Andrade, que também estava preso por lá, só que sua cela tinha biombo, uma arara pra pendurar roupas, um ar-condicionado...

Vagava pela carceragem com desenvoltura e autoridade, fazendo questão de mostrar que quem mandava ali era ele... Dava esporro em guarda, e o guarda, "cain, cain", saía correndo para cumprir suas ordens. Um espetáculo de proficiência e hierarquia... os policiais só faltavam bater continência pra ele.

Ao me ver algemado jogado num banco na sala da carceragem, exclama: "Porra, Lobão, outra vez? Tu é burro pra caralho, hein? Se amarra em ficar dando mole, bem feito!" "Pô, seu Castor, não esculhamba. Tô sem advogado."

E foi aí que percebi a grandeza de espírito daquele homem: "Toma aqui esse número de telefone, é do meu advogado, ele é um dos melhores do Brasil e desconfio que você vai precisar de alguém como ele." Me deu o telefone. E foi assim que constituí o grande advogado, rubro-negro de quatro costados, meu querido Michel Asseff.

Foi a salvação.

O Michel conseguiu que esse último flagrante fosse julgado com urgência urgentíssima para que não perdesse a minha primariedade.

Quando fui liberado, me mudei para um apartamento com a Daniele no Rio Design Center, por coincidência, um andar abaixo do João Gilberto.

Chega o julgamento numa atmosfera de tranquilidade... acordei, fiz a barba, e disse à Daniele que, quando estivesse de volta, sairíamos para comemorar o desfecho daquela novela, pois tinha a garantia técnica da primariedade e a pena máxima para um réu primário enquadrado no artigo 16, que é tido apenas como contravenção, e não crime, é de um ano de *sursis*, com direito a cumprir a pena em liberdade.

Saí para a comarca da Ilha do Governador, cheguei um pouco adiantado e para matar o tempo e a fome fui tomar um caldo de cana e comer um pastel.

Estava um tanto intrigado com algumas coisas... haviam expedido um abaixo-assinado com umas duas mil assinaturas de gente como Fernanda Montenegro, Tom Jobim, Caetano Veloso, os Titãs, Fernando Gabeira, e, na minha cabeça de leigo, achava aquele documento de suma importância para o processo e para o juiz perceber que eu tinha apoio de uma parte substantiva da sociedade, inclusive de grandes artistas, e saber que não era uma besta desgovernada como queriam me imputar. Outra coisa que ele me instruiu foi optar por uma defesa do tipo "ele está arrependido e promete que não vai fazer mais malcriação". Fiquei mais indócil ainda com aquilo. Me sentia aviltado por aquela imposição. O Michel fez uma preleção da nossa testemunha de defesa, o Ricardo Leon, para afirmar que eu estava muito arrependido com o que tinha feito. Não ia segurar aquela farsa humilhante na hora H.

Pois bem, entro na sala da corte e logo tenho uma visão surreal: na parede em que ficava a cátedra do juiz, havia um crucifixo e, na parede lateral, um pôster muito maldesenhado de quem?... Do John Lennon! Estava caracterizado de bicho-grilo com uma aparência de "hipponga", cabelos longos escorridos presos à testa por uma bandana, bata indiana, barbão, olhos caídos, fazendo o sinal de paz e amor e com os seguintes dizeres embaixo: "Give Peace a Chance". Era a imagem do protótipo do maconheiro! Porra, logo o Lennon, que foi caçado pela justiça americana, preso por porte de droga, proscrito pelos defensores da moral e dos bons costumes... e lá estava aquela imagem, no mínimo contraditória, a abençoar aquele ambiente. Imaginei por um momento que daqui a alguns anos seria minha vez de estar lá, pregado na parede, a abençoar comarcas como aquela.

Me sento no banco dos réus aguardando o início da sessão. Entra Sua Excelência, um senhor robusto, de toga. Viria a saber depois por um grande amigo, também juiz, que esse senhor houvera comentado com ele, no clube dos magistrados, que iria se aposentar, mas primeiro, iria colocar na cadeia um delinquente disfarçado de músico. Esse meu amigo juiz me garantiu que a sentença já estava lavrada.

Mas voltemos à corte; naquele momento, estava calmo, pensando que, na pior das hipóteses, sairia dali livre, pois com a pena máxima, a ser-me imputada, me protegia da possibilidade de virem querer tirar minha liberdade. Estava, teoricamente, amparado pelo código penal.

Inicia-se a sessão após todos aqueles salamaleques. Começa o desfile das testemunhas, que, na verdade, pelo que me lembre, só eram duas: o Ricardo e o policial que me prendera.

O Meritíssimo convoca a primeira testemunha, o Ricardo, que atuou de acordo com o combinado pela estratégia da defesa: declarou ao juiz o meu suposto arrependimento. Na hora que ele começou a falar, não aguentei, foi mais forte que eu: levantei o dedo pedindo a palavra para contestar aquela afirmação: afirmei que, de forma alguma, não estava arrependido, muito pelo contrário, e não poderia admitir o Estado me tutelar. Logo de cara, percebi que o juiz não nutria muita simpatia por minha pessoa.

A segunda testemunha é convocada. O policial do aeroporto. O possante magistrado, após as perguntas de praxe, em meio àquela corte cheia de gente, muda do tom formal para o coloquial e manda a seguinte, já com uma voz meio amalandrada: "Ô, policial Gil... você ainda está lotado no Galeão?" "Sim, Excelência." O juiz consulta seu relógio, dá uma pigarreada e solta: "Sabe o que é? Tenho uma sobrinha que está chegando de Amsterdã, e tá cheia de muamba (!!!!). O que eu quero de você é que saiba o número do voo e libere toda a muamba. A companhia é a KLM, entendido?" "Sim, Excelência!" "Então pode ir que ela deve estar chegando a qualquer momento." Quando ouvi aquela barbaridade, olhei para o juiz, olhei para os populares na corte, vi um jornalista de um potente semanário de circulação nacional e imediatamente pensei: esse juiz vai se fuder! Está me julgando por uma contravenção e fazendo questão de cometer um crime de contrabando na cara limpa, na caradura, despudoradamente, na cara de todo mundo!! Porra, alguém vai acabar caguetando o não tão nobre magistrado, pois aquele disparate indecente era algo impossível de se conceber. Tudo isso acontece numa fração de segundo e, num ato reflexo, desato a gargalhar diante daquele quadro imoral que me era imposto publicamente! Desatei a gargalhar de ódio!

E nosso querido juiz levanta a voz e pergunta: "O réu está a rir de quê?" "Nada, Excelência, estou muito cansado, estava meio sonolento e acabei dormitando; devia estar sonhando com alguma coisa engraçada." E, sem transição, nosso emérito magistrado sapeca pro escrivão: "Corrige aí: o réu não tem má personalidade, o réu tem péssima personalidade!!!" Não me contive e retruquei: "Puxa, pensava que isso aqui fosse um julgamento, e não um consultório psicanalítico." E novamente, sem transição, nosso impávido juiz dispara batendo o martelo: "O réu está condenado a um ano de prisão, sem direito a *sursis*." (!!!!!!????!!!) Imediatamente colaram nas minhas costas dois policiais fardados, já me algemando e me empurrando com uma certa ausência de delicadeza, foram me levando direto para o camburão. O curioso é que, durante esse trajeto pelos corredores da comarca, eles começaram a me oferecer uma espécie de tabela, um cardápio, tipo: "Aí, *play*: copiloto, sem algema, 100 pila; no banco de trás, 50; tu só num paga na caçamba com algema, mas vai ter uns probleminha de aquecimento e buraqueira no asfalto que faz a caçamba vibrar como liquidificador, ainda mais pra quem tá algemado. A gente caprichou pra você, *playboy*... deixamos a viatura no sol pra você pegar um calorzinho...

Olhei para a tal viatura e era um camburão em estado de petição de miséria! Sem para-choque, todo batido, pneu careca, cano de descarga furado... uma esculhambação geral.

Olhei para os policiais e vaticinei: "Meus queridos, em primeiro lugar, isso aí tá pior que bicicleta ergométrica: não vai nos levar a lugar nenhum. Vai enguiçar no meio do caminho. E, em segundo lugar, tenho muito respeito às instituições e acredito na integridade do policial. Não passaria pela minha cabeça ajudar a deteriorar mais ainda a imagem da instituição... Eu não estou preso? Portanto, vamos pra caçamba."

E não deu outra. Enguiçamos naquele viaduto ali, da Ilha do Governador.

Eles abriram a porta da caçamba com cara de tacho: "Porra, *play*, que boca que tu tem, hein?" "Que nada! Qualquer um imaginaria o mesmo desfecho... só foi pura dedução" e, caridosamente, mesmo algemado, fiquei no meio da rua utilizando de minha simpatia e popularidade para obter uma carona, ou ao menos um táxi.

Parou um táxi e chegamos numa delegacia que me parecia ser na Ilha. Quando saio do fusquinha de praça (engraçado... não sei até hoje quem pagou a corrida), uma pequena multidão de um grupo escolar vizinho à delegacia entra em delírio com a minha chegada triunfal... "Aê! Lobão! Eehheheeh!!!!"

A coisa ficou tão complicada que eles decidiram me encaminhar para a Polinter, que, naquela época, ficava num prédio condenado pela segurança pública, no centro da cidade. Me encaminharam para a carceragem e me hospedaram na cela 4, que era bem diminuta. Uns seis a oito presos se preparavam para enrabar um crioulão enorme que, segundo a rapaziada, havia estuprado uma menina. Antes do ato, os caras raspavam com pouquíssima diligência o corpo do negão, que estava amarrado nas grades da janela, pedindo uma misericórdia que a galera decididamente não estava muito a fim de conceder. Depois de semiesfolado o estuprador recebeu em seu ânus várias trolhas em menos de 15 minutos. E como esperneava! Estava fazendo um calor de uns cinquenta graus naquela cela.

E a cela ao lado estava em festa! Maior alto-astral! Prenderam um travesti japonês operado!!! A farra da rapaziada era intensa!

Nisso, chega o Vaca (o Vaca era nosso carcereiro), me tira daquela cela e me põe numa mais ampla: era a cela 11, que ficava defronte à mesa de autópsia.

Era proibido ficar de camisa, pois havia o risco de alguém se enforcar, todos só de short. Sou inserido na cela e logo me deparo com um simpático negão que estava acocorado (a gente não tinha espaço para esticar os pés, então rolava um revezamento: enquanto uns quatro ou cinco esticavam as pernas o restante esperava acocorado por sua vez de esticar). E o negão acocorado, sempre com um sorriso alvar estampado no rosto, me ajeita carinhosamente alguma folhas de jornal para que eu me acocorasse ao seu lado e se apresenta logo com uma pergunta: "Aí, Lobão, muito prazer, eu sou o Gilmar Negão, sou de Manguinhos (ele era o chefe do tráfico local) e queria muito saber de você uma coisa: aqui na cadeia só tem três tipos de pessoa: ou o sujeito é preto, pobre ou burro. Tu se enquadra em que categoria?", e permaneceu com aquele sorriso imaculado na cara, esperando por minha resposta: "Ihhh, rapá! Qualé! Sou negão, aê!" Ele acabou gostando da resposta e me estendeu a mão. Rimos daquela dura realidade e ali virei negão honorário. Ficamos amigos. Por sinal, a nossa cela 11 era só amor. Mas meu amigo Gilmar seria executado em pouquíssimo tempo. Estávamos numa delegacia de rastreamento de presos, ou seja, toda quinta-feira, uma leva de presos era transladada para ser realocada nas penitenciárias do estado. Oitenta por cento eram executados no caminho, e depois tínhamos que ver os corpos de nossos colegas estirados na mesa de autópsia à nossa frente. Os corpos que voltavam eram um expediente astuto para dar uma satisfação, tipo, o cara tentou reagir. Foi em legítima defesa, enquanto o restante dos executados virava pasto de urubu.

A grande atração era a famosa "quentinha do Moreira", em alusão ao então governador Moreira Franco, que já vinha estragada! Além de estragada, nos era fornecida entre as grades, sem talher, só no papel-alumínio, um cheiro horrível. Algum tempo mais tarde estourou o tal escândalo das quentinhas, um serviço terceirizado que lucrava fornecendo comida estragada aos presos com conivência do governo estadual... Afinal de contas, quem é que vai notar? Preso e bosta é a mesma coisa.

Nossa cela era escura e não tinha janela, o fundo era um breu... havia um buraco no chão com uma "teresa" (corda, em presidiês) toda enrolada, fazendo as vezes de tampa de ralo. E um colega me advertiu: "Toma cuidado quando for cagar senão entra um rato dentro do teu cu. Isso aqui está infestado de ratazana." Esse mesmo buraco servia também para nossa suposta higiene bucal. Agora, imagina uns 15 presos numa cela exígua, um calor dos infernos, escura e com neguinho cheirando cocaína sem parar...

O Gilmar abastecia nossa cela de quantidades industriais de pó. E quase todos cheiravam! Havia também outro cara que era, naquela época, o dono do Santa Marta, o Zaca.

O Zaca era um cara branco (está vivo, com saúde e recuperado), forte, bigodão, cheio de tatuagens. Ficamos amigos, ele tem um filho chamado Douglas, com o qual se preocupava muito. Nunca conheci um cara desse mundo que quisesse ver seu filho seguindo essa carreira (sem trocadilhos, por favor).

Havia uma gama muito eclética de presos por ali.

Tinha um pobre farmacêutico que não tinha pago a pensão alimentícia, que ficava tremendo de pavor, com a bunda encostada na parede o tempo todo, um argentino, segundo alguns, psicopata, que diziam ter matado uns 18, um chefe de bateria de escola de samba, um índio...

Toda quarta-feira, véspera da triagem, havia uma sessão noturna de interrogatório.

Como o Zaca e o Gilmar eram peixe grande, o foco estava todo neles.

Numa quarta-feira daquelas, o Zaca é grampeado para o segundo andar daquele prédio em ruínas.

Subiu tipo umas 23h. Nós ficamos ouvindo seus gritos por toda a madrugada. Quando começa a amanhecer, o Zaca está sendo arrastado pelos braços, todo fudido. Estava em estado lastimável. Ele é jogado pra dentro da nossa cela e aí é que percebemos o estrago: tinha todas as unhas arrancadas, dos pés e das mãos. O corpo todo queimado de ponta de cigarro e uma fratura exposta na canela. Foi submetido a imersão em barris de água quente e depois de água fria. Ficava de cabeça para baixo e só o deixavam vir à tona quando estava à beira de se afogar. Pois bem, com tudo isso na carcaça e imediatamente após ser arremessado ao chão da cela, ofegante, ainda de bruços... nos encara e começa a fazer flexões! E, a cada subida e descida de corpo, enquanto prosseguia naquele insólito exercício, declarava o seu orgulho entre os dentes: "Eu não entreguei a minha macaca! Eu não entreguei a minha macaca!!!", e caiu desmaiado... macaca pode ser entendida como metralhadora...

Comecei a obter alguma influência na cela quando propus uma série de mudanças estruturais: primeiro, negociando com o Vaca, adquiri por uma fortuna um tubo de imagem que nos serviria de iluminação com aquela chuvinha de elétrons de televisão fora do ar. Depois, consegui um consentimento para lavarmos o chão de nossa cela, que estava um pouco sujinho. Paguei ao Vaca outra fortuna pra descolar um sabão em pó.

Na hora do recreio (a gente podia ficar andando em círculos pelo exíguo pátio, por uma hora), já munidos de sabão em pó, sugeri à galera, já que não podia usar rodo ou vassoura, que usássemos as nossas próprias barrigas para esfregar o chão. E prontamente organizamos um campeonato de jacaré ao sabão em pó. A gente parecia um bando de crianção, morrendo de rir com os nossos mergulhos ridículos no chão da cela. O Vaca jogava um balde d'água, eu jogava o sabão em pó e todos nós começávamos a nos jogar pelo chão da cela a deslizar, esfregando a sujeira com a fricção de nossas valorosas e cabeludas barrigas, fazendo uma limpeza em regra enquanto, ao mesmo tempo, nos refrescávamos e nos divertíamos a valer.

Outra providência que tomei foi combinar a troca de droga: convenci o pessoal que não era exatamente adequado o uso de cocaína naquele recinto por motivos óbvios. Se no conforto do seu lar, ao dar uma cafungada, você já começa a suar em bicas, imagina uma cheiração debaixo de 50°C?

Tive uma ideia muito prática. Pedi ao meu neurologista que fizesse o obséquio de liberar umas caixas de Rivotril. Expliquei a ele antes para o que era.

No dia seguinte, chega aquela robusta quantidade de remédio que, na hora do "recreio", iria distribuir a todos os presos daquela espelunca condenada.

Aconteceu um milagre! Como todos sabem, é impossível você dormir mais do que trinta minutos num lugar como aquele e, de repente, ao alvorecer, nosso querido Vaca solta um grito de surpresa: "Ué!!! Nunca vi coisa parecida! A prisão inteira no maior ronco! O que vocês andaram aprontando aí?", e eu respondo: "Vaca... isso é consciência tranquila!"

E foi dessa maneira que acabei me tornando uma espécie de síndico da cela.

O primeiro amigo a me visitar foi o Ritchie. Veio com uma toalhinha, uns biscoitos, a coisa mais querida, coisa de irmão mesmo. O Ricardinho sempre do meu lado... Outra visita que me tocou muito foi a do meu pai. Ele estava visivelmente abalado. Pra quem não estava acostumado, a visão do lugar devia ser uma cena dantesca.

Ele acabou pedindo diretamente ao dr. Roberto (Marinho) que fizesse algo por mim. Eu não tinha curso superior e não tinha direito a cela especial. Mas àquela altura, com todo o desconforto, me sentia em família com meus companheiros e não queria arriscar ter que me socializar com outra galera.

Acompanhava os noticiários e verificava que não estava sendo muito admirado por uma grande parte dos meios de comunicação. Sempre serei grato àqueles outros tantos que sairiam em minha defesa, mas quando os mais conservadores entravam numa de me esculhambar, a coisa ficava séria. Só pra vocês terem uma ideia, um possante e respeitado semanário de circulação nacional, logo após a minha condenação, para meu espanto e surpresa, ao invés de denunciar a barbaridade que aquele juiz salafrário perpetrara, me fotografou rindo e anexou uma singela manchete: "DROGADO E RISONHO"... e o nível das apreciações e especulações em torno da minha pessoa era muito abaixo do que eu podia imaginar. Era tratado de criminoso pra baixo. Era considerado um perigo para a sociedade e um péssimo exemplo para nossa juventude. Não era essa a minha intenção, muito menos era aquela figura lamentável que insistiam em arquitetar.

Mas nesse ínterim, recebo uma permissão para colocar minhas guitarras e gravar as vozes do disco, já que havia abandonado as gravações, por motivo de força maior. Ao ser liberado, peguei um táxi e fui direto paro o estúdio. Pedi que colocassem "Vida bandida" no ponto e em um *take* a voz definitiva estava gravada. Com a raiva que estava sentindo, não queria camuflá-la burilando-a demais. Pedi ao técnico que me gravasse uma cópia de monitor em cassete, pedi emprestado um gravadorzinho portátil e retornei à Polinter. Peço para entrar na carceragem, coloco o gravador na mesa de autópsia e ligo a todo volume para que a minha homenagem a meus companheiros fosse a maior possível. Quando eles escutaram o meu grito: "Aê, galera da onze!!!" foi um Carnaval! Todos dançavam, batucavam com as mãos, cantavam junto... foi um momento de uma beleza incrível... emocionante, que foi carimbado com o crivo de aprovação da rapaziada. Essa música foi dedicada a eles e a todos os presos do Brasil.

acervo pessoal

Família de automobilistas: o primeiro carro de corrida brasileiro, construído pelo avô João Geraldo (o segundo de pé, da direita para a esquerda). O pai de Lobão é o menino sentado no carro

acervo pessoal

Casal bom de roda: os pais de Lobão, Ruth e João Luiz, na Ipanema dos anos 1950

acervo pessoal

João Geraldo, o avô paterno

acervo pessoal

Casamento de Ruth e João Luiz, nos anos 1950

acervo pessoal

João Luiz pai, fazendo pose na piscina

acervo pessoal

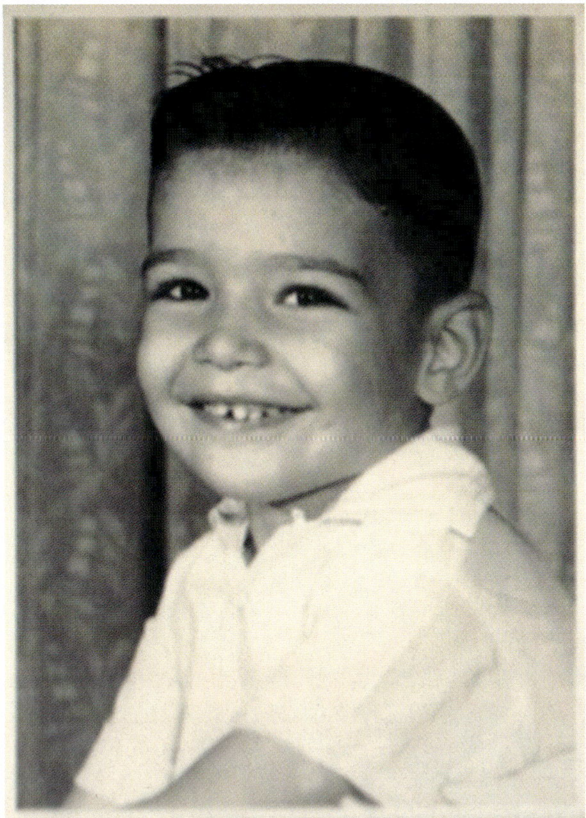

O pequeno João Luiz

acervo pessoal

acervo pessoal

1958

acervo pessoal

Pequeno Lobo: fazendo na infância a mesma careta dos palcos do futuro

acervo pessoal

Com vovó Lulu no sítio de Pedro do Rio em dois momentos: 1958 e 1980

acervo pessoal

acervo pessoal

Só sorrisos com os
amigos Zé Luiz,
Cazuza e Marina

Com a querida
prima Nuxa

acervo pessoal

Abril Imagens

Festa na floresta: bem-acompanhado num evento da TV Globo em homenagem a Federico Fellini em 1985

Abril Imagens

Os Ronaldos, prontos pra guerra: Alice Pink Pank, Lobão, Odeid, Baster e Guto

Abril Imagens

Meigo ma non troppo

Abril Imagens

No Carnaval de 1985 com Monique Evans

Abril imagens

Bateria da Mangueira, 1988

Agência JB

No camarim do Canecão
antes de show em 1988

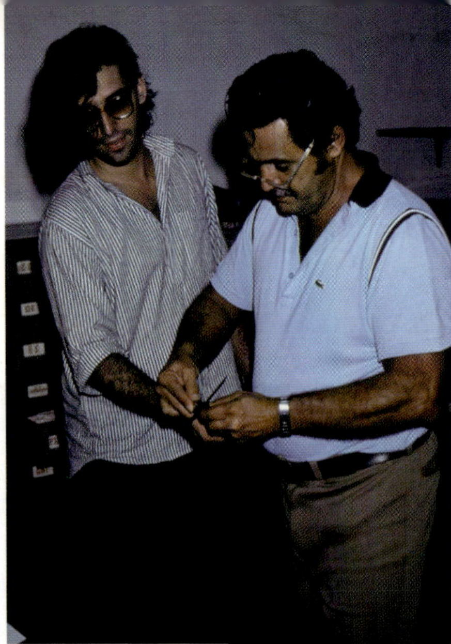

Abril Imagens

Manchete popular: o "drogado risonho" e as gargalhadas após a condenação à prisão em 1987

Abril Imagens

Agência O Globo

Branco Mello, Arnaldo Antunes e Glória, irmã de Lobão, na manifestação contra a prisão

1987

Abril Imagens

1987

Agência JB

1987

acervo pessoal

Com Regina Lopes

acervo pessoal

acervo pessoal

acervo pessoal

Com Maria Bonita

acervo pessoal

Agência J.B.

Rock in Rio II: encarando na marra a horda do heavy metal

Folha Imagem

1999

1987

acervo pessoal

Cara limpa e violão, chutando o balde
e criando o próprio selo

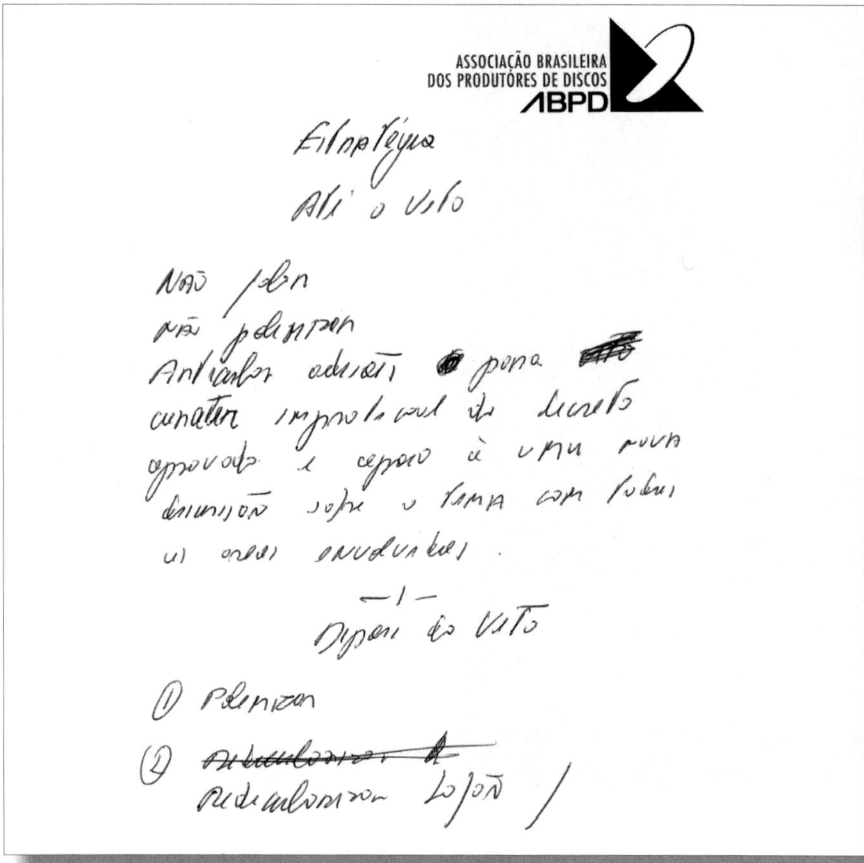

ASSOCIAÇÃO BRASILEIRA DOS PRODUTORES DE DISCOS

ABPD

Estratégia

Até o Visto

Não falar

não polemizar

Antecipar adiantar [illegible] para [illegible]

caráter improrrogável do decreto

aprovado e esperar a uma nova

discussão sobre o tema com todas

as áreas envolvidas.

—1—

Depois do Visto

1) Polemizar

2) ~~[illegible]~~

Ridicularizar Lobão /

Manuscrito encontrado na ABPD pelo advogado Nehemias Gueiros

LOBÃO NA MÍDIA

- Em 31 de janeiro de 1986, Lobão foi preso com drogas em seu apartamento, no Jardim Botânico (rua Visconde de Itaúna, 229). Segundo o *Jornal do Brasil*, durante as cinco horas que permaneceu na Delegacia de Entorpecentes, ele se disse "feliz em estar ali" e prometeu consertar o ventilador do cartório, além de colocar aparelhos de ar condicionado e trocar a máquina de escrever da escrevente.

O mandado de busca e apreensão foi expedido pelo delegado Elir Clarindo, da Delegacia de Entorpecentes. Os detetives Marinilso e Puga vasculharam a casa de Lobão, e encontraram uma lata redonda com uma quantidade mínima de maconha e uma embalagem plástica com cocaína.

Lobão, que pagou fiança de 500 mil cruzeiros e foi liberado, disse que "usa tóxico porque gosta".

- À *Tribuna da Imprensa* de 2 de fevereiro de 1986, Lobão comentou sobre sua prisão. O músico afirmou que um segurança de sua casa, que estava "bebendo muito" e foi demitido, o denunciou como traficante.

- Em entrevista ao *Globo* de dentro da cadeia, Lobão afirmou no dia 14 de março de 1987 que caso sua prisão não seja relaxada, "não resistirá à vida de cadeia". Ele está em uma cela na Polinter — onde já é considerado "peça da casa" com outros 17 presos. O músico disse ainda que "prefere morrer a compactuar com uma sociedade de poder", e que se "sobreviver", vai acabar com sua carreira e deixar o país.

Em protesto, Lobão não está se alimentando na prisão — que atribuiu a pessoas que querem destruir sua carreira por se sentirem incomodadas com suas ideias. "Não entendo por que me tratam com tanto rigor, como se fosse um elemento perigosíssimo. Ainda mais porque a única vítima do delito que pratiquei fui eu mesmo. Não fiz mal a ninguém, não matei ninguém, não estuprei. E também não seria idiota para zombar de um juiz que tinha o poder de decidir sobre minha vida", disse.

Sobre deixar o país, Lobão declarou que adora o Brasil, mas não consegue "conviver com as pessoas que decidem o seu destino. Elas querem me fazer de exemplo só porque sou um cidadão excêntrico (...) Levo meu trabalho a sério e gostaria que as pessoas me julgassem pelo meu trabalho".

- A *Folha de S.Paulo* noticiou, no dia 21 de março de 1987, a condenação de Lobão, pelo juiz da 2ª Vara Criminal do Fórum da Ilha do Governador, Paulo Cezar Dias Panza, a um ano de prisão, sem direito a *sursis*, por "uso reiterado de tóxicos". Na sentença, o juiz afirmou que Lobão "revelou péssima personalidade e conduta".

Ao jornal, ele contou — de uma cela da Polinter — que o motivo de seus sorrisos durante o julgamento "foi uma história que a Daniele (sua mulher) me contou e eu lembrei na hora". Segundo ele, durante o julgamento estava "morrendo de sono" por estar em fase de finalização de seu disco.

"Há duas noites não durmo, trabalhando no estúdio, por isso estava com cara de sono. Mas os bocejos não foram por falta de respeito. Foi por excesso de trabalho", disse o músico.

- Em 21 de março de 1987, o *Jornal do Brasil* noticiou que Lobão foi condenado a um ano de prisão e cinquenta salários mínimos de multa por porte de drogas. O jornal conta que, em entrevista ao *Pasquim* em 1985, o músico citou Timothy Leary ao dizer que "as drogas não estão com nada". No entanto, em várias outras declarações, ele afirmou ser viciado e gostar de drogas.

Em 1985, Lobão disse ter engordado 18 quilos por estar consumindo menos drogas. Em 1986, chegou aos cem quilos nos seus 1,88m de altura, e afirmou: "Eu nunca fui um *dark* autêntico. Você consegue imaginar um surfista *dark*? Com uma prancha pintada de negro e indo para a praia de guarda-chuva?"

- Em 22 de março de 1987, reportagem do *Estadão* noticiou a condenação de Lobão a um ano de prisão, sem direito a *sursis*, por uso de drogas. A sentença foi proferida pelo juiz da 2ª Vara Criminal do Rio, Paulo Panza — que se irritou com o tom debochado de Lobão. O advogado Michel Asseff alega que a atitude do músico diante do juiz não foi desrespeitosa, "e sim fruto da própria doença de que ele é vítima [epilepsia]".

Durante a audiência, Lobão estava sonolento e bocejou várias vezes. Como não era mais réu primário, o juiz entendeu que ele não poderia cumprir a pena em liberdade, e deverá ficar um ano preso. O juiz considerou que ele tinha "péssimos antecedentes e péssima personalidade".

Na Polinter, Lobão está em uma cela com mais quatro presos, e deve esperar três ou quatro semanas até ser transferido para um presídio. "Famoso ou não, ele vai ser um preso igual aos outros", disse um policial. Em seu primeiro dia como preso, Lobão almoçou a mesma comida servida aos demais presos, mas recebeu frutas e roupas enviadas pela família.

- Segundo a *Folha de S.Paulo* do dia 22 de março de 1987, a gravadora RCA decidiu antecipar o lançamento do disco *Vida bandida* por conta da condenação. O álbum estava previsto para chegar às lojas em 10 de julho, mas deve ser distribuído antes. A decisão foi tomada em reunião pelo produtor Marcelo Sussekind e o gerente-geral da RCA, Manoel Camero.

Além disso, os shows de lançamento, que deveriam ocorrer no Canecão, serão cancelados se Lobão continuar preso. "Não se trata de uma estratégia de marketing, mas achamos que a única coisa que podemos fazer para tentar reparar esse absurdo é botar o disco para tocar", afirmou Sussekind.

- Em 24 de março de 1987 foi realizada uma manifestação pública pela libertação de Lobão, informou a *Folha de S.Paulo*. Organizado por amigos do artista e pelo Partido Verde, o evento foi no Parque da Catacumba, Zona Sul do RJ. Confirmaram presença Caetano Veloso, Bezerra da Silva, Titãs, entre outros.

Capítulo 43

Às vezes ficava olhando para as paredes a filosofar... Que paradoxo... Aquilo ali era simplesmente uma tortura em forma de retenção, no entanto, me sentia um privilegiado... Estava testemunhando e vivenciando fatos inacreditáveis, sentia na pele um tipo de desgraça que é corriqueira para um grande número de brasileiros e me rejubilava em saber que, através daquela experiência, me tornei um deles. Pensava que tinha sido acometido por uma graça divina em poder ter forças e condições de ser feliz em meio àquilo tudo e, de alguma forma, ter podido ajudar, ainda que tão pouco, alguns companheiros.

De repente, chega uma viatura com uma ordem para me conduzirem a Benfica, no chamado Ponto Zero.

Foi um momento dramático, pois tinha acabado de prometer para um cara que ia descolar a grana pra fiança dele, e quando nós dois percebemos que aquilo se tornaria impossível devido à minha remoção, nos pusemos a chorar feito duas crianças.

Saí aos prantos daquele inferno! Como é que pode sair de um lugar fétido, cheio de ratos, um calor que jamais sentira, execuções e torturas, comida impossível de digerir... e lá estava eu me debulhando em lágrimas por ter que deixar aquele verdadeiro campo de concentração.

Aporto no quarto andar da delegacia de Roubos e Furtos, onde se localizam as dependências da prisão especial. Fui colocado num quarto com mais quatro detentos: um juiz, um falsário, um estelionatário e uma bichinha que estava lá por ter bebido sangue de criança em rituais de magia negra.

Mas não se assustem, o bichinha, que era de compleição franzina e delicada, já havia cumprido sua pena, e, por não ter ninguém no mundo, acabou se transformando numa espécie de mordomo. Era ele que ia fazer supermercado, cozinhava, servia o chá das cinco.

A única coisa que causou uma certa espécie foi logo na primeira noite, quando acordei no escuro total com um sacolejo de uns corpos a me roçar os lençóis... era o bichinha dando para um guarda bem encostado a mim. Fiquei com a nuca arrepiada instantaneamente. Tive que ficar paralisado até que eles acabassem. Mas, de resto, era muito prestativo e atencioso.

Só fui reconhecer o terreno na manhã seguinte... de qualquer maneira, era bom poder dormir na horizontal de novo e ainda por cima numa cama... mesmo com aqueles dois trepando do meu lado.

Estávamos alojados num andar inteiro que era dividido em dois enormes espaços separados por um grande portão gradeado. De um lado, ficava uma espécie de salão de jogos, com amplas janelas sem grades, uma mesa de sinuca e, no flanco esquerdo, tinha o que deveria ser a administração da prisão. Ao lado, um parlatório e uns aparelhos de ginástica. Para além das grades ficavam quatro quartos e à frente deles, um enorme espaço vazio, sustentado por várias e espessas colunas, dando uma sensação daquelas garagens de edifício. Esse espaço era chamado de "maracanã", pois era onde jogávamos uma peladinha.

Logo na primeira tarde da minha estada, vou até a janela apreciar a vista, quando percebo que havia um grupo escolar, bem defronte ao nosso prédio. Quando a petizada me percebe, começa o estardalhaço: "Aê! Lobão! Bota pra fuder!! Aê, Lobão, estica uma aê!" Precoce, essa meninada... deviam ter, no máximo uns dez, onze anos... e tinha alguns que faziam uma variedade espantosa de gestos como o chifrinho do demônio, emulavam picadas nos braços, sugavam o ar como se estivessem fumando maconha... Pensei: "Isso pode ser uma fonte de renda!" Tínhamos o nosso falsário, muito habilidoso, cujo apelido era Duro na Queda, pois, numa quarta-feira de visitas, ele, como todo preso, carente e, como todos nós, mamado até a alma, ficava melancólico na hora da despedida de seus entes queridos. Pois bem, ele vai até a janela para continuar dando adeusinho para a família, e vai debruçando, debruçando, debruçando... e cai do quarto andar! Entretanto, antes de cair no chão, é enganchado por um galho da nossa frondosa amendoeira que ficava colada à janela. Cai em pé, intacto e bêbado até não poder mais. As sirenes disparam, todo mundo encostado na parede, quando nosso querido Duro começa a bater na porta: "Aê! Porrah... num sei como vim pará aqui embaixo, foi mal aê, shculpa!"

A partir daí, seu apelido foi conquistado.

Voltando à minha ideia, pedi ao Duro que dividisse uma produção de autógrafos para vender aos meninos do grupo escolar. Todos adoraram a ideia, pois o intuito de ter grana era pra batizar as garrafas de coca-cola com cachaça, que cada um de nós portava debaixo do braço. Foi nessa oportunidade que reinventei o meu autógrafo a título de facilitação. Me inspirei na assinatura do Dalí! E ficou bem mais *design*! Assim poderíamos dividir a produção e angariar mais clientes. Reunimos todos os lençóis e manufaturamos uma teresa (nome que se dá às cordas improvisadas na prisão). Logo em seguida, a bichinha veio com um cesto de palha. Esperamos a hora da saída da molecada e me ponho em exposição, a acenar como se fosse um papa na janela do Vaticano, ou um Fidel Castro chegando de Sierra Maestra. A criançada se amarra e vem toda correndo pra ficar bem embaixo da minha janela em polvorosa. Daí eu grito. "Vocês querem autógrafo? Então, todo mundo coçando o bolso!"... E a gurizada juntando moedinha, troco do lanche do recreio, enquanto nós descíamos o cesto amarrado na teresa. Arrecadamos uma pequena fortuna! Praticamente o colégio inteiro adquiriu o autógrafo e a grana arrecadada dava pra comprar um estoque poderoso de cachaça que iria nos servir por uns dois meses sem preocupação.

Na sinuca, minha especialidade, comecei a ganhar um bom dinheirinho. Chegaram até a me chamar de o Matador do Ponto Zero, deferência que muito me lisonjeava. Até o dia da chegada de um policial, chefe de um grupo de extermínio chamado Mão Branca, que logo se aboletou ao redor da mesa, já de taco em riste a desafiar o bambambã do pedaço. Todos olharam pra mim. Me aconselharam a não batê-lo na sinuca, pois, por qualquer merreca, saía distribuindo chumbo grosso. Não foi preciso muito esforço para levar uma surra do Mão, era um bom jogador, que ao me subjugar se tornou meu amigo de infância.

Já usufruindo de sua amizade, ele me contou que também era músico! E me perguntou se não rolava um violão no pedaço. Já haviam me trazido um violãozinho bem pequeno, que, prontamente, fui buscar.

Comovido ao ter o instrumento nos braços, senta-se num banquinho e começa a tocar com pungente sentimento aquele hit do Sérgio Reis... Foi impressionante como a voz dele, de repente, engrossou, e visivelmente emocionado cantava: "Se você pensa que meu coração é de papel... não vá pensando pois não é... etc. e tal." Todos ao seu redor estavam com os olhos marejados de emoção e, ao terminar, após os calorosos aplausos, me confessou: "É, Lobão, também dou umas arranhadinhas na viola." E, curioso, perguntei: "Mão, onde é que você aprendeu a cantar tão bem?!" "Que isso... é que quando eu era criança fui dos Canarinhos de Petrópolis."

Recebia uma batelada de livros de presente e acabei lendo todos. A coleção completa de poemas de William Blake, *The Ballad of Reading Gale*, uma espécie de *Memórias do cárcere* em versos de Oscar Wilde.

O burburinho era geral... Uma rádio lá, agora não me lembro se era Cidade ou Transamérica, foi até o Ponto Zero colher meus depoimentos e aproveitaram pra fazer uma versão de "Rádio Blá" que acabou sendo gravada no banheiro da nossa cela. Tinha acabado de formar uma dupla com um policial que estava preso e não batia bem das ideias, mas tocava flauta transversa muito bem.

Uma vez, nós estávamos batendo uma pelada e ele começou a encrespar com uma pilastra. Dava chutes, xingava a mãe da pilastra...

Outra vez, estávamos todos jogando um carteado quando houve um apagão. O nosso flautista entrou em pânico, pegou um facão no escuro e começou a dar golpes no ar. Me agachei, peguei meu violão que estava debaixo da minha cama e fui me arrastando até o outro lado do "maracanã"... Ao chegar, no breu total, ainda ouço o fuzuê dos presos a fugir das facadas no ar do flautista. Como estávamos já num ritmo frenético de ensaio, dei um grito pro cara: "Fulano! Porra, tu não vem ensaiar, não?" E comecei a arranhar qualquer coisa no violão. E, surpreendentemente, ele me responde largando a faca: "É mesmo... me espera aí que eu já tô indo!" E no meio da escuridão, acendeu um fósforo, pegou sua flauta e veio ensaiar comigo.

Pois bem, voltando à gravação do especial pra rádio, nós dois fizemos um *take* ensandecido de "Rádio Blá", que ficou em primeiro lugar nas paradas por mais de uma semana. Por falar em paradas, o *Vida bandida* havia saído com uma curiosidade maciça da população, apesar da gravadora ter escolhido como música de trabalho a obscura "Da natureza dos lobos" (eles achavam que devia ser este o nome do disco)... Só depois, quando já sabiam da possibilidade da minha soltura, lançaram uma megacampanha promocional em todas as rádios que tinha uma vinheta de uma grade rangendo e uma cara gritando: "LOBÃO SAIU!"

Por sinal, as argumentações quando nos reunimos para decidir a faixa de trabalho foram muito criativas. Quando sugeri "Vida bandida" para trabalhar, os executivos alegaram que jamais uma música tão pesada tocaria em rádio alguma, pois, apesar de estarmos em plena era rock, o Brasil tinha como característica a brejeirice, a candura... bastava ouvir os roquinhos que tocavam... Radialista tem a mania de ir às mixagens dos grupos só pra diminuir o volume, ou, de preferência, tirar as guitarras... que coisa mais maluca!... "Vida louca vida" idem, pesada demais; sobre "Rádio Blá", me informaram já haverem testado a canção no disco do Hanói-Hanói, e que fora um fracasso. E "Chorando no campo" também não tocaria porque tinha que ter, pelo menos, um "pandeirinho"... Música sem acompanhamento não tocava em rádio... Ah, que bom saber de tudo isso! Pois bem, naquela ocasião, por ironia do destino, essas quatro faixas estavam respectivamente em primeiro, segundo, terceiro e quarto lugares nas paradas de várias rádios do segmento. Era um fenômeno que de forma alguma corresponderia às vendas proporcionalmente mirradas que o disco obteria: 350 mil cópias.

E, após a minha soltura, com a sucessiva quebra de recordes de público em estádios, ginásios e casas de show, com todos na plateia a envergar as capas do LP, era de se imaginar um outro resultado.

Havia boatos de que certos executivos graúdos haviam montado uma fábrica clandestina em Mato Grosso para "piratear" os próprios produtos de suas respectivas companhias... É, rapá... sujeira indescritível. E eu é que era o louco da história.

Acabei recebendo um telefonema muito querido do Raul Seixas através de outra rádio dando sua solidariedade e me desejando força e sorte... Posteriormente, em parceria com o Marcelo Nova, comporiam em minha homenagem uma música chamada "O lobo expiatório".

Nesse meio-tempo, o meu nome não para de ser comentado todos os dias no *Jornal Nacional*, no *Fantástico*, e em todos os outros noticiários... Cheguei a gravar um clipe de "Rádio Blá" para o *Fantástico* em pleno Ponto Zero.

Mas, de certa forma, preferiria estar no lugar que havia, a duras penas, em todo o transcorrer da minha vida, conquistado. Preferia estar sendo comentado pela minha capacidade de produzir canções, mas não: só saía nas páginas policiais.

A todo momento poderia ganhar um *habeas corpus*, que estava sendo prometido desde a minha estada na Polinter. Contudo, em virtude da minha grande periculosidade, os magistrados, no afã de defender a sociedade civil, não achavam prudente me conceder aquele salvo-conduto. Mas era uma tortura você ficar esperando ser solto a qualquer momento e sempre haver um contratempo, uma negativa de última hora. Principalmente quando acontecia às sextas-feiras. Em quantas delas me aprontei, tomei meu banho, fiz a barba, arrumei meus cacarecos, para, bem no finalzinho do dia, me avisarem: "Lobão... não vai ser dessa vez. O tribunal achou por bem negar a concessão do *habeas corpus*; agora temos que esperar até segunda-feira"? Era uma tortura psicológica. E isso aconteceu por três longos meses... isso tudo para, depois de ter saído, ler em várias publicações que havia ficado uns 15 dias preso e curtindo uma boa vida (!). Sem contar os gênios que "desvendaram" o meu plano em ter orquestrado tudo aquilo de conluio com a gravadora.

LOBÃO NA MÍDIA

- Em 25 de março de 1987, o jornal *O Globo* noticiou que, em manifestação pela libertação de Lobão, Ritchie contou que levou malhas, tênis e meias para o músico na cela da Polinter, além da revista *Swamp Thing*, "na medida" para o clima da prisão. "Paredes pingando água, algo pra lá de expresso da meia-noite."

Na manifestação, Carlos Minc declarou que "se uma pessoa tenta se suicidar e não consegue, não será condenada por isso. É o mesmo caso das drogas". Segundo *O Globo*, Lobão chorou ao deixar a cadeia, e fez uma ressalva: "A galera da Polinter continua arrebentando a boca da matilde. Tem muita gente boa, como o Índio, o Zé de Niterói."

- No dia 2 de abril de 1987, o *Jornal do Brasil* contou que Lobão foi transferido do xadrez da Polícia Federal para a carceragem da Polinter, onde passou a dividir a cela 11 com mais 12 presos. Por não ter diploma de curso superior, ele não tem direito a cela especial. Entre os outros encarcerados, está Luiz Batera, integrante da bateria da Escola de Samba São Clemente.

Sobre sua prisão, o músico falou que "whisky é droga mais pesada e não prendem ninguém por ser viciado em whisky. Por quê? Só porque é droga do Primeiro mundo? E qual é a diferença? Precisam fazer uma legislação mais civilizada por aqui. Eu não sou maluco, pago meus impostos e ficam me cercando". Ele disse ainda que só é dependente de uma droga, o Rivotril 2mg, porque é epilético.

Lobão foi procurado por policiais porque se mudou de sua casa no Jardim Botânico sem avisar a justiça, além de ter faltado a uma audiência no Tribunal de Justiça.

- Em 8 de abril de 1987, Lobão contou sobre sua prisão ao jornal *O Globo*. Ele contou que primeiro ficou na cela 11, mas logo foi transferido para a 12, onde conviveu com 12 pessoas e uma cachorra recém-nascida. Além de Zé de Niterói (que lhe arranjou uma bermuda, pois Lobão chegou de sunga), o músico conheceu um médico sueco preso por contrabando, o Epaminondas (um comerciante lusitano que tinha cinco máquinas de videopôquer), o Marinho, um crioulo japonês (que tinha os olhos apertados e por isso parecia japonês), e Luizão, baterista do grupo de pagode Fundo de Birosca e integrante da escola de samba Unidos de São Clemente.

Segundo Lobão, na cadeia ele viveu um forte código de ética. "Lá é o verdadeiro comunismo, onde só não se atura estuprador ou alcaguete: aí, eles estupram mesmo." O músico contou que, no terceiro dia, todo mundo resolveu limpar a cela e tirar os colchões para fazer surfe com sabão em pó. "A gente fazia qualquer coisa virar preciosidade", disse.

Lobão contou ainda que toda vez que chegava a quentinha, a turma lembrava dos velhos tempos. "Tinha um peito de frango, pelo menos. Agora é só esse fígado verde estragado com purê." Além disso, o roqueiro aproveitou para traficar Rivotril para a cela. Quando ia ser liberado, o Zé pediu que Lobão gritasse seu nome três vezes, o que foi prontamente feito.

Em suas "memórias do cárcere", Lobão escreveu: "Violência, vamos viver sem violência? Como é que vamos viver sem violência se há uma violência letárgica ideológica somada a um retrocesso político? (...) Você vê políticos, artistas, executivos, empresários, enfim, um naco social de aparência sordidamente próspera, escorregando pela vida, sendo conivente com o obscurantismo. O que essa gente incompetente, desprovida de brilhantismo ou arte, faz dos nossos dias? São pessoas geradas pela mais miserável das violências: a falta de talento."

Em outro trecho, Lobão afirmou: "A arte então virou um frívolo veículo de entretenimento estéril, de violência 'bem-comportada', podre de tanta assepsia 'feliz'. Arte que se torna impotente diante da conivência bovina de seus autores (...) Não dá pra ver tanta gente presa (presa mesmo) por erros judiciais brutais. Não dá pra engolir a Justiça amortalhada por mantos de propina, ver vidas desmoronando pelas leis que regem tão arbitrariamente o lado mais fraco da sociedade, pois essa justiça sempre guarda um sorriso ao dinheiro, 'criando dificuldades para vender facilidades'."

- Em 17 de abril de 1987, o *Jornal do Brasil* publicou uma crítica de Mauro Santa Cecília comparando Lobão a Jim Morrison, cantor do The Doors. "O que teriam em comum Jim e Lobão, dentro e fora do rock 'n' roll?", pergunta. Ele menciona os diversos processos por uso de drogas de Morrison, e a prisão de Lobão pelo mesmo motivo.

Intitulado "O libertário e o rei lagarto", o texto diz que "Jim e Lobão têm em comum a radicalidade, a rebeldia consistente, a iluminação do verdadeiro artista, a poesia". Para o autor, "a sociedade em geral e, especificamente, aos nossos legisladores 'reconhecidos' fica um (eterno) desafio: o que fazer com o Grande Maldito? Trancafiá-lo? Ele é bandido? Quem é o louco, nesta história?".

- A *Veja* de 27 de maio de 1987 afirmou que Lobão é um "caso crônico de consumo e apologia de drogas", e que o cantor "entrou para o julgamento certo de que seria absolvido e fazendo gozações, riu diante do juiz enquanto ouvia sua sentença e saiu do tribunal com o mesmo bom humor".

O detetive Bento Pereira disse que nunca viu ninguém "desse jeito depois de ser condenado a um ano de cadeia". Segundo o juiz Paulo Panza, "verifica-se, pois, que se vai tornando rotina ser o acusado preso por uso de entorpecentes. O acusado, apesar de tecnicamente primário, já registra antecedentes, não tem boa personalidade, nem conduta social".

"Ao ser entrevistado pela revista *Amiga*, afirmou que suas prisões são uma perseguição da sociedade, dizendo ainda que o uso de drogas é mais uma posição política que existencial", lembrou Panza.

Segunda a *Veja*, Lobão declarou que foi mal-interpretado, mas em seguida "defendeu a ideia de o Brasil exportar cocaína para os Estados Unidos, 'ganhando dinheiro com isso'".

Tavinho Paes, parceiro de Lobão, disse à revista que "quando compôs "Décadence avec élégance", ele "cheirou, cheirou, cheirou e fez a música". Já Lulu Santos afirmou que "ele é um criminoso pequeno diante da impunidade dos que praticam grandes crimes contra a nação. A revista contou, ainda, que Lobão tentou se suicidar duas vezes usando Rivotril, remédio que toma para controlar a epilepsia.

- Em 3 de junho de 1987, a *Folha de S.Paulo* anunciou que a gravadora RCA divulgou nas rádios um "mix" com músicas de Lobão chamado "Reação em cadeia". Para o crítico MCC, "Não resta dúvida que Lobão foi vítima de uma legislação antidrogas primata, retrógrada, parida no obscurantismo. Grandes traficantes mantêm uma relação incestuosa com a polícia enquanto usuários amargam na cana dura. Mas usar a prisão do roqueiro como estratégia de marketing soa como golpe baixo, antiético, picaretagem rasa".

- Em 3 de junho de 1987, a *Folha da Tarde* noticiou que o julgamento de Lobão, condenado a um ano de prisão por porte e uso de drogas, foi adiado no dia 2 pelo desembargador Décio Meireles Góes, do TJ-RJ. O pedido de vista do desembargador ocorreu, segundo Michel Asseff, advogado de Lobão, por conta de uma "invasão do fórum por grupos de movimentos ecológicos, verdes, amarelos e azuis".

Apesar de ser a favor desses movimentos, Asseff afirmou que "durante o processo, eles só atrapalham o trabalho do advogado de defesa". A condenação de Lobão levou artistas e políticos do Rio, como o deputado estadual Carlos Minc e o jornalista Fernando Gabeira a criarem um comitê pela libertação do músico.

Segundo Minc, o objetivo do comitê seria conseguir um *habeas corpus* para que Lobão fizesse um grande show no Maracanãzinho, que se transformaria em um ato político. Além de Gabeira e Minc, apoiam o comitê José Bonifácio de Oliveira, o Boninho, Lucélia Santos, Cazuza, Ritchie, Paulo Ricardo, entre outros.

- Em entrevista ao *Estadão* de 3 de junho de 1987, Lobão afirmou que a imprensa é responsável por sua prisão. "Uma facção muito grande da imprensa usou e abusou da minha imagem canalhocrata, de brincalhão. Ao mesmo tempo, eu sou uma pessoa muito séria quando falo. Eu falo, eles colocam as brincadeiras, e quando eu falo sério, ninguém publica. Eu fico triste com isso."

"A prisão custa caro, você perde a liberdade, o maior trunfo da vida. Eu me sinto aniquilado, como qualquer um que esteja preso, e em função de um julgamento completamente parcial. Porque, tecnicamente, legalmente, eu jamais poderia responder a esse processo em regime de prisão fechada. É preciso anular essa sentença e arrumar uma forma de me julgar de uma forma coerente", disse.

- Em 3 de junho de 1987, o *Estadão* publicou uma entrevista com Lobão. Ele disse estar puto com a revista *Veja*. "Minha condição para dar entrevista era não falar de drogas. Foi um acordo de cavalheiros que a *Veja* não cumpriu. Eles me pintaram como bufão e moleque. Eu não sou um moleque", declarou. Sobre a revista *Amiga*, o músico afirmou que ela "já é imprensa marrom".

Para ele, as informações publicadas pela imprensa prejudicam seu julgamento. "O juiz pega essa matéria, manda isso para o memorial do *habeas corpus*: 'Olha, esse cara faz apologia às drogas.' Ninguém pode dizer nada. Pela Lei de Imprensa ninguém pode falar, porque não assinei nenhum artigo nesse sentido. Mas deprecia."

Lobão justificou seu comportamento dizendo: "Quando minha mãe morreu, pediu para que eu sorrisse e cantasse em seu enterro aquele samba-enredo: 'Do índio à nobreza, a beleza da ressurreição'. Eu batucava no caixão da minha mãe e cantava, rindo, e ninguém entendendo nada. Minha manifestação de choro é o riso."

- Segundo o jornal *O Globo*, um parecer do juiz Cármine Savino Filho, do dia 5 de junho de 1987, considerou que Lobão é, "mais do que tudo, uma vítima, como tantos em nosso Brasil, e não um marginal". Com o despacho do juiz, que aceitou o pedido de arquivamento do flagrante de apreensão de droga no hotel em Ipanema, o julgamento do *habeas corpus* poderá ser positivo, já que o músico não tem outras condenações.

A promotora Ana Maria Gonçalves havia pedido o arquivamento por entender que o uso de tóxico é uma autolesão, que, assim como o suicídio, não tem pena prevista no Código Penal.

"O acusado é pessoa sensível, intelectual, poeta de real qualidade, pessoa boa. Jovem ainda, que a partir de seus 14 anos ingressa no universo das drogas. Isto quer dizer, vítima de traficantes que envolvem e levam os jovens à dependência dos vícios. João Luiz Woenderbag Filho não é um marginal. É mais uma vítima que desafia e se impõe cada dia mais, com sua força e poder. João Luiz Woenderbag Filho, mais que tudo, é mais uma vítima, como tantos em nosso Brasil", declarou o juiz ao arquivar o processo.

Para o magistrado, o músico passa por um momento crucial da sua vida e a condenação poderia afastá-lo de uma possível recuperação.

- Em entrevista à revista *Manchete* no dia 6 de junho de 1987, Lobão afirmou: "Um ano de cadeia arrebenta com a minha carreira. É uma desgraça, principalmente agora que a crítica me indicou como um dos melhores compositores, melhor cantor e melhor letrista do Concurso Villa-Lobos. Logo agora que terminei o LP *Vida bandida* e sou diretor musical do filme *Escadinha 2 — A missão*. Veja só: eu sou primário e pego um ano de prisão. Tenho direito a *sursis*. Não sou nenhum marginal, nenhum elemento pernicioso à sociedade."

Uma manifestação realizada na lagoa Rodrigo de Freitas, no RJ, pediu a liberdade de Lobão e contou com a presença de personalidades como Branco Melo, do Titãs, Ritchie e Fernando Gabeira. Na entrevista, Lobão se mostrou revoltado também com o psicoterapeuta Rômulo Boccanera, que definiu sua conduta como paranoica sem conhecê-lo. "É uma leviandade profissional. É inadmissível um médico fazer um diagnóstico sem jamais ter visto um paciente", disse.

- Em 7 de junho de 1987, Mario Cesar Carvalho escreveu na *Folha de S.Paulo* que "Lobão sempre foi mais conhecido pelos seus piripaques de personalidade do que pela sua inventividade artística". Para o jornalista, o "peso substantivo de 'Vida bandida' acaba desequilibrando o LP". Além disso, a poesia "rasteira" de Bernardo Vilhena "chega a roçar o lirismo rastaquera em algumas músicas".

"Lobão começou a ser comparado a Renato Russo e Arnaldo Antunes, depois que foi condenado a um ano de prisão por 'uso reiterado de drogas'. Pura complacência. Lobão não é e nunca foi um bom letrista. Conquista a plateia pela energia e pela metralhadora giratória que carrega sob a língua — duas qualidades nada desprezíveis", escreveu Mario Cesar.

"Os desavisados adoram descobrir mitos quando os roqueiros abandonam a vida cotidiana e passam a viver atrás das grades. Foi assim com Pete Townshend, Mick Jagger e Paul McCartney. A tríade, no caso, havia provocado uma pequena guinada na história do rock nos anos 1960. Lobão nunca primou pela ousadia musical. Acaba sendo mais explosivo em suas declarações à imprensa do que quando canta e toca", afirmou o jornalista.

- Em entrevista à revista *Contigo* no dia 8 de junho de 1987, Lobão — que estava na prisão — mudou seu comportamento. "Em vez do riso solto, o rosto tenso. No lugar do gesto largo, contido. E, onde havia a irreverência verborrágica, existe agora um discurso entrecortado pela gagueira e o nervosismo."

Perguntado sobre como se sentia, ele respondeu: "preso". Disse também que tem dormido muito. "Me tiraram o que eu tinha de mais precioso, a liberdade. Então durmo. Quando acordo, leio. De Eça de Queirós a Asterix."

"Estou muito triste com a forma com que parte da imprensa tem me retratado. Há jornais e revistas me chamando de apologista das drogas e me tratando como se eu fosse um moleque. Parece até que eu sou um doidaço. Se isso fosse verdade, eu nem sequer teria condições de fazer o meu trabalho, que é um trabalho muito sério. O que eu sou é uma pessoa brincalhona, extrovertida, que consegue ter senso de humor para enfrentar a vida", disse Lobão.

- Em entrevista à revista *Amiga* de 10 de junho de 1987, Lobão afirmou que é muito difícil as pessoas distinguirem "entre lucidez, excentricidade e loucura. Me dou ao luxo de ser excêntrico, porque tive vários problemas na minha vida e consigo resolver dentro dessa minha... Funcionou bem, tanto é que, até ser preso, funcionei bem".

Para ele, "o pior sofrimento do ser humano é perder a sua liberdade. Nada vale perder a liberdade. Nunca. Brincar com a minha liberdade, a coisa mais séria da minha vida, privado do meu amor que está fora e do meu trabalho. Quer mais? Sou uma pessoa íntegra. Não compactuo, aprendi com a minha mãe, por isso vai ser chato pegar no meu pé. Eu não posso dizer que fui perseguido. Toda essa m... começou, houve várias falhas, quando meu advogado Luiz Afonso Chagas Filho foi comemorar comigo no hotel a venda da minha casa e esqueceu de comunicar ao juiz que eu tinha mudado de endereço. Não, existe, há de convir, uma predisposição do dr. Paulo Panza em pensar: 'esse sujeito é um indisciplinado.' O que é verdade".

Capítulo 44

"Foi preciso que eu contraísse uma doença e Lobão fosse preso para que pudéssemos ter algum tipo de destaque na imprensa." Estavam massacrando o Cazuza, estavam falando verdadeiros absurdos de nós dois...

Quando saí da cadeia, a maioria dos jornalistas achava muito pertinente me perguntar o seguinte: "Lobão, como se sente agora que você se tornou famoso depois da sua prisão?" Vocês podem imaginar que situação engraçada? Eu, já com quatro LPs nas costas, cinco anos de carreira, fora a Blitz, já com, pelo menos, nove sucessos nacionais do tipo "Me chama", "Corações psicodélicos", "Décadence avec élégance", "Revanche", "Canos silenciosos", "Noite e dia"... e sou obrigado a ser tratado como um fruto das páginas policiais!? É de lascar...

Outro expediente que ultrapassava os limites da picaretagem e da covardia era o de especular sobre a possibilidade de eu estar na cadeia por ser um marqueteiro. Cogitaram seriamente a possibilidade da gravadora ter me enfurnado na prisão, e, a minha pessoa, de ter feito *Vida bandida* sob encomenda para o genial golpe, me prestando a viver naquele inferno e suportar todo aquele apedrejamento da mídia só para promover meu próximo trabalho.

Mas, se isso acontecia por um lado, por outro, estava recebendo muito apoio e carinho por grande parte da população. Não havia local em que eu chegasse que não fosse cumprimentado por gente de segmentos totalmente diversos daquele que frequentava.

E esse fenômeno não se restringia às ruas. Logo na primeira semana que desfrutava da minha liberdade, a gravadora marca, em cima do laço, um programa do Chacrinha.

Já ouvia o Chacrinha fazendo aquele suspense para a minha apresentação... "Alô, alô, Teresinha! Ele está demorando muito porque está no banho! Ele gosta de ficar muito cheiroso! Ele cheira, meus amigos... ele cheira muito bem!! Com vocês, o maior cantor da América Latina! Loooooobão!" Eu quase morri de rir e, meio sem jeito, adentrei o palco para fazer um *playback* daqueles...

Me lembro que o primeiro show a ser realizado depois da minha soltura foi no estádio do Campo Grande.

A partir daquele evento nossa turnê quebraria todos os recordes de bilheteria em cada local que o show fosse realizado. Alguns não foram suplantados até os dias de hoje...

Pois bem, estava de banda nova, Os Marajás Apedrejados! Na verdade, excetuando-se o Zé Luiz; Marcelo arregimentou os músicos por eu estar ocupado na prisão.

Os Marajás constituíam-se de: meu brother Zé Luiz no sax (ele viria a documentar toda aquela turnê em vídeo com centenas de horas gravadas), o meu querido Marcelo Sussekind na guitarra, o Lopau (Paulo Henrique) nos teclados, o Roberto Lee no baixo e o Fred Maciel na batera e na guitarra (nesse show eu tocava bateria numa música).

Para cada cinco shows agendados, dois eram sabotados e pelo menos um era embargado pelo juizado de menores.

Nos restantes, a polícia fazia o obséquio de fazer revista ostensiva no público.

Garotos sendo tratados como marginais, polícia feminina fazendo revistas ginecológicas nas meninas...

Foi necessário constituir um advogado para viajar ao meu lado com um *habeas corpus* de soltura já lavrado. A nossa equipe era abordada nas estradas e nos aeroportos com uma frequência que já fazia parte da rotina.

E tudo isso em homenagem a um réu que foi condenado de forma inconstitucional: eu era primário, e ninguém se preocupava em notificar esse detalhe. Primeiro, porque não pratiquei crime algum: o artigo que me enquadraram era o famoso 16: porte de drogas. Segundo, que a pena máxima vigente nesse artigo dizia que, no caso de primariedade, o réu deveria responder em LIBERDADE.

Estava sem casa pra morar logo quando saí. A Daniele foi morar por uns tempos com sua mãe e eu estava sem um tostão, pois o pouco que havia restado da venda da casa foi todo no processo.

É aí que vem meu querido Ritchie e me empresta seu apartamento lá em São Conrado.

Com toda essa curiosidade quase que zoológica em relação à minha pessoa, a revista *Manchete* marcou uma pauta que seria o encontro entre dois "cocainômanos" de duas épocas diferentes. Me prestei ao papel somente porque o outro cara era simplesmente o Nelson Gonçalves, a Lenda, e, por nada desse mundo, perderia a chance de conhecê-lo com mais intimidade.

O encontro foi marcado nas dependências do então estúdio da BMG-Ariola, o novo nome para a nossa antiga RCA Victor, da qual nós dois fazíamos parte do *cast*.

Quando chego ao local, me direciono para as salas da diretoria e, quando adentro o ambiente, lá estava o Nelson de camisa social com uma estamparia predominantemente vermelha e uma calça de tergal bege.

Ele logo me avistou, foi ao meu encontro já com a mão esticada, pronta para o cumprimento, e se autoanunciou: "Muito prazer, Nelson Gonçalves, eu sou você anteontem!" "Que prazer em conhecer o senhor, meu nom..." "Senhor é o caralho! Porrra", ele falava com a voz sempre empostada e pronunciava os erres com aquela dicção clássica. "Tenho certeza que sou bem mais maluco que você, porra." E, ao mesmo tempo que se apresentava, fazia questão de escarrar no tapete a todo instante: "Ô Lobão, sabe por que eu escarro no tapete desta merda? Porque eu vendo mais disco que o Elvis Presley... mais que o Elvis Presley e, por direito, já sou dono disso aqui, ademais, esses executivos filhos da puta têm que ser tratados no chicote."

Quando começamos a falar sobre cocaína, ele me disse: "Lobão, não cheiro mais essa porra porque vem toda misturada. No meu tempo, cheguei a raptar um colombiano que ficou trancado na minha casa, preso por uns três meses, fabricando cocaína puríssima. Consegui fazer com que ele produzisse uns dois a três quilos. Uma beleza! Fiquei uns dois anos trancafiado na minha casa, cheirando aquela porra! Isso, sim, é que era cocaína, não é essa farofa com maisena que vocês colocam no nariz nos dias de hoje, não." "Puxa... bons tempos, hein?"

Em menos de cinco minutos, percebi que já éramos amigos íntimos... realmente ali nasceu uma sólida e intensa amizade, coisa que me deu (e me dá) um orgulho imenso.

Com todo esse amor no ar, Nelsão me encomenda uma música inédita pra cantar com ele num LP de duos que estava sendo produzido.

E numa tarde de labuta, estava pronta "A deusa do amor".

No final das contas, a gravação foi um sucesso e, logo em seguida, fomos comemorar num botequim no Humaitá.

Nós entramos e fomos sentando numa mesa, quando, de repente, Nelson entra num estado de devaneio... começa a olhar ao redor e me diz: "Lobão, o botequim é o lugar em que minha alma habita. Por sinal, lhe digo que onde houver prostitutas, botequim e violão, haverá sempre Nelson Gonçalves a cantar uma canção", e começou a me contar histórias que deixavam as minhas parecerem contos da carochinha.

A saída da cadeia me deixou com uma ferida e um ódio tremendo no coração. E se aquele linchamento pelo menos parasse por ali... Não dava pra admitir o que estavam fazendo com a minha vida... e dentro desse espírito, em muito pouco tempo estaria perambulando pelos morros cariocas tentando convencer todas as facções a se juntarem pra invadir o Palácio Guanabara... e se não fosse pelas rixas internas, isso poderia ter acontecido. Pensei: estão me tratando de bandido? Então espera só pra ver o que é ser um bandido de verdade.

O *Vida bandida* foi, a princípio, lançado como *single,* e a capa era um artigo meu que foi publicado no *Jornal do Brasil,* uma espécie de desabafo chamado "Reação em cadeia", para logo em seguida o LP aparecer nas prateleiras. E, para sacramentar seu lançamento, fora agendada uma temporada no Canecão.

No dia da estreia, o lugar em poucos instantes se encheu como nunca antes em sua história. Estava todo mundo lá: mais de quatro mil pessoas, todas praticamente do meio artístico — diretores, cineastas, presidentes de rede de televisão, artistas, atores, cantores; enfim, um acontecimento.

Pois bem, começa o show sob forte impacto emocional numa atmosfera carregada de indignação. Ao chegar no meio do espetáculo, paro tudo e, sozinho, começo a esboçar a introdução do hino nacional... No meio, acabei desistindo... pedi perdão à plateia e expliquei que havia tirado o hino na cadeia (naquela época cogitaram em me prender por tê-lo executado), mas não estava em condições de prosseguir. Quando, não mais que de repente, surge das profundezas da plateia uma voz muito familiar gritando: "Toca!, toca!" A voz vai se aproximando e da penumbra, todo de terno e gravata, num passo marcial em direção à boca do palco, marcando com palmas a intimação... Não pode ser... enquanto a figura continua célere e resoluta vindo em minha direção, a plateia se empolga com aquela atitude daquele homem e, seguindo seu gesto, o Canecão em peso começa a marcar com palmas e gritos de toca! toca! toca!... Era o tio Cocó!!!!

Àquelas alturas, seria impossível recusar executar o hino, portanto, deixei a intro de lado e parti pro miolo com a guitarra no volume 11.

Meu tio estava hierático, todo empertigado de civismo, e regia a multidão como se fosse um maestro a reger o último movimento da Nona de Beethoven. O Canecão em peso cantou, junto com a minha guitarra, o hino nacional brasileiro... Houve um instante em que o tempo se congelou naquela imagem.

Precisava desesperadamente de um lar...

Acabamos achando uma casa na estrada das Canoas, e de frente para a pedra da Gávea, com uma vista deslumbrante... Afinal, não tinha um lar desde a minha expulsão de casa, lá na Leite Leal...

Fomos a um canil de bóxeres, e pegamos um lindo filhotinho de três meses, todo marrom, que chamaria de Burunga.

Estava consciente da minha síndrome de resgate. Imaginem um ser como eu, atávico, casado com uma prima, um novo Burunga, uma decoração com o maior número de elementos que me fizesse imaginar o sítio.

Mas, infelizmente, aquele aconchego todo não duraria muito tempo.

Eu e Daniele já estávamos vivendo um casamento muito sobrecarregado de acontecimentos que foram paulatinamente colocando nossa união fora do eixo.

Uma vez instalado na casa nova, não deu tempo nem para desfazer as malas... Era hora de cair na estrada... e por um longo tempo.

Estava tudo preparado para uma turnê de grandes proporções onde, a cada lugar que se chegasse, haveria de ter algo de inacreditável para se vivenciar...

LOBÃO NA MÍDIA

- A *Folha da Tarde* noticiou, em 10 de junho, que Lobão foi solto no dia 9, após o Tribunal de Justiça do RJ conceder um *habeas corpus*. "Agora está tudo certo, eu sabia que a Justiça seria sensata. Mas um naco da imprensa é responsável por minha prisão. Tem muita gente que está presa não pelo que fez, mas pelo que os jornais dizem que fez. Algumas publicações me trataram como um bufão e isso influenciou a decisão do juiz. Não sou um messias. Não sou essa figura totêmica que dizem por aí. Não faço apologia das drogas. Venderam uma imagem diferente de mim e ela acabou me custando quase um mês na prisão", disse.

O advogado Michel Asseff alegou, em seu pedido de *habeas corpus*, que Lobão não fez apologia às drogas, não desrespeitou o juiz e que precisa estar livre para iniciar um tratamento contra a dependência. Cerca de cinquenta alunas de uma escola municipal que fica em frente à prisão aplaudiram Lobão em sua saída da cadeia. O músico afirmou que planeja lançar mais um disco, fazer uma viagem para o exterior e, na volta, cursar bioquímica.

- Segundo texto de Luís Antônio Giron publicado em *O Estado de S. Paulo* do dia 10 de junho, "João Luiz tem algo de roqueiro morto. De artista cuja revolta jamais se aplaca, engasgada num ritmo".

Para ele, as dez faixas do disco *Vida bandida* formam "um trabalho tão uno quanto áspero, armado com real espírito inconformista, não o sintético de certas bandas que se vendem na pele de agressivas. João Luiz não persegue a cegueira brilhante do sucesso. Atira-se à vida e à música, consciente de que ambas podem quebrar-se agora ou sempre".

Lobão define-se por um recado que o falecido Júlio Barroso lhe mandou: "O poeta é o traficante da liberdade", explica o jornal. Giron afirma que "o rock brasileiro amadureceu, a ponto de arriscar-se em obras atrevidas e às vezes não acessíveis.

"No caso de Lobão, porém, a realidade faz outro papel. Sabe ser consistente e agradar a quem de direito. Já aos que ele chama barrocamente de 'capachos de *rendez-vous*' — políticos, artistas e empresários que acariciam o poder —, Lobão manda porrada. O poeta-músico trafica incontinência em canções nascidas para morrer."

- No dia 10 de junho, o *Jornal do Brasil* contou que o julgamento do *habeas corpus*, impetrado 15 dias antes pelo advogado de Lobão, foi assistido por amigos e parentes do músico. Na sessão, realizada na 2ª Câmara Criminal do RJ, o advogado Michel Asseff pediu que os desembargadores não dessem crédito "ao terrorismo publicitário que se instalou em torno desse processo".

O procurador Antônio Francisco Feteira aconselhou os desembargadores que a prisão fosse mantida, pois Lobão é "um viciado" que vem mantendo "uma postura desafiadora diante das leis". Segundo Asseff, "o juiz deveria processá-lo se entendesse que houve desacato à autoridade, e não condená-lo num processo que apurava uma outra questão. A discussão em causa era em torno do porte de oito decigramas de cocaína, que a meu ver é uma quantidade ínfima".

Ao sair da prisão, Lobão afirmou que "a vida bandida ficou pra trás. Agora quero uma vida angelical, tranquila".

- Em 10 de junho, o *Jornal da Tarde* noticiou a soltura de Lobão, ocorrida no dia 9. Por dois votos a um, ele foi beneficiado por um *habeas corpus* impetrado na 2ª Câmara Criminal do Fórum do RJ. De acordo com a tese de seu advogado, ele não poderia permanecer preso porque o juiz "na verdade não o condenou no processo, mas sim por considerar que ele o havia desacatado e por achar que meu cliente fazia apologia do tóxico".

Para Asseff, a imagem que o juiz Paulo Panza fez de Lobão é falsa. "Ele, naturalmente, deve ter levado em conta a mídia usada pela gravadora para o artista vender seus discos. Lobão aparece sempre com uma imagem de roqueiro maldito e, tenho certeza, isso contribuiu para o juiz decretar aquela sentença.

O advogado considerou que possuir oito decigramas de cocaína "não é o bastante pra viciar ninguém". Asseff vai apelar agora para que a sentença seja reformada.

- No dia 30 de junho, o jornal *O Globo* informou que Lobão tocou o hino nacional de surpresa em um show do disco *Vida bandida* em Brasília. "Eu tirei o hino nacional para tocar no show porque faz parte da minha jornada carcerária. Quando estava preso tocava o hino de raiva e encontrava um tipo de alento nele. Apesar de nunca ter sido do tipo patriota, o hino me significava uma coisa patética, algo como um pedido de socorro."

Segundo ele, *Vida bandida* foi dedicada à polícia. "Não sei se me pegaram para bode expiatório, ou coisa parecida. De qualquer forma, sei que foi uma coisa desagradável, porque me senti aviltado e violentado." Lobão fez questão de frisar que não é nenhum apologista da bandidagem, e que nunca fez propaganda do uso de drogas. "Eu apenas canto o poder do revide", disse.

O jornal afirmou também que, ao sair do palco em Brasília, ele não quis conversa com ninguém. Se recusou a receber fãs, gritou com os seguranças e pediu a proteção deles para chegar até o carro.

- Em julho de 1987, a *Bizz* publicou uma reportagem intitulada "O dia da caça". Nela, afirma que Lobão "havia acabado de devorar sozinho quase uma pizza inteira, sabor banana, antes de entrar no estúdio". Segundo a revista, ele está "vinte quilos mais gordo, tomando mel e poejo para proteger as cordas vocais".

Sobre a música "Vida bandida", Lobão contou que ela "já tinha letra, mas na prisão eu só ficava escrevendo 'vida bandida' numa folha de papel. E o pessoal da prisão cantava, todo mundo da cela 11 batucando com a mão. Na semana seguinte, depois de solto, fui lá na Polinter mostrar a música para a galera, né?".

Segundo o músico, estar preso é uma violência. "Toda vez que eu era revistado tinha exame ginecológico, rato na cabeça." "Eu perguntei a um cara que estava preso, um traficante... era um cara esperto, me ofereceu um cobertor quando eu cheguei... eu perguntei: 'Cara, como você tá nessa situação de traficante?' Ele: 'Cara, eu sou negro, sou inteligente e sou pobre. Isso é um perigo. Eu tenho inteligência para assumir vários cargos idôneos, cargos normais. Mas eu sou preto. Preconceito no Brasil existe. Minha inteligência não vale só um salário mínimo, porque eu acho que o governo está me roubando. Agora, o que é pior? O tráfico que eu faço ou o tráfico de vida que eles fazem?'."

Lobão contou ainda sobre a "quentinha" do Moreira (Franco): "É só fígado podre, cada preso tem que comprar comida do próprio bolso." "Eu sou um cara que não faz mal à sociedade. Eu não roubo, eu não sou assassino, eu não sou corrupto. Eu não fumo cigarro, eu não bebo. Também não sou um cara que é dono da verdade, não sou doutrinário a ponto de dizer 'é isso mesmo'. Não. Simplesmente eu tenho o meu metabolismo, minha metodologia de vida", diz.

- Segundo o *Jornal do Brasil* do dia 2 de julho, Lobão vai tocar bateria na abertura do show do disco *Vida bandida*. Desde *Cena de cinema* ele não tocava o instrumento. Sobre a saída da prisão, ele afirmou: "É claro que teve uma expectativa do tipo 'Lobão saiu do jardim zoológico'. Tem pessoas que me olham na rua com uma curiosidade darwiniana: 'Olha lá o *Homo lupiscinius.*' Mas tem também o carinho que recebo de senhoras, senhores e crianças (...) E a solidariedade da classe artística foi genial (...) pessoas completamente diferentes se solidarizaram. A Fernanda Montenegro falou que eu sou a ponta do *iceberg* da repressão que vem por aí."

Em entrevista, Lobão deixou um recado para o delegado Aloísio Russo, diretor da Divisão de Entorpecentes, que na época de sua prisão disse que ele ia "sentir na carne". "Eu estou esperando que ele venha falar comigo para esclarecer o que quis dizer com aquilo. Enquanto isso não acontecer eu corro perigo de vida."

- Em 10 de julho, Lobão afirmou ao jornal *O Globo*, ao sair da cadeia, que não é "nenhum messias, nenhum ser totêmico para fazer apologias. Venderam uma imagem minha para o magistrado de bufão e palhaço, de um cara irresponsável. Estou muito magoado com alguns de vocês. Ainda bem que a Justiça é soberana".

- Em 21 de agosto, Lobão informou à *Folha* que está "fazendo *merchandising* do seu próprio calvário" com a prisão. "Estou ganhando dinheiro com minha prisão. Era exatamente o que eu queria fazer: guerrilha."

Segundo ele, "o Estado não vai poder ressarcir o tempo que eu perdi na prisão. Eu perdi também muito dinheiro, sofri danos psicológicos, tive que fazer um disco às pressas etc. Então eu achei que tinha que tirar proveito disso de uma forma sublinhada. É uma forma de responder aos exames ginecológicos pelos quais passei (para verificar se havia algum 'objeto contundente' oculto no ânus) e à violência em geral, como ter que comer comida com fígado podre e dar um pedaço para o rato para ele não comer minha orelha".

- No dia 21 de agosto, Marcos Augusto Gonçalves, editor da Ilustrada, escreveu na *Folha de S.Paulo* sobre a prisão de Lobão. Para ele, o músico "passou a adotar uma estratégia clara: usar a publicidade em torno do episódio para faturar — em termos de marketing — seu novo LP, *Vida bandida*".

Em entrevista, ele afirmou que entrarem na sua casa para a revistarem à procura de drogas foi um "abuso". Segundo Lobão, "agora fica *démodé*" ele ser preso de novo. "Seria cafona. Todos ficaram desmoralizados, graças a Deus. Eu não sou nem um pouco moralista e não faço *merchandising* com coisa nenhuma, a não ser com a minha vida." Ele disse que seu disco é "revolucionário, sem qualquer pretensão de ser moderno. Eu não sou de Manchester, não sou londrino, não sou escocês. A modernidade é uma consequência e não um compromisso".

- A *Folha da Tarde* publicou, no dia 21 de agosto, uma entrevista em que Lobão fala que depois de sua prisão "as pessoas passaram a prestar mais atenção em mim. Sinto que o fato de ter sido preso repercutiu muito entre as pessoas, elas estão me dando mais crédito, e abriu um espaço maior para mim e, claro, vou utilizar esse espaço conquistado".

Sobre a prisão, ele contou que lá fazia tráfico de gelo. "Naquele calor sufocante eu sempre arranjava um jeitinho de jogar uns pedaços de gelo para a rapaziada." Além disso, ele disse que não era possível dormir em paz. "Os ratos passeavam por nossas cabeças e tinha que dormir com a bunda na parede, senão neguinho comia a gente."

"Não admito que falem que eu não sou um bom músico. Quando dizem isso, eu fico puto, eu toco pra caralho", concluiu Lobão.

- Segundo a revista *Bizz* de setembro de 1987, em 2 de julho Lobão, um cara que sempre esteve na dele e sempre foi o que é, de repente foi vendido como mártir e herói ao mesmo tempo e, por isso, conheceu um público como poucas vezes havia visto em sua carreira. Todas as nove apresentações estiveram lotadas e a moçada participou dos shows envolta em frenesi, adrenalina e totalmente entregue ao rock 'n' roll do Big Wolf.

Mas o mais impressionante de tudo é que Lobão, que nunca se envolveu com política e nada tem a ver com o punk, passou para a plateia classe média todo o espírito de revolta que as bandas punks sempre quiseram transmitir e criou um clima tão forte quanto um comício na Cinelândia.

Capítulo 45

Caímos na estrada e começamos a perceber que, em todos os lugares, haveria de ter um problemão para enfrentar.

Quando chegamos em Brasília, a ladainha se inicia. O show seria realizado num ginásio que, na época, chamava-se Emílio Garrastazu Médici.

Chegamos ao local e era assustador o clima de tensão que a polícia fazia questão de imprimir às pessoas que, simplesmente, compraram seus ingressos para ver o show. A filosofia deles era a seguinte: se esse cara veio ao show desse maconheiro, boa coisa não deve ser. E, como aconteceria em todos os outros locais, era obrigado a testemunhar um tratamento descabido por parte da polícia em relação ao meu público. Invariavelmente, quem ousasse ir aos meus shows tinha que se submeter a humilhantes revistas e maus-tratos e, se houvesse qualquer manifestação que fosse tida como "perigosa", partiam pra cima das pessoas já com seus cassetetes em riste, baixando a porrada.

Pois bem, esse show nem sequer chegou ao seu início: nós já estávamos no palco, eu já preparando a contagem para iniciar a primeira música quando, de repente, cai a energia no ginásio. Havia umas oito mil pessoas lá dentro. Quando percebi que não se tratava de um apagão momentâneo, pedi ao *roadie* que me desse sua lanterna. Coloquei o facho de luz sobre minha cabeça para que as pessoas pudessem me ver e comecei a gritar para o pessoal do "gargarejo" algo como: "Atenção, rapaziada, me escutem por favor! O show acaba de ser sabotado. Quero falar pra todos no estádio e preciso que vocês que estão perto de mim me ajudem. Vou falar palavras pausadamente e quero que vocês repitam bem alto para o resto ouvir, falou?" E a galera se chegou mais à frente, umas cem a duzentas pessoas. E comecei: "ATENÇÃO, RAPAZIADA!" E eles: "ATENÇÃO, RAPAZIADA!" "O SHOW FOI SABOTADO!" E eles: "O SHOW FOI SABOTADO" "FIQUEM TODOS CALMOS" E eles: "FIQUEM TODOS CALMOS" "O SHOW VAI ACONTECER AMANHÃ!" etc. "SAIAM TODOS EM ORDEM... NÃO VAMOS DAR MOLEZA PRA POLÍCIA" "TUDO QUE ELES QUEREM É UM DESASTRE"...

E incrivelmente a fileira do gargarejo funcionou como um serviço de alto-falantes! Mais incrível ainda foi o público ter colaborado inteiramente, e o que se viu foi uma multidão em silêncio a evacuar o ginásio sem que houvesse um incidente qualquer.

No dia seguinte o show foi realizado, evidentemente, em total triunfo.

Vamos para Salvador e quando chego no aeroporto estão todas as redes de TV locais com seus microfones em riste ao redor da minha pessoa. Quando leio em seus microfones, TV Aratu, TV Bahia, TV não sei o quê, e percebo que é uma transmissão ao vivo, lanço no ar a pergunta: "Qual dessas TVs aí o Toninho Malvadeza 'lalou'?" Naquela ocasião, o Antônio Carlos Magalhães era o ministro das comunicações do governo Sarney, e houve uma tramoia daquelas que ele haveria se beneficiado e se apossado da concessão da Globo para seu grupo de comunicação local.

Gente... ficou um silêncio no ar... até os concorrentes se calaram... Percebi que cometi uma ligeira gafe...

A partir daquela declaração, todos me olhavam e se benziam como se já estivesse morto.

Nós íamos tocar no Clube Baiano de Tênis, para 16 mil pessoas, e a organização do evento estava apavorada com as possíveis consequências daquela "gafezinha"...

Enquanto a equipe montava o circo no local, fui visitar meu querido amigo, então secretário de Cultura de Salvador, Waly Salomão, que, ao me receber em sua deliciosa casa com um *deck* que dava para o mar, me gritava assustadíssimo: "Lobão, você pode morrer! Falava cozinhando uma lagosta que acabara de apanhar em seu *deck*.

E não deu outra: à noite, quando chegamos ao local, percebemos uma enorme confusão... a polícia evacuou o local e deixou as 16 mil pessoas que lotavam o clube à sua própria mercê. Resultado: pisoteamentos, dezenas de pessoas feridas...

Apesar disso, quando subi ao palco e pedi calma, a rapaziada colaborou integralmente e o show, depois de toda aquela confusão, foi levado a cabo sem grandes problemas. No dia seguinte, Waly me telefona e, com seu vozeirão tonitruante, me diz: "Lobão, erga suas mãos aos céus, porque a vingança lhe foi branda!"

Em Maceió, havia um concerto ao ar livre e havia muitas atrações. Nós seríamos a última do festival e esperávamos a nossa vez... Já com umas duas horas de atraso, depois de retumbantes apupos, a multidão ensandecida parte para cima de um palco completamente entregue à vandalização, que foi total. Destruíram praticamente todo o nosso equipamento, pedais, guitarras, caixas de som, amplificadores, uma cena dantesca. Sabotagem da polícia local.

O show não foi realizado e ainda fomos responsabilizados pelo tumulto com os jornais estampando manchetes do tipo: "Destruição e caos no festival. Lobão não compareceu ao show porque estava drogado em sua suíte. Multidão enfurecida dá o troco." E, como se não bastasse, ao deixarmos a cidade, ainda levamos uma ostensiva geral no aeroporto. Policiais farejando droga no pouco que restou do nosso equipamento.

Em Juiz de Fora também rolou uma revista ginecológica nas meninas, porrada nos meninos.

Já em Porto Alegre, as coisas correram com mais tranquilidade. O Gigantinho estava lotado com sua lotação recorde, quase 13 mil pessoas. Havia o mesmo número de pessoas lá fora...

No Mineirinho, a mesma coisa, recorde de público com 31 mil pessoas. No Ibirapuera o chão tremeu quando nós entramos no palco. O público começou a bater os pés no chão e o ginásio tremia.

Aconteceu isso também no Caiçaras de Santos. Tremeu tanto que o show foi paralisado com risco de desabamento do ginásio com um público de oito mil pagantes. O prédio foi condenado pela defesa civil.

Foi o último show a ser realizado naquele local.

Vamos tocar em São João del Rei... fomos de ônibus e chegamos na véspera, de madrugada. Nos aboletamos em nossos quartos, e, como era de costume, nos reuníamos todos para papear, jogar conversa fora...

Quando chega o alvorecer, me mando pro meu quarto e vou dormir. Acordo com nosso produtor apavorado. Quase lincharam o Zé

Luiz e o Roberto Lee! Eles foram tomar café numa padaria e um grupo de jovens local achou por bem "higienizar" a cidade e partir para a imediata eliminação daqueles elementos "que iriam infestar de aids as garotas locais." Para isso, se juntaram num grupo de uns dez e saíram em perseguição aos músicos: "Eles tocam com o Lobão, são bandidos aidéticos" (!). Pois bem: alcançaram os dois, os jogaram pra dentro do canal, e caíram em cima deles com paus e pedras a linchá-los! Se não fosse pelo meu segurança particular ter intervindo, eles estariam mortos. O Roberto Lee teve que tocar sentado, enquanto o Zé estava irreconhecível. De nariz quebrado, todo roxo, seu rosto era um hematoma só. O show foi um sucesso.

O último espetáculo do ano foi no Maracanãzinho, também recorde de público. Concorríamos com o Hollywood Rock... Também tivemos que assistir a truculência policial em ação. Guardas descendo seus cassetetes na meninada a troco de nada. Queriam, na verdade, bater em mim. Apesar da polícia dar seu showzinho particular, o espetáculo foi lindo e terminamos o ano consagrados pelo público e proscritos pelo poder público. Já colecionava dezenas de processos que ficariam pendentes por quase dez anos. Havia lugares que seria proibido de retornar, e assim ficaria por mais de uma década sem voltar.

Há lugares aos quais até hoje ainda não retornei.

Com todos esses lamentáveis episódios desabando em minha vida, meu ódio só aumentava... passava 90% do dia tendo que resolver pepinos dos mais absurdos...

E tudo isso iria pesar sobremaneira na apelação da sentença, que receberia um parecer contrário, pois o procurador Vitor Andrade de Soveral Junqueira Ayres alegou em seu parecer ter lido uma entrevista minha concedida ao *Jornal do Brasil*, na qual dizia ter mantido uma relação incestuosa com minha mãe e ter dado a maior força para ela se suicidar. Simples, né? Para o emérito procurador, eu seria um "portador de uma conduta social desajustada e uma personalidade deformada", e ele ainda elogiou a sentença do juiz (aquele do contrabando em plena corte), definindo-a como "correta e minuciosa", graças aos meus "maus antecedentes e péssima conduta".

Vem chegando o Ano-Novo e planejo passar o *réveillon* dentro da minha nova morada, e convidei um casal de amigos. A intenção era tomar um acidinho, beber uns champanhes e festejar na intimidade da santa paz do lar.

Pois bem: estamos lá comemorando, o acidinho já batendo, todo mundo contemplando a paisagem deslumbrante ao nosso redor, quando, de surpresa, me aparece o Cazuza.

Ele já estava num processo bem adiantado da doença e seu físico se mostrava em condições muito precárias. Já chegou no colo do Bené, seu motorista e guarda-costas, um negão baiano, fortíssimo e de uma simpatia radiante, que o coloca em pé na sala. Cazuza tinha um cachorrinho, que não saía do seu lado, numa coleira. A menina, amiga nossa que já estava viajando, engole em seco ao ver aquela figura esquelética, com a coloração da pele arroxeada e nitidamente afetada pela substância alucinógena, se apavora com a visão.

Cazuza, que estava numa festa na casa do Gil, entrou numa de me visitar com umas letras debaixo do braço pra ver se a gente fazia umas músicas naquela noite de Ano-Novo. Naturalmente, ele estava sôfrego de vontade para produzir o máximo de material possível enquanto podia, e não parava de escrever e visitar os seus parceiros...

Ali estava ele, com as letras nas mãos, quando percebe o faniquito da garota... Foi se aproximando da pobre, olhando fixamente em seus olhos, postou-se em sua frente, ela praticamente deitada no tapete, acachapada de pavor, ele começa a escarafunchar sua calça e pega um comprimido. E se dirige a ela exibindo a pílula: "Sabe o que é isso aqui? AZT!" Se deixa cair em cima da menina e, já com o rosto colado no dela, pergunta: "Hey, baby, vamos fazer um filhinho essa noite?"

Estamos há duas semanas que antecedem o Carnaval de 1988 e em casa festejo com uns amigos alguma coisa... O telefone toca... é a Elza!: "Lobão! Você não é mangueirense? Tá a fim de tocar na bateria da Mangueira esse ano?" "Pô, Elzinha, seria uma honra, mas aquilo ali tem que ter muito ensaio pra tocar direito." "Mas você consegue." "Então... como é que a gente faz?" "Me pega agora que eu vou te levar até o Buraco Quente... vem rápido que estou te esperando."...

Pego a Elza em Copa e vamos direto pra Mangueira, estávamos de motorista num Santana Quantum... Ao chegar, pergunto a populares como ter acesso ao tal Buraco Quente... Tínhamos que subir umas vielas íngremes, e o meu motorista já apresentando os primeiros sinais de cagaço. Chegamos ao pé de uma grande ladeira, e o carro começa a subir... quando, de repente, aparece um sujeito na frente do automóvel com um revólver em cada mão, estilo Clint Eastwood, e grita: "Que porra é essa! Desliga esse farol e sai todo mundo pra fora do carro! E de mão pra cima!" O pobre motorista tremia que nem vara verde e a Elza, tranquila. Saímos todos, como o sujeito mandou, e quando ele me reconhece alça os dois revólveres ao ar e grita a plenos pulmões: "Vida!", e dispara os dois revólveres numa percussão de tiros que faziam exatamente a fresa da bateria... "rá-tá-tá-tá"... "Vida, vida, vida, vida bandida!" Esse cara viria a morrer uma semana depois desse encontro, de acidente de automóvel. Era o Xéu... Acabei sendo adotado por sua mãe, a tia Bolinha, que viria a me dar todo o respaldo e atenção todas as vezes que passava por lá. Chegamos no quartel-general do Buraco Quente...

Quando entramos, percebi o chão coberto de balas e uns garotinhos catando-as e recarregando os pentes das metralhadoras... Sacos enormes de cocaína davam ao local uma aparência de um armazém de secos e molhados... E sentado numa mesa o "X", um dos comandantes da área.

A Elza se dirige a ele dizendo: "Boa noite, X... ele tá a fim de tocar na bateria nesse Carnaval." O cara coçou a cabeça, fez uma pausa e respondeu: "Bem... esses detalhes técnicos a gente tem que perguntar pro cara que tem autoridade no assunto. É ele que vai dizer se dá ou não pro cara tocar... Chama o Ivo lá embaixo e diz que eu quero falar com ele." Estava prestes a conhecer o Ivo Meirelles, que viria a se tornar meu amigo e parceiro. Um cara que nunca botou um baseado sequer na boca.

Chega depois de uns cinco minutos o Ivo, me cumprimenta efusivamente e pergunta qual é a razão pra tanta pressa. "É que o sangue aqui tá a fim de entrar pra bateria..." E, sem olhar pra mim, o Ivo argumenta: "Mas, X, o desfile já é na semana que vem...", e se virou pra mim: "Então... qual seria o instrumento que tu quer tocar?" E eu, sem atinar a importância da escolha, mandei: "Tamborim." "Mas logo tamborim? Você sabe que a disciplina é rígida, tem uma técnica toda especial pra se tocar o instrumento... acho muito arriscado." E a Elza intercede: "Pode confiar nele que eu ponho a mão no fogo. Lobão vai tirar de letra o tamborim..." O X manda a seguinte: "Aê, Ivo, num embaça... se o cara não der conta do recado nos ensaios, vai e coloca um OB na ponta da haste do tamborim dele e ninguém vai ouvir porra nenhuma... ninguém vai notar." "Qualé, X! Não esculhamba... a bateria da Mangueira é única, tem uma batida única e só tem gente da comunidade, além disso, na tarja da bateria Waldomiro José Pimenta tem o seguinte lema cravado no brasão: TEM QUE RESPEITAR MEU TAMBORIM... Se o cara vacilar, desmoraliza a bateria! Vai ter um monte de gente de butuca no cara, pensa bem!" A Elza, que ouvia atentamente, propõe: "Então, Ivo, por que você não faz um teste com ele num ensaio? Dá uma chance pra ele mostrar serviço, vai."

Foi ali que realizei que estava entrando numa tremenda roubada...

Achava que tocar numa bateria de escola de samba seria moleza pra minha pessoa... afinal, tocava bateria com desenvoltura e não atinava para a seriedade com que a coisa era tratada.

Comprei um tamborim e um disco dos sambas-enredo de 1988 e fui imediatamente aprender como se tocava aquele instrumento com características tão peculiares. Tinha um movimento com o pulso que demorava um certo tempo para o corpo memorizar.

Passei a semana tocando junto com o disco, horas a fio.

Mas vivia nervoso, imaginando como seria o meu teste. Ficou marcado para uma semana antes do desfile.

- Em 2 de fevereiro de 1988, o *Jornal do Brasil* noticiou que Lobão pode ser preso novamente no fim do mês. O procurador Vitor Andrade de Soveral Junqueira Ayres deu um parecer contrário à apelação da sentença de um ano dada pelo juiz Paulo Panza no dia 20 de maio de 1987.

Em seu parecer, o procurador usa como justificativa uma entrevista publicada no *Jornal do Brasil* em 29 de novembro de 1985, em que Lobão diz ter mantido uma relação incestuosa com a mãe e que deu a maior força para que ela se suicidasse. Para Ayres, o músico "é portador de uma conduta social desajustada e personalidade deformada".

Sobre a sentença de Panza, ele considerou "correta e minuciosa", face a "seus maus antecedentes e péssima conduta".

- Em março de 1988, a *Bizz* disse que Lobão tem uma "figura desleixada de *bad boy*", e que é o único artista nacional que veste a "camisa do trinômio completado pelo rock 'n' roll e pelo sexo".

"Mas, se seu carisma arrasa, o mesmo não pode ser dito de sua banda, Os Marajás Apedrejados (...) a banda é uma caricatura visual e sonora do que há muito foi fossilizado no rock", diz a revista.

- Em crítica publicada no dia 4 de março de 1988 no *Estadão*, Luís Antônio Giron afirmou: "Lobão fala muito, e com revolta. É difícil dizer se essa revolta do roqueiro carioca joga na retranca ou no ataque. Às vezes atira frases engenhosas à fome dos jornalistas, às vezes se mostra sincero demais."

Segundo o jornal, Lobão vai a Londres, onde pretende se encontrar com o DJ Simon Bates, da BBC, e com o guitarrista Mick Jones, ex-Clash. "Simon prometeu que me apresenta ao Eric Clapton. Vou sem contrato. Posso procurar Chris Blackwell, da Virgin Record, e tentar algumas gravações", disse o músico. A intenção dele é cruzar os solos de Eric Clapton com o virtuosismo rítmico de mestre Bira da Mangueira.

De acordo com Giron, os problemas de Lobão com a gravadora RCA não são recentes. "No ano passado, ele teve que se desvencilhar da dupla de produtores-compositores Michael Sullivan e Paulo Massadas, que queriam impor composições suas ao roqueiro. A RCA também não tem apoiado Lobão em seus projetos. Não há interesse em investir em sua carreira no exterior", escreveu.

- Em 4 de março de 1988, na *Folha da Tarde*, Lobão comentou o saldo da turnê de *Vida bandida*. Para ele, em função dos esquemas de segurança montados em todos os locais que tocou, o público foi prejudicado. "A excursão foi bem-sucedida, mas me deixou triste a maneira como os órgãos de segurança trataram o público, principalmente em Juiz de Fora, Minas, onde, além de pedirem carteira de identidade, fizeram exame ginecológico nas meninas."

Para Lobão, geralmente, "as pessoas que têm as vias de administrar são pervertidas. Esses fatos deram uma conotação de tristeza à turnê, foi um sucesso, mas fico mal em ver meu público sendo vilipendiado e passando por situações humilhantes, com pessoas sendo agredidas publicamente. Até parece uma filosofia do tipo 'já que não posso fazer com Lobão faço com essa gente'. Um tipo de revide mesmo", disse.

Sobre a condição de rock star, Lobão afirmou que não tem a menor pretensão de ser um. "Quero mais é me colocar em xeque, não sou muito afobado, graças a Deus. As pessoas acham que o sucesso vicia, mas a mim não seduz." Segundo ele, a sugestão de seus advogados de que ele assinasse um atestado de insanidade mental o deixou revoltado. "Não tinha condição moral de fazer isso com meu público. Sou problemático, mas não posso explicar para o juiz que tenho grandes problemas."

- No dia 4 de março de 1988, a *Folha da Tarde* informou que Lobão ainda lamenta a separação dos Ronaldos, "apesar de assegurar que, depois deles, entrou numa fase supercriativa, em busca de novas parcerias". Ao lado de Cazuza, compôs "Mal nenhum" e "Décadence avec élégance", foi ator de cinema em *Areias escaldantes*, de Francisco de Paula, e agora, com *Vida bandida*, sedimenta sua história musical.

- Em 4 de março de 1988, Lobão falou à *Folha de S.Paulo* (em entrevista ao Mario Cesar Carvalho) que não tem nada a ver com o outro Lobão, o deputado Edson Lobão (PFL-MA). "Ele é um maranhense detestável. Detesto ser comparado com ele. É bem triste ter um homônimo desta natureza, é uma vergonha. Ainda bem que o meu Lobão é só apelido", disse o músico.

Sobre sua prisão, Lobão afirmou que consentiu a exploração sensacionalista do caso. "Eu estava tão indignado com a minha prisão que pensei assim: minha prisão, que é ilegal, o Estado não vai ressarcir. Seria uma forma de mostrar que se eles quiseram prestígio, eu vou ganhar mais prestígio que eles. Não é revanchismo. Tem mecanismos sensacionalistas que levam ao marketing da droga. Eu me orgulho de usufruir desses mecanismos perversos. Já que o governo não vai me ressarcir minhas perdas, meus danos morais, das torturas que eu sofri. Não há competência do governo em ser justo. Cabe a mim dar uma 'justiciada', vamos dizer assim."

Segundo Lobão, quando ele ficou preso, seu jabá "ficou desvalorizado. Ficou muito fácil falar de mim", disse. "Fui incompetente para evitar que esse rótulo de doidão se propagasse. Confesso que dei margem ou por ingenuidade ou por 'naivité'. Hoje em dia eu amargo isso", afirmou.

Questionado sobre boatos de sua relação com sua mãe, Lobão declarou que "tem pessoas que acham que eu tive relações incestuosas com minha mãe ou mandei minha mãe morrer. Tive relações com minha mãe por amor. Entendi a morte da minha mãe por tanto amor. Minha mãe morreu do coração, de hora marcada".

Para o músico, a ética "vai contra a liberdade de expressão", e desde "o espermatozoide que nos fecundou, somos felicidade química comprovada". Por isso, ele se diz anarquista e acredita que deve-se "respeitar o espaço das pessoas. Quem se garante tomando droga sem chatear o outro, que tome".

- Na *Bizz* de junho de 1988, Lobão diz, sobre sua condenação: "Estou suspenso. Pensei que ia ficar livre este ano, mas vai demorar ainda dois anos. E, se eu for condenado de novo, posso até ir pra cadeia. Ridículo! Não pude sair do Brasil! Meus contratos internacionais estão suspensos porque o juiz não me deu permissão pra sair do país... O que eles estão querendo? Buscando notoriedade? Estou puto! Tô calado... Não falei nada, nenhuma atrocidade que foi praticada. Mas, se continuar assim, vou entrar em guerra."

Segundo Lobão, "não há justiça. Você tem que fazer coisas em troca de um ato político, de um favor, troca de exigências, subornos... Só ganha nessa justiça quem tem muita grana". Até projetos como os roteiros para o cinema estão parados por conta desta condenação, já que o músico precisa fazer contatos internacionais para realizá-los. "Fico pau da vida porque tenho muita coisa a produzir e fico à mercê de vaidades do fórum."

- Em 23 de julho de 1988, Luís Antônio Giron escreveu em *O Estado de S. Paulo* que "Lobão não cumpriu as promessas feitas em março passado, quando terminou o *tour Vida bandida*, em São Paulo. Não fez em julho a excursão *coast to coast* pelos Estados Unidos — está sob liberdade condicional e proibido de sair do país — nem gravou sambas inéditos em *Cuidado*".

"*Cuidado* corre solitário pelo deserto do rock nacional, sempre afeito à cópia e à poesia barata. Os Titãs, também revoltados de qualidade, optam pela forma poética mais seca e se plasmam no punk para lançar suas bombinhas. Mais adulto, Lobão estruge de ódio e angústia metafísica, derramando letras imensas, a um tempo panfletárias e penumbristas."

Segundo o jornalista, "o conjunto de *Cuidado* não possui a organicidade conceitual de *O rock errou*, nem desconcerta como *Vida bandida* — LPs anteriores de Lobão. Cumpre, no entanto, a função de bisturi crítico nesse câncer de corrupção, pose e ausência de perspectivas que os brasileiros contraíram sem saber. Não é um disco para ser ouvido, mas experimentando uma vez apenas. Advertências não se ouvem duas vezes. Cuidado, Brasil!".

- Sem data. Em perfil sobre Lobão na Revista de Domingo, do *Jornal do Brasil*, os jornalistas Alfredo Ribeiro e Fábio Rodrigues dizem que o cantor "diz acreditar em Deus e não aguenta mais esse tal de rock 'n' roll que anda tocando aí pelas rádios".

Epiléptico desde criança, Lobão está acostumado com o efeito das drogas. Hoje toma Rivotril a cada 24 horas para controlar a epilepsia. O remédio o ajuda também a entrar em sono profundo quando está deprimido. "Se a realidade é uma droga, por que não consumi-la?", diz Lobão.

Brigado com o "bando de marajás" de sua gravadora, a RCA, Lobão "diz-se anarquista, defende a luta armada e avisa à polícia que não vai dar mais 'bobeira' com drogas". Afirma que só acredita na alternativa da luta armada, "o povo na rua com fuzil na mão".

Ele acusa a gravadora de incompetente na divulgação do disco *Vida bandida*. Esperava vender 700 mil cópias, mas chegou a 300 mil, e ameaça partir para a produção independente. Acusa Herbert Vianna de roubar algumas ideias de suas músicas; o chama "aquele rato", "o expoente máximo desse rock que deixou de ser rebelde e virou jingle".

- Marcos Augusto Gonçalves, editor de Opinião da *Folha de S.Paulo*, escreveu em 3 de agosto de 1988 uma crítica a *Cuidado*, novo álbum de Lobão. Para o editor, ele é "uma das raras figuras do chamado 'rock brasileiro' que têm algum interesse para o público além do de distraí-lo com gomas sonoras de mascar. Desde a sua estreia em *Cena de cinema*, procura fugir ao conformismo e à facilidade comercial — ainda que às vezes ao tentar uma ambiguidade entre os polos da banalidade e da elaboração acabe escorregando no primeiro".

"Normal: trata-se de um rock star aliado a um poeta publicitário *beat* chique. Além disso, uma certa vulgaridade funciona na *persona* do artista, autor de algumas *boutades* de primeira", continuou.

- O *Jornal do Brasil* informou, no dia 15 de setembro de 1988, que a rádio Fluminense FM foi tirada do ar após uma entrevista com Lobão no programa *Espaço Aberto*, no dia 31 de agosto. Na ocasião, o músico se referiu ao então presidente José Sarney "com os piores palavrões possíveis", declarou Ephren Amora, superintendente-geral do grupo de comunicação.

Para se justificar perante o Dentel (Departamento Nacional de Telecomunicações), a emissora demitiu os produtores do programa, Jorginho e Claudinho do Boné, por contrariarem "a linha de conduta da empresa". Dois dias depois da entrevista — que não foi ao vivo e foi editada pelos produtores —, a rádio se desculpou, em nota oficial, pelo "baixo calão" do roqueiro.

Segundo o jornal, o dono do grupo Fluminense, ex-candidato a deputado estadual Alberto Torres, entrou em contato com o ministro das Comunicações, Antônio Carlos Magalhães, para evitar uma punição mais drástica à emissora. Michel Asseff, advogado de Lobão, afirmou que ele ainda não foi notificado pelo governo sobre um possível processo.

- No dia 19 de setembro de 1988, a revista *Amiga* conta que Lobão está rompendo com sua empresária desde o início da carreira, Carmela, porque eles não estão "se afinando mais". Após uma série de incidentes — ele caiu de moto, o juiz que cuida de seu processo por uso de drogas o impediu de viajar para a Europa —, o músico afirmou que quer largar o rock 'n' roll e investir em seu lado clássico, aprendendo alemão e russo e voltando a estudar violoncelo.

Sobre o acidente de moto, Lobão contou que estava testando a moto que deu para seu pai no Dia dos Pais, na estrada das Canoas, e que surgiram dois carros em sua direção. "Para não bater neles, desviei e acabei parando em um poste. Já sofri vários acidentes de moto, tenho o corpo todo marcado, mas sempre por culpa dos outros."

- A *Folha da Tarde* de 23 de setembro de 1988 afirmou que, baterista desde os três anos, Lobão sofreu quando aprendeu a cantar. Tinha receio de não ser aceito. Mas hoje é cantor, compositor e toca guitarra, violão e cello. Gosta de ler e seu passatempo preferido é ficar em casa.

Em São Paulo, em 1977, trabalhou com Marília Pêra na peça "Feiticeira", tocando bateria. Em seguida juntou-se a Ritchie e Lulu Santos na banda Vímana. O jornal conta ainda que Lobão e Bernardo Vilhena se conhecem há anos, antes mesmo do Vímana, "aquele grupo chato, dinossauro do rock", diz o músico.

Ele diz que é "essencialmente anarquista. Não gosto de autoridades. Toda autoridade tem problema sexual". Ele afirmou também que não tem "a menor pretensão de ser rock star.

- Em 23 de setembro de 1988, *O Estado de S. Paulo* publicou uma reportagem afirmando que Lobão passou a frequentar assiduamente a quadra da escola de samba Mangueira após ter sido aprovado no teste de tamborim na Marquês de Sapucaí. Agora, o músico sobe ao palco com Ivo Meirelles, puxador de samba da escola, junto com parte da bateria comandada por Alcir Explosão.

Segundo o jornal, a ideia de Lobão era fazer uma excursão costa a costa nos EUA para divulgar *Vida bandida*, e depois realizar um filme sobre os morros do Rio de Janeiro, tendo como pano de fundo a história de Escadinha. "Era um plano megalomaníaco. Pensava, para trabalhar no filme, em Marília Pêra, Robert De Niro e Martin Scorsese na direção. O Keith Richards já havia sido contatado e manifestou interesse em participar do filme, que seria falado em inglês", disse.

Como o plano foi frustrado, Lobão fez o disco *Cuidado* em nove dias, "com raiva". Para o *Estadão*, essa estética faz com que Lobão, por exemplo, "dispare palavrões e adjetivos pouco elogiosos a Lulu Santos pela manhã e, à noite, já esteja arrependido.

- No dia 17 de outubro de 1988, a *Folha de S.Paulo* informou que um show feito por Lobão no dia 15 foi encerrado pelo cantor sem explicação. Meia hora após o horário marcado para o início do show, o músico ainda ensaiava com sua banda, enquanto o público esperava no saguão de entrada. Uma hora e quarenta e cinco minutos depois, ele começou o show, sob vaias.

Segundo Lobão, era necessário "ensaiar para fazer um show legal". Reclamando da quantidade de palavrões e da má qualidade do som, ele deixou o palco.

- Segundo a *Folha da Tarde* do dia 17 de outubro de 1988, um show realizado por Lobão no sábado anterior, no Palácio das Convenções, no Anhembi, começou com quase duas horas de atraso e causou descontentamento na plateia. Sob vaias e gritos, Lobão subiu no palco, tocou a primeira música e desculpou-se pelo atraso dizendo que "problemas de décima oitava ordem" o causaram.

Após receber reclamações do público, Lobão disse: "Vocês são uns babacas", e mandou os descontentes saírem e pegarem o dinheiro de volta. "Ô da bilheteria, devolve a grana da moçada", gritou Lobão.

- O *Jornal do Brasil* noticiou, em 16 de novembro de 1988, que quando o STF concedeu liminar ao pedido de liberdade de Lobão, o delegado Walterson Botelho, da Polinter, já se preparava para executar o mandado. Lobão estava refugiado na casa de uma tia com sua esposa e a filha recém-nascida.

Antes da concessão da liminar, o advogado Michel Asseff afirmou que não apresentaria seu cliente enquanto o juiz Jadiel Batista de Oliveira, da Vara de Execuções Penais do RJ, não despachasse seu pedido para que o músico cumprisse pena domiciliar.

No momento da liminar, Lobão já se preparava para se apresentar à Polinter, porque não iria "se sujeitar a ser perseguido pela cidade". "Ao ser preso com drogas, assumi o flagrante e paguei por ele. Mas as mesmas pessoas e revistas que se preocuparam em divulgar o fato se esqueceram de observar a mudança, nesses dois anos, do homem Lobão, que agora se dedica com carinho à mulher e à filha e que não vai ficar fazendo uso de substância tóxica."

- Sobre a condenação de Lobão, o *Estadão* publicou, em 24 de novembro de 1988, uma reportagem afirmando que, segundo o advogado Michel Asseff, alguns desembargadores votaram "pela condenação do cantor para que isso sirva de exemplo aos seus fãs. O desembargador Eugênio Sigaud, um dos que participaram do julgamento, acha que Lobão deveria ter sido condenado a 15 anos de prisão, porque 'o crime de consumo é pior do que o de tráfico'".

Com o recurso ao STF, para não prejudicar as apresentações do músico, "na sentença deverá constar a anotação de que ele poderá apresentar-se todos os dias no presídio para dormir, sem especificar a hora". Em entrevista, o músico afirmou que sua prisão "é um sintoma de cerceamento da liberdade". Para ele, a imprensa o apoiou e agiu com "elegância e lisura".

- O jornal *O Globo* afirmou, no dia 25 de novembro de 1988, que o advogado de Lobão, Michel Asseff, tenta conseguir uma prisão domiciliar para o músico, como alternativa à pena de nove meses de prisão por porte de drogas. Como Lobão foi condenado ao regime semiaberto e um documento do próprio diretor do Desipe (Departamento do Sistema Penitenciário), Oswaldo Deleuse, afirma que não existem no RJ unidades preparadas para isso, seu advogado quer que ele fique em regime domiciliar.

- Em 25 de novembro de 1988, o *Jornal da Tarde* noticiou que a liberdade de Lobão está nas mãos do promotor Adolfo Borges, da Vara de Execuções Criminais. Com quarenta anos, ele foi definido como progressista, liberal e, segundo amigos, "curte" as músicas de Lobão. O processo, de número 145, tem um requerimento do advogado do músico, Michel Asseff, pedindo a transformação da pena de regime aberto em prisão domiciliar.

"Ele vai correr risco de vida [se ficar na cadeia]. O sistema penitenciário está em evidente crise, com presos se matando, numa pressão ao governo feita pelos líderes da Falange Vermelha para saírem do presídio Bangu 1, de segurança máxima. Eles querem eliminar os presos notórios e Lobão, por ser cantor e muito conhecido, pode ser escolhido para morrer", disse Asseff.

Questionado sobre a prisão de Lobão, seu empresário, Ricardo Leon, esclareceu que só vai alterar a agenda do músico — que tem trinta shows agendados até janeiro de 1989 — após o parecer do promotor. Já a gravadora RCA informou que é cedo para determinar possíveis prejuízos.

A cela ocupada por Lobão, de número 11, é a melhor do sistema prisional do Rio, segundo um funcionário da carceragem. Ela foi reformada por Castor de Andrade, que ficou lá por vinte dias, e tem banheiro, paredes pintadas, lustre e tomada para instalação de telefone.

- Em 25 de novembro de 1988, a *Folha de S.Paulo* noticiou que Michel Asseff impetrou, no dia 24, um *habeas corpus* junto ao STF para que Lobão receba o benefício de *sursis* e cumpra a pena de nove meses de prisão em liberdade. Enquanto isso, o advogado pretende que o músico cumpra prisão domiciliar; o requerimento foi feito na Vara de Execuções do Tribunal de Justiça do RJ.

Para o advogado, o caso de Lobão é parecido com o de Castor de Andrade (que também é cliente de Asseff), condenado a um ano de prisão por contrabando de equipamentos eletrônicos. Asseff alega que os dois são réus primários e tiveram pena abaixo de dois anos.

Lobão disse ainda que sua preocupação é com a justiça coletiva e que nada o impedirá de ser feliz.

- Em 26 de novembro de 1988, o STF suspendeu a prisão de Lobão. O promotor Adolfo Borges deu um parecer sugerindo o abrandamento da pena. Lobão seria obrigado a prestar serviços comunitários, fazendo, por exemplo, shows beneficentes. O parecer do promotor foi uma resposta ao pedido de seu advogado para que a pena fosse cumprida em prisão domiciliar.

- Em entrevista ao jornal *O Globo* de 26 de novembro de 1988, Lobão falou sobre a liberdade provisória concedida pelo STF. "Eu fui ficando feliz a prestação. Eu não estava acreditando muito no que estava ouvindo, já que sabia do mandado de prisão e ia me apresentar. Na verdade, eu e Daniele só nos convencemos quando ouvimos a notícia no *Jornal Nacional*".

- Segundo a *Folha de S.Paulo* de 26 de novembro de 1988, o promotor Adolfo Borges Filho afirmou, ao falar da condenação de Lobão, que "a característica marcante do roqueiro Lobão é a irreverência, e a irreverência é uma forma de contestação à hipocrisia reinante".

Para ele, é importante que o músico fique em liberdade e continue trabalhando porque "há muita gente precisando de uma canção de alento neste país". "Acho uma interferência absurda na vida da pessoa. Tem um pouco dessa coisa de bode expiatório, por ele ser um artista. Acho a pena demasiado severa para um usuário. Ele mesmo já disse que não pode causar mal nenhum, a não ser a ele mesmo. Lobão não é uma ameaça para que seja preciso ir dormir na prisão", declarou Arnaldo Antunes, condenado em 1985 por ter dado 30mg de heroína ao guitarrista Antônio Carlos Belotto, dos Titãs.

- Em 30 de novembro de 1988, a revista *Veja* informou que o desembargador Eugênio Sigaud, um dos juízes que condenaram Lobão, o considerou "uma pessoa muito perigosa". Já Lobão, assim que soube da condenação, afirmou: "Os que me condenaram são uns calhordas."

- Segundo o *Jornal da Tarde* de 6 de dezembro de 1988, o show do novo disco *Cuidado*, de Lobão, contou com presença ostensiva da polícia para conter uma plateia "alegre e bem-comportada". "Estão me perseguindo. Já consultei um psicanalista para ver se era paranoia. Ele garantiu que não", disse Lobão.

Ele afirmou que seus shows sempre foram tranquilos, mas que toda vez que chega em uma cidade alertam: "Cuidado, Lobão chegou." "A minha imagem é transparente, eu sou assim. Que me aturem ou não me aturem. Eu me orgulho do meu comportamento e do meu trabalho. Não sou moleque, mas apenas irreverente."

- Na *IstoÉ Senhor* de 7 de dezembro de 1988, uma matéria diz que os problemas de Lobão com a lei tomam proporções inéditas, uma vez que ele, "em nenhum momento, esquivou-se da postura de confronto ao conjunto de regras que normatiza as drogas. Prega o direito à decisão de consumo como prova de liberdade". "Minha condenação é um sintoma do cerceamento da liberdade", afirma Lobão.

Capítulo 46

Depois de uma semana "automatizando" os movimentos do pulso, treinando as convenções e as frases, estava me sentindo relativamente confiante para o teste. O fato de ser considerado um roqueiro dava uma aura de improbabilidade jocosa à minha presença numa bateria de escola de samba.

Chego na quadra debaixo de grande curiosidade e expectativa. Todo mundo se preparando para me ver tocar tamborim: a Dona Zica, Dona Neuma, a Alcione, grande parte da Velha Guarda e, pra deixar a coisa mais emocionante, uma rede de TV francesa que estava fazendo um documentário sobre a escola, que, ao saberem da minha história, foram correndo registrar o tão aguardado teste.

Eram umas seis da tarde quando subi no palanque onde ficava a bateria que já estava tocando. Reparo num negão regendo a bateria com uma tremenda cara de mau. Suas veias saltavam das têmporas, um bigode bem-cortado, envergava uma camisa do Fluminense, algo extremamente desafiador, pois de alguma forma ser Mangueira é quase sinônimo de ser Flamengo. E lá estava o poderoso negão, inflamadíssimo, com um monte de baquetas debaixo do braço de que ele se valia a título de flechada quando um ritmista fazia algo que ele não gostava.

Era um tal de zunir baqueta pra lá, baqueta pra cá, e eu logo pensei: "Iiiiihhhh, já vi tudo..."

Quando o enfurecido maestro me avista, me dá uma apitada na orelha e faz um gesto me indicando a posição dentro da formação da primeira linha dos tamborins. E lá vou eu me colocando na posição... Ele me ordena que comece a tocar... De repente, o tricolor ensandecido dá uma ordem para um sujeito que estava atrás de mim, na segunda fileira, para colocar seu tamborim colado à minha orelha esquerda. Sinto aquele objeto silente se aprochegar da minha orelha com o ritmista impassível, tornando o tamborim uma espécie de bandeja estática. Olho pra trás e tem aquele negão impassível com um chapéu de cangaceiro e aguardando as ordens do seu comandante... "Ai, meu Deus do céu... o que esses caras vão me aprontar..." A bateria continua executando o que seria o samba-enredo daquele ano, o maestro tricolor faz um sinal para o cangaceiro que desata a tocar o seu tamborim completamente fora do tempo e atravessado, me deixando quase surdo e inteiramente sem referencial. Esse suplício durou uns quarenta minutos.

Ao cabo dos quarenta minutos, o mestre de camisa do Fluminense, com suas veias saltando das têmporas, dá uma forte soprada no apito ordenando que a bateria parasse. Aquele silêncio na quadra, ele me encara e ordena que me posicione à sua frente.

Ao chegar, ele me estende a mão e fala: "Tá aprovado, sangue, pode sair por aí dizendo que tu é negão, que tu tá dentro", e a bateria faz uma algazarra de tambores a me saudar. Fiquei ali sem saber se ria ou se chorava, pois a tensão e o zumbido daqueles quarenta minutos de tamborim atravessado na orelha ainda não havia passado. Quando dei por mim, já estavam falando da minha fantasia, que ninguém tinha as minhas medidas, e era melhor acelerar, etc. e tal.

Foi aí que o tal maestro invocado se apresenta: "Muito prazer... bem-vindo à bateria da Estação Primeira de Mangueira, meu nome é Alcir Explosão..."

Acabara de conhecer um cara que, além de ser um virtuose em todos os instrumentos da bateria e um líder nato, era uma pessoa meiga e delicada como uma flor, veio a se tornar um grande amigo, e em muito pouco tempo estaria fazendo parte da formação da minha nova banda que gravará e sairá na excursão do próximo disco.

Quando dei conta de que estava admitido na bateria Waldomiro José Pimenta e que, a partir daquele batismo de fogo, eu fazia parte de uma das mais tradicionais escolas de samba, pensei na Elza, pensei na minha história e fiquei profundamente emocionado. Sabia que estava adentrando um terreno que havia conquistado por puro amor e muito esforço. E logo a Elza pra ser a minha madrinha... o que poderia querer mais?

Ao descer do palanque, todos vieram me cumprimentar, e quando vi a Alcione me dar um beijão e me parabenizar eu não me contive e falei: "Não disse, Marronzinha, que você ainda ia gostar de mim?" E fui cercado de carinho por dona Zica, pela garotada, o Ivo, enfim, foi um dia inesquecível.

E foi nesse dia também que minha amizade com o Ivo Meirelles teve início. Saímos daquele bochicho todo para um lugar mais tranquilo no fundo da quadra e nos pusemos a falar sobre mil coisas. Ele me surpreendeu com o seu conhecimento de rock, sabia tudo do Hendrix, Stones, Zeppelin, Police, movimento punk etc. e tal.

No dia seguinte, estava ele lá em casa, quando foi apresentado ao Bernardo e, de imediato, tornaram-se grandes amigos. A partir de então, surgiu uma parceria.

O desfile seria na segunda-feira e a Mangueira ia entrar já em pleno alvorecer.

Fui pegar minha fantasia na véspera e percebi que não havia tirado nenhuma medida. E, talvez, para que não houvesse erro, me entregaram uma fantasia que poderia caber uns dois de mim.

A cartola parecia um bambolê na minha cabeça... as calças com as bainhas que arrastavam pelo chão e os sapatos que mais pareciam uns pés de pato. Pra vocês terem uma ideia, eu calço 44 e o número do calçado era 48!

Chega a hora de me mandar para a concentração...

As soluções não poderiam ser mais criativas: o sapato, enchemos de algodão, e assim consegui um delicado e precário equilíbrio, mas não deixava de ser incômodo e perigoso, pois poderia tropeçar com muita facilidade. A calça foi relativamente fácil; foi só pregar uns alfinetes e pronto... agora, com a cartola é que estava meio complicado... A única solução à mão foi pegar o cinto de um roupão de banho, que era verde, e enrolá-lo ao redor da cabeça para dar mais volume...

A cartola acabou ficando no lugar, mas não poderia tirá-la até o final do desfile.

Estávamos prontos para sair rumo à Sapucaí. Fomos de carro até a Zona Sul e de lá pegamos o metrô, que, em seu interior, parecia estar num sonho felliniano, com todo mundo a viajar fantasiado.

Ao chegar, dirijo-me à concentração e já começam as abordagens da imprensa: "Dá uma palinha pra gente ver se um roqueiro sabe tocar tamborim"... sinceramente não poderia imaginar que as pessoas fizessem um abismo tão intransponível entre aqueles dois estilos musicais. Ao chegar próximo ao local da bateria, me aparece um cidadão muito animado, me para e me pede o tamborim. Como ele estava com uma camisa da diretoria da escola, eu passei imediatamente o instrumento pra ele. Só então percebi que o cara estava esticando uma lagarta de vastíssimas proporções, do tamanho do diâmetro do tamborim e da grossura do meu polegar! "Pô, chefe, estou concentrado; é a primeira vez que vou desfilar..." "Que isso, sangue bão, num vai me fazer essa desfeita... cheira aí que essa é da pura... mete bronca!"

Agradeço ao sujeito a "gentileza" e saio mordendo a orelha para entrar em formação. Chego na concentração e o Jamelão começa a puxar o esquenta só com voz e cavaquinho: "Mangueira, o teu cenário é uma beleza... que a natureza criou ô-ô-ô, a Mangueira chegou." De repente, o mestre Bira sinaliza e a bateria entra. Foi ali a primeira vez que senti o poderio sonoro de uma bateria completa, cheia de adrenalina e testosterona, pronta pra entrar na avenida. Eu olhava para os ritmistas... tinha velho, moço, branco, preto, tudo quanto é tipo de gente que a natureza humana conseguiu elaborar. Um negão ostentava seu surdo-mor a tocar galhardamente com as bordas do enorme tambor cheias de sangue... fiquei possuído pela atmosfera de guerra... O sol despontava na Praça da Apoteose, o céu azul e laranja parecia que se transformava em verde e rosa a homenagear toda aquela beleza... Eu olhava para os meus companheiros de fila e urrava de emoção quando mestre Bira apita e o silêncio imediato toma conta da concentração. Vem a ordem para caminharmos compassadamente em direção à cancela, onde já despontava uma ponta de arquibancada e, logo em seguida, uma outra ordem que me deixou congelado: "Atenção, bateria! Saudação à arquibancada!", e a saudação era tirar a cartola da cabeça!

Depois da fatídica saudação, o cinto escorrega e cai no chão... e a cartola entra na minha cabeça deixando apenas o meu queixo à mostra. Para enxergar alguma coisa tinha que fazer um movimento com os ombros e dar uma sacudida milimétrica na cartola para que ela deslizasse um pouco mais para trás do meu cocuruto. Tudo isso somado à minha apreensão pela responsabilidade, mais a lagartona que me deixara num estado de trincação que nunca havia experimentado. Para piorar a situação, o enchimento de algodão de um dos sapatos se solta! E a bateria se encaminhando rumo à cancela... Estamos todos alinhados, em formação, mestre Bira dá sinal e o Jamelão começa a puxar o samba daquele ano que comemorava os cem anos da abolição dos escravos. Após uma rodada inteira de voz e cavaquinho, explode a bateria em som e fúria. Meu coração galopava no peito, num misto de pavor com iluminação divina. Dali em diante, só pararíamos de tocar na dispersão, lá na Praça da Apoteose... e seja o que Deus quiser...

A cancela sobe e a escola põe-se em marcha adentrando triunfal na Sapucaí.

Me movimentava com muita dificuldade, tinha um monte de coisa para me preocupar: primeiro, em não atravessar; segundo: enxergar pra onde estava indo; e terceiro: não tropeçar e pagar um King Kong no meio da avenida. A escola evolui com a arquibancada toda verde e rosa de bandeirinhas tremulantes, cantando o samba a plenos pulmões... o sol já deixava o céu inteiramente azul e aportamos no "curral", onde a bateria se aloja. Fazer aquela manobra com mais de 350 ritmistas tocando sem poder atravessar um milionésimo de segundo sequer era pior do que dar marcha a ré numa jamanta em plena hora de *rush* na avenida Brasil. E, durante essa delicada manobra, me aparece um sujeito saltitante do meu lado (eu estava bem no flanco esquerdo, na terceira linha dos tamborins, que encabeçavam a frente da bateria) com uma caixa enorme de isopor a tiracolo. Ele gritava alguma coisa pra mim, que, com a tal cartola enterrada na cabeça, ficava meio que impossibilitado de perceber o que aquela criatura estava querendo. O cara insiste em me sinalizar. Vejo o sujeito com um enorme cubo de gelo na mão que, sem mais delongas, me enfia boca adentro sem a menor cerimônia. Depois soube que se tratava do homem-refrigerador da bateria. Recebo aquele pedaço de gelo que era grande o suficiente para não conseguir cuspi-lo. Fico com a boca aberta esperando o cubo derreter o bastante para poder me livrar daquele gelado incômodo... e tudo isso com a bateria dando marcha a ré pra entrar no recuo. Não sei como não tropecei, ou me engasguei... o fato é que, em alguns segundos, consegui me livrar daquela fria e respirei por um instante aliviado. Mas foi por pouco tempo. Ficamos no curral esperando a nossa vez de prosseguir na avenida. Chega o nosso momento de partir pra apoteose: "Ufa! Até que enfim. Agora é só marchar reto e chegar na Praça! Ledo engano: a bateria ainda tinha que se submeter aos jurados, só que até aquele momento eu não sabia desse detalhe, quando mestre Bira ordena que a bateria fique estacionada, me olha e me chama até onde ele se encontrava!

Aí, sim, eu me caguei todo... Tropeçando em tudo com aquele sapatão ridículo dançando no pé, meio acorcundado para enxergar alguma coisa através da rotunda cartola, mais bicudo que o Pato Donald em fim de festa, me encaminhei para a frente da bateria como se estivesse subindo no cadafalso, com um outro detalhe: a cada passo que dava, ia sentindo o atraso do som da bateria que ficava pra trás aumentando a cada passo. Quando chego no mestre Bira, minha cabeça tinha que fazer cálculos mirabolantes para descontar o atraso do som que chegava aos meus ouvidos.

Devo ter ficado naquela posição por um minuto que durou uma eternidade. Depois, vim a saber que mestre Bira fez questão de mostrar aos jurados as minhas verdadeiras qualidades, que minha presença na bateria não era nenhum caô, que estava ali por mérito adquirido.

Após alguns instantes, sou recolocado na minha posição de origem e, finalmente, a bateria parte rumo à dispersão na praça da Apoteose. Quando paro de tocar, me flagro tremendo que nem vara verde. Não podia acreditar que havia passado por semelhante prova. Ao mesmo tempo, estava maravilhado por ter conseguido chegar relativamente inteiro no final.

Mas a minha epopeia ainda não havia terminado: soube que fora posto à prova diante dos jurados somente naquele momento! “Caralho! Se a escola perde ponto no quesito bateria? Estarei arruinado!”, e fui pra casa de cu na mão esperar pela apuração na quarta-feira de cinzas...

Aquele ano foi muito especial, muito em virtude do centenário da abolição, chamando o brio das escolas a entrarem com muita garra. Estava difícil de apontar quem seria a vencedora, apesar da Mangueira despontar entre as favoritas.

Chega a hora da apuração e tudo que eu quero ouvir é:

Bateria... nota... DEZ!

A Mangueira acabou não vencendo por um décimo por causa da comissão de frente... e a Vila Isabel sagrou-se campeã do Carnaval de 1988, com a Mangueira em segundo, atrás por um décimo.

Apesar de não ter estreado na avenida como campeão, me senti inteiramente vitorioso por fazer parte do triunfo de uma bateria nota dez, em que fui posto à prova da maneira mais radical possível. E que me deu um extraordinário crédito de confiança.

Pensei na Elza e em tudo aquilo que ela havia me proporcionado.

Vivenciei uma experiência inesquecível, ganhei um monte de amigos, fui acolhido pela família mangueirense com todo amor e carinho, ganhei mais um parceiro, o Ivo. A Alcione me deu um carinhoso beijo de alforria, fui adotado por tia Bolinha e, através dessa união, abria-se um horizonte cheio de possibilidades para novas experimentações sonoras até então inéditas na música popular brasileira.

- No dia 11 de janeiro de 1989, a Folha da Tarde fez o mapa astral de Lobão. Assinado por Maria Goretti, o texto diz que, no dia 11 de outubro, quando ele nasceu, o Sol transitava pelo signo da justiça, Libra. O signo revela a meta, e o ascendente, Sagitário, a maneira de agir para alcançá-la.

Segundo o texto, o setor mais importante do mapa é a décima casa, porque informa o que o sujeito tem que dar à sociedade e o que espera dela. No caso de Lobão, ela está em Virgem. "Logo, ele tem o signo da justiça, o ascendente das leis e a imagem de correto. Então, espera-se que seja realmente esse *design* de perfeição que ele se recusa a ser."

Quando o músico nasceu, quatro planetas transitavam pela área do carisma, por isso essa característica estará sempre em evidência. Segundo o mapa astral, caso Lobão "se recuse a distribuir corretamente as energias celestes — os dons e a vontade —, certamente terá problemas em seu raio de ação. Os dons de atrair e de liderar pela carreira têm preço".

"O fato de apreciar drogas também está evidente no mapa. Não que o planeta seja responsável por este ou aquele vício, mas apontam tendências. Os planetas não determinam, mas inclinam. No caso, tal configuração [com Netuno, regente dos ideais e das fantasias] indica uma vontade grande de transformar o sonho em realidade, do jeito ideal que gostaria que fosse o mundo. Não conseguindo dar conta dessa tarefa, sente impotência e procura uma forma fugaz de vivenciar isso", diz a Folha.

O recado de Saturno para Lobão é: "seja perseverante, porque promover revoluções no mundo não é fácil. Seja sério e profundo, porque antes de mais nada é preciso acontecer uma conversão individual. A Lua, do signo de Touro, diz que a ironia só é aconselhável na criação artística, e está contraindicada para as resoluções dos problemas do dia a dia."

Por causa de falhas e omissões no passado de Lobão, "que o levaram ao desespero de fugir para o delírio, ele, com a sua história, e Urano na área das modificações radicais, precisa reconsiderar valores urgentemente, porque tal posição o leva a agir de forma sintomaticamente rebelde, sem que tenha a total consciência do que sucede consigo em relação ao mundo".

"Senhor de um potencial de criatividade e de filosofia, ele corre o risco de anular sua participação e empreendimentos pessoais por ter um comportamento extremamente desafiador, nutrido por revoltas inconscientes advindas de certas negligências indigestas com as quais teve que conviver durante a formação. Conta com generosa cota de racionalidade. No entanto, a quase total desvalorização das necessidades afetivas, dificultou o quadro. Hoje, as reações encontram espaço apenas pelo canal uraniano chamado excentricidade."

Capítulo 47

As vendas do *Vida bandida* me assustaram muito... principalmente depois daquela excursão onde batemos todos os recordes de público. E o que mais se via era uma massa de gente segurando a capa do disco em todos os lugares em que nos apresentávamos. Isso me deixava com uma sensação de esvaziamento terrível. A minha cabeça não podia conceber uma realidade daquelas, não fazia sentido... como não fez em todos os discos anteriores. Mas falar sobre numeração continuava sendo um tabu.

Estávamos em vias de iniciar a confecção do próximo álbum e estava mais que na hora de fazer o novo material.

A inclusão do Ivo nas parcerias iria dar um novo frescor às nossas ideias, como unir a Zona Norte à Zona Sul, promover uma nova linguagem que se destacasse daquela profusão daquelas cópias descaradas dos anos 1980.

Nesse meio-tempo, sonho que estou numa estação de metrô em Nova York e encontro um negão dançando com um violoncelo bem na escadaria. Pensei: isso é um sinal! E comprei um violoncelo, assim que acordei. Achava que aquele instrumento poderia me dar mais chão e profundidade... o cello é um instrumento que te aproxima do sublime... estava meio cansado de tantas aventuras perigosas, de fugir da polícia o tempo todo, e queria muito desenvolver o lado da minha formação que, por força das circunstâncias, houvera abandonado. Sempre fui um ser sedentário, e aprender a tocar um novo instrumento me faria ficar mais dentro de casa... pelo menos, era isso que eu desejava.

Já havia composto minha primeira canção assim que fomos morar na estrada das Canoas: "Pobre Deus", que fiz pensando no juiz do contrabando no meio da Corte: "Com seus olhos maquiados de pavor/aterrorizado como seu próprio terror/Deus tenta rezar, tenta rezar pra quem?/É muita mira pra pouca bala/no escuro. Deus não vê ninguém..."

E assim que o cello chegou, passei uma tarde inteira tentando tirar qualquer som do instrumento, algo que, a princípio é bem complicado, mas logo já havia feito uma sequência de acordes que me estimulou muito.

No dia seguinte, acordo sob forte impacto de outro sonho: o Nietzsche sorria para mim e assobiava delicadamente, apenas uma nota. Meu corpo, com aquele assobio, começava a rachar e se desmoronar em pedaços que caíam formando uma esfinge... e toda aquela catarse de transformação me dava uma felicidade tão poderosa que imaginava ser comparável à de uma iluminação... Levantei, em estado de êxtase, e fui para a varanda contemplar a pedra da Gávea... Imaginei que cada ser, cada objeto tem um grau de ressonância, que o universo está interligado por códigos de ressonância que ainda não foram revelados, e que se conseguisse encontrar a frequência certa, aquela pedra poderia se desmoronar facilmente. Imaginei que tivera um sonho de individuação, que meu ego fora estilhaçado pelo conhecimento e pelo amor que sentia pelo Nietzsche, e esse amor reverberava para todo o universo. Com aquilo tudo na cabeça, pus-me a tocar no violoncelo a sequência feita na tarde anterior, memorizei a métrica da frase e comecei a escrever catarticamente, despejando um poema inteiro no papel... creio ter sido esse poema a única coisa que produzi em toda a minha vida sem fazer nenhum arremate, nenhuma correção, e a batizei de "Esfinge de estilhaços": "Oh, ironia, era um poeta que um dia/assobiou ao acaso e por surpresa, quem diria!/era eu sua montanha desmoronada/sua vitoriosa derrocada/sua honestidade tardia... Me desmorono, pela vontade, pela potência/e me transformo numa esfinge de estilhaços..."

Aquela tarde seria muito especial... esperávamos ansiosamente pela chegada do Ivo para tentar fazer nossa primeira parceria. O Ivo aporta nas Canoas cheio de disposição e nós três, algumas cervejas e uma garrafa de whisky, nos trancafiamos no quarto de hóspedes.

Foi aí que nasceu "Cuidado!": "O preto vota em branco contestando a razão/A gente é branco e preto/Preto e branco é tudo irmão/No nosso abecedário não existe abolição/O branco é sempre preto/Preto e branco é tudo igual..."

Ao final, concluo: "E tratando a tragédia como se fosse um Carnaval!/Isso é Brasil!/Cuidado!"

A minha vida pessoal, como tudo ao meu redor, estava bastante tumultuada. Como já havia comentado antes, o casamento estava cada vez mais desgastado, mas como sou um homem feito para a união eterna, relutava em admitir que deveria ser a hora de cada um tomar o seu rumo. Mas, ao contrário disso, acontece o impensável naquelas circunstâncias: Daniele está grávida. Talvez fosse uma maneira de achar que, com um filho, deixaria o meu legado neste planeta, já que tinha como certa a minha morte, ou, através do nascimento de uma criança, recuperasse o sentido de lar, há muito tempo banido da minha vida. Sei lá...

Sendo assim, ficou combinado que iríamos ter um filho.

Iniciei os trabalhos de arregimentação para a nova banda. O único a ficar da fase anterior foi o Zé. Àquelas alturas, eu tinha pego no depósito da gravadora uma máquina de oito canais e acabei montando toda a parafernália no meio da minha sala. Os ensaios do disco ocorreriam todos por lá, para desânimo do Burunga, que não se amarrava muito em barulho.

Com o Rodrigo Santos de baixista, nada mais natural que ele apresentar um bom baterista que se afinasse com ele... Mas a bateria era uma posição muito delicada na banda por eu exigir que tocassem absolutamente tudo que eu inventasse no instrumento. Por isso, passaram pela audição uns cinco bateristas. Todos excelentes, mas era uma questão de estética e de sotaque... Nós estávamos experimentando uma mistura e uma concepção que exigiam uma afinidade total com o trabalho.

E, depois de várias tentativas, o óbvio prevalece: o Rodrigo tinha seu companheiro de cozinha ali, na minha cara, e eu tentando atarraxar lâmpada. Sendo assim, ele chamou o Kadu Menezes, com uma técnica primorosa. Um guitarrista inventivo, musical e gente fina era tudo o que precisávamos e, para isso, convocamos o Nani.

E, para fechar o nosso escrete, o Ivo Meirelles me propõe agregar um supermulti-instrumentista... nada mais, nada menos do que o poderoso Alcir Explosão! Aí estava formada a banda que iria me acompanhar e gravar comigo os próximos três discos, tornando-se, para além de qualquer música, amigos para sempre. E batizamos a nova banda de Os Presidentes.

O país vivia aquela piada de mau gosto da prorrogação do mandato do Sarney... Era um período de abusos absurdos (como se vivêssemos livres deles atualmente).

Toda aquela turma da ditadura estava embrenhada em cargos no poder, e acabaram por garantir mais um ano pro bigode de fardão.

Numa tarde de trabalho com o Bernardo, o assunto veio à tona e percebemos estar com um prato cheio para um tema de música. E tratamos de cair dentro do assunto... Não tardou surgirem estrofes como: "O palácio é o refúgio mais que perfeito/para os seus desejos mais que secretos/lá ele se imagina o eleito/Sem nenhuma eleição por perto!/ele é o esperto/ele é o perfeito/ele é o que dá certo/ele se acha o eleito!"

Nascia o carro-chefe do disco: "O eleito".

Naquela mesma semana, numa sessão com o Ivo, a Daniele e o Bernardo, fizemos "Síndrome de brega", que dizia algo assim: "Existe, sim, a síndrome de brega/essa chantagem emocional que você prega/você só dá valor e amor ao que te cega/a tua moda roda, roda mas não pega..." uma letra um tanto arrogante que não chegava a ter uma unidade em seu entendimento. Era mais do que visível que tratava-se de uma letra composta por um bom número de pessoas, como se estivessem todas a falar ao mesmo tempo, outra colcha de retalhos... por sinal, muito ruim...

No dia seguinte, trabalhei numa nova levada na bateria. Era uma espécie de funk rock muito sincopado que me levou a pensar em desenvolver uma letra sob uma ótica rodriguiana..., a pose, que é o gesto premeditado... A pose é o gesto que se premedita!

Nascia "É tudo pose".

Havia também uma sequência de acordes que me fazia lembrar uma seresta, e me vinha na cabeça uma antiga canção do Miltinho que dizia assim: "Aí... a lâmpada apagou"... que mostrei ao Bernardo. Também pensava em fazer uma música que expressasse algum tipo de perdão por uma daquelas cagadas amorosas que eventualmente se cometem no decorrer de um relacionamento. E assim surgiu "Por tudo que for", que começava: "E depois, a luz se apagou/e eu não consigo mais ficar sozinho aqui/sem você, é tão ruim/não tem sentido prazer/não há nada."

Decidimos que o disco estava fechado. Deveria ter esperado mais um pouco para chegar a essa conclusão. Agora só restava ensaiar aquela verdadeira gororoba umas duas semanas em casa e partir para dentro do estúdio.

Sentia que não estava fazendo meu melhor trabalho... tudo era meio experimental e, em nome desse tal experimentalismo, acabou preponderando a indulgência, tanto na quantidade (o disco só tinha nove músicas) como na qualidade (a grande maioria das letras não era necessariamente bem-resolvida). Houve uma afobação, uma euforia e a sensação de estar descobrindo uma grande novidade, que resultaram num disco com muitos baixos e muito poucos altos. Na verdade, eu poderia perfeitamente ter lançado um excelente compacto duplo com duas das minhas canções favoritas entre todas que escrevi: "Pobre Deus" e "Esfinge de estilhaços", e de lado B: "O eleito" e "Por tudo que for", o resto podia-se, sinceramente, jogar fora. A euforia da experiência não chegou a resultar em algo que realmente preenchesse nossas grandes expectativas de fazer uma revolução na MPB. A certeza da certeza faz o louco pensar que é um gênio... ficamos apenas na vontade... Faltou humildade, sobrou soberba...

O disco viria a ter o petulante título de *Cuidado!*: justamente o que mais faltou em toda a sua produção.

Capítulo 48

Entramos em estúdio. Eu, autoescalado para tocar as faixas na bateria. O Jaquinho Morelenbaum compareceu com um belo arranjo para cellos em "Esfinge de estilhaços", o Edgard Scandurra tocou em "Pobre Deus" e "Esfinge". A bateria da Mangueira gravou em *Cuidado!*, dando o tônus que a nossa imaginação, até então, não conseguira alcançar. Foi uma sessão emocionante. Alcir regendo, o Ivo cantando comigo... Taí... se tivesse caprichado mais nas composições, estaria pronto para cometer um belíssimo disco...

Cuidado! ficaria registrado com uma atmosfera indefinida... No ímpeto de formar novos conceitos, com a animação da perspectiva de fundir estilos, acabei me precipitando e embaçando o meu DNA musical... No afã pela busca de uma identidade, acabei comprometendo a que já tinha. O disco não possuía uma cara. A única coisa que me motivava depois dessa dura constatação, eram as possibilidades de desenvolvimento daquelas ideias no transcorrer da excursão. O que aconteceu é que a emoção do encontro com a Mangueira não me deixou perceber que deveria deixar a coisa amadurecer, sair por aí primeiro tocando, pois a melhor maneira para se evoluir a sonoridade é tocando e tocando, e, aí sim, com tudo introjetado, se arvorar a gravar. Mesmo assim, o disco tinha um ar de novidade, um certo frescor esquizofrênico, afinal estávamos nos arriscando, e isso, de alguma forma, era saudável. Afinal, não pode haver arte sem um mínimo de coragem.

Pois bem, a música de trabalho inicial foi "O eleito", que chegou a tocar bastante. Nada que se pudesse comparar a qualquer hit do *Vida bandida*. A canção que realmente estourou foi "Por tudo que for", uma balada que foi direto para os primeiros lugares das paradas.

Cuidado! seria o primeiro trabalho de contrato novo. Contrato este mirabolantemente engendrado e arquitetado pelo maior escritório de advogados especializados em direitos autorais da época. Para resumir a ópera: com todo esse respaldo, saí da gravadora, uns anos mais tarde, devendo as calças, resultado de uma aritmética que só a gravadora conhecia. e aplicava. Pena que o grande escritório de advogados nada pôde fazer... afinal eles cuidavam de nove entre dez grandes nomes da MPB, quase todos contratados da mesma BMG, e não queriam se indispor com seus outros tantos clientes. Este enorme entrevero varou décadas e só veio a ser relativamente resolvido lá pra 2007, quando assinaria de novo com a mesma gravadora, agora sob o nome de Sony Music, a nova geração.

Se o *Vida bandida* se saiu muito mal com suas 350 mil pífias cópias, o *Cuidado!* chegaria com a língua de fora aos cem mil discos vendidos.

E a banda volta para a estrada das Canoas a ensaiar o show da excursão de lançamento. Passamos uns 15 dias aprontando repertório, ordem das músicas, troca de instrumentos etc. E, ao final do período, estávamos prontos para cair na estrada mais uma vez.

Nesses últimos meses, havia readquirido um antigo hábito: andar de moto. Como morava na estrada das Canoas, adorava acordar pela manhã e sair a passear até as Paineiras, ou ir até o final do Recreio.

A uma semana de nossa viagem, vou dar minha passeada matinal quando, já voltando, um carro vem em alta velocidade na direção contrária... A única coisa que me coube fazer foi desviar, mas, por puro azar, havia um poste de luz indesviável no acostamento e não tive tempo pra nada, só consegui fazer um jogo de corpo e evitar me chocar com a cara no poste. Bati violentamente com o braço direito, fraturando-o na hora, a moto girou e caiu em cima das minhas pernas. Fiquei preso com o cano de descarga a pressionar minhas panturrilhas, causando profundas crateras com queimaduras de terceiro grau. Quando me desvencilhei da moto, minhas pernas estavam muito machucadas.. aquele cheiro de carne queimada, uma dor lancinante e eu sozinho numa estrada deserta. Só me restou respirar fundo e me arrastar até minha casa. Por mais falta de sorte, caminhei os 800 metros que faltavam sem que passasse nenhum veículo ou coisa parecida. Cheguei quase desmaiando de dor e pedi ao motorista que me levasse imediatamente para o hospital.

Saí de lá com o braço direito engessado na tipoia e as pernas enfaixadas dos joelhos pra baixo. Só pensava como ia me virar para fazer o show de estreia no Canecão. Tocar guitarra, nem pensar. Ficar em pé, impossível, o sangue ia pras pernas causando dores terríveis. Não teria outra alternativa senão me apresentar de cadeira de rodas e tipoia. Pra dar uma resolução gráfica na minha figura, optei por emular uma faixa presidencial verde e amarela como tipoia e, quando chegou a hora do show, com aquela adrenalina no ar, acabei por optar fazer tudo em pé. E assim foi. Desfalcado da minha guitarra, o Zé e o Nani forçosamente teriam que multiplicar o volume de notas para cobrir os espaços vazios.

Na semana seguinte nós fomos pra Cascavel e recomeça a ladainha de sempre: o show será num ginásio coberto com mais de oito mil pessoas a lotar suas dependências. Não me acostumava a ter que me submeter a atrasos intermináveis provocados invariavelmente pela polícia e, naquela oportunidade nós fomos brindados com a Polícia do Exército... Como estava de braço quebrado e com as pernas avariadas, escolhi, além da tipoia em forma de tarja presidencial, usar uns coturnos que chegavam até os joelhos. Os amarrava bem apertados para o sangue não descer para os pés.

Naquela noite, não sei o que me deu, mas estava imbuído de um forte espírito militar. Chego pontualmente, como sempre, 15 minutos antes das nove horas, horário marcado para o início do show, e me deparo com uma cena lamentável. A PE achou por bem montar uma operação pente-fino no público. Para piorar, soubemos que estavam fazendo as famigeradas revistas ginecológicas nas meninas com a polícia feminina, além das mãozadas, pouco delicadas, nos meninos. Aquilo, pra mim, foi a gota d'água: me dirigi ao palco feito um raio, esquecendo que estava praticamente paralisado pelos ferimentos, cheguei ao microfone, e, para minha surpresa, me pus a chamar o comandante da PE em termos de caserna: "Alô, 1, 2, 3, teste... atenção todo o regimento! Quero o comandante responsável pela operação imediatamente em meu alojamento!", e saí marchando como se estivesse em plena parada de 7 de Setembro. Aquele bizarro comportamento era mais forte que eu! Meu corpo agia à revelia da minha vontade! Aguardava o oficial andando para um lado e para um outro exalando uma autoridade tamanha que qualquer Napoleão desavisado se envergaria subserviente aos meus pés. Como o Zé Luiz pegara a mania de tudo documentar, desde a turnê passada, andava filmando tudo. E eu lá, de tipoia presidencial, coturno, uma casaca, a fúria redentora, enfim, a roupa e a situação me levaram a um estado absolutamente militar. Baixou um "General Von Si Foder" em minha pessoa, e quando o nosso oficial chegou testemunhou um celerado a agir napoleonicamente disparando várias perguntas: "O senhor é o responsável pela operação?" "Sim." "Qual foi o seu superior que lhe ordenou a ação?" "O juizado de menores." "Pois bem, oficial, quero que você esqueça essas ordens e evacue seu regimento imediatamente do ginásio. O espetáculo já está atrasado meia hora e eu não admito atrasos. Não admito atrasos, entendeu? Lhe dou cinco minutos para a retirada total do seu contingente, entendido?" Ele já me olhava subjugado, diante daquela inesperada autoridade... eu percebi o seu vacilo e mandei: "Pois trate de executar a retirada o quanto antes...", e, para arrematar, lhe bati continência com a mão esquerda em virtude da tipoia no braço direito. Fiz a saudação sincronizada com um forte estalar das botas e gritei: "Dispensado!", e eis que acontece o inimaginável: o pobre oficial, decerto com anos de condicionamento militar, não hesitou diante do meu comando: também bateu bota com bota e devolveu solene a continência!!!!!... e já quando girava sobre as botas é que caiu em si. Eu e Zé olhamos um pro outro e caímos na gargalhada apontando pra cara do assustado militar como duas crianças quando cantarolam "peguei um bobo, na casca do ovo!". Ele começou a ficar roxo de ódio e, gaguejando, me admoestou: "Isso não vai ficar assim. Vou processá-lo por desacato à autoridade!" E eu, de imediato, respondi: "Oficial, aqui não houve desacato à sua autoridade. O que houve aqui foi acato à MINHA AUTORIDADE, concorda?"... Quando ele notou que eu ainda persistia no papel, desistiu de argumentar e saiu rosnando pela porta. Nós dois não conseguíamos parar de rir, quando me bateu uma certa preocupação: "Pô, Zé.. será que eu peguei muito pesado? O cara é PE, e PE é casca, né?" "Ah, João! Pior pra ele, pois a gente tem a prova que ele acatou direitinho as ordens! Cara, eu filmei tudo! Olha só!" "Caralho! Que bacana! Essa, se você não tivesse filmado, eu nem iria pensar em contar pra ninguém, senão neguinho ia achar que era caô dos brabos! Mas com essa fita registrando tudo, isso vira um troféu de guerra!"... O nosso oficial pavloviano ficou bastante ofendido com o acontecido e achou por bem evacuar seu pelotão, na velha tática de deixar o povo se pisotear todo. Para evitar isso, subi novamente no palco e emiti, solene: "Atenção, rapaziada, acabamos de eliminar o batalhão da operação pente-fino. A PE retirou o policiamento só para que isso aqui se torne uma praça de guerra. Peço a todos que colaborem, porque, da nossa parte, estamos famintos por fazer o maior som!!! Preparem-se... pois iremos arrebentar a boca da matilde!!!! Mas, pelo amor de Deus: tudo na santa paz, hein? A paz nesse show será o nosso único caminho para a vitória sobre aqueles que quiseram passar a mão em vossas bundas e que ordenaram à polícia feminina vasculhar vossas xoxotas. O nosso revide será a paz total. Só assim venceremos... Posso contar com todos??" E, de pronto, recebi em uníssono um sonoro "SIIIIIMMMM!". "Então me deem uns cinco minutinhos que a gente volta já para começar o show..."

Foi uma apresentação exemplar, tanto por parte da banda como por parte do público, que, em comovente trabalho de conjunto, anulou a tática do adversário. A vitória foi tão humilhante que acabei ficando com peninha do desautorizado batalhão e, logo após o show, saí em busca dos derrotados que ainda permaneciam fora de formação nos arredores do ginásio. Quando os avistei, pedi delicadamente que se alinhassem para cumprimentar um por um... eram uns oito ou dez sobreviventes. Por um instante, pensei que, através da minha magnanimidade e benevolência, todos fariam as pazes comigo, mas o nosso comandante estava desmoralizado demais para capitular de seu intento em me processar. Iriam se passar uns 15 anos para ter condições jurídicas de retornar à cidade. Estava me tornando um colecionador de processos. Mas ainda nem havíamos começado a jornada...

Na semana seguinte, retornaríamos a Brasília. A expectativa era grande... o que eles iriam aprontar dessa vez? Desembarcamos no aeroporto do Distrito Federal e, de cara, tivemos uma grata surpresa: a nos aguardar, na saída do nosso ônibus, havia uma formação de uns dez batedores da polícia militar, com suas motocicletas. Nosso produtor foi averiguar do que se tratava aquela presença e constatou ser um esquema de segurança, parte de uma grande operação perpetrada pela polícia militar em conjunto com o Ministério Público, ou juizado de menores, ou sei lá... Viemos a saber, muito envaidecidos, que nossa apresentação (no mesmo estádio do apagão), ou melhor, nossa presença, era considerada no âmbito da Segurança Nacional.

Já com todos nós instalados em nossas confortáveis poltronas, o busum começa a andar e, com ele, os batedores! Ah! O Ivo não se conteve, abriu a janela e pôs-se a falar com o batedor que se colocava bem à sua frente, a guarnecer o flanco direito do ônibus: "Aí, amizade, o mundo dá voltas, hein? Lá na Mangueira a gente tava habituado a se movimentar justamente com as posições trocadas: a gente na frente e vocês atrás! Ah-ah-ah-ah!"... Mas a coisa não era tão simples assim. O show havia sido cancelado. Depois, viemos a ouvir uns boatos que era rixa do Sarney. Ele não apreciou a canção que fizemos em sua homenagem... se ofendeu, fez biquinho e mandou, segundo as más línguas, cancelar a nossa apresentação só de turra.

Me hospedaram numa suíte presidencial que tomava um andar inteiro, e que, por singela coincidência, dava de frente para o Palácio do Planalto... Até cheguei a imaginar se, por acaso, fosse um Lee Oswald protopunk, poderia seriamente lançar uma bazuca na morada presidencial. Confesso a vocês que passei uma meia hora dando tratos à minha sanha assassina, mas tinha coisas mais importantes a resolver: o show até aquele momento estava inviabilizado, quando surge uma nova possibilidade — o procurador-geral da República estava me convidando para ir à sua casa... queria ter uma conversa com a minha pessoa. Coloquei uma calça de linho puro cinza, de listras verticais pretas, uma camisa social imaculadamente branca e uns suspensórios de couro preto com as presilhas douradas. *Avec élégance*... Chamei o motorista, adentrei solene o Galaxie Landau preto que estava à minha disposição e parti em direção ao lago Paranoá. Chego ao local e sou recebido pessoalmente pelo procurador-geral da República, o querido Paulo Cezar Sepúlveda Pertence.

Me convida para entrar em sua casa com a maior simpatia. Nos acomodamos em sua sala de estar, e ele pôs-se a conversar comigo. O que uma boa abordagem não pode fazer? Comportando-se com um surpreendente respeito à minha pessoa, mostrou-se inteiramente solícito em tentar resolver o imbróglio do show. Se apresentou fazendo uma pequena preleção, dizendo que já foi jovem, que de maneira alguma me enxergava como um criminoso, um delinquente ou qualquer coisa que o valha. Finalmente encontrava uma pessoa do poder público que me dava crédito e respeito. E com suave autoridade, me pediu um comportamento pacífico, sem provocações nem desrespeito ao presidente etc. e tal. Se todo mundo fosse assim, me teriam como um anjo *full time*! Impactado com tamanha consideração, prontamente prometi a ele que faria um show impecável e de forma alguma haveria de engendrar qualquer tipo de provocação. Ele me pediu que o aguardasse por uns minutos... Ao voltar, me notifica que o show irá acontecer. Eu vibro de alegria, não sabia como agradecer e, quando estava na porta a caminho do carro, ele me chama e me pede se eu posso levar seus filhos comigo no ônibus! Interpretei aquele gesto como um voto de extrema confiança.

Combinei de encontrar os meninos em determinado local e jurei que olharia por eles com o máximo de carinho, atenção e cuidado. Ele me imputou uma responsabilidade com uma habilidade e respeito que jamais experimentara com uma pessoa de seu gabarito.

Anos mais tarde, estou com a Regina, minha mulher, almoçando no Albamar, quando me aparece um elegante rapaz, com um terno muito bem-talhado, ele para em nossa mesa e se apresenta: "Lobão, você não deve lembrar de mim, eu sou um daqueles garotos que foram com vocês de ônibus assistir aquele show de Brasília. Sou filho do Paulo Cezar."

Que prazer inenarrável!

Capítulo 49

Em uma das pequenas pausas que tivemos durante a excursão, recebi um convite do jornalista Miguel de Almeida para participar de um projeto muito interessante: ele estava arregimentando vários artistas brasileiros de inúmeros segmentos para musicar poemas do Maiakovski, a título de fazer um CD para ser entregue ao Gorbachev, numa visita oficial do presidente Sarney, aparatado por comitiva, ao criador da *Perestroika*. Ele me deu uma tradução bilíngue dos irmãos Campos. Fui dar uma sobrevoada nos poemas e logo me deparei com um que percebera ser feito sob medida para a minha pessoa: "O hino ao juiz", que falava justamente dos perigos do excesso de poder de arbítrio nas mãos de quem dele abusa. Comecei a imaginar como aquilo ficaria numa música...

Na estrada das Canoas, faltava pouco para o nascimento da nossa filha... Já estávamos escolhendo o nome... e enquanto escolhíamos em livros, arquivos e dicionários, ouvia o álbum *Branco* dos The Beatles. É claro! Nossa filha vai se chamar Júlia!

Desde que saí da cadeia, muito em virtude da minha brilhante administração no xilindró, comecei a receber telefonemas de traficantes carentes, clamando por minha presença em suas comunidades... e como estava com um espírito de classe muito aguçado, não conseguia negar um só pedido. É claro que a Mangueira tinha total preferência, mas visitava muito o Tuiuti, Acari, Barreira do Vasco, Jacaré, Macacos e Rocinha. Era impossível não me identificar com a bandidagem, uma vez sendo tratado como tal o tempo todo.

Respaldado pelo meu currículo criminal, fui me imiscuindo nos morros cariocas. O primeiro foi a Mangueira, por ordem natural das coisas. Já conhecia a rapaziada, fui sempre muito bem-recebido, já havia sido adotado pela tia Bolinha e passei a frequentar o local, mesmo sem minhas pesquisas musicais.

O Ivo não aparecia nessas ocasiões, nem o Alcir. Só quando rolava roda de samba... Certa vez estávamos na Barreira do Vasco quando fui apresentado a uma sessão de samba de roda, só com bambas... Dentre tantos, fui apresentado ao Beto Sem Braço, saudoso sambista. Estávamos todos numa espécie de platô, do lado de uma birosca, todo mundo marcando com a palma da mão e cada um dava sua palinha. O Ivo apareceu por lá e arrebentou... sabia tudo... Esses caras passavam a tarde inteira conversando através de improvisações mirabolantes no samba de roda, e, nessa tarde, lá estava eu no meio da roda, sem levar o menor jeito pro negócio... Quando era convocado para abrir a boca, era uma tragédia!

Pois bem... todo mundo tomando aquela cerveja, quando acontece algo aterrador: enquanto nós nos divertíamos a valer com os improvisos, vem subindo sorrateiramente, a uns dez metros de distância, um camburão! Para meu total espanto, ninguém se amofinou com a presença da viatura, que, naquele momento, já estacionava ao lado da nossa roda. De repente, o X manda parar o samba e faz um sinal para um policial fardado que já se encontrava fora do camburão. Não havia nenhum tipo de beligerância no ar... a maior tranquilidade... O homem da lei, ao ver o sinal de X, encaminha-se em nossa direção. Para ao lado do X e aguarda respeitosamente... o seu pronunciamento: "Lobão, vou apresentar uma pessoa pra você"... e dirigiu-se para o policial: "Se apresenta aí, com patente e tudo." "Tenente Jorginho a seu dispor!" "Ô, Jorginho, me passa a tua carteira de polícia aqui"... E o tenente, de imediato, tira do seu bolso a sua carteira e entrega nas mãos de X. Ainda estou perplexo, sem saber o que sentir, quando X começa a esticar uma poderosa fileira, em cima da carteira de polícia do tenente Jorginho!: "Aê, Lobão, essa foi feita só pra você, cafunga aí... isso é pra você constatar que o Jorginho é da casa, sangue bão, e, daqui por diante, vai ser seu instrutor de tiro, não é, Jorginho?" "Inclusive, estou aqui pra isso mesmo! Quero logo marcar o dia da semana." "Qual é o dia que tu tá a fim, Lobão?"

"Bem... que tal quinta-feira? Mas aonde vai ser essa aula?" "Aonde você quiser... na tua casa, tá bacana?" "Tá, sim! Agora... nas quintas-feiras tem ali perto um treinamento do Exército. Tem sempre neguinho atirando por lá." "Ótimo! Assim é melhor ainda, porque vão pensar que é o eco do barulho deles... Então tá fechado: na quinta." "Fechado"... O tenente me saúda com um forte aperto de mão e, a partir daquele instante, estava eu constituído de um professor de tiro. E o X arremata... "Sabe, Lobão... acho melhor você saber atirar, pois vai que rola um sacode aí nos morros... sabendo atirar você vai saber se defender melhor, não é?"

Toda quinta-feira à tardinha chegava o tenente Jorginho pilotando seu Monza Classic cinza, lá na estrada das Canoas, para a nossa aula de tiro. Era um sujeito afável, solícito e adorava atirar. Abria a mala do Monza e exibia seu arsenal particular composto de submetralhadoras Uzzi, espingardas calibre 12, pistolas automáticas de 9mm, uns HK 47 e outras maravilhas do armamento mundial...

E nós nos embrenhávamos no meio da floresta, elegíamos um alvo, geralmente o tronco de uma árvore, e passávamos a tarde inteira dando teco. Teco na árvore...

A essas alturas do campeonato minha aparência já estava bastante modificada. Engordei rotundamente, me enchi de cordões de ouro e, agora, sabendo atirar, estava virado num bandidão...

Nesse meio-tempo, quando numa manhã saía até a Biruta (uma finada padaria em São Conrado), quase que esbarro com... meu pai! Não o via desde a visita na prisão. Não houvera nem tempo de eu agradecer a ele pela mudança de cadeia, perpetrada pelo dr. Roberto Marinho. Ele estava um pouco abatido e disse que a Motorfix havia falido e, no presente momento, estava empregado numa concessionária de carros importados a uns 200 metros dali. "Vai lá me visitar um dia."

Fiquei extremamente chocado com a notícia da falência da oficina. Eu tinha certeza que, sem a Motorfix, meu pai entraria num processo de ladeira abaixo, incontrolável...

Passaram-se algumas semanas, e quando já havia digerido as tristes novidades que papai me contara, decido dar um pulo na tal concessionária...

Peço ao motorista para me conduzir ao local, o que, na verdade, era só descer a estrada das Canoas.

A concessionária estava com o pátio repleto de lindos automóveis de variadas marcas, modelos de diversos anos de fabricação. A única coisa em comum entre eles era que estavam impecavelmente tratados.

Esse era o papel do meu pai, preparar, recuperar e manter aquelas raridades. Estava à sua procura, quando um sujeito começa a gritar asperamente por seu nome: "Ô, João Luiz! Porra, aonde você se meteu! Quero você aqui agora, que eu preciso te mostrar uma coisa!"

Sinceramente, não me agradou o tratamento dispensado a meu pai... Quando o percebo, enfurnado, debaixo de uma Mercedes.

Antes mesmo que meu pai notasse minha presença, me dirijo ao sujeito e pergunto: "Quanto é aquela Mercedes? Posso levar agora?" "Mas como você pretende pagar isso?" "Olha, eu não tenho conta em banco, posso te pagar em *cash*? Prefiro pagar à vista, mas primeiro queria pedir a aprovação do meu pai, que por sinal estava mesmo fazendo mecânica embaixo dela, né, pai?"

"Ô, João Luiz! Até que enfim veio me visitar!..." "Pai, eu estou querendo comprar aquela Mercedes; ela está em bom estado?" "Meu filho, fui eu que retirei esse carro do porto quando chegou no Brasil. Tudo original..."

"Quer dar uma volta nela? Eu te levo pra fazer um *test drive* na subida das Canoas, vamos lá?" Estava muito feliz em passear com meu pai... Acho que desde criança não fazia isso. Ele tirou a Mercedes do estacionamento e mandou que eu entrasse.

Por um instante estávamos juntos, desfrutando de uma intimidade que, creio eu, jamais conseguíramos ter tido antes.

Ao voltarmos, já me dirigindo para o nosso vendedor: "Adorei o veículo. Posso levar ele agora?" "É só aparecer aqui com o dinheiro, já que você quer pagar em *cash*." "Ok!!" Chamei o motorista: "Vai lá em cima e pega dentro do meu *closet* uma caixa de madeira. Me traz ela aqui, por favor." Eu estava fazendo a maior pose, mas aquele dinheiro era praticamente tudo que havia juntado até então. "Aqui está", e mostrei discretamente os maços de dinheiro. Recebi a chave, dei um beijo no meu pai prometendo voltar logo, entrei na minha nova aquisição e saímos em comboio...

Chega a noite e me mando pra Mangueira de carro novo...

A despeito do desenvolvimento do meu lado marginal, estava muito concentrado em produzir novo material para o próximo disco e acabei prometendo a mim mesmo que não iria repetir a lambança do *Cuidado!*. Descemos a caneta pra escrever versos como "Queriam um cara pra Cristo/pra ser o herói nacional/pra ser o bobo da festa/é tudo que nos resta no país do Carnaval/lágrimas não movem destinos/a fantasia não tá legal/a poesia é um tiro na testa/é tudo que me resta no país do Carnaval". Eram as primeiras estrofes do que seria "Um bobo para Cristo".

Outra que saiu rapidinho foi "Uma dose a mais", feita sob encomenda para a minha querida Ângela Rô Rô, que acabou gravando. Outra que já estava pronta foi o clássico do Arnaldo Baptista para festejar nosso reencontro e sua espantosa recuperação, "Sexy sua".

Outra canção, feita no meio de uma esbórnia, foi "Essa noite não": "A maior expressão da angústia/pode ser a depressão/ou algo que você pressente/indefinível/mas não tente se matar/pelo menos essa noite não..."

Contudo, o material seria composto por outros parceiros. O Tavinho Paes compareceu com algumas pérolas em parceria com Arnaldo Brandão: a primeira que ele me trouxe foi "Sob o sol de Parador": "Quem são os ditadores do Partido Colorado/O que é democracia ao sul do equador/quem são os militares ao sul da cordilheira/quem são os salvadores de El Salvador?/Em Parador..." Essa letra é simplesmente magnífica... Logo em seguida, me apresenta outra: "Quem quer votar", cujo início bombástico anuncia a catarse: "A política faliu!/não dá pra acreditar!/até o que é civil/parece militar", e ainda comparece numa singela parceria de condomínio com o Ivo e o Rodrigo Santos: "Lipstick Overdose" — "Tem faro pra loucura/tem prazer em dar detalhe/lânguida sem chinfra/carismática sem charme/chave de cadeia/protegida do chefão/*speed* de cigana/linda e loura no verão."

O Cazuza deixaria sua marca nesse álbum com a nossa última parceria...

Ele chegou lá em casa cheio de escritos... queria que eu musicasse uma tradução dele para um poema do Jean Genet, "Querelle", mas não me senti muito à vontade para musicar e, depois, cantar coisas como: "Eu quero chupar o pau dele/eu quero ele", e declinei... Vingativo como ele só, acabou editando a música me dando a parceria!...

Até hoje recebo, indevidamente, os seus direitos autorais... Porém, após me desvencilhar daquele pequeno incômodo, acabei por bater o olho numa letra de uma beleza e de uma tristeza sem igual, "Azul e amarelo", cuja parceria ele a princípio se recusava terminantemente em me conceder: "Itho aqui é coisa minha e do Cartola, que é meu semixará...", um é Agenor e o outro é Angenor, "...e vothê não vai entrar nethe clube...".

A frase do Cartola era "Eu não quero, eu não vou, eu não quero"... mas ele não contava com um pequeno detalhe: "Cazuza, me dá isso aqui, pois se você é semixará do Cartola, saiba que eu nasci no mesmo dia dele. Serve?"

E acabamos por conceber "Azul e amarelo", título referente, segundo ele, às cores de seu santo no candomblé, uma canção que revelava o seu inconformismo perante a morte que se avizinhava a cada dia: "Senhores deuses,/me protejam de tanta mágoa/estou pronto pra ir ao Teu encontro, Senhor/Mas não quero, não vou/eu não quero..." A melodia e a harmonia são envoltas em melancolia e mistério, com nítida influência de choro. É uma canção muito bela e muito triste, e é a nossa última canção.

E a derradeira canção a ser composta foi "Por toda a nossa vontade", escrita por mim, numa manhã, quando já estava nas vésperas da minha fuga... que duraria mais de sete meses: "Eu vou-me embora/é chegada a hora/não, não chora, nem me faz chorar/o que é tristeza?/o que é saudade?/me responde com justiça/e não com lágrimas."

E, assim, o repertório do que seria o meu sexto álbum estava pronto.

Minhas idas aos morros cariocas se tornavam cada vez mais frequentes e minhas estadas cada vez mais duradouras. Assim que comprei a Mercedes, comentei com o pessoal da diretoria que não possuía carteira de motorista... que jamais passara por minha cabeça me submeter a um exame de direção... No dia seguinte, o B chega com uma carteira "quentésima" do Detran! Passei muitos anos pensando que se tratasse de uma falsificação sofisticada, porém, faz poucos anos, perdi a tal carteira e fui ao Detran tirar a de verdade. Para meu espanto, quando forneci meus dados, o funcionário me informa que já estava cadastrado desde 1988! Tinha que entrar apenas com um pedido de segunda via! Era quente mesmo! E ainda estou apto (sim, ela existe até hoje!) para dirigir até jamanta! Trata-se de uma carteira de habilitação de amplo espectro! Só faltou o brevê da esquadrilha da fumaça...

Havia ocasiões em que ficava quase duas semanas sem voltar pra casa. Numa dessas, estava lá no Buraco Quente, quando acontece o inevitável: uma severa operação policial, um sacode no morro. Estávamos na "diretoria" quando ouvimos os tiros se aproximarem... Nossas primeiras linhas de defensores estavam sendo atacadas... helicópteros sobrevoavam a área e não tardou para que nossa posição fosse alcançada pelo fogo inimigo. Quando percebemos uma chuva de balas ricocheteando e esburacando os rebocos das paredes, o K, com um fuzil a tiracolo, se escondeu do lado da janela, se esquivando dos projéteis, quando pipocou uma rajada de metralhadora, cravando de projéteis uma parte do teto e a parede do fundo da sala. Ao verificar o cerco apertando, K não teve dúvida e me falou: "Lobão! entra direto pra baixo da mesa. Vamo expulsar esses alemão, mas se alguma coisa der errado, pelo menos tu vai ser o último a morrer..." Eu, que já estava virado de três dias, apesar de lisonjeado pelo nobre gesto, não quis ficar acocorado debaixo da mesa, esperando a morte chegar, enquanto meus companheiros levavam uma saraivada de chumbo, portanto, não titubeei: peguei um três-oitão na mesa, uma caixa de munição e saí pra varanda a dar pipoco pra tudo quanto é lado. Corri pra casa da tia Bolinha, que estava sofrendo com aquele fogo cruzado, e que ficava bem à esquerda, praticamente colada à sala da diretoria. Quando chego na murada, pulo pra dentro da varanda e percebo as balas zunindo por cima da minha cabeça. Olho pra dentro da casa e vejo tia Bolinha espremendo umas laranjas e dizendo pra mim: "Ô, meu filho! Você já tá nessa há quase quatro dias sem dormir. Estou fazendo um suco pra você. Ficar sem se alimentar por todo esse tempo faz mal." E as balas arrebentando as paredes da varanda. Eu estava tendo uma sensação de dormência por todo o corpo. Sentia um constante arrepio na nuca, o coração parecia que ia saltar da boca a qualquer momento. Tia Bolinha me chama e eu me arrasto de quatro até a cozinha... ela vem abaixada, me dá o copo e eu bebo tudo num só gole... Naquele momento, começo a rir pra ela... "Ô, menino! Isso aqui não é brincadeira de colégio, não! Vê se para de bancar o bambambã e fica aqui dentro, quieto! Você não vai salvar ninguém dando tiro daqui de cima... Você nem consegue enxergar pra onde está atirando! Tá gastando bala à toa. Espera isso acabar e reza pra que nenhum inocente saia ferido ou morto, pois é o que sempre acontece. Eles vão entrando com pé na porta, atirando primeiro para depois perguntar quem você é! A gente tem que conviver com esse terror a toda hora. A minha sorte é que moro aqui em cima, mas se fosse mais pra perto do asfalto, o terror seria maior." Me senti envergonhado do meu comportamento frívolo... Na verdade, estava achando aquilo o máximo! Não podia parar de pensar que vivia uma história surreal, singular... Na verdade, por mais que me fizesse de malandro, prevalecia em mim o antropólogo diletante, que conseguia se destacar daquele cenário e contemplar aquela realidade terrível e fascinante.

O tiroteio pesado durou por umas duas horas, com duas baixas do nosso lado. Mas conseguimos rechaçar a polícia para fora do morro... eles devem ter se dado por satisfeitos, recolheram os corpos, prenderam uma meia dúzia de aviõezinhos e se mandaram com as sirenes ligadas e seus fuzis pra fora das viaturas.

Mas, por mais que concordasse com os rapazes, tava ficando meio saturado. Não concordava com aquela cultura. Não fui criado para viver naquela bandidagem. Sempre me tive como um ser, antes de mais nada, delicado, sedentário, repleto de preceitos morais e de intensa vida interior... e ficar forçando aquela barra de bandoleiro acabava por me violentar muito. Não havia a menor condição de, em sã consciência, tomar um partido. Todos os envolvidos nesse universo eram cúmplices; polícia e bandido... Mas o que me fazia estar ali era não admitir ser caçado por não me subtrair das coisas que tinha certeza estarem no meu direito.

Capítulo 50

Segundo a obstetra, a Júlia nasceria no finalzinho de novembro, início de dezembro, e nós já estávamos na segunda quinzena de novembro.

Assim que nós estávamos dando entrada na portaria da maternidade, Daniele entra em trabalho de parto e no espaço de uns quarenta minutos nascia a Júlia. Telefono imediatamente para o Ivo, que seria o padrinho, para vir com os charutos e ele chega em 15 minutos envolto em sua alegria, que lhe é peculiar. Não me cabia de contentamento e convidei o Ivo para dar uma sobrevoada no Baixo verificar se ainda não havia nenhum amigo por perto para dar as boas-novas.

Saímos de Mercedes da casa de saúde e ao vasculharmos os bares, verificamos que só o Tarô estava aberto (atualmente, Fellini). Quando estamos adentrando o recinto uma voz familar me chama: "Lobão querido! Veio pro café da manhã? Vem cá me dar um beijo!!" Era minha querida e também saudosa Denise Barroso: "Denise, minha querida irmãzinha! Sabe o que aconteceu? Minha filha acabou de nascer!" "Jura? Qual é o nome?" "Júlia!" "Lobão... você por acaso sabia que nós estávamos aqui festejando desde a meia-noite o aniversário do Júlio?"... Foi aí que caiu minha ficha! Até então, não havia ligado o nome que tinha dado ao Júlio... Isso não tinha passado pela minha cabeça. Eu simplesmente ouvia o Lennon cantar "Julia" e achei um belo nome... E naquele instante, encontro de cara a irmã do Júlio, que morava em São Paulo, festejando o aniversário do Júlio no dia em que a Júlia nasceu!

E no meio disso tudo, meu *habeas corpus* para transferir a pena de regime fechado para o aberto estava em pauta. Na imprensa, apareciam reportagens das mais esdrúxulas em relação à minha pessoa e ao meu modo de vida.

Aguardava ansioso pelo resultado, pois caso mantivessem a pena estaria arruinado, pois não teria como trabalhar, não tinha dinheiro em banco, apenas o que havia juntado com os shows, e só pensava em como iriam ser os primeiros meses da minha filha, se porventura passasse os nove meses restantes encarcerado.

Acabei sendo condenado, pois alguns desembargadores votaram "pela condenação para que isso sirva de exemplo aos seus fãs"... Inclusive, um ilustre desembargador, Eugênio Sigaud, um dos que participaram do julgamento, declarou que eu deveria ser condenado a 15 anos de prisão, porque "crime" de consumo é pior que de tráfico. Só que nossos luminores da justiça deveriam levar em consideração a tecnicidade que envolvia o caso: em primeiro lugar, era réu primário e tinha direito amparado pela lei de *sursis*, e, por conseguinte, de cara, responder ao processo em liberdade; segundo, porque o artigo em que meu delito se enquadrava era caracterizado como contravenção... crime seria, por exemplo, contrabando, praticado com toda a sem-cerimônia pelo juiz que me condenou. Pois contrabando, no nosso código penal, é crime; terceiro, as quantidades apreendidas em minha posse eram ínfimas e eu estava sendo julgado arbitrariamente, não pelos fatos, como reza a lei, mas por especulações feitas baseadas em informações duvidosas, como qualquer manchete de jornal.

Acabaram por optar pelo regime semiaberto, ou seja: trocaram seis por meia dúzia. Afinal de contas, o horário preponderante do meu ofício é justamente na hora em que deveria ma recolher à cadeia. Estaria livre de oito da manhã às oito da noite... De que adiantaria essa "liberdade", quando meu trabalho via de regra só começava a partir das nove em diante?

Com esse resultado, meu advogado, já sem mais nenhum recurso a impetrar, me aconselhou a utilizar o meu sagrado direito de evasão, ou seja: dar o pinote, fugir do Brasil e passar os nove meses fora esperando a pena prescrever.

Mediante essa nova situação, comecei a mexer os meus pauzinhos com a gravadora. O Liminha estava morando em Los Angeles, estava com o repertório pronto para gravar meu próximo disco... a única saída para mim seria a porta do aeroporto...

Fui até a BMG e conversei com os executivos sobre o meu plano. Pedi a eles que fizessem todos os cálculos de quanto sairia a produção, incluindo a participação dos meus músicos, que eu fazia questão de gravar com a minha banda.

Foi levantado o custo de produção pelo Liminha e este foi fechado com a gravadora. Mas, como estávamos num período de inflação galopante e a gravadora se esqueceu de comprar os dólares do dia, somado a uma maxidesvalorização da moeda brasileira corrente, assim que cheguei em Los Angeles, o orçamento praticamente dobrou... e quem é que pagou por isso? Eu, é claro.

Consegui protelar a minha ida pra prisão através de subterfúgios jurídicos, porém, a partir de março deveria me apresentar à justiça.

O plano de fuga começava em Caxias do Sul, num show que daríamos na Festa da Uva.

Após a apresentação, alugaríamos um carro, eu e meu empresário e amigo, Ricardo Leon, para atravessar a fronteira, alcançar a cidade argentina de Paso de los Libres. Após mais de um dia de viagem, depois de pernoitar num motel de beira de estrada, finalmente chegamos à fronteira... Meu maior medo era encrencarem comigo na entrada do país vizinho ou, pior, a minha captura na borda brasileira. Mas escolhemos a alta madrugada para tentar a passagem e, para nossa sorte, não havia uma alma por perto. Nosso carro cruza a ponte e, em instantes, estou livre em Paso de los Libres! A primeira providência que tomei foi dar uma enorme banana pro rio Paraná e praquele país que me expelia e, na minha cabeça, me maltratava.

Para minha surpresa, alguns rapazes locais que dirigiam uma Rural Willys toda enlameada, pararam na nossa frente e me fizeram a maior festa: “Lobón?” “Si. Yo soy Lobón!” Eles me pegaram no colo, me colocaram na caçamba da Rural e fizeram questão de dar uma volta olímpica na pracinha da cidade. Eu acenava para ninguém no meio daquela insólita e feliz madrugada. Após o desfile, sentamos na calçada e pus-me a tocar “Pan-americana” em espanhol. Foi uma noite maravilhosa, era a primeira vez que me sentia livre daquela pressão iniciada em 1986... podia respirar o ar da liberdade, enfim!

Como passamos a noite comemorando, pegamos a estrada rumo a Buenos Aires logo ao alvorecer.

Chegamos na capital portenha à noitinha. Nos hospedamos num hotel bem modesto para o pernoite. Minha maior preocupação era não possuir nenhum visto de entrada no país, e no balcão das Aerolíneas Argentinas o nosso atendente faz uma cara quando percebe a clandestinidade. Me disse que aquilo iria me custar muito caro e me cobrou 40 dólares por fora. Olhei para o Ricardo e o abracei de alegria: estava com meu tíquete de embarque nas mãos... "Agora é só entrar no avião e... bye, bye pra toda essa lambança! Bye, bye, Brasil!"

Capítulo 51

Chego em Los Angeles quebrado... afinal, desde a saída para Caxias do Sul não dormia direito. Apesar de ter viajado de primeira classe, meu corpo precisava mesmo era de uma boa cama depois de um banho em regra.

Liminha está me esperando no aeroporto, faz aquela festa e vamos direto para um supermercado comprar gêneros de primeira necessidade: pão, leite, café, pasta de dente etc., etc., pois, como iria passar uma longa temporada, o Liminha conseguiu um *apart hotel* em Sherman Oaks que mais parecia um *resort*. Tinha uma enorme piscina, sala de cinema, um grande pátio arborizado, maquininhas de doces e de refrigerantes por toda parte, estava muito bem-instalado... e, posteriormente, a banda toda viveria por lá durante uns dois meses.

Como tinha que fazer cera, pois minha pena prescreveria no início do mês de junho, tratei de alugar um Le Baron branco conversível e pus-me a explorar a cidade. Uma outra pessoa de absoluta importância na minha estada em LA foi o meu querido amigo e grande guitarrista Carlo Bartolini, que eu chamava de Carlinhos. Ele havia tocado no Ultraje por muito tempo e foi dali que travamos nossa amizade. O Carlinhos foi um cicerone de mão-cheia, me levou aos lugares mais espertos pra se comprar equipamentos, restaurantes descolados, e me apresentou a locais e uma galera que estava lá. Um desses era o Christian, que namorava uma *stripper*. Através desse canal, iríamos nos divertir muito pelas noites agitadíssimas da cidade.

Outra pessoa de vital importância foi a Teca, então mulher do Lima, que também nos deu um tremendo auxílio em tudo que precisássemos.

Com essa infra montada, estava pronto para começar a elaborar, com o Liminha, como e onde realizaríamos a feitura do álbum.

Mas por enquanto os meninos ainda estavam de espera no Rio.

Foi justamente nessa primeira semana que recebo o telefonema da gravadora anunciando que o *budget* alterara sua cifra. O executivo responsável pela empreitada me perguntou se queria desistir ou continuar com o projeto, pois a gravadora não poderia arcar com aquela correção, de total responsabilidade deles, por não terem comprado os dólares no dia do fechamento do orçamento. Fora isso, havia outro problema: o Liminha, desafortunadamente, não houvera incluído no *budget* do disco os seus honorários... Vamos combinar que ninguém precisava ser um gênio para atinar que, se não houvesse um rígido controle sobre as datas das compras desse dinheiro todo, a fatura iria para a estratosfera.

Em menos de um mês, chega o Zé Luiz, para formar comigo nossa dupla de anos e anos de existência: Rodo e Pano de Chão. Nos tornaríamos, em muito breve, os maiores *troublemakers* da cidade, nos envolvendo em aventuras inenarráveis.

Com o Zé a tiracolo, apresentei meus amigos recém-adquiridos, o Christian, a Barbara, sua namorada *stripper*, e a Sarah, melhor amiga e também *stripper*. A Sarah tinha um Volkswagen Cabriolet branco em que elas faziam questão de desfilar por Beverly Hills e adjacências. Nossa vida era sinônimo de festa, festa e mais festa. Acabamos por conhecer mais garotas do ramo e outras mais que faziam luta livre na lama em clubes da Sunset Stip.

As drogas por lá eram sempre de excelente procedência, tanto a maconha como haxixe, cocaína, cristal de metanfetamina... Mas tudo isso tinha um custo: a ressaca na manhã seguinte era terrível. Muito em função da gente ter elegido, por pura simpatia, uma bebida doce feito xarope, forte pra dedéu, favorita da Janis Joplin: Southern Comfort. Aquilo era uma bomba! Misturada com todas aquelas substâncias, provocava um Carnaval metabólico de grandes proporções. Certa manhã, estou no meu apartamento quando o Zé me bate na porta. Eu abro e ele está parecendo um morto-vivo... me mostra uma língua totalmente enegrecida... estava realmente com uma aparência péssima: "Aê, João Luiz... acho que peguei uma aids, caralho! Nunca vi ficar com a língua dessa cor!"... E eu, que desde que cheguei na cidade fiquei com uma coceira de enlouquecer, comprei o filão e aderi à suspeita: "Zé... Acho que peguei aids também..."

Quero abrir um pequeno parêntesis para explicar a situação daquela época: desde que surgira a aids, ninguém sabia ao certo como se contraía... e, como levávamos uma vida bastante promíscua, passando noites e noites a consumir os mais variados tipos de drogas e com pessoas que ao acordar sequer sabíamos o nome... não era de se surpreender que, volta e meia, pairasse no ar aquela nuvem de chumbo. Já tinha feito teste de HIV na época da gravidez da Daniele, e sempre era um suplício ficar na sala de espera aguardando pelo resultado. Ter aids, naquela época, era uma sentença de morte.

Pois bem... voltemos à história: estávamos os dois, eu e Zé, naquela ensolarada manhã de abril absolutamente convictos de nosso fim. Como éramos amigos de longa data, chorávamos no peito um do outro num tragicômico cenário de autocomiseração. "Pô... também a gente pisa na jaca o tempo todo e depois fica nessa noia..." "Zé, sabe duma coisa... vou telefonar pra Teca que ela vai poder nos ajudar..."

E lá fui eu pedir socorro à Teca: "Teca! Tô com aids!... e o Zé também!! Agora a gente tem certeza." "Peraí, calminha que já estou chegando aí."

Quando a Teca chega e vê nossas tristes figuras, exclama: "Mas aonde vocês se meteram pra ficar desse jeito?" "A gente pegou aids, Teca!" "O que você tem, Zé Luiz??", e ele mostra a língua negra pra ela... "E o que mais?" "Pô, Teca! Você ainda quer mais um sintoma?" "E você, João Luiz, qual é o seu sintoma?" "Tequinha, eu estou com uma coceira dos infernos desde que cheguei aqui..." "E coceira é lá algum sintoma de aids, menino?? Bom, a única coisa a fazer é pegar vocês dois e fazer uma consulta no Monte Sinai." Eu e Zé nos entreolhamos e, sem outra opção, concordamos em ir ao hospital.

Fomos colocados de avental (aqueles com que a gente fica de bunda de fora), nos puseram numa maca e fomos ser examinados por um médico que, ao contarmos nosso histórico de sintomas, começou a rir na nossa cara... Disse que estávamos com uma puta ressaca; a língua negra era resíduo do Southern Comfort e a coceira era a pele reagindo à umidade baixíssima daquela região desértica. Por via das dúvidas, nos submetemos ao exame, e, em uma semana, estávamos prontos pra outra...

As semanas se passavam e o Liminha ainda não havia chegado a um acordo com a gravadora... eu até que estava me divertindo à beça, mas só porque não tinha mais nada pra fazer. Desde que soube daquele rombo, aquilo não saía da minha cabeça.

Apesar de toda a confusão, a infra estava toda arrematada, o estúdio agendado, os meninos finalmente são liberados para a viagem.

Quando eles chegaram foi uma festa! A primeira coisa que fizemos foi alugar outro carro. Eu já tinha trocado meu Le Baron por um Cadillac cinza, pois, quando fui fazer um *turn* em Laurrel Canion, bati a traseira num caminhão de lixo; alugamos, se não me engano, um Taurus preto. Estávamos prontos para sair de comboio. A primeira coisa que eles fizeram foi fazer umas compras de supermercado para começar a habitar o apartamento no nosso *resort* em Sherman Oaks. A galera estava radiante de felicidade, eu prometi a eles levá-los à Disneylândia na semana seguinte. E, para recebê-los com boas-vindas, a Teca nos indicou um puta restaurante tradicional em Beverly Hills onde todas as estrelas frequentavam. Fizemos a reserva de uma mesa enorme e fomos muito bem-recebidos pelo *maître*, que, quando soube que o Alcir Explosão era um dos residentes da bateria da Mangueira, o pegou pelo braço e o colocou diante de uma parede cheia de autógrafos célebres... Eu consegui ler nomes como James Dean, Frank Sinatra, Marilyn Monroe, Marlon Brando, Sean Connery, Harrison Ford, Darryl Hanna... e o nosso simpático *maître* põe um *pilot* na mão do Alcir e o impele a deixar seu autógrafo em tão ilustre parede.

Logo em seguida, eu e Zé estávamos loucos de curiosidade em mostrar a vida noturna da cidade e chamamos o Christian com suas duas *strippers* de Cabriolet... Fomos logo para uma festa num castelo em Beverly Hills onde encontramos várias celebridades como a Joni Mitchell, o Julian Lennon e outros tantos...

Em uma semana começaríamos a gravação do disco.

Como Los Angeles tem um puta estúdio a cada esquina, o Liminha optou por agendar vários deles. Foi quando fomos apresentados ao nosso *sound engineer*, Brad, que era técnico do Guns 'n' Roses.

Eu e Zé Luiz começamos a festejar muito em pleno estúdio, e um certo dia bebi tanto que não conseguia pegar na direção. Pedi ao Zé, que devia estar só um pouquinho melhor que eu, pra dirigir o Cadillac.

Nós fomos passando sem maiores problemas por aquelas *highways* e, ao chegarmos na rua do nosso *resort*, somos parados pela polícia. Como estava escornado no lado do copiloto, assim permaneci, só abrindo o canto de um olho para, através do retrovisor lateral, observar o desempenho do Zé. O policial inicia um severo teste de habilidade motora em meu amigo e ele, surpreendentemente, vai passando por todas, e o guarda exclamava: *"Unbelievable! I know you're totally drunk!"*... E o Zé, já todo empolgado, pedia: *"More! Ask more things to do!"*... E depois dele ter andado no meio-fio, feito o quatro, acertado na mosca o dedo na ponta do nariz, o pobre policial joga sua última cartada: pediu a ele que estendesse a palma da mão esquerda e, em cima dela, postasse a mão direita esticada, e a virasse para um lado e para o outro. Essa eu consegui pegar pelo retrovisor... e o policial ordenou que ele gradualmente aumentasse a velocidade daquele movimento. E começou: *"Faster... Faster, Faster... Fucking Hell! You are doing it perfectly well!..."*, e completamente desmoralizado, mandou o Zé Luiz entrar no carro e saiu em disparada.

Com toda aquela quantidade de estúdios à disposição na cidade, Liminha não se conteve e decidiu que mudaríamos de estúdio para a próxima fase. Fomos para o do Ray Parker Junior, autor da trilha de *Ghost Busters*.

Porém, uma das coisas que me emocionaram nessa fase foi a participação do Carlinhos nas faixas "E o vento te levou" e "Sexy sua". Ele fez uma preparação meticulosa, construiu os solos, não só nota por nota, mas com a escolha exata de cada timbre. Trouxe para o estúdio seu incrível equipamento, uma parede de amplificadores Marshall, e arrebentou.

O Rodrigo estava de aniversário e nós não poderíamos deixar de aprontar uma festa especial pra ele. Reservamos uns lugares para uma luta livre na lama e fomos falar com as meninas para aprontarem uma surpresa para o aniversariante. Nosso alegre grupo chega no local lá pelas 11 horas, logo depois da sessão de gravação daquele dia, nos aboletamos, colados ao ringue, quando as duas meninas, nossas amigas, entram para a luta. Quando já estavam todas cobertas de lama, subitamente levantam, se dirigem até um canto em que o Rodrigo estava, o pegam pelos braços e o jogam dentro do ringue, caindo em cima dele num sanduíche de lama...

Nessa semana mesmo, fomos à Disneylândia, passear por umas dez vezes na Magic Mountain, o Alcir, por pouco, não ganha um Corvette vermelho 57.

O disco ia chegando ao seu final, o Ronnie Foster, em uma sessão de uma hora de duração, colocou os órgãos nas faixas "Essa noite não", "Pan-americana" e "Sexy sua", e, nessa última, também acrescentou um piano.

Chegou o momento da volta dos meninos. A parte deles nas gravações estava terminada. Só sobrou novamente o Zé, que ficaria por mais um tempo...

Fomos até o aeroporto levar a rapaziada e, ao vê-los decolar, sentimos aquele vazio deixado pela partida dos amigos.

Agora era só esperar pelo Liminha arranjar um outro estúdio e iniciar o processo de mixagem.

Avisei ao Liminha que estava de partida no dia seguinte... Meus amigos, Carlinhos, Teca, Christian e as suas *strippers* me fizeram um bota-fora caloroso. No fim da noite, pedi à Teca para ir a um *sex shop* perto do Santa Monica Boulevard... Estava com a ideia fixa de adquirir um par de algemas.

No dia seguinte, estava de malas prontas rumo ao aeroporto, de volta pra casa... feliz por voltar, aguardando apreensivo o que me aconteceria na hora da minha chegada...

LOBÃO NA MÍDIA

- Em 5 de abril de 1989, o jornal *O Globo* escreveu que "Lobão não é um roqueiro apocalíptico e suas críticas são duras. Mas não poupa também os outros artistas. Em setembro do ano passado, num show em São Paulo, fez duras críticas a Lulu Santos e Herbert Vianna. Antes desse show, tinha sido aprovado no Rio em teste do tamborim na Marquês de Sapucaí, batucando na bateria da Mangueira".

Em entrevista, o fotógrafo Marcelo Faustine explicou a produção da capa do novo disco de Lobão, *Sob o sol de Parador*. "A ideia foi de montar um cabaré e povoá-lo com 13 personagens. A Liège [Monteiro] aparece sendo seduzida por um *barman*, enquanto a Daniele surge nua num canto. Do outro lado, está o estereótipo do figurão, uma figura posada e engomada, olhando tudo de cima pra baixo. Tem também um padre de pé com uma arma na mão, com um sujeito caído aos seus pés e um guarda segurando-o pelo braço. Na frente de tudo, em primeiro plano, o Lobão, com um ar distante, de quem não tem nada a ver com aquilo. E na parede está um quadro com o Lobão vestido de general, de monóculo e todo sério", contou.

Segundo *O Globo*, "na contracapa e no encarte, contudo, as sutilezas ganham força. Há uma sequência de fotos de Lobão, ainda como general, só que em diversas poses, hilárias poses. Por uma janelinha recortada na capa, essas poses podem — ao gosto do consumidor — entrar no lugar da original, substituindo a sisudez pela irreverência".

- Em 6 de abril de 1989, a *Folha* publicou uma matéria informando que Lobão viajara há uma semana para Los Angeles, para gravar o disco *Sob o sol de Parador*, cujo nome é inspirado no filme *Luar sobre Parador*, de Paul Mazursky. Ele foi beneficiado por uma liminar concedida no ano passado pelo juiz Aldir Passarinho, do STF, que permitiu a Lobão aguardar o julgamento do *habeas corpus* em liberdade.

Desde 1981, Lobão foi preso diversas vezes por porte de drogas. A primeira foi em 20 de maio de 1981. Preso, ele foi absolvido. Em 30 de janeiro de 1986, ele foi preso em flagrante na sua casa por porte de maconha e cocaína, e também foi absolvido. Em 11 de fevereiro de 1987, foi detido no aeroporto por porte de 2,3 decigramas de maconha e oito decigramas de cocaína.

Em 31 de março de 1987, foi novamente preso na suíte do hotel Praia Ipanema, por ter duas pelotas de haxixe e cocaína. Em 20 de maio do mesmo ano, foi condenado a um ano de prisão e cinquenta salários mínimos de multa. Em 9 de julho, foi solto para aguardar o julgamento em liberdade.

Dois de fevereiro de 1988: o procurador Vitor Andrade de Soveral Junqueira Ayres deu parecer contrário à apelação da sentença, e em 23 de novembro Lobão é condenado a nove meses de prisão em regime semiaberto. No dia 25 de novembro, o STF concedeu liminar para que o músico recebesse o benefício de *sursis.*

- No dia 8 de abril de 1989, o *Jornal do Brasil* informou que o Supremo Tribunal Federal (STF) determinou a substituição da pena de nove meses de prisão de Lobão por serviços à comunidade, como fazer shows gratuitos em presídios e orfanatos. O jornal afirmou ainda que desde que foi condenado à prisão, Lobão foi solto três vezes, e cumpriu mais de dois meses da pena.

- Uma ordem de *habeas corpus* expedida pelo STF permitirá que Lobão, condenado por porte de drogas, continue em liberdade, informou o jornal *Folha de S.Paulo* em 9 de abril. Ao mesmo tempo, o tribunal negou o pedido de liberdade condicional, remetendo o julgamento final do processo ao TJ-RJ. Para o STF, Lobão não pode se beneficiar do recurso de liberdade condicional porque o benefício não está previsto em casos de crimes com entorpecentes. O Tribunal de Justiça deverá decidir se a pena de Lobão pode ser convertida em prestação de serviços à comunidade ou transformá-la em prisão domiciliar, a pedido do próprio cantor.

Capítulo 52

Chego ao Brasil no dia 16 de junho de 1989. O avião inicia seu procedimento de taxiamento, meu coração começa a bater mais forte...

Estava ansioso para experimentar o sabor da liberdade em meu próprio país outra vez... A Daniele estava me esperando com a Júlia, já com nove meses, no desembarque... eu estava morto de cansaço, 12 horas de viagem, mas feliz por estar de volta.

O avião para... as portas se abrem e, como estou na última poltrona da primeira classe, seria o primeiro a desembarcar... Pois bem: nem chego a dar o primeiro passo fora da aeronave e me deparo com dois policiais a esfregar na minha cara um mandado de prisão. Como sou gato escaldado, peço primeiro para verificar o documento, pois aquilo não tinha, tecnicamente, nenhum fundamento. Ao checar a data de emissão, percebo que o tal mandado era de 1º de abril de 1987! E com a tranquilidade de estar embasado na lei, tento desfazer o mal-entendido. "Eu receio que vocês estejam enganados. Por acaso, já deram uma olhadinha na data do mandado? É de dois anos atrás, portanto, não tem o menor valor legal." "Ah! pois é... que tremendo equívoco... Só que hoje é quinta-feira e o Poder Judiciário está em greve. Você só vai poder provar isso aí quando a greve acabar... talvez na segunda-feira que vem... Até lá, você vai ter que passar uns diazinhos no xilindró pra deixar de bancar o esperto e sair pela porta dos fundos... É um presentinho da gente pra retribuir sua fuga..." "Sendo assim, como sou uma pessoa muito higiênica, gostaria de usar as minhas próprias algemas compradas já pensando em vocês. Com licença"... fui tirando da minha maleta um par zero bala de algemas reluzentes...

Eles não conseguiram, ou não tiveram tempo de contestar, pois já fui colocando as algemas nos pulsos e me entregando devidamente trancado para os homens da "lei"...

Como estava preso, não me deixaram sequer dar um adeusinho para a mulher e a filha, que ficaram horas a esperar sem que a polícia desse alguma notificação... Fui direto para a praça Mauá, na sede da nossa Polícia Federal. Chego lá e peço para telefonar para o Michel Asseff, que, ao saber, não acredita que tivessem a pachorra de se dar àquele trabalho... Chega em menos de 15 minutos, lê o mandado, pede a cópia e sai à cata do juiz... Conseguiu encontrá-lo em meio a uma pescaria na Ilha do Governador, e quando Sua Excelência leu, indignou-se.

Escreve uma virulenta admoestação aos travessos policiais e Michel retorna triunfante umas duas horas depois. Quando chega, me encontra no colo da escrivã, sapequei na graciosa criatura e distribuí autógrafos a funcionários e contínuos, desagradando de forma visível os nossos impávidos policiais... mas nada podia deter a minha simpatia!

Ao perceber que mais nada poderiam fazer, a única opção foi me lavrar o alvará de soltura. Agradeci a todos e falei para os dois canastrões: "Eu sei que vocês vão sentir muito a minha falta, vocês não são o meu tipo, até nunca mais."

E depois de oito horas naquela pasmaceira, exausto e furibundo saí daquela espelunca para, finalmente, chegar em casa.

Quando encontro a Júlia não acredito! Ela já está engatinhando e enorme.

Entro rapidamente na rotina caseira e logo no dia seguinte a gravadora me cobra pela *master*. É claro que não trouxe... a preocupação era geral... O departamento de Divulgação já teve que cancelar uma capa da *Bizz* e outras coisas mais...

O álbum não chegou à casa dos oitenta mil, mas "Essa noite não" foi incluída na trilha da novela das 19h da Globo, *Top Model*, e seu disco alcançou o recorde de vendagens no seu segmento: um milhão de cópias.

Mas eu não havia percebido uma coisa da maior importância: o país estava em plena campanha presidencial. E nós iniciamos uma turnê pelo Norte.

Ao chegar de volta, sou notificado que um deputado federal conseguiu colocar na pauta de votação a lei da numeração. Foi um alvoroço no meio musical. A numeração era o nosso maior anseio, pois sabíamos todos da roubalheira que nos impingiam. Para desenvolver nossas ideias e fazer levar adiante aquela votação na Câmara, todos os grandes nomes da música se reuniriam na casa de Chico Buarque de Hollanda, semanalmente. Lá você podia encontrar o Caetano, Gil, Elba Ramalho, Renato Russo, Cazuza e um sem-número de outros nomes da nossa canção. Infelizmente o *lobby* das gravadoras foi maior e, mais uma vez, presenciamos o projeto da numeração ir para a gaveta. Sem numeração, as duplicatas piratas rodavam a rodo pelas prateleiras das lojas sem haver nenhuma distinção dos originais.

Vêm as eleições do primeiro turno e o seu resultado polarizaria a nação; ou você era Collor ou você era Lula. Era a primeira eleição para presidente e ninguém queria ficar de fora desse momento histórico, tampouco eu.

Portanto, vesti a camisa da campanha e iniciei um périplo por vários estados, habitei palanques de comícios, sempre imbuído do espírito cívico. As pesquisas, durante todo o transcorrer da campanha, sempre deram o favoritismo ao Collor, mas, na sua reta final, o Lula embala e, no último comício de campanha, o histórico comício da Candelária, ultrapassa, pela primeira vez, o Collor nas pesquisas.

Fui chamado para tocar "Revanche", que era um dos hinos dos palanques, naquela noite memorável. Como tudo era muito improvisado, peguei meu violão e me dirigi para a Candelária. Ao chegar próximo ao Aterro, já dava para perceber a quantidade de gente que foi torcer pela virada do Lula. Havia, segundo dados, um milhão de pessoas reunidas para gritar palavras de ordem, cantar em uníssono com os artistas que se apresentariam e ouvir o discurso do Lula.

Fui recebido por integrantes do comitê petista e conduzido ao palanque. Havia um sem-número de personalidades da política, artistas, simpatizantes, lotando aquele palanque montado às pressas. Fui levado imediatamente para a boca de cena e a vista era impressionante. Aquele mar de gente a se perder no horizonte. Não dava pra ver o final daquela massa compacta de pessoas que investia suas últimas esperanças na virada do Lula.

Penduro meu violão no pescoço e, já em vias de começar, procuro uma estante para colocar o microfone, mas não acho. Naquela confusão, brota uma voz trêmula de alguém a me dizer: "Vai, companheiro, que eu seguro o microfone pra você cantar." Era o Luís Carlos Prestes, hierático a segurar o microfone...

Começo a tocar "Revanche" sob forte comoção... um milhão de pessoas a entoar aquela canção que reverberava por todos aqueles prédios, invadia as ruas, comovia corações, principalmente na hora do ôhhhhô... ôhhhôô...

Chega o domingo da eleição e nós estamos escalados para tocar no Faustão... ao vivo. Eu sabia que em nossa hora de entrada ainda estaria correndo a votação em grande parte do país, e, de leve, resolvi praticar um crime eleitoral.

Quero aqui, antes de mais nada, deixar o meu pedido de profundas desculpas ao meu amigo Faustão, que ficou numa situação muito embaraçosa, uma desculpa póstuma ao dr. Roberto Marinho, que sempre foi um grande amigo da família e também o responsável pela minha troca de prisão, tornando a minha estada atrás das grades mais confortável.

A história inclusive está registrada em vídeo e disponível no YouTube.

Em janeiro de 1990, teria logo em seu início o Hollywood Rock: no Morumbi e na Apoteose. Pela primeira vez em um festival com atrações internacionais, uma atração brasileira foi eleita a melhor apresentação de todo o festival, tendo nomes como Bob Dylan, Eurithmics, Tears for Fears e Terence Trent D'Arby em pleno apogeu. Queríamos registrar ao vivo o calor de um show com uma plateia de oitenta mil pessoas, no Morumbi, e quarenta mil, na Apoteose, e também o resultado de dois anos de fusão da bateria da Mangueira com o nosso som e tocar "Vida bandida" com aquela sessão rítmica, seria algo indescritível. E foi.

Na semana seguinte ao segundo show do festival, o da Apoteose, fui dar uma descansada, pois era o primeiro fim de semana que passava em casa. Como estava sozinho, aproveitei que o sábado estava ensolarado e convidei o Zé Luiz para almoçar num restaurante que ficava dentro de uma reserva ecológica. O Lokau.

Estacionei no pátio e quando chego a alguns passos da entrada estava em pé, ao lado da porta, uma menina de uma beleza luminosa, radiante. Ela estava de biquíni, era loura, dourada do sol, e com um par de olhos de um azul e de um brilho que nunca vi nada igual. Tinha olhos de farol. Meu coração disparou imediatamente... Ela segurava uma jarra de suco de uva verde, e me ofereceu sorrindo. Prontamente aceito e retribuo o sorriso. Entrei com os olhos grudados naquela visão, quando percebo que ela não estava sozinha. Seu namorado, ou coisa que o valha, começou a fazer um escândalo com a menina dos olhos de farol e, em poucos instantes, sumiram do restaurante.

A imagem daquele rosto não saiu mais do meu pensamento e, naquele momento, jamais poderia imaginar que aquela menina se tornaria a mulher da minha vida, que seria a pessoa que tanto esperava para dividir o resto dos meus dias: a Regina.

Janeiro, Hollywood Rock, e fevereiro, Carnaval. Sairia na bateria da Mangueira pelo terceiro ano consecutivo. O enredo daquele ano não foi dos que mais me seduziram — "Deu a louca no barroco" —, e a escola acabou levando um raquítico oitavo lugar. No final de maio daquele ano foi agendada uma grande excursão pelo sul do país. Seria, talvez, a mais divertida, mais desgastante e menos perseguida excursão daqueles últimos anos.

Começamos por Santa Maria, depois Cachoeira do Sul, onde teria um entrevero com o diretor do clube local. Me lembro que fiquei 16 dias sem dormir um minuto sequer.

Foi nessa turnê que fui convidado a participar da segunda versão do Rock in Rio, que seria realizada no estádio do Maracanã. O Leonardo Netto me deu a planilha que organizava os dias e os segmentos de cada dia.

Escolhi prontamente a noite do heavy metal por pura provocação. Pedi a ele que nos protegesse dos fatais apupos e manifestações de desagrado com um palco com uma profundidade mínima de vinte metros e um tratamento diferenciado, pois as atrações brasileiras naquele evento sempre eram colocadas como coadjuvantes de segunda linha.

Terminamos a excursão em Tramandaí, com nossa equipe moribunda, todo mundo virado... eu parecia um zumbi...

Foi nessa excursão que ocorreu o inevitável: a minha separação. Quando retornei ao Rio, já estava solteiro.

Logo depois da movimentada excursão pelo Sul, fomos, enfiando o pé na jaca, para Cachoeiro do Itapemirim.

Nesse meio-tempo, me telefona o Cazuza... Eu estava enlouquecido e devo ter falado algumas barbaridades pra ele, como era de costume. Só não consegui perceber que aquela ligação seria a última que ele me fazia. No dia seguinte, meu grande amigo morreu e eu fiquei desesperado por não ter falado direito com ele...

Com a morte do Cazuza, toda aquela zona perdeu todo o sentido e tentei correr pra ver se conseguia chegar a tempo de ir ao enterro, mas não deu... Fiquei sem me despedir de um dos meus melhores amigos, meu irmãozinho que tanto me defendeu. Meu único consolo foi chorar sua morte em sua lápide e prometer a ele que, de alguma forma, nossa vida não seria em vão... não podia me sentir mais solitário no mundo.

Meio sem brevê e sem radar, fui escolhido para inaugurar a MTV Brasil em outubro, na Lapa... Ensaiamos com o Ivo, a banda e a bateria da Mangueira para entrar no ar junto com a emissora. Mas isso não acabou acontecendo, pois desapareci por uma semana. Estava virado num vira-lata.

Estava sozinho, meu Burunga havia fugido logo que a Júlia nasceu, por perder seu espaço e seus privilégios, e isso me deixou arrasado. Só havia sobrado a Diana. Uma *dobermann* que minha irmã adotara e acabou deixando lá em casa. A casa estava em petição de miséria, com os instrumentos espalhados no meio da sala, uma bagunça generalizada...

Minha vida estava bastante deteriorada. Aqueles anos todos me deixaram à deriva... havia perdido o foco, o referencial, o estímulo e o entusiasmo.

Solteiro, sem amigos, sem o ímpeto ingênuo de querer mudar o mundo, não tinha nada em mente, nada..., não tinha nenhuma vontade de fazer música, não tinha mais vontade pra lutar e defender minhas ideias. Com todos aqueles anos de pressão, obstáculos e maus-tratos, começava a perder aquilo que sempre me segurou em todos os momentos mais difíceis: a alegria de viver e o humor. Percebi que já não era mais uma pessoa feliz. Desmotivado, confuso, reativo, desestruturado, revoltado com o mundo, só me restou a autodestruição. Comecei a andar de moto de forma suicida. Esperava me acabar num poste ou numa ribanceira a qualquer momento.

E acabei conseguindo: numa manhã ensolarada, eu pego a moto e saio para um passeio... Estou descendo a estrada das Canoas a uns oitenta por hora, quando, numa curva, me deparo com uma poça de óleo deixada por um ônibus. A moto desliza na poça e vai reto de encontro ao poste. Eu alço voo e me espatifo de cara no meio-fio. Se não estivesse de capacete, teria esmigalhado a cabeça. Consigo me levantar com extrema dificuldade e a dor lancinante me chama a atenção para o meu braço esquerdo. Está completamente pulverizado. Ele parecia ter encolhido, parecia um pé de galinha, todo deformado. Romperam-se os nervos do polegar, o pulso se estilhaçou em pedaços e o cotovelo também. Fora a dor no maxilar que se destroncou e até hoje faz um barulhão quando vou comer.

Tive sorte que a Kombi do Marquinhos, o cara do transporte dos meus equipamentos, acabara de deixá-los na minha casa e vinha descendo, justamente quando eu me preparava para pedir uma carona naquela estrada praticamente deserta. A dor que estava sentindo era indescritível... Fui levado para o hospital.

Esse acidente ocorreu 15 dias antes da apresentação do Rock in Rio. E as sequelas no meu braço seriam de extrema gravidade. Fiquei com a mão paralisada e sem força para agarrar uma xícara de café. Os tendões da mão estavam rompidos, perdendo a força. Perdi também a sensibilidade nos dedos mindinho e anelar... e aquilo era irreversível, os movimentos do cotovelo e do pulso ficaram bastante restritos e permanentemente comprometidos. Teoricamente, estava inutilizado para tocar qualquer instrumento.

E tinha que providenciar um guitarrista para me substituir no Rock in Rio. Chamei meu amigo Torcuato Mariano mais uma vez para quebrar aquele galhão.

Chega o dia do show e a nossa concentração era na Delfim Moreira, em frente ao finado Caneco 70. Nosso ônibus partiria dali. Havíamos passado o som na tarde anterior e a presença da bateria da Mangueira causou reboliço e curiosidade em toda a imprensa estrangeira, que acabou assistindo muito impressionada a nossa passagem de som. Um jornalista do *Los Angeles Times* me disse que, finalmente, haveria alguma atração original de rock feito no Brasil. Eu achei por bem dobrar o contingente de percussionistas para quarenta homens e dar mais peso ao som. O resultado sonoro era poderoso e impactante. Nós estávamos prontos para entrar em palco. Todas as exigências em relação ao tamanho do palco foram atendidas e, apesar de esperarmos hostilidades dos metaleiros, sabíamos que haveria um número muito maior de pessoas a nos aplaudir. E a certeza de uma performance que já havia sido consagrada um ano antes.

LOBÃO NA MÍDIA

- Em 16 de junho de 1989, ao comentar a prisão de Lobão ao desembarcar no aeroporto do Rio de Janeiro após temporada em Los Angeles, o músico afirmou a *O Estado de S. Paulo* que esse clima de perseguição o levou, no ano passado, a procurar um psicanalista. "Pensei que era paranoia, ele garantiu que não", disse.

Lobão está preparando um livro intitulado "O meu processo", em que ele narra o período de sua vida "de situação absurda", em que foi processado por porte de drogas.

- Em entrevista ao *Jornal do Brasil* no dia 16 de junho de 1989, Michel Asseff, advogado de Lobão, afirmou — ao comentar sua prisão quando desembarcava no aeroporto do RJ após uma temporada em Los Angeles — que o músico "foi submetido a um constrangimento ilegal e preso com um mandado ilegal. A polícia vai dizer que foi um equívoco, mas insisto que foi uma impertinência".

- A *Folha da Tarde* informou, em 16 de junho de 1989, que no dia 15 Lobão foi preso pela Polícia Federal ao desembarcar de Los Angeles por um erro de computador. O nome do músico constava em uma lista de pessoas que não poderiam deixar o país.

Para prendê-lo foi usado o xerox de um mandado de prisão expedido em 1987 pelo juiz Paulo Panza. No entanto, o advogado de Lobão, Michel Asseff, afirmou que o mandado já havia expirado. Lobão — que chegou de viagem às 7h — foi liberado às 15h07, através de um alvará de soltura expedido pela 2ª Vara Criminal.

- A revista *Amiga*, em reportagem sem data, afirmou que Lobão esperou oito horas para ser liberado pelo juiz Alexandre Herculano. Asseff afirmou que "foi um grande equívoco, uma impertinência da polícia, que persegue o artista. Ele tinha um *habeas corpus* com direito oficial de liberdade para viajar, mas o serviço burocrático da justiça não tinha expedido o alvará para os computadores do aeroporto".

- Na matéria "Exílio em Hollywood", publicada pela *Bizz* em agosto de 1989, Lobão comenta sua viagem clandestina a Los Angeles para a gravação do seu sexto LP. O músico contou que o produtor Liminha o convidou para participar de uma faixa do disco do músico Wander Taffo, ex-Rádio Táxi. Depois disso, consultou Bernardo Vilhena sobre chamar Liminha para produzir o novo disco.

"Liguei para o Liminha. Ele riu: 'Claro, vamos nessa. Mas eu estou indo para Los Angeles' (...) Falei com meus advogados, dizendo que estava com um projeto de sair do Brasil para poder fazer um disco. Eles, então, pegaram meu passaporte, consultaram os computadores da Polícia Federal e viram que havia um 'nada consta'. Não tinha, portanto, impedimento algum para que eu saísse do Brasil. Legalmente, eu estava livre", contou.

Para Lobão, sua condenação prejudicou muito seus trabalhos. "Em transações de negócio, mesmo. Cortaram minha conta bancária, me chamavam de doidão. E a imprensa... Estou meio triste com a imprensa, porque fez uma imagem de mim muito exagerada, e porque brincou muito com a minha imagem. E isso me prejudicou."

Sobre seus últimos discos, ele contou que "*Vida bandida* foi feito à deriva. O *Cuidado!* está ridículo, tem um som muito magrinho. E eu assumi, porque a produção foi minha, junto com o Bernardo e o Ivo Meirelles. Mas foi um disco muito difícil. Foi um ano de renovação de contrato e a gente entrou no estúdio de solapa. O estúdio também estava ruim, deu no que deu (...) Demos um espaço de uma semana antes de nove dias de gravação, nove dias de mixagem, mais nove dias de remixagem. É óbvio que você perde seus critérios quando não tem tempo de parar e poder analisar".

- À *Bizz* de agosto de 1989, Lobão explicou sua parceria com o produtor Liminha. "Me ligaram de um jornal (que estava fazendo uma reportagem sobre Liminha) dizendo assim: 'tá uma unanimidade em relação ao Liminha. Todo mundo fala que ele é muito bom...' Eu sempre fui amigo do Liminha. A gente trabalhou/brincando junto. Mas o Lobão mordeu a isca. 'Ah, então vocês querem que eu fale mal dele? Então diz aí que ele é um tecnocrata.'"

- No *Estadão* de 16 de agosto de 1989, Luís Antônio Giron afirmou que "ao longo dos sete anos de sorte-azar do rock nacional, o compositor Lobão ziguezagueou com muita coerência. Evitou a rebeldia pasteurizada, vendida a preço de banana pelas bandas de Brasília e os Titãs. Evitou a *egotrip* autofágica tão típica de Cazuza e Paulo Ricardo. Comportou-se como um autêntico lobo bobo, avesso ao estabelecido. Brigou com a gravadora, enquanto lançava seus discos. Lobão está lançando no mercado *Sob o sol de Parador*, seu sexto álbum, quinto solo, uma cristalização de tudo o que já cantou. Trata-se do mais pesado e articulado trabalho de Lobão".

Segundo Giron, "é curioso que um músico de percussão tão errático consiga sustentar uma coerência que ecoa de disco a disco. Em 'O rock errou', ele decretava a falência do rock e mostrava um punhado de boas canções. Em *Vida bandida*, fundiu samba com rock num trabalho indivisível em sua virulência. *Cuidado!*, do ano passado, bem mais fraco que os anteriores, atacava mais abertamente o governo e pesava no funk e suavizava a eficácia das canções. *Sob o sol de Parador* representa o abandono das funções samba-funk-samba e a afirmação do rock mais pesado, político".

- Em entrevista no dia 19 de agosto de 1989 à *Folha da Tarde*, Lobão afirmou: "O Cazuza certa vez me disse: 'foi preciso que eu pegasse aids e você fosse preso pro nosso trabalho ser reconhecido.' Acabamos adquirindo notoriedade por causa de falhas de percurso. Isso nos deixa muito irritados. Deixa o cara trabalhar em paz! Tá na hora de parar com esta coisa mórbida."

- No dia 22 de agosto de 1989, *O Estado de S. Paulo* entrevistou Lobão sobre sua temporada na prisão. Segundo o músico, "a prisão não deveria existir. Você acha que as pessoas podem melhorar ali dentro? Você tem que deixar um quarto da quentinha para os ratos. Você tem que fazer as coisas numa vala para vinte pessoas, com todo mundo te olhando. A sociedade está doente. A doença da sociedade se manifesta na própria incapacidade de se autogerir. Eles acham que o cara que assalta, que rouba, que mata, é que está doente, que tem que ser corrigido. Eles não entendem que o bandido é o cara que potencializa a doença da sociedade. É preciso mudar toda essa estrutura, para acabar com a doença".

Lobão afirmou que ficou muito popular na cadeia. "Graças a Deus, sou um cara muito popular nos presídios. Eu e Bezerra da Silva. Na prisão, fizemos pagodes, fiz um coral, fiz o maior implemento cultural. Até os guardas gostavam de mim. Dormi na cama que Mão Branca ocupou. É mole, cara?"

- Na matéria "O Lobão e o cordeiro", publicada pela revista *IstoÉ Senhor* em 23 de agosto de 1989, o jornalista Humberto Finatti afirma — ao criticar o novo álbum, *Sob o sol de Parador* — que o músico "se tornou material de consumo básico da mídia quando desafiou a ordem com discursos pouco ortodoxos".

"Lobão atingiu um raro estágio de maturidade e equilíbrio composicional dentro do pueril rock brasileiro (...) com *Sob o sol de Parador*, Lobão quer, ao mesmo tempo, não ser mais e continuar sendo um dos *enfants terribles* da música brasileira."

Lobão viajou de carro até Buenos Aires, e lá pegou um avião para Los Angeles. "Eu coloquei o cabelo pra cima, feito um topete e disfarcei a voz, falando com sotaque gaúcho. Coloquei óculos escuros e boné", disse Lobão. Ele afirmou que fez isso porque há um ano pediu licença para tocar nos EUA (onde *Vida bandida* foi lançado pelo selo Brasiloid) e o juiz, "arbitrariamente", negou. "Pô, estou trabalhando e divulgando a cultura nacional, por pior que ela seja", ironizou Lobão.

Em sua estadia de quase noventa dias em Los Angeles o músico gravou o novo álbum, com produção de Liminha. Apesar de ter sido gravado em Los Angeles, de possuir qualidade para competir com qualquer similar estrangeiro (disse Lobão), *Sob o sol de Parador* é destinado aos fãs brasileiros.

Em entrevista ao jornalista, Lobão falou sobre assuntos como sua gravadora e a liberação das drogas. "Eu lido com uma multinacional, eu vou extorquir dinheiro dela o máximo possível. Falo isso abertamente (...) eu adoro lidar com esses bandidos queridos que estão ao meu redor. Ora, eu estou sendo preso, cortam minha conta bancária, não posso sair do país...Você acha que eu não posso tirar o mínimo de proveito dessa merda toda?"

Sobre as drogas: "Vamos ser realistas: quanto mais proibido, melhor. É que nem a Lei Seca. Antes de mais nada, nós temos que combater a fome, a falta de educação do povo. Quando o povo for educado, aí ele poderá discutir assuntos e vícios de países civilizados."

- Segundo a revista *Amiga* de 16 de outubro de 1989, Lobão será acusado de incentivar o consumo de drogas por conta de uma entrevista a uma emissora de TV em Porto Velho. Os advogados de Lobão informaram que estão apenas esperando a carta precatória enviada pela polícia do Rio Grande do Norte para o RJ para preparar a defesa do músico.

Fãs afirmaram que Lobão declarou à TV que estava sendo perseguido e acusou a Polícia Federal de falsificar um mandado de prisão quando ele foi condenado, há três anos, por uso e porte de drogas. O músico teria pedido, ainda, que seus fãs deixassem o "bagulho" em casa, e não o levassem para o show.

Para o delegado Pedro Marinho, do Departamento de Polícia Metropolitana de Porto Velho, "Lobão infringiu a lei quando incentivou, na televisão, a juventude a consumir drogas em casa. Por isso, solicitei providências junto à Polícia Federal. Queira ou não, o artista exerce hoje grande influência junto à juventude e esse incentivo pode fazer com que alguns partam para o escabroso caminho do vício".

- Segundo a *Folha de S.Paulo* de 6 de dezembro de 1989, *Sob o sol de Parador*, disco gravado por Lobão em Los Angeles, vendeu oitenta mil cópias em apenas três meses. Nos Estados Unidos, a gravadora do músico, RCA, avisou que o disco não seria feito. Convencida pelo cantor, ela passou a mandar dinheiro semanalmente, mas antes deixou Lobão esperando verba por um mês.

Em entrevista a André Forastieri, o artista afirmou que o empresário Manoel Poladian é "vigarista e racista", e que o chefão da RCA, Miguel Plopschi "não sabe de nada". Para o jornalista, "é a imagem de rebelde e malcriado que vende Lobão como a coisa mais próxima dos Stones que já nasceu neste país".

- Segundo o *Jornal da Tarde* de 6 de dezembro de 1989, Lobão faz parte de uma "boemia acidental, eventual. Gosta, por exemplo, de tomar umas no famoso Bar das Putas, na Consolação, ou no Bar do Alemão, que fica no Bexiga. Já para fazer uma boquinha, prefere deslocar-se ao Gigetto, na Avanhandava, ou à churrascaria Bassi — ou mesmo aos dois pilares do *mix* de *fast-food* e restaurante, o America e o Rock Dreams".

- Em 7 de dezembro de 1989, a *Folha da Tarde* noticiou que Lobão voltava a tocar em São Paulo, em uma temporada no Palace, para divulgar o disco *Sob o sol de Parador*. Segundo o jornal, o músico "pretende se redimir de seu último show, em agosto de 1988 no Anhembi, quando, devido a problemas técnicos e a um atraso de duas horas, resolveu cancelá-lo e devolver os ingressos para o público incauto".

- *O Estado de S. Paulo* noticiou em 7 de dezembro de 1989 que Lobão vive em uma estrada que não é bandida, mas finge que é. "Primeiro foi a indiferença de sua gravadora, que, segundo ele, não se interessou em divulgar o disco. Depois, a dupla de ex-empresários, que o fez percorrer um circuito que saiu uma noite do noroeste do Paraná e foi parar no Acre. Fora isso, a eterna vigilância da Polícia Federal, que não só se faz presente em qualquer uma de suas apresentações, como pratica ao pé da letra o ato de revistar a plateia." Atualmente, Lobão tem um novo empresário, Leonardo Netto.

- O *Jornal da Tarde* publicou, no dia 9 de dezembro de 1989, uma crítica de Antônio Mafra sobre a temporada de shows de Lobão no Palace. Para o jornalista, "por um misto de descuido e empolgação, ele [Lobão] está perdendo terreno para ser melhor entendido. E deixa de ganhar mais público. Se Lobão já é bom, entendendo-se pouco ou quase nada do que ele canta em shows, é fácil prever que sua fama seria bem maior se ele cuidasse da dicção e exigisse cuidados de distinção na mesa de som".

Em um show, Lobão apoiou a plateia, que cantava hinos pró-Lula. Além disso, ele protestou contra a utilização indevida de uma música de Cazuza em campanha do PRN. Segundo Mafra, "Lobão teve um comportamento bem *soft* no palco", despendendo pouca energia.

- No mesmo dia, a *Folha da Tarde* publicou uma crítica de Cesar Garcia Lima, que afirmou que Lobão, "apesar de esbanjar vitalidade, mostrava apenas uma apresentação ao vivo de seu repertório, sem que seu espetáculo tivesse uma estrutura além das músicas, esvaziando o sentido da palavra show".

Para o jornalista, o músico estava "mais contido do que de costume, sem a mesma fúria que sempre lhe deu fama". A apresentação teve uma conotação política, pois o público gritava Lula-lá, o hino da campanha de Lula à presidência.

Inclusive, ao chamar o cantor para o bis, foi cantada a música da campanha petista. "Mais do que Lobão, a plateia transformou o show em comício", disse Lima.

- Lobão declarou à *Folha de S.Paulo*, no dia 17 de dezembro de 1989, que não gostaria de ser "estigmatizado por violência", por conta de uma briga ocorrida durante um show no Palace, em São Paulo. No dia 8 de dezembro, um estudante que assistia ao show do camarote foi atingido na cabeça por um copo de vidro após responder a ofensas, e outras pessoas que estavam próximas a ele ficaram feridas.

"Todos os meus shows dessa temporada transcorreram num clima de calma, apesar da animação. Não quero ser estigmatizado por violência", disse o músico.

- Em 20 de janeiro de 1990, o *Jornal da Tarde* veiculou uma entrevista coletiva dada por Lobão explicando sua participação de última hora no Hollywood Rock. Segundo ele, o show ocorreu devido "ao salafrário" de seu ex-empresário. "Ele me mandou para Roraima e Acre, fui revistado pelos federais (...) Quando li que não tinha aceitado participar, falei: mas eu nem fui consultado."

Lobão afirmou que o empresário [cujo nome não é citado na matéria] queria fazer um evento da empresa Alternativa Nativa na mesma época do festival "para comprar mais um apartamento", ironizou.

- No dia 26 de janeiro de 1990, o *Jornal do Brasil* publicou uma nota explicando que Lobão escolheu esse apelido por conta de seus compridos braços peludos e "pela sanha com que se entrega a dilacerar preconceitos e dogmas". O músico começou sua trajetória como baterista da banda progressiva Vímana, nos anos 1970. No começo dos anos 1980, fundou a Blitz. Depois, rompeu com tudo e iniciou sua carreira solo, com o lançamento de *Cena de cinema*, em 1982.

- Em uma crítica publicada na *Folha de S.Paulo* no dia 5 de setembro de 1990, o jornalista Luís Antônio Giron comentou o lançamento do álbum *Vivo*, sétimo da carreira de Lobão. "Lobão canta 12 sucessos antigos seus, acompanhado por uma banda fraca e por um público que canta junto as músicas, corroborando as teses de estímulo-resposta do behaviorista recém-morto Skinner".

Para Giron, a banda de Lobão "é de baixo nível, com destaque negativo para o saxofonista José Luiz, exagerado nos solos inúteis. Durante o péssimo show do Hollywood Rock — eleito o melhor do público segundo pesquisa do DataFolha —, a banda tocou todas as músicas com displicência e absurda velocidade".

"Esse tipo de triste espetáculo não deveria ser lançado em disco. Só depõe contra um compositor que, apesar de interessante, dá uma de vivo e vai com muita sede à massa", concluiu Giron.

- A *Folha da Tarde* de 8 de setembro de 1990 noticiou: "Janeiro de 1990. Verão 40 graus. Lembra? Agora você pode ter em casa um '*replay*' do show que ferveu o Hollywood Rock. Enquanto a moçada se acabava de dançar com a pauleira do incendiário Lobão, o produtor Marcelo Sussekind pilotava uma máquina de 24 canais, instalada em um caminhão atrás do palco, e registrava tudo." O resultado é o disco *Vivo*, sétimo da carreira de Lobão.

Segundo o jornal, *Vivo* reúne "o que de mais gostoso Lobão fez até hoje. Claro, numa apresentação como o Hollywood Rock, a galera queria mais era ouvir os sucessos. Então, o LP traz desde coisas bem antigas, da época com os Ronaldos, até os hits mais atuais. Músicas que todos já conhecem. Disco ao vivo é isso. Lobão pôs a cara pra bater, mas pode ficar tranquilo. Não sujou, não. O disco resgata com fidelidade o clima de energia escaldante do show".

- Em 11 de setembro de 1990, Lauro Lisboa Garcia escreveu no jornal *O Estado de S. Paulo* que "quando Lobão lançou *O rock errou*, em 1986, deixou os críticos aproveitarem seu mote para profetizar a agonia do gênero que lhe dá suporte para depois rir dos impropérios, afirmando tratar-se apenas de um trocadilho para chamar a atenção".

"Depois veio aquele circo todo em torno de *Vida bandida*, para o qual o show diário de notícias era fichinha. Desde que seus ardis se tornaram manjados, Lobão aplicou a irreverência dotada de um certo ar adulto, o que fez mal ao espírito de sua música. *Vivo*, mais recente álbum, faz crer que uma perigosa piada pode se voltar contra o humorista: será que Lobão está errando com o rock?", escreveu Garcia.

Para o jornalista, o problema está "no resultado da performance — o som é ruim, os arranjos não trazem novidades, a participação da plateia é forçada com gritos de efeitos comuns". Ele afirma, no texto, que "a produção de um disco ao vivo no Brasil responde com facilidade a cláusulas de contrato com gravadoras e expectativa dos fãs que engolem qualquer pedra". "OK para o público que elegeu aquele o melhor show do segundo Hollywood Rock. Mas que falta alguma coisa, falta", concluiu.

- Segundo *O Globo* de 14 de setembro de 1990, o disco ao vivo de Lobão já devia ter saído há mais tempo. "O Hollywood Rock foi a chance. Apesar de ter sido um risco registrar as músicas em apenas duas apresentações, tudo foi bolado com antecedência. O LP saiu bem próximo do que eu poderia conceber, em que pesem todas as deficiências de um disco ao vivo", afirmou o músico.

- Lobão afirmou a *O Estado de S. Paulo* em 27 de setembro de 1990 que o disco *Vivo*, gravado no Hollywood Rock, "não foi feito porque eu tinha que cumprir o contrato com a gravadora. As pessoas podem falar o que quiserem, menos que é um disco frio. Eu cantei para um público de quarenta mil no Rio e para noventa mil pessoas em São Paulo. Queria fazer um registro desses shows que fiz durante o Hollywood Rock. Fiz questão de não limpar o som, principalmente os ruídos que vazaram pelos nove microfones da bateria. Foi feita uma pesquisa e as minhas apresentações foram consideradas pelo povão as melhores do festival".

Segundo Lobão, seu processo criativo "pode ser detonado por uma insônia, enxaqueca, sofrimento, alegria, ressaca, não importa o motivo. Minha memória é curta demais, e criar é de algum modo guardar as coisas que vão rolando".

- Crítica publicada no *Jornal da Tarde* no dia 28 de setembro de 1990 diz que o disco *Vivo* foi malrecebido pela crítica, que alegou baixa qualidade de gravação. "Quis fazer uma releitura do meu trabalho, com a participação do público. Sem pretensões mercadológicas.

Se fosse pra deixar o som totalmente limpo, gravava em estúdio", disse Lobão.

Na matéria, Lobão disse que roqueiro, para ele, é um termo pejorativo. "Até segunda ordem, me considero um músico popular. Nossa *intelligentsia* ainda não conseguiu explicar o que é rock brasileiro."

- Segundo a *Folha da Tarde* de 28 de setembro de 1990, Lobão deu "uma de otário" em entrevista coletiva no hotel Hilton. De acordo com a jornalista Fernanda Teixeira, o músico atrasou uma hora, e ao invés de informar sobre o show que faria na data, "preferiu gastar quase duas horas falando bobagens e literalmente enrolando quem se dignou a esperá-lo tanto tempo. Sem saco ou muito ligado para se concentrar e ordenar o pensamento, só queria farra. Brincou o tempo todo, como uma criança mimada que só faz o que quer. Tudo bem, mais uma atitude polêmica para a sua coleção", disse o jornal.

De acordo com a *Folha da Tarde*, "entre socos na mesa e charminhos", Lobão soltou — após a pergunta de um repórter sobre seu novo disco, *Vivo* — "Vocês estão dizendo que meu LP ficou uma merda?" "Será irritação por causa de uma crítica negativa publicada pela *Folha de S.Paulo* ou você está chato mesmo?", questionou a repórter. "Posso ser crítico e chatinho, mas estamos tendo uma relação bilateral", afirmou Lobão.

- Em 1º de outubro de 1990, o *Jornal do Brasil* noticiou que Lobão encerrou a festa de trinta anos do Caderno B, realizada nos jardins do Museu de Arte Moderna do Rio de Janeiro. "Nem mesmo a ameaça de chuva e o caminhão quebrado do som impediram o roqueiro de realizar um ótimo show."

De acordo com a reportagem, "ninguém parecia se importar com o som que não se acertava, ou que Lobão estivesse rouco. A eletricidade que faltava nas caixas acústicas sobrava nos mais de cinco mil espectadores que sabiam (e cantavam) as letras das músicas".

- No dia 27 de novembro de 1990, o *Jornal da Tarde* publicou uma carta de um leitor intitulada "Roqueiro nota zero", em que critica a atuação de Lobão no programa *Matéria-Prima*, exibido pela TV Cultura no dia 13 de novembro. José Manuel Melo Reboredo afirmou que "a gosto e a pedido de minha filha de 13 anos, assistia ao programa".

"Não discuto as qualidades musicais do fulano. O que não é admissível é sermos invadidos em nossos lares com grosserias, palavrões de baixo calão e, finalmente, ofensas graves ao presidente da República (...) a educação desse roqueiro é nota zero (...) peço a fita desse programa por parte das autoridades, principalmente a Polícia Federal", escreveu o leitor.

Em resposta, Roberto Muylaert, então diretor-presidente da Fundação Padre Anchieta, afirmou que "a TV Cultura ficou tão chocada com o que ocorreu quanto o leitor". Assim, "todos os diretores de programas foram instruídos a interromper a programação caso situações similares ocorram".

- No dia 3 de dezembro de 1990, Lobão sofreu um acidente de moto e teve que operar o pulso esquerdo. Segundo a *Folha de S.Paulo*, foi instalada uma placa de platina com sete parafusos no pulso do cantor. Ele dirigia uma motocicleta Yamaha Ténéré, de 600 cilindradas, quando derrapou em uma poça de óleo em uma curva, logo na saída de sua casa.

Além do pulso, Lobão deverá operar o cotovelo esquerdo, fraturado em dois lugares. Os médicos optaram pelo tratamento interno por ser de recuperação mais rápida. O acidente pode prejudicar o show de Lobão no Rock in Rio, no dia 23 de janeiro. Provavelmente ele não tocará nenhum instrumento na apresentação.

- Em "Lobão em ritmo crítico", entrevista do músico ao jornal *O Globo* em 19 de dezembro de 1990, ele fala sobre sua recuperação para tocar no Rock in Rio, em 23 de janeiro, após ter sofrido o acidente de moto que o deixou com o pulso machucado. Na entrevista ao jornalista Hélio Muniz, o músico confessou estar "voando" no momento do acidente, e disse que está fazendo fisioterapia tocando bateria.

Perguntado sobre tocar na mesma noite que o Guns 'n' Roses — noite mais procurada do festival — e sobre a banda, Lobão afirmou que gosta "como gosto do Pato Donald. Hoje em dia eu leio Pato Donald e rio. Assisto ao Guns 'n' Roses e rio. Acho engraçadinho".

- Em 27 de dezembro de 1990, uma crítica da *Folha da Tarde* afirmou, ao noticiar o Rock in Rio II — que ocorreria em 23 de janeiro de 1991 —, que Lobão "incorpora uma rebeldia ingênua e virulenta que tem faltado ao rock nacional e é bem-vindo num festival como este".

Segundo o jornal, o músico herdou "o niilismo do poeta e compositor Júlio Barroso, líder da Gang 90".

"Lobão é quase sempre um letrista de um desencanto explosivo (...) uma das inovações que trouxe para a estética do rock nacional foi um feliz flerte com o samba (...) Polêmico e verborrágico, Lobão normalmente peca pelos excessos de seu discurso (...) No palco, mantém esse temperamento (...) A sua performance, porém, é sempre enérgica. Tanto que foi escolhido como um dos melhores artistas do Hollywood Rock, em janeiro deste ano", diz o *Jornal da Tarde*.

Capítulo 53

Apesar de todo enfaixado no braço, estava de bom humor... Quando chegamos no estádio Mário Filho, o Sepultura ainda não havia entrado no palco e nós, do lado de fora, já conseguíamos ouvir os gritos: "1, 2, 3... 4, 5 mil, eu quero que o Lobão vá pra puta que o pariu!"

Quando chegamos no *backstage*, o nosso diretor de palco vem correndo e esbaforido falar comigo. Tinham colocado um palco dentro do nosso palco e não avisaram ninguém da nossa equipe! Aquilo era um golpe de misericórdia na nossa apresentação. Eu pensei: "Como alguém, em sã consciência, deixa um artista ensaiar, passar o som, checar todos os equipamentos, dar ok para a direção do festival e, no dia seguinte, menos de 24 horas depois, ao chegar no local para a performance, tem sua configuração, que por sinal rezava no contrato, completamente destruída? E o pior: do jeito que colocaram um enorme cubo preto de quatro metros de altura por uns 15 de largura, transformava a minha segurança dos vinte metros de profundidade do dia anterior num paredão de fuzilamento, com meu microfone colado diante do gargarejo de metaleiros, que lotavam toda a área frontal ao palco. Fui dar uma olhada na situação e fiquei horrorizado, por pensar como se acharam no direito de me desrespeitar daquela maneira!

Encontro com um sujeito da organização, e ele me explica que houve um imprevisto e, de última hora, contrataram uma outra banda, o Judas Priest, e, como o *crooner* iria entrar de motocicleta, a banda exigiu um adendo ao palco, justamente aquele paredão em cima do meu! Tentei argumentar que havia um contrato explicitando todas aquelas exigências, que aquilo era um total desrespeito a qualquer artista... O

Sepultura já estava, a essas alturas, no final de sua apresentação e nós estávamos nos preparando para entrar. O tumulto nos bastidores era fora do comum. Cheguei a dar um vigoroso catranco num baixinho cabeludo que não tinha nada a ver com a história e que depois me disseram se tratar do *crooner* e guitarrista do Megadeth.

O Sepultura termina sua poderosa apresentação ovacionado por todos e, em poucos minutos, os urros de aclamação se transformaram em gritos de "fora Lobão! Não queremos samba! Fora, seu sambista de merda, tá querendo manchar o rock...", e outras coisas mais... Por um momento, tive tempo para refletir sobre a ironia: sempre fui rechaçado pela cultura oficial, sob o epíteto de roqueiro... Agora, assistia àquele vitupério de roqueiros fundamentalistas a me odiarem por "mestiçar" o rock imaculado... loucura...

Mais alguns instantes, projéteis das mais variadas naturezas eram atirados ao palco. Como a profundidade não passava dos dois metros, havia risco real de alguém se machucar seriamente... Estavam enchendo as latas de cerveja de areia, tornando os arremessos muito contundentes caso pegassem em alguém ou em algum instrumento. Também jogavam pilhas grandes, caixas de biscoito, papel higiênico molhado, moedas...

Eu tentei, pela última vez, fazer ver aos diretores do evento que era absolutamente impossível realizar o show naquelas condições, mas eles foram inflexíveis...

Sabendo que não iria conseguir chegar nem na segunda música, estava me sentindo um daqueles cristãos jogados aos leões no Coliseu.

Quando estava prestes a entrar, alguma boa alma me passou um capacete da Cruz Vermelha e disse: "Acho que você vai precisar disso."

Olhei para os meninos, respirei fundo e entrei naquela arena. Não paravam de jogar coisas pesadas, contundentes... em qualquer outra circunstância, interditariam o evento... Nós estávamos nitidamente numa arapuca. Ensaiamos num palco absolutamente seguro e, 24 horas depois, somos atirados em um paredão de fuzilamento. Não dava tempo nem pra ter raiva. Começamos a primeira música num clima de linchamento, sem que eu tivesse a mínima condição de me defender do que jogavam. Aguentei aquilo para que fosse registrado... primeiro: para terem a certeza de que não estava drogado. Segundo: para numa posteridade distante, poder provar a barbaridade à qual fui submetido, sem um órgão de imprensa sequer denunciar aquilo.

Quando uma lata de cerveja, cheia de areia, derruba um surdo do Kadu, que estava a quatro metros mais alto do que o resto da banda, verifiquei ser impossível continuar com aquela palhaçada. E a ironia é que, tirando o gargarejo metaleiro, o estádio estava repleto de faixas com o nome das minhas músicas.

Setorizei o esporro meticulosamente, incluindo apenas os agressores, me despedi do público restante e saí. Esta cena está à disposição no YouTube, e quem tiver a curiosidade de assistir constatará o paredão preto atrás de mim.

Quando saio do palco, percebo um Ivo Meirelles agoniado com aquela situação... ele estava aguardando com os percussionistas a hora de entrar e, indignado, pegou a bandeira da Mangueira e se dirigiu, resoluto, ao palco. Foi tratado como um moleque e escorraçado do local, mas com sua ginga e agilidade, conseguiu entrar... Mas foi pior ainda... eu só ouvia as vaias, os gritos de fora samba, fora samba... jogaram todos os objetos possíveis no estandarte verde e rosa... O Ivo sai desolado...

Depois daquela cena, fiquei alguns instantes pensando o que ia acontecer comigo, quando chega o cara do *Los Angeles Times* e mais alguns jornalistas estrangeiros, constrangidíssimos com o que chamaram de *"cultural rejection"*... Eles não conseguiam entender que, justo a apresentação mais aguardada por eles e, possivelmente, a mais original que o país poderia apresentar à comunidade internacional, fosse tratada daquele jeito pelo próprio público. Eles não conseguiam entender por que o brasileiro tinha aquela mania de copiar o rock (mal) e de ter medo e repulsa de qualquer fusão com sua cultura...

Mas, em pouco tempo, aquele fundamentalismo obtuso se tornaria cafona, quando vários artistas brasileiros decidiram botar a mão na massa e produzir excelentes e originais inovações, como o próprio Sepultura, o Chico Science e Nação Zumbi, a Cássia Eller, Raimundos, Otto etc. e tal...

Saio meio catatônico das coxias e vou direto para o *backstage*, onde se encontravam centenas de pessoas das mais variadas procedências. Estava cercado de gente ao meu redor... todo mundo curioso para saber como eu estava me sentindo, quando um olhar me rouba a atenção de tudo... São aqueles olhos de farol. É aquela menina que encontrei no Lokau...

Me destaquei imediatamente daquele burburinho para ir ao seu encontro: "Você por aqui?" "É... fiquei meio preocupada quando vi você na televisão levando lata... na verdade estava com meu convite e viria de qualquer jeito, mas saí correndo pra cá quando vi aquela cena..."

"Me diz uma coisa... qual é o seu nome?" "Regina." "Me dá uma carona pra minha casa?"

Nos reunimos com os meninos do Sepultura e fomos todos para a estrada das Canoas...

Chegamos em casa e ficamos papeando sobre os desígnios da música, discos voadores e outras coisas mais até o amanhecer... Os meninos do Sepultura se vão e a Regina fica até umas dez da manhã e depois vai embora... Ela iria pegar a irmã e o primo na rodoviária.

Fiquei absolutamente só naquela casa abandonada... já não era mais um lar, perdera todo o seu aconchego, já não havia mais nenhuma razão de estar ali... Só a pobre Diana e eu...

No dia seguinte, quando acordo, me lembro da Regina ter deixado seu telefone escrito numa caixa de fósforos... quase ilegível... tentei o número: ..."Alô? Regina? Enchi o congelador de vodca, tá a fim de vir pra cá?" À tardinha, chega a Regina com a Nena, sua irmã caçula, e o Felipe, seu primo que morava em Estrela.

Estava vivendo um misto de emoções... o pouco de motivação que ainda me restava foi-se com aquela desastrada apresentação. Ao mesmo tempo, uma centelha se acendia com a presença luminosa da Regina...

Tinha certeza que nós iríamos ficar juntos... para sempre...

Mas eu ainda aprontaria poucas e boas até isso se consolidar.

Ainda me restava a Santana Quantum, que logo acabaria num poste no Arpoador, depois de uma discussão que tive com a Regina, ao tentar fazê-la crer que o mundo todo queria ver o meu fim... Como ela estava tentando ponderar aquela argumentação, me impacientei, peguei o carro e saí desabalado pela praia até chegar o poste na entrada do Arpex para me deter. Quase quebrei o pescoço. Fiquei mais de um ano com o cocuruto dormente.

Me sentia um cadáver insepulto e ainda tinha que fazer o disco daquele ano... não sei como, com a mão aleijada, consegui em menos de um mês reunir 11 músicas para realizar o que se chamaria de *O inferno é fogo*. Nesse disco, não consegui escrever nada... Só parceria. Inclusive, foi a despedida de parceria com o Bernardo e logo em seguida com o Tavinho... O Ivo ainda seria meu parceiro no disco seguinte.

Apesar de toda a precariedade em que me encontrava, acabei compondo algumas boas canções... àquela altura do campeonato, devia estar funcionando com uns 20% da minha capacidade.

Ainda conto com a presença do Nelson Gonçalves, que estava de passagem pelo estúdio e abre o disco com sua advertência: "O inferno é fogo, meu filho, de lá ninguém sai, ô rapaz!!!"

E com *O inferno é fogo*, termina uma era. Daí pra diante, minha vida sofrerá uma mudança exponencial. Será um período de desconstrução, de reinvenção, de disciplina e de absorção de novos conhecimentos que sedimentarão a formação claudicante que me fora imposta.

um mês e tanto — Ilhabela — para realizar o que se chamaria de *O inferno é fogo*. Nesse espaço, não consegui escrever nada. Só para constar, inclusive, foi a desmedida de parceria com o Bernardo Vilhena em Segunda, com o Lavinho. O Ivo ainda seria meu parceiro no disco seguinte.

Apesar de toda a precariedade em que me encontrava, acabei compondo algumas boas canções, aquela altura do campeonato, devia estar funcionando com uns 20% da minha capacidade.

Ainda conto com a presença do Nelson Gonçalves, que estava de passagem pelo estúdio e abre o disco com sua advertência: "O inferno é fogo, meu filho, se lá ninguém sai, ó rapaz!"

E como o inferno é fogo, termina uma era. Daí pra diante, minha vida sofreria uma mudança exponencial. Seria um período de desconstrução, de reinvenção, de disciplina e de absorção de novos conhecimentos que exterminariam o inferno quente que me fora imposto.

Capítulo 54

Não havia mais nada a fazer na estrada das Canoas. Deixei a Diana com o motorista, devolvi a casa e fui morar com a Regina no seu apezinho no Leblon. Vendi minha bateria e coloquei meus equipamentos e guitarras num depósito. Meu braço esquerdo estava ainda muito inchado, e a mão preocupava bastante. Só saberia avaliar o prejuízo após a retirada da placa no pulso e os vinte e tantos parafusos espalhados entre o pulso e o cotovelo.

Minha mão estava completamente paralisada, não tinha a menor condição de pinçar qualquer objeto... os movimentos rotativos do braço e antebraço não existiam... estava com o braço duro e torto. Os dedos da mão estavam insensíveis e perdi a sensação táctil.

Iniciei uma série de tratamentos.

Como já havia conseguido o primeiro acesso ao braço, tive uma ideia: sendo obsessivo e adorando estudar violão clássico, imaginei que, se ficasse horas treinando escalas e montando "pestanas", acabaria por tonificar e redirecionar as funções dos tendões rompidos.

E sendo assim, contatei um professor, indicado pelo Turíbio Santos, o Sérgio Bugalho, seu produtor musical, para me dar aulas. O Sérgio veio a se tornar um grande amigo e foi fundamental na minha recuperação.

Comecei do zero. Escala de dó maior, primeiros exercícios como se nunca houvera tido nenhuma experiência musical. No início, fazer uma escala simples daquela me custava uma meia hora. Como havia perdido o tato, tinha que ajudar com a mão direita a posicionar a esquerda... Percebi que aquilo era um trabalho de longo prazo. Deveria dedicar 10, 12, 14 horas por dia, todos os dias da semana.

Como estava com uma agenda toda em função da minha recuperação, tive que desmontar minha querida banda.

Tive também que parar com a vida boêmia e todo e qualquer tipo de droga, o que aconteceu sem nenhum trauma.

Em um mês, minha mente estava mais lúcida, mais potente... Fui adquirindo, com os exercícios, uma forte capacidade de concentração. A Regina, que também estava numa fase de muita boemia, parou com tudo. Nossas vidas deram uma guinada.

Nós estávamos apaixonados (e continuamos), e nosso amor foi o sustentáculo daqueles tempos difíceis que se avizinhavam. Iríamos passar grandes dificuldades financeiras, mas nunca deixamos de ser felizes. Sempre tínhamos um ao outro, e se isso não tivesse acontecido, provavelmente eu teria sucumbido: ou estaria morto ou internado num hospício. Como a Regina me incentivou! Enquanto ficava o dia inteiro fazendo escalas, ela decidiu fazer um curso de massoterapia, acabou se diplomando e começou a trabalhar na parte de traumatologia do hospital Miguel Couto. Assim que obtive minhas primeiras melhoras, comecei a matutar o que iria fazer da minha vida... Minha carreira, pelo menos do jeito que era, havia terminado; minha gravadora em poucos meses rescindiria meu contrato, mesmo com mais um disco a fazer... E pensei: está mais do que na hora de procurar ter uma formação intelectual mais robusta. Se quisesse escrever minhas próprias letras e perceber melhor o mundo teria que ler umas quatro vezes mais do que estava habituado. E foi o que eu fiz. O tempo que sobrava dos meus estudos de violão, eu comecei a ler obsessivamente. A primeira coisa que fiz foi reler toda a obra do Nietzsche.

Outra coisa que pensei necessitar com uma certa urgência seria fazer algum tipo de psicanálise. Me indicaram uma mulher, que vamos chamar de dra. S.

Dra. S tinha um consultório no Jardim Botânico e fui fazer a minha primeira consulta, pra ver se rolava uma liga.

Estava naqueles períodos em que a gente está completamente dedicado a implementar uma profunda transformação em nosso ser.

Logo de cara, ela me disse que, se eu quisesse mesmo me tratar, teria de aceitar um desafio: as sessões seriam num outro local, na subida da serra de Petrópolis. Argumentei com ela estar sem automóvel, que só tinha uma motocicleta, mas ela foi irredutível. E, para dificultar ainda mais a situação, me marca a consulta para as seis da manhã.

Como estava resoluto em me reinventar, topei o desafio. Todas as quartas-feiras, acordava às quatro e meia e, chovesse ou fizesse sol, lá ia eu de moto para o pé da serra enfrentar uma trilha íngreme de barro, de uns dois quilômetros, além da estrada principal.

Comecei, assim, um severo processo de desconstrução. Queria extirpar todo o meu comportamento estereotipado de roqueiro muito louco.

A minha desconstrução lobônica iria suscitar ainda inúmeras e jocosas especulações. A primeira delas, eu li nos jornais: eu havia me convertido... e virado evangélico. Isso perduraria por anos, fato que me proporcionou muitas risadas e muitas situações cômicas...

Nesse meio-tempo, começava a fazer progressos animadores no violão. Já conseguia tocar peças com alguma complexidade, como "Sons de carrilhões", do João Pernambuco, "Recuerdos de Alhambra", do Tárrega. "Leyenda", do Albéniz, o Prelúdio número 1 e os Estudos 1 e 3 do Villa-Lobos, os "5 Estudos Sencillos", do Leo Brower.

Para executar essas peças eu tinha que ficar pelo menos meia hora para que minha mão começasse a responder com fidelidade aos movimentos requeridos. Mas cada vez que conseguia executá-las era uma emoção muito grande pra mim.

Estava fascinado com o budismo tibetano e comecei a ler vorazmente tudo o que podia sobre aquela cultura. Adquiri livros raros numa livraria especializada que eu descobri numa galeria em Ipanema... E para não me tornar um daqueles fanáticos deslumbrados, temperava aquelas leituras com três profundos conhecedores e, de certa forma, contestadores daquela filosofia, Nietzsche, Fernando Pessoa e Jorge Luis Borges.

Parecia que havia reencontrado meu verdadeiro hábitat.

A vida sedentária e a leitura. Naquele período, também procurei ler toda a obra de Dostoiévski, do qual só havia lido na cadeia as *Recordações da casa dos mortos*, e acabei me apaixonando, tornando-o um fiel companheiro até os dias de hoje. Outro autor que, apesar de muito difícil, me cativou foi Rabelais, com seu clássico *Gargântua e Pantagruel*.

Outro reencontro foi com o meu amado Nelson Rodrigues. Depois de ler avidamente a excepcional biografia escrita pelo Ruy Castro, finalmente fui apresentado à sua obra de dramaturgo e acabei lendo encantado todas as suas peças e tudo o mais que viesse a sair a seu respeito.

Outro fato da maior importância foi meu encontro com um psiquiatra italiano que estava clinicando de passagem no Brasil, o dr. Federico Navarro. Esse velhinho, considerado por muitos meio maluco, foi o responsável pela erradicação completa da minha epilepsia. Ele me prometera que, em seis meses, me submetendo a um singular tratamento com uma lanterna, nunca mais teria uma convulsão. E assim se sucedeu: após seis meses frequentando sessões em que ficava fazendo exercícios no nervo óptico, olhando para a luz de uma lanterninha (eram exercícios que me deixavam exausto), dr. Federico começou a reduzir e trocar de medicamento. Pela primeira vez em mais de vinte anos, fiquei sem tomar o Rivotril. Nunca mais tive uma convulsão.

LOBÃO NA MÍDIA

- Em 24 de janeiro, o *Jornal do Brasil* informou que a apresentação de Lobão no Rock in Rio II — realizada na mesma noite que Sepultura, Megadeth, Queensryche, Judas Priest e Guns 'n' Roses — durou apenas uma música e meia. Segunda atração do festival, ele entrou às 19h07 e deixou o palco às 19h15.

"Revoltado com os mais diversos objetos atirados contra ele, o roqueiro fez um discurso recheado de impropérios antes de dar por encerrada sua apresentação relâmpago. A segurança foi incapaz de conter a multidão sem educação e a Polícia Militar se limitava a retirar do gramado fãs já completamente derrubados por álcool e drogas", afirmou o *JB*.

Segundo o jornal, antes de Lobão entrar em cena, o locutor do evento pedia que o público não jogasse "objetos no palco para não danificar instrumentos e equipamentos e, desta forma, atrasar o show". No entanto, o músico foi recebido com botas, latas e garrafas. Tocou "Vida louca vida", e no meio de "Canos silenciosos" interrompeu o show.

O roqueiro afirmou que já havia pensado em abandonar o show que faria com a bateria da Mangueira ao perceber que seu palco estava reduzido "à milésima parte" pelos equipamentos de grupos estrangeiros.

- Segundo a *Bizz* de janeiro de 1991, Lobão nasceu em 11 de outubro de 1957, e afirmou: "sou pedante, pernóstico, assoberbado. Uso isso caricaturalmente, para o meu proveito."

- Segundo o jornal *O Globo* de 24 de março de 1991, Lobão fez a música tema "Matou a família e foi ao cinema" para o filme de Júlio Bressane refilmado por Neville de Almeida. No entanto, ele afirmou que agora só compõe, não quer mais saber de atuar, como fez no filme *Areias escaldantes*. "As pessoas me convidam oferecendo papéis, mas eu recuso. Não quero papel nenhum."

A reportagem diz ainda que Lobão ainda não recebeu o cachê pelo show feito no Rock in Rio. Ele prometeu processar a Artplan por inadimplência contratual e danos à imagem caso o pagamento não saísse. "Foi tudo decorrência da má organização. O pior é que já sabia que seria uma roubada e só tinha decidido tocar porque a minha banda estava a fim", disse.

- Lobão foi vetado pelo Conselho Curador da Fundação Padre Anchieta de participar de dois especiais da TV Cultura pela maneira que se comportou no programa *Matéria-Prima*, informou a *Folha de S.Paulo* no dia 25 de março de 1991.

- Segundo o jornal *O Globo* de 18 de julho de 1991, Lobão, "que já foi pivô das mais inusitadas histórias da boemia carioca", agora se diz *diet* e trocou "a noite pelo dia". Assim, pode ser visto correndo no calçadão ou comendo um peixe grelhado. "Não fosse pela gargalhada tão típica quanto sua cabeleira, poderia se dizer que a pessoa que vara a madrugada andando de um lado para outro nos estúdios da BMG-Ariola não é o Lobão com o qual o público está acostumado", diz o jornal.

"Me drogava por indignação, mas cheguei à conclusão de que já cheirei tudo que tinha que cheirar. Resolvi parar de viver naquela rebeldia pré-adolescente. Na realidade, o que eu não queria era dar o braço a torcer, e se parei foi porque quis, não porque alguém mandou. Estou me desintoxicando, quero viver bem e ser feliz", afirmou Lobão.

O músico mudou, inclusive, de sua casa no Joá, "um lugar carregado" e onde ele "não tinha sossego", para um apartamento no Leblon. Sobre seu novo álbum, *O inferno é fogo*, o jornal afirma que tem um estilo "claramente marcado pelos opostos — o fel e o mel —, reafirmando a linha de *Sob o sol de Parador*, com rocks cada vez mais pesados transbordando lirismo nas baladas".

- Em 13 de agosto de 1991, Lobão falou à *Folha da Tarde*: "pensa que eu só sou alucinado por felicidade química? Ledo engano. Provoco minhas enzimas lisérgicas eu próprio." Segundo ele, passar fome, como ensinou santo Agostinho, provoca enzimas lisérgicas.

"Você tem visual e ninguém pode te prender. Agora estou passando fome", disse.

Ele afirmou, sobre sua nova fase, que "simplesmente" parou de se drogar. "Fiquei tomando drogas mais por desobediência civil."

- Ao jornal *O Estado de S. Paulo* de 6 de setembro de 1991, Lobão afirmou que usar drogas faz parte de seu passado. "Estou crescendo, afinal tenho 33 anos. Experimentei muitas coisas, agora experimento viver bem, degustar a vida. Não tenho a síndrome Darlene Glória, não sou uma Madalena arrependida. Simplesmente não tomo mais drogas."

A temporada na prisão fez com que ele adquirisse um novo hábito: não se separa mais do par de algemas comprado em Los Angeles, em 1989. "Quando ando de moto e encontro uma blitz, passo batido, pois pensam que eu sou um colega policial. E ao mesmo tempo afasto assaltantes e sequestradores. Sou uma alegoria ambulante", disse.

Segundo o cantor — que vende uma média de oitenta a cem mil cópias por disco —, ele vive de show. A exceção foi *Vida bandida*, que vendeu 350 mil. "Isso porque eu estava preso." Com tantas histórias da época que usava drogas, Lobão resolveu fazer o roteiro de um filme, que vai coproduzir com a comunidade da Mangueira. Ele explicou que "será uma produção internacional, com três roteiristas brasileiros e dois americanos, porque eu quero um *timing* de cinema americano tipo Indiana Jones".

Uma das histórias é a seguinte: "No alto do morro da Mangueira, um dos líderes armados até os dentes é saudado por um transeunte:

'E aí, patrão.' O sujeito armado chama o rapaz e ordena: 'Me dê sua carteira de trabalho.' Trêmulo, ele tira do bolso de trás da calça jeans o documento e entrega. O homem abre a carteira, tira um 38 da cintura, mira e dispara. 'Toma, o patrão assinou sua carteira.'"

Apesar de ter vivenciado casos como esse, Lobão esclarece que não fará apologia da bandidagem. "Será um filme crítico, que vai valorizar o código de ética que existe no morro, a solidariedade", disse o músico.

- Mario Cesar Carvalho afirmou em reportagem da *Folha de S.Paulo*, de 6 de setembro de 1991, que "Lobão já foi o mais sério candidato a piadista-mor do rock nacional. Mas perdeu a graça. [No show que ele faz em SP] deu pra se levar a sério. Pior: as piadas, que eram circunstanciais na obra do cantor e compositor, tornaram-se a obra".

- Em entrevista à *Bizz* de outubro, Lobão falou sobre o disco *O inferno é fogo*. Ele afirmou que "é um disco que adoramos fazer. Só não vou cair no lugar-comum de dizer, como sempre se diz, que é o melhor disco. A proposta é mostrar como estamos: todos felizes". O nome do álbum remete ao caráter "pesado, ácido e cheio de chacota".

"Sou híbrido, sou colonizado. No Brasil há coisas lindas. E meu som é bem o que eu sou; misturo desde a música erudita que estudei no violão até canções folclóricas", disse. O músico declarou ainda: "Falo do meu trabalho com o maior prazer, mas decidi não ficar mais comentando minha vida particular. Estou mais maduro. Sou uma pessoa muito confessional e acabo sempre sendo mal-interpretado."

- Em crítica publicada pela *Folha de S.Paulo* no dia 2 de outubro de 1991, Luís Antônio Giron diz que Lobão, em seu oitavo disco, "renovou suas ideias e sua banda e realiza um trabalho agressivo de '*guitar band*' para destilar asco pela humanidade".

Para Giron, "o pessimismo de Lobão — rebelde cuja causa é a nadificação — torna-se exemplar no novo trabalho. Não finge. Corrói, envoduza o que encontra pela frente. Não precisa enumerar escatologias para chamar a atenção fácil — como o fez a banda Titãs, seguindo o modelo delinquente-bundinha do Faith No More".

Giron termina sua crítica dizendo que Lobão "está tocando como nunca, inspirado como poucas vezes. É um consolo em meio aos lançamentos medíocres do rock nacional das últimas semanas".

- Em 7 de outubro de 1991, *O Globo* afirmou que o disco *O inferno é fogo* não tem o vigor de *Vivo*, e no que diz respeito ao repertório, é um disco "mediano, que traz bons rocks e algumas baladas agradáveis, mas indica que a fórmula 'rebeldia + energia + boas músicas' já não faz efeito como antes.

"Renovar, afinal, é preciso — ainda que seja difícil num mercado fonográfico tão implacável como o brasileiro. Dias (ainda) melhores deverão vir para o talentoso Lobão", escreveu o jornal.

- Sobre o lançamento do álbum *O inferno é fogo*, a *Bizz* de novembro de 1991 afirmou que "no palco, a parafernália visual incluía quatro tochas, numa sutil alusão ao reino das trevas. Sinal de que aquilo que em Lobão era engraçado e irreverente tornou-se envelhecido, de uma 'agressividade' maçante".

"Queimado há tempos, ele parece ter levado a sério aquela máxima de que é melhor viver dez anos a mil do que mil a dez. Só que sem perceber que seu tempo talvez já se tenha esgotado", disse a revista, que continuou afirmando que Lobão "continua tentando dar uma certa legitimidade suburbana ao seu som". "Lobão continua querendo se afirmar como o roqueiro mais diabólico do Brasil. Só que é como diz o ditado: de boas intenções o inferno está cheio."

- Em entrevista à *Folha da Tarde* publicada no dia 16 de novembro de 1991, Lobão afirmou que deixou de ser torcedor fanático de futebol para assistir novelas. "Antigamente eu era um assíduo torcedor. Hoje já não me interesso mais. Prefiro ver novela." Para ele, que torce para o Flamengo, o futebol ficou chato.

Lobão contou que sua primeira frustração aconteceu quando tinha dez anos, em 1967, e o Flamengo perdeu de 1 a 0 para o Botafogo no Maracanã. "Foi horrível. Voltei para casa arrasado, enrolado na bandeira do Flamengo." A sua maior frustração, disse, é não saber jogar bem.

- No dia 23 de novembro de 1991, a *Folha de S.Paulo* noticiou que Lobão foi detido durante uma blitz no Rio de Janeiro no dia 22, acusado de dirigir uma moto sem carteira de habilitação. Levado à 16ª DP, ele foi liberado após registro de ocorrência.

- O *Jornal da Tarde* noticiou, no dia 8 de janeiro de 1992, que todos os nove LPs de Lobão foram relançados em CD. Ele afirmou que desde que parou de usar drogas e beber sofreu vários acidentes de moto, quebrou o braço, torceu o pescoço e atrapalhou-se no palco.

E reclamou mais uma vez de ser taxado de roqueiro: "Por que esse rótulo? Eu faço música, sou popular e nasci no Brasil, portanto faço música popular brasileira. Não gosto desses rótulos."

- Em 13 de janeiro de 1992, a *Folha de S.Paulo* entrevistou Lobão sobre todos os seus discos, que foram relançados em CD pela BMG Ariola. Segundo o jornal, ele cansou de ser chamado de roqueiro. "Não gosto de rótulos, sou um músico popular brasileiro. Ninguém chama Tom Jobim de jazzeiro", declarou.

Sobre *Cena de cinema*, de 1982, ele disse que fez "uma espécie de compilação para outras pessoas gravarem. É um disco raro hoje em dia e talvez o mais desconhecido". *Ronaldo foi pra guerra*, de 1984, foi o disco que projetou Lobão, com a música "Me chama". Já *O rock errou* (1986) foi, segundo Lobão, uma fase "barra-pesada". "Eu não saía do quarto, fiquei cinco meses trancado. Muita droga. Foi nesse disco que cantei 'A voz da razão', com Elza Soares, e comecei a me aproximar do samba."

Vida bandida (1987) foi "regado a prisões, um período duro. O projeto estava pronto e quando entrei no estúdio fui preso". Para Lobão, *Cuidado!*, de 1988, foi o disco mais malproduzido que ele fez. "Foi gravado na época do meu acidente, é totalmente desequilibrado. Foi um trabalho experimental, que eu fiz na euforia de ter conhecido a escola de samba."

Já *Sob o sol de Parador* (1989) foi "um disco de fuga, angustiado. Soube pelo meu advogado que ia ser preso de novo. De todos os meus trabalhos, é o que tem o melhor som, mas o Liminha americanizou demais e desvirtuou o conceito do disco". *Vivo*, de 1990, foi para ele seu melhor disco. "O show do Hollywood Rock no Rio foi um dos melhores da minha vida." Lobão tem ainda os discos *O melhor de Lobão* (1990) e *O inferno é fogo* (1991).

- Ao *Correio Braziliense* de 10 de fevereiro de 1992, Lobão criticou a *Folha de S.Paulo*, afirmando que o jornal "adora assumir a posição de maldito, para poder sair criticando impunemente. Mas o que todos eles estão fazendo é fechar as portas de grandes eventos como o Hollywood Rock para o rock nacional. Eles estão provocando uma grande rejeição cultural ao produto da casa. E já está difícil fazer cultura neste país! Eles estão chutando a cara do cara caído".

Segundo Lobão, "cabe a nós, músicos e artistas em geral, ter uma certa condescendência, porque senão nada anda. Para que eles escrevam direitinho, respeitando ao menos a gramática".

- No dia 23 de abril de 1992, *O Globo* publicou que Lobão comemora dez anos de carreira com show introspectivo. "Aos 34 anos, ele está mais sério e quer chamar a atenção das pessoas para a sua música e não para o personagem irreverente", diz o jornal.

"Tem gente que nem sabe que eu sou instrumentista. Estou mais maduro e mudei de estratégia para reivindicar. Não estava reclamando, mas esperneando. Quero me explicar melhor. Sou um músico, e se a minha personalidade sobrepujar o trabalho, acabarei roubando o meu próprio show", afirmou.

- Segundo o *Jornal do Brasil* do dia 17 de agosto de 1992, Lobão foi apedrejado durante um show realizado na cidade mineira de Conselheiro Lafaiete. Ao perguntar para o público, de cerca de trinta mil pessoas, se no inferno tinha fogo, Lobão levou uma pedrada na cabeça que abriu seu supercílio. Ele levou cinco pontos.

Para Hélio Silva, da Polícia Militar, a agressão pode ter ocorrido em represália ao comportamento de Lobão em um show realizado na cidade no ano anterior. Na ocasião, ele disse que Conselheiro Lafaiete não tinha homens, e chamou as meninas de galinhas após jogar milho para a plateia.

Capítulo 55

A irmã mais velha da Regina, a Mônica, foi a responsável pela minha boa entrada na família. A Regina telefonava pra sua mãe, meio que tateando o terreno, sondando o clima, e tudo estava contra mim. Segundo sua mãe, dona Romilda, o seu Hélio não podia nem ouvir falar no meu nome, quanto mais saber que a filha dele estava casada comigo.

Não sei por que cargas-d'água botei na cabeça que o seu Hélio iria gostar de mim, apesar de todo aquele currículo desfavorável... Tinha certeza absoluta de que, se ele tivesse a oportunidade de conversar um pouco comigo, iria desfazer a péssima impressão que deixei.

Decidi que precisava fazer aquilo logo, apesar de todas as irmãs e dona Romilda acharem uma loucura. Afinal, o seu Hélio era um coronel de artilharia, muito rígido e disciplinado, que criara suas filhas sob ordem-unida. Mas eu estava decidido. Tinha que ser naquele momento.

Programamos a viagem a Cachoeira com grande temor e apreensão por parte da Regina e de suas irmãs... Ainda estava montado de Lobão... Vestia-me todo de preto, botas texanas, cinto de taxas e uma algema eternamente pendurada na cintura. E foi assim que cheguei em Cachoeira. Quando nos aproximamos da casa... todas as irmãs vieram ter conosco no portão. A Elisa, a Cláudia, a Mônica. Da Nena eu já era amigo. O seu Hélio me aguardava lá dentro, andando de um lado para o outro com as mãos para trás. Não sei por quê, estava tranquilo e confiante e me apressei em entrar logo. Ao me deparar com o coronel, sinto seu semblante se retrair imediatamente, eu estendo minha mão e me apresento: "Muito prazer, coronel, vim aqui especialmente falar com o senhor, pois gostaria que o senhor me conhecesse melhor"... e ele me olha e me responde: "É bom mesmo, porque a última vez que te vi, você estava com o nariz cheio de cocaína, de cueca, com essa algema pendurada e falando com as paredes." "Puxa, seu Hélio, essa de estar de cueca, algema e falando com as paredes eu não me lembrava." "Pois é, mas estava."... E se sentou debaixo de uma parreira que ele plantara e de que morria de ciúme...

"Senta aí e me fala o que você tem pra me dizer." "Seu Hélio, eu fiz questão de vir aqui falar com o senhor para lhe dizer que amo sua filha, e quero viver o resto da minha vida com a Regina." "Só isso?" Percebi que ele estava arrefecendo sua predisposição em me rechaçar. Senti uma simpatia no ar, não obstante ele tentar manter sua postura inquisitorial... "E o que fez você achar que a Regina é a mulher da sua vida?" "O senhor, quando encontrou com a dona Romilda, não sentiu a mesma coisa? A gente sabe quando isso acontece..." "Pois bem... mesmo que eu quisesse, não ia conseguir convencer a Regina do contrário... sendo assim, o que não tem remédio, remediado está... vamos tomar uma cerveja?" "Oba! Eu sei que aqui tem a Polar, lá de Estrela, não é?" "Isso mesmo, você bem que podia ir até a garagem e colocar mais umas garrafas no congelador..." Saí acelerado de alegria em direção à garagem quando as meninas todas já retornavam do portão curiosíssimas pra saber o que rolou... A partir daquele momento, entrei na família, seu Hélio viria a se tornar um grande amigo e confidente, dona Romilda uma querida sogra e as irmãs, concunhados e sobrinhos (que estavam nascendo em profusão) me adotaram como o novo membro da família. Passaria, a partir de então, todas as festas de fim de ano em Cachoeira... De uma forma ou de outra aquela atmosfera me era muito familiar. Aquela alemãzada me fazia lembrar meus avós, minha infância... Acordei no dia seguinte me sentindo totalmente pertencido.

Em questão de uns seis meses viemos a nos mudar do apartamento da Regina para um mais amplo no Alto Leblon. Ficamos por lá até 1995.

Apesar da falta de grana, sempre fomos felizes juntos. Talvez agora sejamos mais, porque melhoramos como seres humanos, e nosso amor só fez aumentar.

Durante aquele período de início de relação, assim como fui me apresentar à família da Regina, tinha minha filha, que desde a minha separação encontrava alguma dificuldade para me relacionar.

A partir de 1992, já consigo tocar minhas músicas e começo a fazer show de voz e violão, apenas para manter a vida.

Em 1993/1994, continuava a progredir na "fisioterapia" de violão... já conseguia tocar todos os 12 estudos e os seis prelúdios do Villa-Lobos, comecei a estudar a *Chaconne* para violino de Bach, a suíte para cello desacompanhado, todas transcritas para o violão, o "El Decamerón Negro" e o "Elogio da danza", do Leo Brower.

Em 1993, depois de ter conquistado a sua amizade, ter virado um grande amigo, ter se hospedado em nosso apartamento no Leblon e confidenciado suas aventuras enquanto jovem, seu Hélio morre.

Tanto eu quanto a Regina entramos em profunda tristeza.

Regina ficou uns três meses em depressão... não conseguiu sequer ir ao enterro...

Consegui arrastá-la para a missa de sétimo dia em Cachoeira.

No ano seguinte, meio que pra tirar aquela nuvem de tristeza, decidimos nos casar na igreja e fazer uma tremenda festa. Apesar de estarmos duros, conseguimos realizar uma cerimônia cinematográfica com o auxílio de nossos amigos. Conseguimos agendar o restaurante Esquilos, que fica na Floresta da Tijuca, e a lendária Orquestra Tabajara do nosso estimado Severino Araújo. Escolhemos uma capelinha que fica no Alto da Boa Vista, contratamos um quarteto de cordas e realizamos uma cerimônia inesquecível com a presença de todos os nossos amigos, toda a família da Regina, meu pai, meus irmãos, com a Júlia e a nossa sobrinha Isadora, filha da Mônica, de aias.

Eu estava uma baleia, e escolhi um terno creme para piorar a situação, mas, de qualquer forma, foi um dia maravilhoso com a orquestra do Severino tocando ao ar livre, no pátio do Esquilos em meio à floresta, num lindo dia de sol. À tardinha, quando todo mundo já tinha bebido todas, o Torcuato Mariano pegou a guitarra, eu fui pra bateria e o Ritchie e minha irmã foram para os vocais e tocamos "Menina veneno", "Vida bandida" e a "Voz do morro" junto com a orquestra Tabajara.

Foi um dia absolutamente perfeito, parecia até final de novela das oito.

Logo em seguida, comecei a fazer meditação transcendental com a Charlotte, uma senhora alemã judia, refugiada de guerra, um doce de pessoa.

A partir de 1994, eu voltei a formar uma nova banda e voltaria a fazer shows em lugares maiores. Tive a sorte de poder contar com músicos diferenciados em seus instrumentos... pessoas muito especiais. Chamei para a guitarra o Billy Brandão, que se tornaria um grande amigo e também parceiro no próximo projeto, o Marcelo Mariano e o Pantico na batera...

E depois de mais de seis anos sem escrever uma letra, quando lia *As flores do mal*, do Baudelaire, tenho uma súbita inspiração... Juntei na minha cabeça o sentido vetorial de toda a vida na natureza, a lei da gravidade, o castigo dos anjos expulsos do paraíso... verifiquei, no meu entender, que tudo, até a ascensão aos céus, tinha em seu bojo o cerne de todos os nossos pavores em relação à nossa finitude e compus um poema. Dei-lhe o nome de "A queda". Como achei os versos muito compridos e há alguns anos não compunha nada, acabei deixando na gaveta e continuei a fazer meus exercícios de violão.

Estávamos no Carnaval de 1995, assistindo as escolas de samba desfilarem pela TV, a Regina já tinha pegado no sono... a última escola estava passando e o sol já saía... olhei pra minha mulher dormindo, linda, vi o sol nascendo na janela, corri para o violão e em vinte minutos havia composto o meu primeiro samba — "Luz da madrugada" —, e suas primeiras estrofes diziam algo como: "A luz que vem surgir na madrugada/Invade o céu a iluminar a estrada/essa luz a chegar não é o sol, não é o luar/é a beleza da luz do seu olhar..." Minha alegria era indescritível... a primeira coisa que compus em cinco anos foi um samba, e pra minha mulher querida!!

Quando a Regina acordou, mostrei pra ela. Pensamos que estava na hora de aproveitar a inspiração e começar a compor um novo repertório.

Em uma semana já havia feito uns três teminhas, e, por pura coincidência, o Ivo vem nos fazer uma visita.

E foi pensando no conceito de Nostalgia da modernidade que surgiu o samba homônimo, feito em parceria com o Ivo e a Regina...: "Aurora, ninguém mais chora por mim/mas chorar por mim é coisa do futuro/ eu juro, que ao orvalho cair/vou lembrar daquele meu pressentimento de outrora/e agora, nesse momento/o meu tamborim silenciou/ uma lágrima triste se petrificou/dentro do peito de alguém que jamais chorou..."

Naquela tarde, nossa trinca faria mais duas canções...

Mostrei aos dois mais uma sequência.

E foi nascendo "E o jogo não valeu": "Pra começar, quero dizer que ainda sou o mesmo/e nem você mudou/o nosso fim foi um pretexto/ pra recomeçar o que não terminou..."

"A flor do vazio", uma canção meio solene e camerística, veio logo em seguida.

Três músicas em uma só tarde!... E não eram como aquelas colchas de retalho que fizemos no *Cuidado!*... Agora eram canções de verdade...

Na semana seguinte, tirei da gaveta o tal poema e logo achei a solução para seus versos compridos. E em dez minutos e uma sequência de quatro acordes que se repetiam nasceu "A queda".

Com aquele pequeno mas concentrado grupo de canções viria a ser cooptado por uma nova gravadora que se instalava no Brasil: a Virgin.

Apesar de seus executivos acharem o repertório muito diferente do Lobão que procuravam, acabaram por me contratar.

É preciso salientar que, naquela época, um "roqueiro", como sempre me tiveram em conta, fazer um disco daquela natureza era puro suicídio.

De contrato novo, pensei ser a hora de voltar a morar numa casa... Nunca me adaptei em apartamentos e, sendo assim, pegamos nosso carrinho e fomos em busca de uma nova moradia.

Logo na primeira visita, encontramos uma casa maravilhosa no Itanhangá, que mais parecia um sítio. Em menos de duas semanas, estávamos nos mudando para a casa nova.

LOBÃO NA MÍDIA

- No dia 23 de junho de 1993, em entrevista ao jornal *O Globo*, Lobão afirmou que tem “muita vergonha dessa praia do rock ’n’ roll. Chega de barulho. Rock pode ser muito terapêutico para quem não trabalha com isso. Para quem trabalha é sem-vergonhice, diria mesmo imbecilizante”.

- Em 7 de fevereiro de 1994, *O Estado de S. Paulo* afirmou que Lobão está sendo disputado a tapa pelas indústrias do disco após chutar sua gravadora. “Não vou alugar minha liberdade, e o que muitas gravadoras estão fazendo é fabricar bandas falando mal do governo para faturar alto nessa irreverência forjada.”

- Em 31 de maio de 1995, a *Folha de S.Paulo* noticiou que Lobão assinou contrato com a gravadora inglesa Virgin, que prevê a gravação de quatro discos num período de seis a sete anos. “É um selo que dá liberdade para o artista. Por outro lado, acho uma grande responsabilidade, estou um pouco confuso com que tratamento vou dar para minhas composições agora”, afirmou o músico.

Lobão contou que está compondo desde o início do ano. “Depois do Carnaval tive um surto de inspiração.” O novo disco deve ser gravado em estúdios brasileiros. As mixagens e o acabamento final estão a cargo da gravadora — assim como a distribuição — e devem acontecer no final do ano. “A prioridade é a distribuição lá fora, mas queria muito mesmo recuperar a minha imagem aqui no Brasil”, afirmou.

Segundo a *Folha*, Lobão está chateado com essa fase de sua carreira. “Sei que estou passando por um fracasso temporário, mas é a opção de quem quer estar sempre na oposição. Só não aguento ser chamado de ultrapassado ou evangélico. Aparência de independente não é marketing, é iniciativa. Se não pintasse a Virgin, faria sozinho ou driblaria a situação de outro jeito.

- Em 2 de junho de 1995, Maria Rita Kehl escreveu um texto sobre Lobão para a *Folhinha*. Citando os três porquinhos, ela diz que ninguém sabe que eles eram grandes fãs de rock, e tinham um ídolo em comum: o roqueiro Lobão. “Um dia, eles viram na TV o programa do Rock in Rio. No meio dos nomes das feras do rock, estava o do Lobão. Ele ia se apresentar no palco! Os porquinhos nem pediram licença aos pais. Juntaram seus instrumentos, pegaram dinheiro economizado num cofre de homenzinho e correram para tomar o ônibus para o Rio de Janeiro.

“Quem gostou dessa farra foi o Lobo Mau. Ele viu os porquinhos no ponto conversando animados sobre o show do Lobão. Como tinha mais gente no ponto, ele não podia atacar. Correu para casa, vestiu uma peruca comprida, uma camiseta rasgada, óculos escuros, pegou um violão velho e conferiu no espelho: estava a cara do Lobão!", escreveu Maria Rita Kehl.

No entanto, o Lobo Mau não conseguiu disfarçar que detestava rock e não sabia nenhuma música do Lobão. No ônibus, disse aos três porquinhos "que não podia cantar na viagem para não gastar a voz; que ele era um roqueiro rouco, mas não deveria ficar rouco demais, especialmente num megashow como o Rock in Rio.

"Quando estavam quase chegando ao Rio, o Lobo Mau teve uma ideia para ficar sozinho com o seu futuro jantar. Disse que tinha brigado com sua banda e convidou os porquinhos para tocar com ele. O ensaio seria atrás do palco, durante a apresentação de outros grupos. Os porquinhos deliraram. Foram para trás do palco, onde o Lobão de mentira preparava unhas e dentes para atacar os três fãs. Mas a programação do Rock in Rio atrapalhou os planos do Lobo Mau. O sistema de som anunciou a apresentação do roqueiro Lobão, o verdadeiro".

Segundo a psicanalista, o Lobo Mau tentou convencer os porquinhos de que havia algum engano, e que ele era o verdadeiro Lobão. Mas quando viram que ele daria o bote, eles pularam no palco e começaram a tocar. "Lobão levou um susto, mas os porquinhos já estavam começando a tocar. Naquele ano, os metaleiros vaiavam até o Lobão. Mas nessa hora, a reação do público virou: 'Ele trouxe uma banda de porcos!', gritavam os metaleiros. 'Que radical! Que animal!'"

Capítulo 56

Chegamos na casa nova num dia de chuva torrencial. Me lembro que estava lendo *O homem sem qualidades*, do Robert Musil, e a primeira coisa que fiz foi cair numa rede e ficar lá a tarde toda terminando a complexa leitura. Logo em seguida entrei na fase do Borges. Comprei suas *Obras completas* e passei a me dedicar a lê-lo integralmente. Mas sempre dava minhas fugidas para o Nietzsche... Certa manhã estava trelendo *Além do bem e do mal*, e tive um *insight*: se Deus está em tudo e em todos, pois é onipresente e onisciente, logo imaginei que ao ficar entediado ele investiria em sua *persona heavy metal*: o diabo. E comecei a entabular o que seria "O diabo é Deus de folga".

A mudança para um lugar em que dava pra você se surpreender com uma manada de cavalos passando na porta de casa era algo muito especial pra mim.

Tínhamos um caseiro que era a maior figuraça, o Reinaldo, rei do escambo.

A casa era enorme, com uma bela piscina no pátio da frente e uma enorme churrasqueira ao lado. A sensação era de que se estava no meio da floresta.

Agora só faltava povoar a casa com uma boa cachorrada. Assim que chegamos, adotamos uma cadelinha toda branca que já morava na casa, a Bina. Semanas mais tarde, fomos até a serra de Petrópolis pegar o nosso cachorrinho, um *dog* alemão que decidimos chamar de Silva.

Duas semanas mais tarde, no Dia dos Namorados, estávamos passeando por um shopping daqueles da Barra e vimos um filhote de *basset hound*, de duas cores, lindo. Sem pestanejar o trouxemos pra casa e seu nome seria Olavo. Pronto! Estávamos com a família formada.

Meu local de trabalho era um escritório anexo à sala, todo de vidro, que dava para um jardim luxuriante com coqueiros. Lá eu comecei a voltar a me relacionar novamente com as guitarras. Dei um tempo com os estudos de violão... Afinal de contas, estava com contrato novo e tinha que terminar o mais rápido possível o novo repertório.

Era uma sensação deliciosa, depois de tantos anos estudando um instrumento, executando tantas músicas de tantos autores diferentes... eu sentia a presença daquele estudo embutida nas coisas novas que fazia. Minha maneira de compor tinha mudado radicalmente.

A Virgin fez questão de trazer um técnico de fora e arregimentou o Toni Peluzzo, que foi guitarrista dos Carpenters (algo meio surreal), e o querido Mayrton Bahia, como produtor.

Gravamos o disco em duas semanas com a formação da banda sendo: Pantico, na bateria, Bruno Migliari, no baixo, Billy Brandão, na guitarra, Humberto Barros, nos teclados, mais o Alcir Explosão, tantã e tamborim, Bira Show, no pandeiro, Fábio Maláfia, no cavaquinho, Tuca, cuíca, ganzá e pandeiro, Carlinhos, 7 cordas, Dirceu Leite, clarinete, Ivo Meirelles, surdo, Philip Doyle, trompa, Lia Gandelman, oboé, mais uma orquestra com 16 cordas, com os arranjos de Eduardo Souto Neto. E a gravadora nos mandou pra LA mixar no Chapell.

Quando cheguei no aeroporto a Regina mal conseguia me abraçar... Mas como sou uma flor de obsessão não tive dúvida: fui procurar uma clínica especialista em emagrecimento. Fui recomendado para me consultar com um cara super-respeitado no ramo, e me deram o endereço. Quando chego lá, tenho uma baita surpresa: "Chico Magaldi! É tu, rapá!!!"... não conseguia me conter de alegria, não via o Chico desde o primeiro ano do Rio de Janeiro. Ele virou uma espécie de multi-homem, realizando a proeza de abarcar as profissões das mais variadas possíveis. Professor, policial, corredor de motovelocidade, engenheiro eletrônico, e, naquele exato momento, era o papa dos regimes e das dietas de celebridades; hoje em dia é compositor e tecladista com um vasto currículo internacional. Era também amigaço do Zé Luiz, que, por sinal, havia se mudado para Nova York assim que a banda se desfez. Se reinventou por lá. Estudou, se graduou, fez carreira de sucesso e mora lá até hoje.

O Chico me passou um regime infernal e em três meses eu estava pesando 80kg, pronto para iniciar a turnê promocional do disco e aquelas entrevistas e programas de TV...

Quando fui ao programa do Jô, a minha silhueta fez tanto sucesso que acabei virando garoto-propaganda da clínica do Chico. Depois daquele programa, nosso telefone lá de casa não parava de tocar: qual é o endereço dessa clínica milagrosa... o disco iria pro vinagre em menos de dois meses com a venda pífia de 21 mil cópias. Mesmo com "A queda" dentro de uma novela das 19h.

Montamos uma superestrutura para os primeiros shows, em Santos e São Paulo, com um quarteto de cordas e um *combo* de percussionistas da Mangueira mais a banda com baixo, guitarra e bateria... Eram 16 músicos no palco. Chamamos o meu amigo Rogério Gallo pra fazer o clipe da música de trabalho, "A queda", e ele nos sugeriu filmarmos no Chile num vulcão, o Pucón.

Me lembro que fomos fazer um show em Curitiba e no final da apresentação recebi uma caravana de evangélicos no camarim, me elogiando pelas novas letras "espiritualizadas" do disco novo. Ficaram exultantes na parte de "Dé dé dé dé déu", em que eu diria "Quem fuma maconha é débil mental"... Por mais que houvesse a letra escrita no CD eles não conseguiam ouvir o que realmente falava: "Tem uma banda *cover* de *heavy metal*."

Naquela viagem, encontrei numa livraria em Curitiba um livro e um autor que me emocionariam muito: os *Ensaios* de Ralph Waldo Emerson.

Nesse meio-tempo, já com o disco na mão, achei por bem mostrá-lo a um dos meus heróis, que, naquele momento, era quase meu vizinho de porta: Paulinho da Viola... Não podia me conter de curiosidade pra saber o que ele diria sobre aquele trabalho tão "fora de esquadro". Chego na casa dele e Paulinho me recebe com aquela gentileza e aconchego que lhes são peculiares. Meio envergonhado, lhe explico ter realizado um disco meio fora dos meus padrões, e, como era a minha estreia como compositor de sambas, adoraria que ele me desse alguns palpites sobre o repertório. Paulinho, com toda a paciência e atenção, arrumou o equipamento de som, se sentou na minha frente e pôs o disco pra tocar. Sinceramente, eu nunca vi tanta concentração, consideração e honestidade em uma pessoa ouvindo um trabalho meu.

A cada faixa, ele parava o CD *player* para dar alguma consideração. Estava ansioso para ouvir o que ele ia falar sobre os sambas... E depois de escutá-los mais de uma vez, me falou com aquela candura: "Lobão, que sensação interessante... você desenvolve umas linhas melódicas nos seus sambas que eu jamais raciocinaria e desenvolveria dessa maneira... e isso não é uma crítica negativa, muito pelo contrário... é muito bom ouvir alguma coisa que a gente faz há tanto tempo e vem alguém realizando algo que nos surpreenda... agora tem uma coisa que estou notando: você está querendo interpretar as suas canções de uma maneira mais delicada e, às vezes, sinto sua voz um pouco sem inflexão. Quer cantar com delicadeza e emoção?" Deu um *stop* no CD *player* e foi até lá dentro de sua imensa discoteca pegar algo... Veio com dois CDs do Chet Baker: "Lobão... acho que se você ouvir com atenção esse cara você vai saber como desenvolver essa delicadeza que tem dentro de si. Isso aqui...", e me deu os dois CDs que tenho e ouço até hoje!... Paulinho ainda voltaria a ouvir o CD inteiro mais uma vez... com a maior das paciências do mundo, escrutinando cada faixa e... de repente me solta...: "Lobão, vou te dizer uma coisa: você me surpreendeu com a qualidade dos seus sambas, mas, por favor... não deixe de compor seus rocks, eles são muito bem-feitos e não há por que você se envergonhar deles. São tão bons quanto qualquer samba... Tanto o samba, como o rock, como o jazz são manifestações dignas do maior respeito. Nós temos grandes artistas em todas essas áreas, não desista das coisas que você sabe fazer bem, das coisas que te alimentaram, mesmo que a crítica não ajude"... Essas palavras foram fundamentais para que eu conseguisse me reposicionar perante a minha obra como um todo. O Paulinho me deu uma injeção de entusiasmo, fazendo uma crítica que qualquer um artista adoraria ouvir de um crítico "especialista"... Foi a partir daquele encontro que tive a oportunidade de começar a entender como cantar era gostoso... foi a partir dali que deixei de ser apenas um instrumentista para começar a dizer as palavras através da voz.

A meditação estava me proporcionando, junto com a minha leitura obsessiva, mais os anos de violão clássico, uma enxurrada de ideias.

Estava prestes a começar um repertório de um disco que inauguraria a minha fase de compositor solitário.

LOBÃO NA MÍDIA

- *O Estado de S. Paulo* noticiou, em 9 de outubro de 1995, o lançamento do disco *Nostalgia da modernidade.* "Ninguém me entendia, então achei melhor fazer um disco para deixar tudo claro", explicou Lobão. Segundo ele, "seria muito fácil voltar e fazer um disquinho de rock. Mas nesses quatro anos fiquei lidando com a minha mediocridade e precisava fazer alguma coisa mais consistente."

Ele contou que, nesses quatro anos sem lançar nada, passou de oito a doze horas por dia estudando violão, variando entre música flamenca e barroca, já que "o rock é repetitivo, monótono e fascista". Em crítica, o jornal afirmou que "se a ideia de Lobão era substituir a agressividade roqueira pela sutil provocação de obrigar o público a ser tolerante com as diferenças, ele acertou na mão".

Segundo Lobão, "esse disco é um texto. Não se trata de voltar ao passado, mas sim conhecer o que foi feito para dar um passo além".

- Em 26 de outubro de 1995, a *Folha* informou sobre o show de lançamento de *Nostalgia da modernidade*, que seria realizado em São Paulo, entre os dias 9 e 12 de novembro. "A sensação que eu quero dar para as pessoas é que as coisas hoje não estão tão diferentes", diz o músico sobre a intenção de misturar as novidades com músicas antigas. No entanto, segundo a *Folha*, a nova imagem do músico se choca com a estratégia de marketing da gravadora. A música que a Virgin escolheu para "trabalhar" nas rádios é "Dé dé dé dé déu", um rock típico, enquanto Lobão preferia que fosse "A queda", uma música com menos barulho.

- Em entrevista a Mauricio Stycer publicada no dia 26 de outubro de 1995 na *Folha de S.Paulo*, Lobão afirmou que "fracassos e sucessos são como halteres. Você precisa fazer esforço para levantá-los. Sou muito resistente às vitórias. É muito doloroso você ser sucesso, ser uma pessoa pública. É claro que tento evitar o fracasso. Mas não sou aquele cara que clama pelo bem-estar adquirido. Assumo os desconfortos da vida com muita naturalidade".

Segundo ele, "o rock, como representação da realidade, acabou em todo o mundo. Nos anos 1980, quando nós fizemos rock no Brasil, ele já não existia. Eu não estou cuspindo no prato do rock agora. Eu sempre me irritei com o rock. O rock é machista. Todo roqueiro no palco parece passivo sexualmente. Acho isso muito feio".

Ele contou que o que o levou a parar de usar drogas é que "convivia com pessoas que ficavam muito chatas depois de cheirar (cocaína). Pessoas que ficavam me cutucando no final da noite, dizendo que agora me amavam, seguravam no meu pênis e depois queriam sair com a minha namorada. Isso acontecia toda noite. Começava com filosobol e acabava nisso. Filosobol é o esporte da filosofia inútil. 'Deus existe ou não existe?' Ah, cara..."

- Em entrevista à *Bizz* de novembro de 1995 (título "Blá, blá, blá... eu não te amo"), Lobão afirmou: "Cortei o cabelo porque aquele visual era uma caricatura de mim mesmo. Pô, irreverência é ter coragem, é uma obrigação existencial. Não é só ficar xingando e peidando na farofa. Esta história de *teenager* do programa do Serginho Groisman é reacionária. Cabeludos de supostos grupos de rock ultra de direita, contra o aborto e a favor da pena de morte. O que eu tenho a ver com eles?"

Segundo Lobão, a galera da geração 1980 "precisou ter coragem para lidar com a própria mediocridade em que foi chafurdada. O rock virou *jingle* de tênis e de cigarro e eu percebi que a gente não valia nada".

Lobão sumiu depois do lançamento do disco *O inferno é fogo*. De acordo com a *Bizz*, ele "tomou porrada da crítica, levou lata no Rock in Rio, sofreu um grave acidente de moto e resolveu tirar o time. Cortou os cabelos, foi estudar violão clássico, descobriu a MPB e se meteu a fazer um show acústico com banquinho e violão. Resultado: ficou parecendo um professor de geografia. Se deu mal. 'Eu fiz shows pelo Brasil todo e foi um fracasso retumbante. A média de público era de 15 pessoas. Tinha vezes que eu parava o show e convidava a plateia pra jantar".

Além disso, houve um boato de que o músico estaria se tornando evangélico. "Logo eu? Sequer sou ateu. Se eu existo, logo Deus deve existir também. É uma gentileza que faço com um desconhecido."

Lobão ainda declarou que adora "ficar puto. É um esporte pra mim", e que "a cocaína virou droga de chato", por isso abandonou a droga. "É deprimente cheirar e saber que na Bolsa de Valores todo mundo está nessa também. Não tem a menor poesia. E tem mais: cansei da paranoia do PP. Você conhece o papo de papelote? É aquela conversa em que o sujeito fica todo suado, com um odor desagradável, te cutuca o tempo todo e confessa as maiores babaquices. Quando paguei meu décimo mico, decidi que não cheirava mais."

- Em 7 de novembro de 1995, Lobão comentou o nome do novo disco, *Nostalgia da modernidade*, à *Folha*: "Eu me irrito com a concepção de modernidade do brasileiro, que transmite uma ansiedade e uma sensação de obsolescência. Você compra um computador e acha que vai estar velho na semana que vem. Todo mundo se acha ultrapassado. Os *flashbacks* hoje em dia são de três meses atrás. A modernidade produz sofisticação tecnológica e simplificação do comportamento."

Os quatro anos sem gravar ocorreram porque, segundo ele, sua ex-gravadora (BMG) sugeriu que fizesse um disco de protesto e rock pesado, que estava dando grana. "Fiquei preocupado com a banalização do rock e resolvi não gravar nada parecido. Queria fazer acústico."

Ele contou que fazia o show acústico "para viver, até dizerem que eu era romântico-evangélico. O show era um fracasso, às vezes não tinha mais de 15 pessoas. Eu não podia sustentar aquilo, estava morrendo artisticamente (...) Disseram que eu cortei o cabelo porque virei evangélico. A imaginação simplista começou a conjecturar sobre a minha caretice. Porque eu parei de tomar drogas e cortei o cabelo, fiquei 'bonzinho'".

Lobão comentou, ainda, a nova coluna que teve no jornal carioca *O Dia*. Chamada "Bobagens no Submundo do Purgatório", "sacaneava tudo que era evangélico. Falava sobre política, economia, tudo. Durou um ano e meio, parei em julho. Estou a fim de fazer outra vez, adoro escrever".

- Segundo a *Folha* de 11 de novembro de 1995, pouco mais da metade dos mil lugares do Tom Brasil — onde Lobão realizou a estreia do show *Nostalgia da modernidade* no dia 9 — estava ocupada. Para o jornal, é "um sinal aparente de que a nova imagem de Lobão não atraiu muitos dos antigos fãs".

"Dizem que o público está emburrecido, que só quer ouvir músicas conhecidas, mas isso é mentira", disse Lobão. "Quem acreditou na nova personalidade do roqueiro, ainda tem duas chances para vê-lo. Já deviam saber que, antes de tudo, Lobão é um grande gozador", afirmou a *Folha*.

- À *Folha* de 19 de novembro de 1995, Lobão contou como emagreceu 15 quilos em menos de um mês. O segredo, segundo o jornal, foi uma mudança radical de hábitos alimentares e a ajuda de um tratamento à base de ervas com um médico carioca.

"Não quis fazer regime, porque, quando você para, volta a engordar. Optei por mudar meus hábitos, para emagrecer sem sofrer", explicou Lobão, que cortou gorduras e doces. Ele ainda come apenas no horário das refeições e se exercita na bicicleta ergométrica.

- Segundo Lobão disse à *Folha de S.Paulo* em 15 de janeiro de 1996, "os anos 1970 foram uma época muito romântica". Na década, ele morava em uma comunidade alternativa em Itaipava, com integrantes do Vímana. O músico diz que há diferenças entre os shows dos 1970, 1980 e 1990. A começar pela plateia.

"Era um público 'hipponga', metafisicamente hippie. Havia muita maconha e ácido. As pessoas meditavam, algumas assistiam em posição de lótus. Se comportavam de maneira muito espiritualizada."

- Sobre o álbum *Nostalgia da modernidade*, Lobão afirmou no dia 1º de agosto de 1996 à *Folha* que sente que não foi muito claro ainda, pois a mistura de rock, samba e maracatu não foi bem-assimilada. "Quero ser promíscuo, harmoniosamente promíscuo. Não abro mão da minha liberdade. Dá pra fazer rock, pop, samba, sem entrar em contradição nem ser louco."

Sobre uma possível versão acústica da música "Revanche", um dos seus maiores hits, ele declarou que "essa música é muito Geraldo Vandré. É de uma autocomiseração que me dá vergonha."

Capítulo 57

A primeira canção a ser feita para um próximo trabalho foi "24 horas": "Não sei se faz ainda algum sentido/Te lembrar que o dia já começa a clarear/devagar as luzes da cidade vão quase morrendo/e você aí parada olhando um poste bêbado se apagar..."

Também outra que fiz logo em seguida foi "Sozinha minha", uma das minhas prediletas, e o "Samba da caixa-preta".

Na semana seguinte, faço o que seria a faixa-título, "Noite": "Caiu a noite/chegou a hora/parece que não vem/mas a vontade que demora/não dá mais pra ficar sem sentir/quero ouvir no estômago e ver o teto cair/por favor vê se aumenta a pressão/eu tô na paz, eu tô relax/mas preciso de mais emoção..."

E, no dia seguinte, eu fiz a "Véspera": "Como tudo que dói/a tarde vai queimando o lixo e a beleza no seu véu/de fumaça e cinza/espalhando o calor no abandono do dia..." E o refrão: "Aí eu me pergunto: hoje é véspera de quê?/Aí eu me pergunto: hoje é véspera de quê?/Talvez hoje seja, simplesmente, véspera de nada."

Mas, antes disso, recebo outra notícia: o Ivo vem me contar que o nosso núcleo da bateria da Mangueira, então recém-batizado de Funk'n'Lata, foi arregimentado para gravar disco... *Vamo batê lata*... Quem estaria assinando a produção e a maioria das faixas era o Herbert Vianna.

Nisso, me arranjam uma entrevista enorme numa revista feminina junto com o Renato Russo. Achei bem interessante, uma vez que jamais tivera a chance de encontrá-lo a não ser ocasionalmente em locadoras de vídeo. Nos reunimos em um restaurante japonês em Ipanema e conversamos por umas seis horas seguidas. Nos afinamos muito mais do que poderia imaginar... Falamos sobre uma centena de assuntos e saímos de lá com a impressão de que nasceria uma profunda amizade. Passamos a nos telefonar semanalmente, e como ele era tão ou mais tímido que eu, o processo era lento. Nos encontramos uns dois meses depois pra tirar as fotos, numa sessão engraçadíssima... ali, nós já estávamos mais colegas e mais relaxados e demos boas gargalhadas ao posarmos... Não podia fazer ideia de que aquela seria a última vez a vê-lo: morreria em seis meses... no dia do meu aniversário.

Bom... a gravadora havia rescindido meu contrato... estava novamente sem a menor perspectiva...

Voltei ao violão clássico.

Chega o final do ano e, como sempre, nos mandamos pra Cachoeira. Quando retornamos, o meu empresário da época agendou uma turnê americana em algumas cidades: Miami, Washington, Newark, Nova York e Boston... e convoquei uma formação com o Billy na guitarra, o Dino na bateria e o Bruno Migliari no baixo. Nós haveríamos de gravar uma fita demo de oito canais num estúdio de um cara nas imediações de Newark...

LOBÃO NA MÍDIA

- "Não gosto deste papo de *happening* telecoteco. Não preciso usar o tamborim para fazer demonstração de dignidade. Por mais que eu toque rock, sempre fui uma crônica ambulante do país", afirmou Lobão ao *Jornal do Brasil* do dia 14 de março.

Ele acha seu último disco, *Nostalgia da modernidade*, seu melhor trabalho, apesar de o público não ter a mesma opinião. "Eu sou um cara facilmente rotulável. Posso ser de repente o 'doidão', o 'roqueiro', o 'antirroqueiro', essas coisas. Por isso quis fazer um disco que mostrasse um leque amplo de ritmos, estilos. Mas eu sabia que tinha pouca chance de ser compreendido através de um disco desses", afirmou.

- No dia 10 de julho de 1997, o jornal *O Estado de S. Paulo* afirmou que Lobão, com 39 anos, vive em um sítio na Barra da Tijuca, e continua "polêmico, bombástico, revolucionário e inquieto, mas está mais bem-humorado do que nunca". O músico acaba de finalizar o disco *Caixa-preta*, inspirado "na vergonhosa campanha das Olimpíadas Rio 2004".

Para o jornal, uma das senhas do sucesso de Lobão é a sinceridade e sua preocupação extrema com a ética, doa a quem doer. Na época que compôs "Vida bandida", por exemplo, abria a música gritando "Aí, galera da 11", referência à cela número 11 em que ficou preso.

Segundo o jornalista Luiz Antonio Mello, do *Estadão*, "estigmatizado, idolatrado, mas, acima de tudo, cansado de ser tratado como um roqueiro qualquer, ele decidiu cortar os cabelos e, gordo, fez shows com banquinho e violão mostrando o seu outro lado, o lado apaixonado pela música brasileira de raiz (...) Foi aplaudido por um público que até recentemente o exorcizara. Lobão admite que foi provocação: 'Eu queria chocar, cortei o cabelo quase a zero, engordei, mostrei que sei compor num amplo espectro e o público gostou'".

- Sobre o clipe da música "A queda", o *Estadão* informou, no dia 10 de julho de 1997, que a música foi "rejeitada pela burguesia brasileira", vista por alguns como um "atestado de decadência assinado pelo próprio cantor".

Ele explica, no entanto, que é "a queda para alçar voo, a queda dos anjos, do inexorável, do sorriso aeróbico da mulher que não quer cair".

Segundo o *Estadão*, "é uma grande música e se os anos 1990 fossem os 1980, ela estaria estourada em todo o país. Na época, só a MTV acreditou e de vez em quando ainda coloca o clipe no ar (...) 'A queda' é marcada pela impressionante capacidade que Lobão tem de produzir sons contundentes. É devastador".

O jornal explicou que o público "estava com saudades de Lobão soltando fogo pelos amplificadores (...) o povo quer de volta o Lobão incendiário, guitarra em riste, esbravejando libertação, energia, justiça, ética".

- O *Estado de S. Paulo* publicou, no dia 10 de julho de 1997, uma reportagem sobre o novo trabalho de Lobão, "um disco pesado e espetacular. É Lobão retomando o que gosta de compor depois de mostrar — de cabelos cortados, com cem quilos de peso, banquinho e violão — que é um bom compositor plural".

Em uma miniexcursão pelos Estados Unidos — com passagens por Miami, Boston, Nova Jersey e Nova York —, Lobão tinha como objetivo testar uma banda ao vivo, mas ele voltou frustrado com o público. "Senti-me em Araçatuba o tempo todo, a maioria das pessoas que foi ver meus shows, em que mostrava músicas novas, com músicos novos, era de brasileiros parados no tempo, saudosistas, defasados em dez anos no mínimo."

Segundo o *Estadão*, o novo disco de Lobão está pronto, mas ele não tem pressa, pois quer conversar com as gravadoras. "Quero chegar a um meio-termo, nem fazer sucesso por imposição, nem dar prejuízo à gravadora, pois a liberdade que conquistei não tem preço."

Sobre os anos 1980, ele declarou que foi a geração "suicida". "Os grandes ídolos Júlio Barroso, Cazuza e Renato Russo, três cabeças fundamentais, cruciais, morreram. Júlio era jornalista, um cara extremamente articulado, inteligente; Cazuza era um mito; e Renato Russo morreu em um momento muito difícil para nós, pois a gente precisava muito dele naquela hora."

Ele acha que faltou união entre os integrantes do chamado "rock Brasil". "Minha geração errou porque deixou-se levar pelo megaestrelato, abríamos festivais internacionais, desvalorizando nosso trabalho, e fomos massacrados pela mídia."

Capítulo 58

Como estava novamente sem gravadora, necessitava de uma boa demo para tentar convencer alguém a me contratar... ainda estávamos numa época em que se você não tinha um contrato com uma gravadora você não era nada.

No final de março, início de abril, nós embarcamos rumo à nossa excursão americana. Era um circuito meio daqueles de pizzaria...

Os shows não nos trouxeram nenhuma novidade. Era um público constituído de brasileiros que, após o nosso show terminar, começavam a ouvir o Só Pra Contrariar e congêneres... Era assustador.

Os pontos altos foram as gravações da demo. Fizemos o "Samba da caixa-preta" e "Sozinha minha". Tenho essa fita comigo aqui em casa, mas nunca mais ouvi.

Ali perto do estúdio, tinha uma loja de instrumentos enorme e lá adquiri meu violão Gretsch, de 12 cordas, modelo Ranchero, que viria a ser o meu grande companheiro, me ajudando a fazer praticamente todo o restante do projeto.

Qual seria o destino do próximo trabalho?

Logo ao voltar, componho uma música imediatamente... nada como um instrumento novo para estimular a inspiração. No mesmo dia, empunhando o meu Gretsch, compus a letra e a música do que viria a se chamar "Meu abismo, meu abrigo": "Para um pouco, descanse um pouco/relaxa e olha pra mim/e vê se dá pra destravar/que da minha parte/você sabe que eu não quero nada além do que você consegue ser/nem mais nem menos/então, vem agora/meu amor, meu amor/a tua liberdade é tudo o que eu quero desfrutar/minta, inventa qualquer verdade/se sinta à vontade pra poder dissimular...” E o refrão: “Por isso conta comigo, pra qualquer destino/meu abismo, meu abrigo/só se vive o que se ama... e quem ama/não pode/esperar nada de quem tudo se quer...”

Nas semanas subsequentes, acabei formulando um *riff* no Gretsch e, ao voltar pra casa vendo uma vinheta da MTV que mostrava o famoso quadro do Munch, *O grito*... aquilo me deu um estalo e subi correndo para o meu escritório e saiu como se fosse um ditado a letra de “O grito”...

Fiz, no dia seguinte, “Na poeira do mundo”.

Novamente sem contrato, entregamos a casa, deixamos os cachorros com o caseiro e fomos para um apart-hotel em Ipanema.

Foi naquela ocasião que uma nova gravadora, a MCA, se mostrou interessada em me contratar. Eles deram uma olhada no material e bateram o martelo.

Eu ainda fui pra Cachoeira e o Humberto (Barros) e o Jongui (o produtor) ficaram trabalhando nas programações.

O disco foi gravado numa máquina de Adat de oito canais.

Peço ao meu querido Aurélio, nosso engenheiro de som, pra fazer a capa e ele capricha concebendo uma das artes gráficas que mais gosto dentre todos os meus discos, com um iguana pegando sol à meia-noite.

Capítulo 59

Com a nova e exígua residência, vieram novos hábitos. Passei a andar todo dia por toda a orla e pela Lagoa, sempre antes do alvorecer. Meu reencontro com o bairro em que fui criado se tornaria o epicentro do próximo trabalho que já começava a brotar.

Como estava a fim de inserir a música eletrônica no meu conceito, comprei um teclado Yamaha, bem modesto, mas repleto de *pre-sets* com batidas e timbres bastante interessantes.

Na primeira semana de uso, como escolhi o timbre do piano acústico de cara, compus um tema instrumental inspirado nos meus passeios às cinco da manhã pela Lagoa e fiz "Amanhecendo na Lagoa".

Foi nessa ocasião que tivemos uma notícia trágica. Meu querido Alcir Explosão fora executado. E por uma criança de sete anos!

Como lia Gérard de Nerval, decidi fazer um poema com a estrutura de um de seus mais famosos, "El Desdichado", que ficou assim: "Eu sou o tenebroso, o inconsolado/O Príncipe de Aquitânia na Torre da Abulia/a minha estrela está morta/com meu alaúde constelado/a refletir a escuridão do sol negro da melancolia..."

E, meio sob o choque da perda do meu querido amigo e meio que me autopsicografando, escrevi:

Eu sou o Tenebroso, o irmão sem irmão

o Abandono, o Inconsolado
o Sol Negro da melancolia
Eu sou Ninguém, a calma sem alma

que assola, atordoa e vem
no desmaio do final de cada dia
eu sou a Explosão, o Exu, o Anjo o Rei
o Samba sem canção
o soberano de toda a alegria que existia
no desmaio do final de cada dia
eu sou a Explosão, o Exu, o Anjo o Rei
o Samba sem canção
o soberano de toda a alegria que existia
Eu sou Nada e é isso que me convém,
eu sou o Sub do Mundo e o que será que me detém?...

Eu sou o Poderoso o bambambã, o Bão! Eu sou o Sangue!
Não! Eu sou a Fome!
Do homem que come na mão de quem vacila
eu sou a Camuflagem que engana o chão
a Malandragem que resvala de mão em mão
eu sou a Bala que voa pra sempre, sem rumo, perdida
eu sou a Explosão, o Exu, o Anjo o Rei
eu sou o Morro! O soberano da alegoria que foi a minha vida
eu sou a Execução, a Perfuração
o Terror da próxima edição dos jornais que me gritam, me devassam e me [silenciam
Eu sou Nada e é isso que me convém
eu Sou o Sub do Mundo e o que será que me detém?

Neste meio-tempo, vaga um apartamento mais espaçoso! Nos mudamos para a cobertura, e isso me deixou mais produtivo.

Como não tínhamos como arcar com os custos de uma banda em virtude do grande fracasso comercial do *Noite*, decidi encarar a estrada só com o meu Gretsch de 12 cordas e saí pelo Brasil afora fazendo shows superportáteis... Eu não levava ninguém exceto eu mesmo. Foi nesse momento que a Regina começa a empresariar os shows. Já havia sido a produtora executiva do *Noite*. O modelo deu certo e se tornou o nosso arrimo por um bom tempo. Demos uma desafogada na penúria e continuei a compor todas as tardes...

Agora, com toda aquela feérica produção, não conseguia ninguém que se interessasse pelo novo projeto. Eu só recebia propostas para fazer regravações. O *Acústico MTV* estava super em voga, só que, na minha opinião, haviam transformado uma boa ideia num caça-níqueis.

Mas eu tinha plena convicção que nunca havia composto canções daquela qualidade, estava sentindo que era, naquele instante, o meu nascimento como um artista realmente independente. Passava a fazer meus arranjos no Yamaha, compunha as letras e as músicas... e aquilo tudo, como não poderia deixar de ser, estava me motivando totalmente a seguir procurando o novo e o melhor pra mim.

Vem o fim do ano, as festas, e lá vamos nós pra Cachoeira. Dessa vez, levei meu teclado, mas antes passei numa loja de discos em São Paulo e comprei um monte de CDs de *trip hop*. Comecei a ouvi-los nas andanças pelas madrugadas de Cachoeira, e descobri um álbum que forjaria todo o conceito sonoro do projeto. O CD do Portishead ao vivo no Roseland, em NYC. Sabia que o gênero estava se exaurindo, mas lembrei que o Bach foi o rei do barroco quando o estilo já estava datado. Pensei: isso serve pra mim, e, sendo assim, se isso me motiva dessa maneira, é sinal de que alguma coisa criativa vai sair... E lá mesmo comecei a compor, no teclado, o que viria a ser o "Universo paralelo".

Voltando a Ipanema, já estamos em pleno Carnaval. Àquelas alturas, eu não podia nem ouvir falar em folia, desfile de escola de samba... tudo aquilo ficara pra trás... Ao acordar pela manhã, ouço uma batucada vinda da rua. Era uma rapaziada fazendo um churrasco na esquina da Barão com a Farme. Era uma segunda-feira de Carnaval, o sol estava radiante e, ao invés de me incomodar com o barulho, brinquei de abstrair e transformar aquelas informações, como se estivesse vivendo num universo paralelo e, em 15 minutos, praticando esse exercício de abstração, veio a música e a letra duma bossa nova que homenageava tudo o que Ipanema não tinha a menor condição de me oferecer: uma Ipanema *noir*, ou "Ipanema no ar"...

Estava adorando o contraste... enquanto compunha aquelas linhas delicadas, o couro comia no batuque do churrasco da esquina. E eu concluiria a letra com uma frase de esperança meio "azar dos fatos": "Ainda não é verão, nem é Carnaval e isso me interessa!"

Chegamos em março e nada de alguém se interessar por um projeto meu de coisas inéditas... e mesmo assim continuava a compor todos os dias. Nessa ocasião fiz uma canção de que gosto muito, e não sei por que me lembrava muito o Roberto Carlos... Veio a se chamar "Pra onde você vai?".

E ainda trabalhei no tema *trip hop* que havia composto em Cachoeira... acabei fazendo uma letra pra ele, e assim nasceria "Universo paralelo"...

Já estava com um repertório polpudo, e decidi gravar uma demo lá em casa mesmo. Ficou bem apresentável. Pensei ter uma meia dúzia de canções poderosas e tentei novamente entrar em contato com algumas pessoas. A primeira foi um ex-empresário meu que, ao ouvir os primeiros acordes de "Universo paralelo", deu um *stop* no gravador e me disse: "Lobão, isso aqui é música de vanguarda até na Inglaterra. Nosso povo é burro e precisa de repetição. Você sabe que dá o maior pedal tributo a morto no Brasil, né? Grava uma do Cazuza, outra do Renato Russo... Regrava sucesso seu, tipo 'Me chama'... Te garanto que vai ser o maior sucesso. Quanto a essa fita, esquece, rasga essas composições modernosas que o público já te ama pelo que você já fez... Capitaliza os anos 1980, rapaz!"

Sinceramente, depois daquela conversa, entrei em profunda depressão... não via uma maneira de lançar aquele material que tinha certeza ser o meu melhor trabalho.

Tomei um porre de lascar, peguei um monte de calmantes e engoli, cortei os pulsos com a serrinha do meu canivete suíço e, em completo estado de delírio, corri para o parapeito da varanda para me atirar do último andar. Desses últimos momentos, eu já não me lembrava de mais nada, não fosse a Regina pra me segurar. Mas, segundo ela, eu me debatia e não saía do parapeito. Ela teve que chamar a ambulância com enfermeiros bem parrudos para, depois de quase uma hora, me tirarem de lá de camisa de força. Quase morri, devido à hemorragia nos pulsos, e, mais uma vez, acordei num quarto de hospital. Havia sido internado numa clínica lá na Barra.

Depois da alta, minha psiquiatra me recomendou expressamente que tivesse sempre ao meu lado um enfermeiro. E assim foi nos próximos meses.

Quando voltei a mim, inexplicavelmente senti que redobrara a vontade de compor, e iniciei o trabalho das canções que fechariam o repertório do que viria a se transformar no *A vida é doce*.

Naquele período fui terminantemente proibido de ingerir bebidas alcoólicas e comecei a compor sóbrio.

Regina já lidava bem com computador e se embrenhava cada vez mais naquele ofício…

Ela aprendeu tudo sobre o *métier*. Nós já estávamos casados há oito anos e ela já conhecia todos os contratantes do país, sabia tudo sobre montagem de palco, som, iluminação e tudo o mais que envolvesse contratos e shows.

Regina havia se formado em fotografia e iniciara um curso de computação gráfica, ali pertinho, no Centro Comercial de Ipanema…

Eu sempre ia com o enfermeiro pra buscá-la na saída do curso, pra tomar um cafezinho no Letras e Expressões de Ipanema.

Numa tarde daquelas, me preparei, como de costume, e chamei o enfermeiro, mas logo percebi que estava uns vinte minutos adiantado… Fiquei meio indeciso se saía logo ou se esperava mais um pouco em casa… porém, ao olhar nossos retratos colados na parede da sala, me deu um *insight*. Peguei o violão com o capo na segunda casa e compus um teminha… em seguida, li um recado antigo da Regina dizendo que ela gostava muito mais de mim do que eu dela… Misturando todas essas informações na cabeça, somadas à nítida sensação de que ia morrer em breve, escrevi uma letra naquele intervalo de 15 minutos. E coloquei uma epígrafe ao lado do título: "Isso é pra você parar de dizer que me ama mais do que EU TE AMO!!!" E nesse intervalo mágico de 15 minutos nasceu "Vou te levar", e a letra era assim: "Pensar em tudo que se passou, que se pôde sonhar e não realizou. A vida tentando escapar, mas não por agora. Ao mesmo tempo tanta coisa se amou, se refez, se perdeu, se conquistou. Retratos estampados do nosso amor, em preto e branco, pregados na parede, revelando pra sempre a gente, nosso orgulho um do outro, olhando pra lente como quem dissesse 'não queremos mais nada nesse mundo' e que me lembrasse a cada instante que valeu a pena cada lance, e valerá, tenha certeza, pra toda a vida. Vou levar, vou te levar, pra onde for, vou te levar. Vou levar, vou te levar, pra onde eu for, vou te levar." E logo no dia seguinte, no embalo da minha alegria recuperada, não pensava mais se aquele trabalho iria ou não acabar publicado ou gravado. Queria produzir… Tinha tido outro *insight* me alertando: o principal estava dentro de mim, eu era feliz em poder desfrutar de uma situação raríssima: entrando nos meus quarenta e poucos anos, estava mais inspirado e profícuo do que nunca… havia crescido, me formado, virado um artista que amava o que fazia, me nutria de uma intensa vida interior, que jamais me deixaria entediado... então do que se mortificar? Se o mundo não me queria... azar dos fatos...

Naquela noite, voltávamos de madrugada do Baixo, quando passamos, como sempre, no Letras... ao sair, presenciamos uma cena patética: um homem, morador de rua, havia sido atropelado enquanto estávamos fazendo um lanche e lendo alguns livros... e uma ambulância chegava de sirene ligada, mas tarde demais: o homem tinha acabado de morrer...

Fomos pra casa, quando um caminhão de lixo, fazendo aquele barulhão, nos impede a passagem por alguns minutos... logo em seguida conseguimos entrar na garagem.

No dia seguinte, pus-me a experimentar um pedal de *delay* que havia comprado no dia anterior... E, remexendo nos botões, encontrei uma repetição longa e rápida... e comecei a tentar formar um grupo de acordes que fizessem um desenho rítmico interessante. Optei pelo sol maior, e comecei a fazer uma sequência com uma atmosfera dramática. Fui para o teclado e complementei a sequência com um *chorus* de violinos com frases superagudas, para ganhar mais tensão e dramaticidade. Escolhi uma levada no mesmo BPM que o *delay* da guitarra. Aquilo tudo me empolgou e, sempre com o enfermeiro do lado, comecei a escrever coisas que misturavam a minha tentativa de suicídio com aquela cena trágica do sem-teto atropelado.

Imaginei compor um texto que fosse em dois tempos. Um homem angustiado com seus problemas, olhando para fora e enxergando outros tantos problemas... essa seria a fórmula... e comecei a escrever: "Com a mesma falta de vergonha na cara/eu procurava alento no seu último vestígio/no território da tua presença impregnando/tudo, tudo que eu não posso nem quero deixar que me abandone. Não posso nem quero deixar que me abandone, não..." E logo em seguida, voltei às recordações da madrugada anterior e utilizei aquele cenário para contraponto da primeira estrofe: "São novamente quatro horas/ eu ouço o lixo, no futuro/do presente, que tritura/as sirenes que se atrasam pra salvar atropelados/que morreram, que fugiam/que nasciam, que perderam/que viveram, tão depressa, tão depressa..." E, empolgado, escrevi a estrofe onde o personagem cai em si, misturando as duas realidades: "E de repente o telefone toca/e é você do outro lado me ligando/devolvendo minha insônia, minhas bobagens/pra me lembrar que eu fui a coisa mais brega que pousou na tua sopa/me perdoa, daquela expressão pré-fabricada/de tédio, tão canastrona, que nunca funcionou nem funciona."

Mostrei o escrito pro meu enfermeiro todo empolgado. Mas sabia que estava faltando uma conclusão... achei melhor refrescar as ideias e convidei a Regina pra ir ao cinema. Estava passando lá no estação Botafogo um filme de um cineasta grego, Theo Angelopoulos, chamado *A eternidade e um dia*, que tratava sobre o encontro de um grande escritor que estava se recolhendo a caminho de um hospital, em estado terminal, com um menino fugitivo albanês. Esse senhor acaba ajudando o menino a cruzar a fronteira através de uma fuga em um navio. A história se passa em meio a muitas recordações oníricas, e o tal senhor sempre se lembrava de um poeta grego do século XVIII que havia escrito um poema cuja conclusão, o último verso, fora perdida.

O fantasma desse escritor aparece através de toda a trama. E o escritor se lembrava de todo o poema, menos da última frase.

Ao final, numa cena surreal, dentro de um ônibus, quando o escritor e o garoto estão indo rumo ao porto deixar o menino, eles presenciam a entrada insólita de um quarteto de cordas, que começa a tocar e, de repente, entra o fantasma do grande poeta grego, senta-se ao lado do escritor terminal e profere finalmente a frase tão esperada, que concluía o seu poema: "A vida é doce..."

A vida é doce!!! Regina! Eu acabei de achar a frase que conclui a letra que estou escrevendo em casa!!

E ao retornar a Ipanema, pego o meu caderno e furiosamente completo o escrito da tarde: "Me perdoa, a vida é doce, me perdoa, me perdoa, me perdoa..." Eu devia estar, poeticamente, pedindo perdão à Regina pela recente cagada... Acabava de nascer uma das canções mais dramáticas que já escrevera: "A vida é doce", que viria a se tornar o título do próximo disco.

Estávamos prestes a nos mudar para o Leblon. Uma querida amiga nossa, a Lúcia, alugou para nós o seu apartamento térreo no Leblon... Estava ganhando alta da dra. Julieta, que acabara de remover os enfermeiros do meu dia a dia.

Mas ainda faria a última canção naquele apart... "Mais uma vez", que dizia assim em seu começo: "Às vezes é melhor deixar a onda passar/Às vezes é melhor virar a página e recomeçar tudo de novo, tudo de novo, mais uma vez...", e terminava com os seguintes versos: "Às vezes é melhor deixar o grito escapar/às vezes é melhor perder o controle e desabar/e quebrar todas as promessas, todas as promessas e atacar!"

E era exatamente o que iria acontecer: como não adiantava ficar na defensiva, me preparava para o maior ataque que a indústria fonográfica teve notícia em solo brasileiro. A partir de então, meu lema será ATACAR!

- Em 6 de janeiro de 1998, a *Folha* explicou a formação da banda Vímana, na qual Lobão começou sua carreira tocando bateria. Criada em 1974, a banda é resultado da junção de duas outras bandas, Veludo Elétrico (da qual vieram Lulu Santos e Fernando Gama) e Módulo Mil (Luiz Paulo Simas e Candinho).

Em 1975, a banda ganhou sua conformação definitiva: com a saída de Candinho, o adolescente João Luiz, o Lobão, assumiu a bateria, Lulu ficou nas guitarras, Simas, no teclado, Gama, no baixo, e o imigrante Ritchie virou vocalista principal. Um dos primeiros trabalhos dessa formação foi atuar como banda de apoio de Marília Pêra no show "Feiticeira".

O Vímana terminou em 1977, após produzir material para um LP — nunca lançado — e um compacto — que a gravadora Som Livre guardou na geladeira por oito meses antes de editar.

Depois, Lobão gravou com a Blitz *As aventuras da Blitz* (1982), mas saiu antes de o disco ir às lojas. Lançou *Cena de cinema* (1982), mas só foi engatar carreira solo em 1984, com o hit "Corações psicodélicos".

- No mesmo dia, a convite do jornal, Lulu Santos, Ritchie e Lobão se reencontraram no Rio para uma sessão de lembranças sobre o Vímana. Segundo Lulu Santos, "o que Vímana significa na cosmogonia sânscrita — é uma palavra em sânscrito — é 'carruagem dos deuses'. Mas eu achava que Vímana era o disco voador".

Lobão contou que quando ouviu falar do grupo, "havia um personagem do *National Kid* que se chamava Vímana. Fui ver o show até meio a contragosto, só porque achava que era uma sátira ao *National Kid*". Lulu contou como Lobão entrou no grupo: Eu estava numa loja de discos, e uns garotos lá fora, na vitrine, apontavam para mim, fazendo gestos. Um deles, Rui Márcio, entrou e disse: 'Você não é o Lulu, do Vímana?' 'Sou.' 'Não está precisando de baterista?' 'Estou.' 'Eu conheço o melhor baterista do Brasil.' 'Como se chama?' 'Lobão.'

"Eu fazia um certo gênero, queria largar a bateria e tocar violão clássico. Ouvia o que os outros garotos ouviam, mas dizia que não gostava, que era uma porcaria. Entrei no Vímana, era um fedelho superprotegido pela mãe, que gritava: 'Maconheiros!', 'Não vai!'. Lulu era má companhia. Quando cheguei, cheguei nervoso, com fixador na cabeça, nunca tinha tocado numa banda. Aquilo estava sendo uma aventura, tinha que ir para São Paulo tocar com a Marília Pêra. Minha mãe: 'Não, esse garoto não vai, ele é menor de idade!'", afirmou Lobão.

O músico explicou que a convivência entre os integrantes era "como um serviço militar", um "psicodrama". Segundo a *Folha*, "o

Vímana, símbolo de uma geração perplexa e imobilizada — ou, no caso da banda como entidade, de uma geração abortada antes de vir à luz —, rapidamente se esfacelou, pelas mãos do 'anjo exterminador' (como define Lulu) Patrick Moraz, ex-tecladista da banda progressiva britânica Yes então morando no Brasil, que dizia arquitetar planos de sucesso planetário para o grupo".

"Ainda que anônimo, o Vímana abriu as portas para a geração 80, que, cada vez mais absorvida pela falta de identidade legada pela repressão e pelos anos '*yuppie*', forjou o rock nacional, em geral fundado na mimese de modelos roqueiros importados — prática que a criatividade brasileira em música popular poucas vezes permitira antes. Dividiram-se entre a 'fidelidade' às raízes (Fernando), o respeito apaixonado às regras de mercado (Lulu), o conflito com o mercado (Ritchie), a rebeldia frente ao mercado (Lobão), a heterodoxia (Luiz Paulo)", escreveu o jornal.

- O *Jornal do Brasil* afirmou, em 9 de janeiro de 1998, que o novo disco de Lobão terá, em suas 11 faixas, uma unidade estilística e a participação de convidados como Lulu Santos e Plínio, do grupo O Profeta. Além disso, há influências de música eletrônica europeia, de bandas como Prodigy e Chemical Brothers.

"Eu fui expulso da BMG. Meu disco *Nostalgia da modernidade* não vendeu nada e eles decidiram terminar o contrato. Nenhuma gravadora me queria", disse Lobão, já na MCA-Universal. *Vida bandida*, o maior sucesso do músico — com 380 mil cópias vendidas em 1987 —, é considerado por ele resultado de uma curiosidade "quase zoológica" pelo artista, que acabava de sair da prisão por porte de drogas.

Segundo o jornal, após boatos de que havia se tornado evangélico, Lobão contou que a única religião que já o divertiu foi a umbanda. Aos oito anos de idade, tentando se livrar de um castigo, forjou uma mensagem psicografada do avô para a mãe. Aos 12, quando lia *Manifesto do surrealismo*, de André Breton, e *Além do bem e do mal*, do Nietzsche, ia ao terreiro para conversar com os cavalos do espírito Tranca-rua, e chegou a ver a incorporação do Exu caveira.

"O cara moía vidro e comia. Eu disse: 'gostei desse cara.'" Decidido a entrevistar a entidade, ficou concentrado e apagou. "Quando acordei, o quarto estava todo virado. Tinha surtos de cólera e passei anos tomando remédio para epilepsia."

"Nunca fui um grande vendedor de discos. Acho que o que eu faço é bom. Se eu continuar fazendo, um dia vão prestar atenção", disse.

- Em 15 de abril de 1998, o *Estadão* informou que o novo disco de Lobão, *Noite*, tem músicas sampleadas, algumas com batidas de drum'n'bass e jungle e citações de bossa nova. "Fiz um disco com esse toque europeu de propósito, só pra provocar", disse.

Segundo o roqueiro, o brasileiro ou é colonizado demais ou ufanista e nacionalista ao extremo. "Não tem coisa mais caipira do que um cineasta brasileiro fazer roteiro americano para ganhar o Oscar", afirmou ao citar *O que é isso, companheiro?*. "Por outro lado, aquelas teses do Roberto Freire e do Darcy Ribeiro são nazistas demais", concluiu.

- Sobre o novo disco de Lobão, *Noite* (o primeiro lançado pela Universal), o jornal *O Globo* afirmou, em 16 de abril de 1998, que a faixa "Samba da caixa-preta" se destaca. A música foi escrita durante a campanha Rio 2004, que lançou a cidade como candidata a sede das Olimpíadas, e mostra o repúdio do músico à ideia. Para ele, o Rio não tem infraestrutura para abrigar o evento.

- No dia 17 de abril de 1998, a *Folha* noticiou o lançamento do álbum *Noite*, e explicou que este não é um CD "tecno, não é feito para pistas de dança nem para *clubbers*. É disco brasileiro, feito para brasileiros". Segundo o jornal, *Noite* "é um compêndio de poemas sombrios, pessimistas, às vezes assustadores. A melodia existe, mas não é prioridade — poucas faixas são cantaroláveis, radiofônicas".

Em entrevista, Lobão contou que está "num momento de absoluto exílio. Tenho sido muito, mas muito descredenciado, às vezes como um bufão, outras como um aposentado. Mas, em vez de me recalcar, funciona como um haltere para minha alma". "Duvido que haja algo tão ousado quanto este disco na praça. Meus níveis de vendagem são tão dramaticamente baixos, que posso fazer o que quiser. Pareço um artista novo, estreante", disse o artista contratado pela Universal.

- Em 20 de abril de 1998, *O Globo* afirmou que o último grande amigo de Nelson Gonçalves não pertencia à Velha Guarda da MPB: ele era Lobão, que o conheceu em 1987 nos estúdios da BMG em Copacabana. "Ele foi logo dizendo para mim: 'Eu sou você anteontem.' Ficamos amigos na hora", conta o músico.

Na época, Lobão fez uma música especialmente para ele, "A deusa do amor", que eles cantaram juntos em um álbum de duetos gravado por Nelson Gonçalves. "Ele era uma pessoa muito intensa e completamente rock 'n' roll de espírito e atitude. Era completamente punk. Ele me fez ver o estereótipo da rebeldia atual. Nem sempre pose é atitude. Ele era uma pessoa que estava sempre em movimento", afirmou Lobão.

Segundo ele, o amigo dizia que "onde houver violão, botequim e puteiro, pode ter certeza que a voz de Nelson Gonçalves estará lá".

- À *Bizz* de maio de 1998, Lobão afirmou, na reportagem "Em busca do elo perdido", que "sem ressentimentos aparentes", que seu público sumiu. Para ele, o fato de ter aparecido muito na imprensa, criticando Deus e o mundo, pode ter contribuído para as quedas de vendagens de seu disco. "Mas me sinto confortável no exílio", declarou.

- Segundo a *Folha de S.Paulo* de 6 de outubro de 1998, Lobão faz um show do CD *Noite* em São Paulo, no Teatro Popular do Sesi. Segundo o músico, conseguir shows e divulgação tem sido tarefa artesanal. "A gravadora (Universal) desistiu do meu disco. Estou tentando no contato direto, no corpo a corpo. Não entendo por quê. Disseram que o disco vendeu setenta mil cópias — devem ser umas quarenta mil. O dos Paralamas vendeu oitenta mil, não estou tão longe."

Ele especula sobre as razões do desinteresse da gravadora: "Tem a ver com minha atitude pessoal. Querem que eu faça 'Malhação' e 'Faustão', não vou fazer. Se disseram tristes por eu ter recusado apresentar o Video Music Brasil da MTV. Tenho uma relação amistosa com a MTV, vou aos programas, só não gosto de prêmios, não quero conviver com certas pessoas do meio que não são do meu feitio."

Ele contou que há dois meses a Universal nem atende a seus telefonemas. "Minha saída mesmo, por mais que goste de grana, deve ser o independente. Sou *underground* mesmo, dane-se. É crueldade me manter na geladeira para eu não estourar. O impacto deste show é positivo, está dando samba. Estou produtivo como nunca, inspirado. Não vou me calar, agora vou fundo", disse.

- Em 14 de novembro de 1998, a *Folha de S.Paulo* informou que Lobão faz dois shows em São Paulo do CD *Noite*, e que atualmente se considera "diferente", "maduro" e "sofisticado". "Será um show sutil, premonitório e alvissareiro. Além do CD, mostrarei composições inéditas que já integram o próximo trabalho. Divido o show em partes: a primeira espanta o tédio, a segunda confirma a satisfação e, por fim, encerra-se em alta. É o tipo 'cheguei', 'tô chegado' e 'já tô indo'", explicou.

Vivendo um dos piores momentos com sua gravadora (Universal), Lobão vê em seu show a possibilidade de um levante contra o "monopólio das gravadoras". "Eu sou 'errado'. A gravadora não gostou quando me recusei a ir ao *Faustão* e não aderi à luta contra a pirataria. A campanha é ridícula. Se os piratas trazem CDs por R$1, isso é só o sintoma de uma doença que está nas gravadoras, com seus R$20 por disco. Convoco donos de gravadoras independentes a se unirem e fazerem do show um pontapé inicial nessa luta", disse.

Capítulo 60

E assim começamos um outro ciclo, que se completará ao final dos próximos oito anos... Estávamos de volta ao Leblon, numa ruazinha aconchegante chamada Desembargador Alfredo Russel, perpendicular à General Urquiza... Nosso apartamento era pequeno, mas já tinha cara e clima de lar.

Logo no primeiro dia que chegamos, fomos junto com a Lúcia ao Fellini, que se tornaria a nossa cantina favorita durante todo esse período. Depois do almoço, ficamos na mesa papeando quando me vem uma lembrança da minha irmã... E logo escrevo uma frase num guardanapo... "Não mais vai amanhecer... entre seringas e guardanapos...". Percebi que algo estava na porta do cerebelo, batendo pra sair da minha cabeça... Deixei a Regina e a Lúcia no Fellini e saí correndo pra casa nova escrever o que seria a última canção composta para o álbum: "Tão menina", que fiz pra minha irmã. A letra começa assim: "Ela cresceu ouvindo certas coisas/mas acabou vivendo uma outra história/enquanto tinha tempo acreditava/enquanto acreditava via o tempo indo embora/permaneceu meio complicada/na medida que a vida vinha e atropelava/carregou todos os seus sonhos como pôde/até assistir um por um, desmoronados"... E a segunda estrofe era: "Entre um desalento e um suicídio/ela preferiu o gozo de um pesadelo/suas lágrimas que nunca brotaram inundam sua alma, inundam sua alma/ressecam o espírito, paralisam o corpo/regelam seu rosto, regelam seu rosto..." Tão menina... ela era tão menina.

Com o repertório pronto, convoquei a minha dupla de amigos/produtores do disco anterior, o Jongui e o Humberto Barros, mostrei as músicas a eles e começamos a gravar, agora com dois aparelhos de Adat. As primeiras sessões foram em Laranjeiras. Foi ali que tive a ideia de chamar o Zeca Baleiro pra cantar junto comigo "Uma delicada forma de calor".

Comecei a aprender a tocar baixo, piano e *synth*... A segunda fase de gravação foi na casa do Humberto, e depois agendamos o recém--extinto AR, para finalizar o disco. Lá, o Jongui colocou as baterias, eu gravei os violões e, muito nervoso, também um piano pela primeira vez em "Amanhecendo na Lagoa". Ainda houve a participação do Dé Palmeira no baixo e do Sacha Amback, que fez e executou os arranjos de cordas e *synths* em algumas faixas. Começamos, em seguida, no mesmo estúdio, a mixagem.

Me lembro de que a gente terminou lá pelas quatro da manhã e viemos para casa ouvindo *A vida é doce*... Estava muito emocionado... Afinal de contas, conseguimos bancar aquele projeto com a grana dos shows de voz e violão...

E por falar em voz e violão, naquela mesma madrugada eu partiria para Fortaleza, rumo a Sobral, para fazer um show por lá, nesse mesmo formato. Quando a Regina foi me levar ao aeroporto, pegamos a Lagoa em pleno alvorecer e nós ouvindo "Amanhecendo na Lagoa"...

Uma vez o disco pronto, não sabíamos o que fazer com ele, pois nenhuma gravadora se interessara pelo trabalho... Numa certa tarde, pus-me a caminhar ao redor da lagoa, pra ver se me vinha alguma ideia brilhante... Vou confessar a vocês que estava quase aceitando fazer o tal acústico com "Me chama" coreografado por uma bunda... estava sem nenhuma perspectiva, e tudo indicava que, se não fizesse nada, logo iria morrer à míngua. Quando já estou de volta do passeio, agoniado por não ter tido uma ideia salvadora, ao atravessar uma rua, me deparo com uma banca de jornal e vejo lá pendurado na estante uma revista de piadas do Ari Toledo com um anúncio: "Compre a revista e leve grátis um CD".

Eureca! Por que não fazia o mesmo? E se lançasse meu disco encartado numa revista? Ouvi dizer que não havia tributação para produtos editoriais... assim, o disco "grátis" também não seria tributado, o que fazia o preço despencar! Eram dois coelhos com uma só cajadada!

Lançava o disco com amplo espectro de distribuição, e ainda ia tirar onda com os meus colegas que abaixavam as calças pras gravadoras naquelas pusilânimes campanhas publicitárias antipirataria para intimidar a população e que não adiantaram coisa alguma.

Para ter certeza de que abriria uma guerra certeira contra a indústria fonográfica, fui jogar um *I Ching* e deu... MORDER.

E dizia coisa assim: "O obstáculo tem que ser eliminado pelo MORDER. Benéfico aos processos jurídicos, pois evita a crueldade... Trovão e Relâmpago: MORDER. Os reis da Antiguidade consolidavam leis através de penalidades claramente definidas." É claro! Vou combater a picaretagem das gravadoras contra a pirataria com o argumento de que, sem a numeração legalizada, a indústria fonográfica se colocava no mesmo patamar dos piratas! Eu estava de saco cheio de levar trolha das gravadoras e dos *lobbies* de artistas pouco honestos a se fazer de mortos. Morder, constituindo leis, era comer o mingau pelas beiradas.

Por enorme coincidência, nas semanas seguintes, recebo um convite para uma noite de autógrafos do ilustre advogado de direitos autorais, Nehemias Gueiros, que, por sinal, trabalhara para a BMG quando eu estava lá. Agora estaríamos do mesmo lado, pois o seu livro era dinamite pura, uma pedrada na vidraça da indústria. Telefonei pra ele e marquei um jantar no Fellini.

O Nehemias seria o meu principal aliado naquela guerra...

Mesmo assim, houve uma facção na mídia que nutriu interesse pela matéria. No final daquele ano, sairia uma entrevista de capa na *Caros Amigos* que seria o pivô da sanção da lei da numeração.

Na capa e na entrevista aparecíamos eu, o Zeca Baleiro e o Nehemias. Por incrível que pareça, a grande maioria da classe, que tinha se articulado tanto outrora, agora tirava o corpo fora... e fazia o maior silêncio.

Mas enquanto esse assunto pegava fogo através da imprensa, eu ia concebendo a tal revista que encartaria o disco. Dei-lhe o nome de *LOBÃO MANIFESTO*. Em seu conteúdo, pensei em fazer uma espécie de palimpsesto em suas 16 páginas com vários escritos que colecionava, em interação com um ensaio fotográfico que ficaria por conta do amigo e grande fotógrafo Pedro Lobo.

Passei uma manhã num galpão da MID, editora que abraçou a empreitada, na Casa Verde, em São Paulo, e comecei a montar os escritos. Naquele dia, concebi também o nome e a logomarca do meu selo: "UNIVERSO PARALELO."

Aproveitamos uma miniturnê ao Nordeste e numa madrugada do dia do meu quadragésimo segundo aniversário, na paradisíaca praia de Porto de Galinhas, o Pedro bateu as fotos que encartariam o projeto. Estávamos com todo o material. Agora eu precisava de alguém na imprensa que estivesse pró aquela empreitada, e o Pedro Alexandre Sanches, então jornalista da *Folha de S.Paulo*, topou a parada. Combinei com ele dar uma entrevista exclusiva pra *Folha* se ele desse um bom espaço pra matéria. Consegui armar uma festa de lançamento na livraria FNAC convidando todos os membros da ABPD (Associação Brasileira de Produtores de Disco) para discutir sobre as soluções para a pirataria e a numeração. Não apareceu ninguém, então eu pedi a um funcionário da livraria um *pilot* vermelho e uma cartolina. Ali escrevi para a posteridade: ABPD, W.O.! E mandei os fotógrafos também registrarem todos os nomes dos executivos convidados que estavam escritos na frente de seus respectivos lugares vazios.

O projeto *Lobão Manifesto/A vida é doce* foi lançado no dia 23 de novembro de 1999. Com uma reportagem de capa da Ilustrada e duas páginas inteiras. O Pedro caprichou na matéria e o disco já saiu com grande repercussão. Como estava proibido de ser executado em rádio, aderi à campanha pelas rádios comunitárias e fizemos o lançamento dentro da rádio da favela de Heliópolis, uma das maiores de São Paulo. A revista/CD saiu pela editora Escala com cinquenta mil cópias numeradas. Esse expediente seria a pá de cal nas intenções das gravadoras em abortar o projeto de lei da numeração.

Regina agenda vários shows importantes para aquele finalzinho de ano.

Montei um *power* trio e decidi que iria tocar guitarra como gente grande dessa vez. Não tinha grana para ter uma banda maior, mas chamei dois supermúsicos pra formar o trio: o Dé Palmeira no baixo e o Vig na bateria. Usaríamos *samplers* disparados no decorrer do show, e eu comecei a treinar guitarra feito um louco pra poder cantar e tocar com a requerida independência. Pensei muito nos meus estudos de bateria e eles acabaram me ajudando muito.

Estamos no finzinho de um ano cheio de emoções e vitórias. Conseguimos marcar o Faustão, por obra e graça do próprio, que deu a maior força ao saber do meu projeto. Com isso, decidimos recolher toda a tiragem anterior, prensar mais cinquenta mil e aguardar a aparição no programa lá para o final de março e lançar tudo no dia seguinte ao programa.

Agora, para fechar com chave de ouro, iríamos para Porto Alegre e de lá para o merecido descanso em Cachoeira.

Capítulo 61

O bochicho que o *Lobão Manifesto/A vida é doce* estava causando era significativo... É claro que nós não havíamos vendido as cinquenta mil cópias, como estávamos anunciando, mas ajudou a vender 97 mil, no final das contas. Eu explico: quando soube que faria o programa do Faustão, no final de março, combinei com a editora Escala retirar tudo das bancas, porque não conseguimos entrar em alguns estados e precisávamos de mais de setenta mil cópias para espalhar a revista/CD por todo o país. Como todos ficaram muito otimistas com as primeiras vendas, pensamos em fazer um relançamento bem mais organizado e meticuloso, pois dispúnhamos de tempo necessário para vincular a saída do produto com o programa do Faustão. Por exemplo: o Faustão é no domingo... com essa nova estratégia, nós estaríamos com as revistas em todas as bancas do território nacional num intervalo de apenas três dias. Na segunda-feira, cobriríamos a região Sul/Sudeste, na terça, a Centro-Oeste, e na quarta, as regiões Norte e Nordeste. E assim se sucedeu...

O programa do Faustão começa com o próprio anunciando entusiasticamente o projeto: "Cinquenta mil cópias vendidas em todo o Brasil!!! Lobão estará aqui no final do programa!!!" O meu querido Faustão anunciou exaustivamente a revista/CD durante todo o transcorrer do *Domingão*.

Fui a última atração da noite e, quando entrei, ainda me passou pela cabeça o temor do Ibope despencar, mas viria a saber que, felizmente, o Ibope daquele domingo, na hora em que entrei, atingiria altos índices! Faustão me recebe efusivamente, anuncia mais uma vez o projeto das bancas e eu começo a tocar "A vida é doce".

No dia seguinte, a editora me telefona dizendo que as vendas começaram com um intenso fluxo, e isso continuaria por toda a semana e por todo o mês até chegarmos à espantosa cifra de 97 mil cópias!

O programa do Faustão foi o trampolim do projeto que começou a arranhar a credibilidade das gravadoras perante o grande público.

Também despertou o maior interesse na cena independente, que, através de seus mais representativos artistas do Rio, se reuniram comigo na Lapa e me sugeriram empreender uma revista que lançasse artistas independentes. Eu, a princípio, achava aquilo uma loucura, e explicava a eles que conseguira alcançar aquele sucesso em virtude do meu nome já ser conhecido e blablablá, mas aconteceu um fato que iria mudar o rumo do meu discurso: o BNegão, recém-saído do Planet Hemp, estava com um CD em fase de finalização. Quando eu escutei, chapei com a qualidade do trabalho. O "B" me garantiu a exclusividade do lançamento se eu realizasse o projeto da revista. BNegão já era um tremendo nome, com fã-clube em todo o Brasil, e seu disco, ao ser lançado, se transformaria num clássico instantâneo.

Apesar do disco estar causando o maior alarido, nós tínhamos um mercado restrito de shows. Faríamos todos os festivais independentes, o Circo Voador ainda estava fechado pela prefeitura, e começamos uma minitemporada em janeiro no Centro Cultural São Paulo, com os três dias de lotação esgotada. Foi nessa ocasião que reencontrei com meu querido amigo Arnaldo Baptista, sempre com a sua inseparável Lucinha.

Acabei realizando, em uns três anos, mais de quinhentas palestras em várias universidades por todo o Brasil. E, com as palestras, levava o meu kit *Lobão Manifesto/A vida é doce...*

Quando volto ao Rio, conseguimos agendar o Programa do Jô! Isso era muito importante.

Mas aconteceria um fato imprevisto no nosso "*schedule*": esbarro com o Caetano Veloso pelos corredores do programa e ele me conta que vai cantar uma canção que falava meu nome: "É uma espécie de bala perdida, Lobão..." Fiquei na plateia a uns três metros de distância do palco, bem na frente dele... Na verdade, Caetano tinha feito uma música para Raul Seixas, daquele tipo que a gente nunca vai saber se ele está falando bem ou mal... ou não... Mas, antes de começar a tal canção, ele fez uma pequena preleção olhando para a minha pessoa, esclarecendo: "Essa música tem umas farpas para Lobão... umas balas perdidas para Lobão"... ou coisa parecida...

Tratei de prestar atenção para absorver o significado da letra e verificar a tal "bala perdida"... O nome da música era "Rock 'n' Raul"... E, sinceramente, eu não entendi nada.

Pois bem, o programa foi muito bacana, a entrevista com o Jô foi da maior simpatia... encerrando, assim, com chave de ouro os trabalhos daquele ano...

E, como de costume, fim de ano é sinônimo de Cachoeira...

Cheguei por lá aliviado, louco para descansar daquele ano cheio de acontecimentos importantes.

Naquela lombra, me lembro do singelo episódio do Caetano me mandando uma bala perdida. E aí saiu a réplica "Para o mano Caetano".

Consegui, afinal, enfurnar a letra de uma maneira que pudesse cantar (mesmo assim não é fácil) e, depois, construí um *riff* de guitarra e imaginei um final wagneriano.

Gravei todo esse esqueleto no meu quarto e telefonei para o meu grande amigo, tecladista e produtor Trilha... Carlos Trilha... e marcamos o estúdio na sua casa, para aquela semana mesmo.

A letra vem abaixo:

O que fazer do ouro de tolo
Quando um doce bardo brada a toda a brida,
Em velas pandas, suas esquisitas rimas?

Geografia de verdades, Guanabaras postiças, saudades banguelas, tropicais [preguiças?
A boca cheia de dentes de um implacável sorriso
Morre a cada instante que devora a voz do morto
e com isso, ressuscita vampira, sem o esquecimento

Na lápide pós-moderna do eterno desalento:
E é o Raul, é o Jackson, é o povo brasileiro
É o hip hop, a entropia, entropicália do pandeiro
Do passado e do futuro, sem presente nem devir
É o puteiro que os canalhas

Não conseguem habitar mas cafetinam
É a beleza de veludo
Que o submundo tem pra dar mas os canalhas subestimam
E regurgitando territórios-corrimãos
De um rebolado agonizante
Resta o glamour fim-de-festa-ACM
De um império do Medo carnavalizante

Será que a hora é essa? A boca cheia de dentes vaticina:
Não pros mano, não pras mina
Sim pro meu umbigo, meu abrigo
Minhas tetas profanadas
Santo Amaro doce amaro, vacas purificadas
Amaro bárbaro, Dândi-dendê

Minhas narinas ao relento
Cumulando de bundões que, por anos acalento
Estes sim, um monte de zémané
Que sob minha égide se transformam em gênios
Sem quê nem por quê
Sobrancelho Victor Mature, delineando Barravento
Eu, americano? Não. Baiano.
Soy lobo por ti Hollywood
Quem puder me desnature Sob o sol de Copacabana

E eu soy lobo-bolo? "Lobo-bolo", tipo pra rimar com ouro de tolo?
Oh, Narciso Peixe Ornamental!
Tease me, tease me outra vez
Ou em banto baiano
Ou em português de Portugal
Se quiser, até mesmo em americano de Natal
Isso é língua! Língua é festa!
Que um involuntário da fátria
Com certeza me empresta

Numa canção de exílio manifesta
Aquele banzo baiano

Meu amado Caetano
Me ensinando a falar inglês, London, London!
E verdades, que eu, Lobón, contesto como empolgado aprendiz
Enviando esta aresta a quem tanto me disse e diz:

Amado Caetano: chega de verdade
Viva alguns enganos
Viva o samba, meio troncho, meio já cambaleando
A bossa já não é tão nova como pensam os americanos
A tropicália será sempre o nosso Sargeant Pepper pós-baiano
O Roque errou, você sabe digo isso sem engano

E eu sei que vou te amar, seja lá como for, portanto
Um beijo no seu lado superbacana
Uma borracha no dark side-macbeth-ACM, por enquanto
Ah! Já ia me esquecendo! Lembranças ao Ariano
Lupicínias saudações aqui do mano,
Esta bala perdida que te fala, rapá! Te amo, te amo

Somente quando a música ficou toda pronta é que realizei ter feito algo muito importante para maior compreensão da minha posição dentro deste esquisito cenário da MPB.

Eu tentaria colocá-la em domínio público inserindo-a na gravação de um projeto DVD/CD pela Multishow, mas acabaria, no final das contas, saindo apenas o CD: o tal *Lobão 2001, uma odisseia no universo paralelo.*

Desta feita, o projeto em bancas não foi bem-sucedido.

Naquele início de 2001 houve o primeiro Fórum Social Mundial, em Porto Alegre, e nós fomos convidados para fazer um show para umas cinquenta mil pessoas... Aquele clima abaixo o neoliberalismo no ar... e quando subi ao palco me gritavam palavras de ordem, tipo "Morte às gravadoras!!!", e eu sempre interrompia para retificar: "Nós precisamos de gravadoras para movimentar o mercado, o que está afundando as gravadoras são os péssimos executivos ocupando cargos de responsabilidade... temos que tomar novamente as rédeas das gravadoras... nossa sociedade tem que ter um *mainstream*, para ser o fundo musical de nossa época, de nossa cultura, para haver um mercado dinâmico e lucro justo para todos."

- No dia 25 de junho de 1999, Lobão afirmou à *Folha* que seus colegas passam por um processo de "teletubbiezação". "O 'teletubbie' em si é legal, mas o problema é o 'teletubbie' maior de idade. O Brasil está anal-'teletubbie'-evangélico. Todo mundo parece amigo, todo mundo está na ilha de *Caras*, isso é uma vergonha. Não faço parte dessa turma, nem venha. Pagode, sertanejo e rock não são ruins. Ruim é pagode teletubbie, sertanejo teletubbie, rock teletubbie. Da minha geração, sobrou Ultraje a Rigor. O resto é Roberto Carlos para cá e para lá, aquela cartilha imunda."

Ele contou ainda que uma companhia de telefone quis lhe dar R$1 milhão por "Me chama". "Não posso, é imoral. É triste ver Milton fazendo comercial, fico sem referencial. Não se pode ter ilusão sobre essa classe que tanto serviu ao país. Ela não está fazendo nada, está vigiada, controlada, acomodada", declarou.

Segundo ele, há um mês e meio, uma empresa o convidou para um show fechado. "Expliquei que não tinha banda nem nada, aí disseram: 'Faz sozinho.' Acabei fazendo, e foi um sucesso, a casa estava cheia. Aí fui participar do Festival de Teatro de Londrina, do mesmo jeito. Estava com medo de fazer *flashback*, cantar música para namorado dizer 'a gente ouvia isso' (...) o meu show foi recorde de público, quatro mil pessoas. Isso tudo me deu uma motivada. É diferente de 1992, quando estava meio abandonado e desanimado, não queria mais compor. Nunca estive tão produtivo quanto agora. Vejo que não é minha pessoa que causa essa situação. Fica até melhor, porque assim meu bem-estar se torna constrangedor para meus antagonistas."

Sobre um novo disco, ele afirmou que ninguém quer lançá-lo. "As gravadoras grandes não querem nem ouvir meu nome. Aí fui procurar as independentes, elas acham o disco assoberbado, pedem para eu regravar músicas velhas. Acho patético. Posso fazer sozinho. Há a internet, o MP3."

Sobre comentário recente de Caetano Veloso, na revista *International Magazine*, de que Lobão deveria fazer mais discos interessantes e discutir menos: "Concordo plenamente com ele quanto à quantidade. Estou lutando para que urgentemente meu material interessante seja lançado."

- Na *Bizz* de agosto de 1999, Lobão comenta na matéria "A voz da discordância" sua primeira turnê acústica, em 1995. Segundo ele, foi um fracasso "por causa de um *communication breakdown*, provavelmente. Eu falei: 'Não posso sentar e tocar?' Aí tinha aquela coisa histérica, falavam 'banquinho e violão é pra bossa nova'. Não é nada disso, quero fazer um show com minhas músicas. Naquela época eu tinha um tremendo álibi: não estava compondo. Acabei ficando tão visado que inventaram até que eu tinha me tornado evangélico.

"Acho meu trabalho tão importante quanto o de qualquer um outro (...) Eu tenho uma autoestima boa, sei exatamente o que faço, gosto muito de todo o cancioneiro popular brasileiro. Então por que eu vou ser uma margem, um apêndice?", disse o músico.

Sobre a polêmica com Caetano Veloso, Lobão declarou que adora o músico, "mas tem que falar mal dele, dar um desprezo. Você não pode ser assecla da geração dominante. Tem que dar porrada, senão você tem que ouvir que de Caetano a Orlando Moraes são gênios (...) Eu vejo uma subserviência. Uma associação de pessoas extremamente medíocres (...) Estou sozinho nesta parada, morro de medo. Mas nunca estive tão feliz, estou jovial. O entusiasmo me rejuvenesce".

Questionado se o rock errou, Lobão lembrou uma entrevista feita para a *Revista da 89*. "Comecei a falar sobre William Burroughs. Aí o cara falou 'escritor, não, o leitor quer rock'. Pô! Não tem ninguém mais rock 'n' roll do que o Burroughs (...) Aí começa a ficar difícil. O rock precisa ser questionado. As melhores pessoas que fizeram rock 'n' roll não se satisfizeram com isso."

- Ao falar sobre o show *Luau Indoor!!!*, de Lobão, o jornal *O Estado de S. Paulo* questionou, em 20 de agosto de 1999: "Será que o músico e compositor Lobão é o fracassado nessa briga com as multinacionais da indústria fonográfica?" "Parece que não", responde o jornal, que explica: "Neste ano, ele teve a maior plateia no Festival de Londrina e em Brasília fez show para cerca de dez mil pessoas. Por semana, segundo ele, chega a realizar quatro apresentações."

"Eu estou em guerra declarada com a indústria. Sou em quem não quer mais aproximação. Não há mais como me boicotarem, sou um violão e uma voz", afirmou Lobão. Em seu discurso, ele ainda criticou atitudes de músicos como Milton Nascimento e Djavan, que se propõem a participar de campanhas contra a pirataria. "A indústria é pirata, ela não numera seus produtos e é inacreditável como podem compactuar com suas mentiras", disse.

- A *Folha* contou, no dia 3 de novembro de 1999, que Lobão ficou 15 dias em coma, em março. Voltou para lançar seu primeiro CD independente. Irá vendê-lo em bancas de jornal, com uma revista-manifesto distribuída por uma pequena editora, a R$14,90. Colocará faixas do disco na internet, no formato MP3. Protagoniza um CD-ROM que será encartado na próxima edição da revista *Showbizz*.

A vida é doce, que o artista carioca diz encerrar trilogia iniciada por *Nostalgia da modernidade* (95) e *Noite* (98), vai às bancas com tiragem inicial — e nacional — de cinquenta mil exemplares. Sai pela editora MID, que, perseguindo novos formatos, lançou desde julho a *MP3 Magazine*.

"Temos um acordo com a distribuidora de que pelo menos por três meses o CD não será retirado das bancas. A ideia é mantê-lo ainda mais tempo", diz o editor Ivan Battesini, 35. O CD será vendido também nos sites de Lobão e da revista. As cópias serão numeradas, atendendo a reclame constante de Lobão contra o que chama de "pirataria oficial" das gravadoras, e não poderão ser achadas nas estantes normais de CDs. "Revista e CD são inalienáveis. Não é 'compre uma revista e leve um CD grátis'. É um projeto, nada é grátis. Será uma maneira de detectar pirataria: se achar o CD só no estojo, pode chamar a polícia que é pirata", diz Lobão.

Os custos de produção — R$50 mil, segundo ele — foram cobertos com recursos próprios e a participação de investidores; do arrecadado, 45% ficam para as bancas e 55% serão rachados entre artista, editora e investidores. "Se eu estivesse em gravadora, receberia R$0,36 por cópia. Assim, vou ganhar R$1,50", calcula.

Ele contou que o coma ocorreu porque "errou na dose". "Estava sem dormir havia dois meses e sem grana para tomar vinho. Foi cachaça mesmo. Aí tomei o calmante, uns quatro, cinco. Tive que fazer lavagem, fiquei 15 dias em coma."

- Em entrevista à *Folha de S.Paulo* publicada em 3 de novembro de 1999, Lobão falou sobre seu novo disco, *A vida é doce*. Ele contou que havia decidido não aceitar o convite de fazer um disco ao vivo e acústico pela Som Livre ou pela MTV. "Estava contando com as gravadoras independentes, mas todas queriam essa mesma coisa. Todos ao redor queriam, até minha psicóloga. Diziam que tenho rejeição pelo sucesso."

Aí, houve a proposta da editora MID, de divulgar o CD nas bancas. "As Lojas Americanas queriam consignar cem mil cópias do disco com exclusividade, por 15 dias. Queriam desmembrar, colocar dez sucessos, disseram que queriam me ajudar. Respondi que não estou aceitando filantropia, que tenho um bom negócio. A Sony queria ouvir esse trabalho, nem deixei. O Mundo Mix queria, barrei. Eu faria se o selo não tivesse contrato com a Sony. Tenho medo de ser cooptado e ser trabalhado da forma indigente que sempre fui, de ser colocado na geladeira como já fui. Não é que eu esnobe, mas sinto as coisas diferentes", afirmou.

"Vamos fazer uma estatística. Na década de 1990, qual artista gravou mais discos inéditos que eu? Gravei quatro só de músicas inéditas. E o Caetano? (Foram três.) Não conheço ninguém que tenha feito mais. E eu teria, se tivesse uma trajetória menos conturbada com gravadoras. Qualitativamente fui ousado, me desconstruí todo, dei meu máximo. Estou reclamando, mas estou propondo. E vou continuar reclamando."

Segundo o músico, "o Lobão 'irado' é também pragmático de certa maneira. O que me deixava tenso é que o hábitat de produtor, indústria, gravadora é muito inverdadeiro. Costumo dizer que estou desenvolvendo o marketing do fracasso. Saliento em meus shows como a maioria das minhas obras é de um fracasso retumbante e, em seguida, executo uma das minhas canções prediletas, mostrando que o constrangimento de ninguém saber da existência dela não tem nada a ver com sua qualidade e sim com a inépcia do organismo que cuidou daquele trabalho de forma tão indigente e estúpida".

- Crítica publicada no jornal no mesmo dia diz que "mundo e submundo estão cara a cara em *A vida é doce*, o primeiro disco independente de Lobão, que há muito uivava e uivava contra o sistema, sem nunca encontrar alternativa real a ele. Terá, para o artista e para a falida família musical brasileira, infinito significado político. Seja ou não bem-sucedido, expressa desde já uma vitória inédita, o sopro de um novo tempo. Se antes ele exalava espírito *underground* sem se desatrelar das gravadoras nem do espaço que sua fama e sua verborragia lhe proporcionavam, agora tudo se inverte. Pela primeira vez *outsider* de fato, usa as benesses de parte do mesmo sistema para impingir sua pequena guerrilha".

- No dia 5 de novembro de 1999, o *Agora São Paulo* noticiou que, depois que Lobão resolveu investir em um selo próprio, o Universo Paralelo, para lançar o CD *A vida é doce*, o álbum será vendido em bancas de jornal, livrarias e pela internet, acompanhado de uma revista e um CD-ROM, por R$14,90.

O objetivo de Lobão é vender oitenta mil cópias do CD, lançado com numeração para evitar a pirataria e garantir o controle sobre as cópias vendidas. Segundo ele, o orçamento reduzido, de R$50 mil, o obrigou a encarar uma rotina precária de gravação. "Cheguei a gravar em um quarto de empregada por falta de grana", contou.

- Em 24 de novembro de 1999, o *Jornal do Brasil* afirmou que Lobão foi dispensado da Universal Music há cerca de um ano, alguns meses depois de ter lançado o disco *Noite*. Agora, ele lança *A vida é doce*, primeiro lançamento de sua gravadora, a Universo Paralelo, em parceria com a editora MID.

"Eu não entendo essa estrutura inchada das gravadoras. Tem disco que custa 600 mil dólares e você não vê isso", disse Lobão, que gastou cinquenta mil dólares para gravar o novo álbum. Para ele, esse foi um rito de passagem para se tornar compositor. "Antes eu era um baterista que compunha eventualmente."

Depois de uma mistura infeliz de cachaça com remédios para dormir que o deixou fora do ar por 15 dias, ele resolveu, pela primeira vez na vida, parar de beber. "Disse pra mim mesmo: posso até voltar a beber, mas eu preciso saber se valho alguma coisa." Em 1991, ele já havia abandonado a cocaína, e reduziu brutalmente o consumo de maconha. "A partir de lá, aumentei 100% o nível de leitura e de estudo", declarou.

- Segundo a coluna de Mônica Bergamo, da *Folha de S.Paulo*, em 21 de janeiro de 2000, Lobão vai divulgar seu novo disco, que já vendeu mais de trinta mil cópias em bancas de jornais, na Rádio Heliópolis, uma emissora comunitária — e clandestina.

- Em 28 de janeiro de 2000, a *Folha* informou que Lobão diz que recusou R$1 milhão de uma empresa de celulares que queria comprar os direitos de "Me chama" para um comercial. Segundo o compositor, essa atitude seria uma traição com seu público, sem contar que achou a quantia baixa.

- No mesmo dia, o jornal contou que Lobão passou a atacar, além da indústria fonográfica, a indústria radiofônica, denunciando o jabaculê e se aliando ao principal inimigo das grandes FMs: as estações piratas. Para isso, foi à favela de Heliópolis divulgar *A vida é doce.*

Ele também virou garoto-propaganda das rádios piratas. Em seu site na internet, o artista fuzila campanha da Abert (Associação Brasileira das Emissoras de Rádio e Televisão) que diz que rádio pirata interfere em avião e ambulância, tese nunca provada.

"Se você, por acaso, assistir a uma propaganda da Abert alertando a população sobre os perigos das rádios comunitárias, preste bastante atenção e verifique o seu 'canastrômetro' para, boquiaberto, constatar o monte de mentiras de que o anúncio trata", diz ele no site.

Para Lobão, a guerra contra as rádios piratas é uma guerra perdida. "Precisa ser visionário para verificar que as comunitárias estão crescendo, porque são mais criativas, estão mais próximas das pessoas. Estou mesmo fazendo papel de garoto-propaganda das comunitárias. Quero mostrar que existe a possibilidade de se fazer algo alternativo com qualidade."

Ele embasa sua campanha pró-piratas na história do rádio nacional. "As rádios têm um passado espúrio. Os donos conseguiram concessões em negociatas políticas. E é de domínio público o jabaculê."

- Em 30 de janeiro de 2000, Lobão afirmou ao *Agora São Paulo* que já havia vendido cerca de quarenta mil cópias de *A vida é doce.*

- Em 11 de fevereiro de 2000, a *Folha* anunciou que, pela primeira vez na história, Lobão promoveu uma entrevista coletiva só para rádios clandestinas em São Paulo. O encontro, com a presença de dois deputados, reuniu representantes de pelo menos duzentas emissoras do estado. O ato é contra a repressão às rádios comunitárias, também chamadas de piratas.

- Em entrevista ao *Valor Econômico* no dia 2 de março de 2000, Lobão contou que foi "saído" da gravadora Universal. "Recebi o anúncio da rescisão do meu contrato pelo correio, do modo mais sumário e unilateral. Mas confesso que, apesar da picaretagem, fiquei aliviado".

Para o jornal, o álbum *A vida é doce* é um dos melhores trabalhos de Lobão. Encerra a trilogia de que fazem parte os álbuns *Nostalgia da modernidade* e *Noite*, e sedimenta a mistura de estilos que o compositor vem experimentando há alguns anos, "desde que renegou o rock."

Lobão afirmou, na entrevista, que as gravadoras só vão se dar conta da sua presença quando "tiver vendido quinhentas mil cópias". Para ele, "o centro da questão de ser ou não independente no Brasil reside exatamente neste ponto estratégico: como fazer o trabalho chegar ao público".

Agora que está gravando sóbrio, Lobão afirmou que "o importante não é o fato de ela [*A vida é doce*] ter sido gravada sóbrio. O que conta na história dessa música foi que a compus totalmente sóbrio. E, a partir do momento em que a fiz sóbrio, descobri um outro método de compor.

"Para muitos, sou um roqueiro rebelde e, talvez, para os roqueiros, eu seja um degenerado", declarou Lobão.

- Segundo a *Folha* de 29 de março de 2000, Lobão foi a atração de encerramento do *Domingão do Faustão*, na Rede Globo, em meio a convidados como Chitãozinho e Xororó e As Meninas. Lançando a segunda tiragem de cinquenta mil exemplares de seu disco independente *A vida é doce*, quebrou um jejum de 11 anos sem aparecer ao vivo no programa.

Antes, Lobão havia ido ao programa no dia da eleição de Fernando Collor para presidente, quando puxou um coro de "Lula-lá" no auditório de Fausto Silva e colocou a Globo sob risco de ser retirada do ar pelo Tribunal Regional Eleitoral. Desta vez, sua presença foi o pico de audiência do programa, oscilando de 41 a 35 pontos, contra média de 16 do SBT.

Lobão tenta manter a fama de mau: "Cheguei ao meio-dia e fiquei lendo no camarim, tirei soneca, nem sequer abri o áudio da TV. Não queria me envolver emocionalmente com o programa." Tenta relativizar o pico de audiência: "Sei que esse horário tecnicamente é o que mais dá Ibope. Mas fui lá feliz, pegando o vácuo de simpatia dos espectadores que estão esperando o *Fantástico* começar". Tenta justificar a repentina aceitação do artista desbocado pela Globo: "Fausto Silva é um cara que gosta de mim e pessoalmente parece estar querendo mudar seu programa."

O convite inicial do *Domingão* era para que respondesse a perguntas pré-gravadas do público. Ele não quis se submeter ao interrogatório, mas diz que não se acha antidemocrático na recusa: "Ofereceram vinte minutos, ia ser uma espécie de 'Banheira do Faustão'. Se fosse um programa normal, eu aceitava. Tenho todos os motivos do mundo para ter precauções contra esse tipo de ingerência. Já fui editado na Globo."

Sobre a sua ida ao *Domingão do Faustão* e o fato de não ter ido ao *Domingo legal*, do SBT, Lobão afirmou à *Folha* no dia 3 de abril: "Se querem exclusividade, então me paguem um salário, eu me torno funcionário da Globo e pronto."

- Em 5 de maio de 2000, a *Folha de S.Paulo* informou que Lobão vai criar sua própria rádio livre (estação clandestina sem vínculos políticos ou comerciais). A UP FM (de Universo Paralelo, selo do cantor) estreia no próximo dia 12 no Rio. A ideia de Lobão e de seu parceiro no projeto, o produtor cultural Chico Lobo, é levar o transmissor em sua turnê, colocando-o no ar um dia antes do show em cada cidade. A frequência irá mudar de lugar para lugar.

- Em artigo publicado pela *Folha de S.Paulo* no dia 12 de junho de 2000, intitulado "Ao vislumbrarmos o ar, confundimos conhecimento com conhecimento", Lobão afirmou que "diante de uma realidade inexorável das rádios livres e comunitárias, a boca desgrenhada do gigante vocifera sua ira vã".

"Tenho percorrido o vasto território brasileiro, visitando rádios comunitárias, verificando de perto o efeito que elas produzem, e concluo, admirado, como é que ainda estamos num estágio tão primário em relação a suas conquistas.

"Como ainda podemos testemunhar (e permitir) a reação truculenta de organismos como a Abert (Associação Brasileira das Emissoras de Rádio e Televisão), que, à semelhança de outras entidades em áreas vizinhas, organiza uma campanha terrorista e mentirosa sobre os efeitos 'catastróficos' das rádios 'piratas'?", escreveu.

Segundo o músico, "temos de concluir que, mesmo podendo haver todas as vicissitudes que ocorrem nas rádios oficiais, está mais do que na hora de abrir o leque da informação, promover de forma ampla a diversidade de informação, inventar linhas de escape para oxigenar a nossa formação, agenciar novos modelos de geração de cultura e proliferar as diferenças para estimular nossa capacidade de reflexão e curiosidade".

- Lembrando Cazuza, Lobão afirmou à *Folha* em 3 de julho de 2000 que "era muito amigo dele e fizemos muita loucura juntos, de enfiar o pé na jaca mesmo! Ele tinha tudo para ser um filhinho de papai, mas nunca se deixou levar, nunca sossegou, estava sempre envolvido em algum lance legal. Suas desavenças com os pais só potencializaram sua personalidade, só o fizeram crescer. Nós frequentávamos galeras diferentes, ele andava com o Caetano, com o Gil, e me defendia, dizia que eu tinha talento, que eu era legal. Na verdade, ele era o único que me defendia".

- Questionado pela *Folha de S.Paulo* no dia 24 de julho de 2000 sobre quais livros estava lendo, Lobão apontou três: *O matador*, de Patrícia Melo, *O casamento*, de Nelson Rodrigues, por ser "o único romance do craque Nelson Rodrigues. Censurado, subversivo, escandaloso e revelador. O livro trata, de forma crua e brilhante, de temas como o casamento, a classe média e sua decadência, revelando, através de uma história passada na Zona Sul do Rio de Janeiro, toda a universalidade do tema".

E *O processo*, de Franz Kafka. Para Lobão, "é um livro fundamental para conviver com os absurdos de uma sociedade burocrata, fria e surreal. Conta a trajetória de um personagem que, por trâmites burocráticos no seu calvário da representação da culpa do homem contemporâneo ou simplesmente pela desumanização do homem, é chamado de K".

- No dia 2 de agosto de 2000, Lobão foi convidado pela *Folha* a dizer por que não apoia a interdição do Napster. Para ele, com a decisão da justiça dos EUA, "cai definitivamente a máscara do bom-mocismo, da simpatia pré-fabricada e canastrona, tipo o-cliente-sempre-tem-razão, para desvendar a face de um personagem que estava atuando sem ser anunciado: o vilão.

"Com isso, temos um fato inédito nos últimos vinte anos. O público começa a saber (e a odiar) quem é o inimigo. E trata-se de um generalizado desmascaramento: é a indústria fonográfica em convulsão, em todo o mundo tentando emperrar os avanços do MP3 e derivados, são as rádios oficiais tentando botar a polícia atrás de rádios comunitárias, artistas são obrigados ao silêncio por meio de ameaças, enquanto outros artistas (representantes da situação nas grandes gravadoras) ameaçam o público com dramatizações violentas e propagandas humilhantes (vide o caso do Metallica *versus* Napster e dos nossos artistas fazendo reclames contra a pirataria)."

Lobão contou que recebeu extraoficialmente uma notícia de que seu último disco estaria vetado para execução em rádios filiadas à Abert (Associação Brasileira de Rádio e Televisão). Em contrapartida, o seu presidente, sr. Piconez, alegou que "oficialmente não há boicote e, com certeza, o que ocorre é que o disco é ruim".

"Fato para mim de grande relevância por constatar a impotência desse 'não tocar em rádio oficial', pois o disco está com uma vendagem recorde (mais de cem mil cópias vendidas) e, com certeza, enviarei um disco de ouro para o sr. Piconez. No caso do Napster, dá-se o mesmo. É o poder sob o signo da impotência. Isso só vai acelerar um processo de beligerância em que somente a indústria fonográfica sairá desgastada e derrotada.

"Estamos em guerra declarada a um inimigo agora visível, agigantado, pouco ágil e dando sintomas de decadência. A proibição do Napster é mais um fato para se comemorar do que para se acanhar. Era tudo o que queríamos: o vilão mostrar-se vilão ao público e, com isso, declara-se seu inimigo mais brutal, tendo em vista que a indústria fonográfica é o meio de lucro mais escorchante do planeta, ganhando até do tráfico de drogas e da indústria bélica", disse o músico.

- No dia 17 de outubro de 2000, o jornal *O Globo* entrevistou Lobão sobre sua nova empreitada: fazer palestras em faculdades. Segundo o músico, a ideia surgiu quando ele soube que, nos Estados Unidos, gente como Chuck D. (do Public Enemy) e Jello Biafra (dos Dead Kennedys) faziam isso.

"Entrei em contato com o Chuck D. para saber como era o trabalho, passei a dizer por aí que ia fazer palestras e comecei a receber convites", contou. São de duas a três palestras por semana, pelo Brasil inteiro, sobre todos os assuntos. Lobão afirma que "trava um conhecimento com o público que jamais teria. Até porque nunca frequentei faculdade, parei de estudar no ensino médio".

Na entrevista, Lobão criticou, mais uma vez, as gravadoras. "Meu próximo disco será um CD duplo ao vivo, que será vendido em banca por R$18. Quando eu conseguiria fazer isso por uma grande gravadora? O problema é que a gravadora não quer liberar as músicas, minhas músicas. E também não lançam meus discos antigos em CD, fazem apenas coletâneas com capas vagabundas."

Segundo ele, por show, são vendidos, em média, de quinhentos a seiscentos CDs, fora as camisetas.

Em crítica, Tom Leão afirmou que Lobão "nunca tentou ser o amiguinho de todo mundo, como faz a maioria dos artistas pops brasileiros (...) Talvez por isso — e também por seus exageros com as drogas no passado — Lobão tenha sido marginalizado desde cedo e eleito o maldito número um do rock brasileiro. Confundiu vida roqueira com vida bandida, teve coragem de dizer que o rock errou e, antes que outros o fizessem por modismo, teve a ousadia de experimentar elementos eletrônicos (...)".

Com o novo disco, diz Leão, Lobão "realizou o sonho dos independentes: ter os discos numerados e controle total do trabalho".

- Em 26 de outubro de 2000, Marcelo Plasse escreveu, no jornal *Valor Econômico*, que "nos últimos anos, Lobão virou uma espécie de porta-voz dos direitos autorais no Brasil. Músico bem-sucedido, Lobão sobreviveu a uma fase em que nada que gravava tocava no rádio. Hoje, lança produtos por uma própria gravadora, Universo Paralelo, tem página na internet em que comercializa discos e vendeu cinquenta mil CDs testando o inexplorado terreno das bancas de jornal".

Em entrevista, Lobão contou que pretende lançar um álbum duplo ao vivo com faixas de toda a sua carreira, criando um entrave entre ele e as gravadoras que detêm os direitos de gravação de suas músicas. Para o músico, com a chegada do Napster — site que permite aos internautas baixarem músicas de graça — "quem quiser viver fora do esquemão das gravadoras conseguirá".

- Em entrevista ao *Jornal do Brasil* no dia 9 de novembro de 2000, Lobão afirmou que a internet é um grande meio para lutar contra as gravadoras. "É difícil chegar à gravadora. E quando chega lá, não raro o artista é pasteurizado, moldado, e a gravadora se intromete no trabalho dele. É absurdo. A desculpa esfarrapada é que aquilo é para o mercado, mas não dá para fazer tudo o que o mercado exige."

Para ele, "a internet é o grande dispositivo de questionar por que não se tem mais arrojo e criatividade na música popular brasileira. Aí vejo um verdadeiro universo paralelo". Lobão explicou que, quando criou seu site, quis que ele fosse "um quartel-general de informações". Entre as ferramentas criadas no site estão o fórum de debates JabáNews e o Lobão News, além de um projeto para lançar uma rádio pela internet.

- Segundo a *Folha* de 15 de novembro de 2000, Lobão pretende lançar uma rádio on-line com a proposta de reverter parte do que for arrecadado com *banners* para os artistas que tiverem suas músicas hospedadas lá, e de maneira proporcional à audiência de cada um. "Quem for mais ouvido ganhará mais", diz.

- De acordo com a coluna de Mônica Bergamo de 17 de novembro de 2000, no disco duplo com um pouco de cada fase sua, Lobão pretende chamar diversos artistas para participar das faixas. O problema é que boa parte das músicas de Lobão pertence às editoras das gravadoras BMG, EMI e Virgin, que não querem liberá-las para o compositor.

- Segundo a *Folha de S.Paulo* de 19 de março de 2001, Lobão foi convidado para dublar o longa *Wood & Stock — Sexo, orégano e rock 'n' roll*, sobre os personagens hippies do cartunista Angeli. Rita Lee aceitou dublar Rê Bordosa. Lobão será convidado a assumir as falas de Bob Cuspe. A atriz Fernanda Torres e o político Fernando Gabeira também serão convidados.

- No dia 8 de maio de 2001, a *Folha* informou que Lobão quer voltar às bancas, iniciando a composição de novo álbum com um *single* de R$3,90 com as inéditas "Lullaby" e "Para o mano Caetano". Abandona por ora a ideia de fazer um CD ao vivo, mas mantém a de lançar, ainda em 2001, um DVD. "A coisa em si não tem nada de mais, amo vários discos ao vivo. Não gosto é do *modus operandi* da indústria."

- Durante a gravação de um especial para o Multishow e um DVD, no teatro Odylo Costa Filho, no RJ, Lobão criticou Caetano Veloso, informou o *Jornal do Brasil* no dia 8 de junho de 2001. No show, ele tocou a música inédita "Para o mano Caetano", réplica a uma provocação que o baiano teria feito com "Rock 'n' Raul".

"Não é cinismo. Essa é verdadeiramente uma canção de amor", disse Lobão.

- Segundo a *Folha* de 27 de junho de 2001, por discordar das ideias de Caetano Veloso, Lobão incluiu uma canção na nova turnê do CD *A vida é doce*. "Não é uma homenagem, é uma declaração de amor. Eu chego até a chorar no final da música... O tom da minha voz é explícito. Não quero que seja visto como deboche, porque é muito emotivo."

"Para o mano Caetano" surgiu depois que Lobão conheceu a letra de "Rock'n'Raul", que está no disco *Noites do Norte*, de Caetano. "Eu nunca mais ouvi aquela música. É uma homenagem escorregadia, ambígua, ele não pode fazer uma homenagem a um grande inimigo dele [Raul Seixas], que está enterrado e não pode falar nada."

Segundo ele, "Para o mano Caetano" é uma resposta a vinte anos de indignação. "Caetano é uma pessoa que eu adoro, que eu amo, mas com quem tenho profundas divergências estéticas, filosóficas, existenciais e de pensamento."

- No dia 22 de julho de 2001, Lobão escreveu um artigo, publicado no *Jornal do Brasil*, contra a decisão do juiz Siro Darlan de proibir menores de 18 anos de assistirem a shows do Planet Hemp. "Não acredito. Simplesmente não posso acreditar. Menores de 18 anos, mesmo acompanhados dos pais, estão proibidos de ir ao show do Planet Hemp.

"E olha que eu tinha certeza de que isso fosse assunto encerrado e sepultado; ou seja: pra mim eu tinha quebrado tabus, e com grandes sacrifícios, muito sofrimento e perseguições, tinha dado um tremendo sacode nessa mentalidade pré-feudal das elites brasileiras e tudo indicava que nada seria como antes", afirmou Lobão.

Ele diz que, quando surgiu o Planet Hemp, chegou a pensar que se tratava de algo como chover no molhado. No entanto, se surpreendeu, e viu os artistas serem "inexplicavelmente humilhados, vergonhosamente excluídos, destratados como artistas, tratados como moleques, rezando as piores tradições das nossas mais preconceituosas e retrógradas elites".

"Senhor juiz, eu, Lobão, fumo maconha desde os 15 anos de idade, tenho orgulho disso. Isso faz parte da minha cultura, da minha formação, dos meus valores de mundo. É a minha escola, é a minha vida, senhor juiz. Assim como os meus discos, os meus livros e a minha malandragem (...) Senhor juiz, é dose testemunhar a violência violenta, 'mesmo que morna', de uma Xuxa, de uma Eliana, de toda a orientação neoliberal predatória de uma nação, e o senhor aí proibindo o Planet Hemp de tocar pra rapaziada."

- Em 24 de julho de 2001, o *Jornal do Brasil* contou que o juiz Siro Darlan telefonou a Lobão depois da publicação de seu artigo. No telefone, o magistrado convidou Lobão para "conhecer e até mesmo participar" de campanhas a favor dos menores que estão nas ruas.

Ao falar que não se arrependia de usar drogas porque "não é só no *métier* de artistas que se usa drogas", mas "pessoas normais, até bem normais, como médicos e economistas, utilizam drogas", Lobão ouviu de Darlan que "drogas fazem mal à saúde".

"Eu entendo que o senhor é um juiz e deve fazer cumprir a lei, mas a lei não se legitima e por isso tem de ser questionada. É para isso que existem grupos como o Planet HemPExiste uma repugnância contra as pessoas que fumam maconha. Eu consigo imaginar daqui a trinta anos os historiadores rindo disso tudo", afirmou Lobão.

Darlan rebateu, dizendo: "Pelo que você escreveu no artigo, você estava incitando as pessoas a saírem do colégio, e isso não é legal." O músico respondeu: "Tenha em mim um amigo, um aliado e um porta-voz, dr. Siro, mas se for pra ajudar a tirar as crianças da rua, não para falar de drogas."

Capítulo 62

No meio de 2001, recebo um telefonema de uma deputada federal, Tânia Soares, querendo saber o que ela poderia fazer pela classe artística. Eu achei aquilo muito simpático, e meio que sem dar muita importância ao fato soltei: "Deputada, um boa coisa a se fazer seria a numeração de discos em meio a essa campanha contra a pirataria. Seria uma boa forma de a indústria se diferenciar definitivamente do congênere ilegal..." Confesso que não cheguei a ficar empolgado com o entusiasmo da deputada, por conhecer aquela cantilena há muitos anos.

Passa-se um ano e estou no banho, quando a Regina atende um telefonema de Brasília... "João! É a deputada Tânia Soares... Ela quer muito falar com você!" "OK. Diz pra ela ligar daqui a 15 minutos que estou terminando o meu banho." Uma pausa e Regina insiste: "Ela diz que é superurgente, pra você sair do banho imediatamente!" Bom... sendo assim, o que fazer?... Saí enrolado na toalha e me atraquei no telefone: "Alô, deputada? O que aconteceu?" "Lobão, você não vai acreditar... nós conseguimos a votação da lei da numeração na Câmara dos Deputados, e por unanimidade!"

Me segurei para não cair a toalha, respirei fundo, absorvi a informação e perguntei: "Mas como?" A Tânia continuou: "Lobão, seria excelente se alguns nomes graúdos tomassem a dianteira e fizessem uma visita aqui em Brasília, passando pelo Congresso, pelo Ministério da Justiça... isso certamente irá dar mais celeridade ao processo, já que estamos em ano eleitoral e os políticos adoram os artistas, não é verdade?" "Claro! Mas isso não será difícil, a senhora quer que eu faça esse contato? Vou direto naqueles que já são mais veteranos no assunto, que frequentaram a casa do Chico, inclusive, vou começar com o próprio Chico! Depois o Caetano, o Gil, a Beth Carvalho... tenho certeza de que vai é sobrar gente nessa comitiva." "Que ótimo, Lobão! Vou ficar aqui torcendo para você me mandar logo as novidades, certo?" "Certíssimo, deputada! Olha, desde já, em nome da nossa classe, nosso muito obrigado! Lhe seremos eternamente gratos, viu? Um forte abraço!"

Comecei a pular de alegria, contei a novidade pra Regina e fui botar uma roupa...

Para começar, fomos à procura dos telefones e e-mails dos artistas mais representativos.

Ligamos para meio mundo e todos, sem exceção, foram muito favoráveis à notícia da numeração e se colocaram à disposição para um abaixo-assinado.

Nós estávamos muito felizes por um outro aspecto: de repente a lei da numeração seria um excelente momento para unir a nossa tão esparramada classe. Minha querida Beth Carvalho sempre diz que "artista só se encontra em premiação ou em aeroporto".

E continuamos animadíssimos a recolher adesões. Um nome forte, de primeira hora, foi justamente a Beth Carvalho, que com sua credibilidade e respeito de todos da classe (o que não ocorria comigo, evidentemente), além de abraçar a causa, transformou o seu lindo solar de estilo mediterrâneo no nosso quartel-general. Passamos várias noites e noites com a Beth, a Regina e o Nehemias, mandando e-mails e formulando nossa peregrinação até Brasília.

Mas, a princípio, por motivos de agenda, quem só teve um tempinho vago para fazer presença na capital federal foi a Beth e minha pessoa. Nos encontramos com Tânia Soares, visitamos o Senado e o ministro da Justiça, Miguel Reale Jr. A impressão que tivemos é que toda a classe política estava inteiramente a nosso favor. Encontramos também com o presidente da Câmara, Aécio Neves, inteiramente solícito, portanto, não havia nenhum empecilho político à vista. Uma boa vontade geral por parte de todos os partidos políticos.

Apesar da nossa esquálida representação, Beth e eu saímos de Brasília mais animados que entramos.

Logo em seguida, Regina e eu fomos até Porto Alegre para um encontro com o então governador Olívio Dutra, para que ele também aderisse publicamente à campanha, coisa que ocorreu imediatamente. Fomos recebidos no Palácio Piratini e nos encontramos com vários nomes da política e um sem-número de jornalistas.

De lá, recebemos a notícia por telefone da Beth dizendo que, da França, o Chico Buarque estava dentro! Espetáculo!!!

A campanha estava ganhando as ruas e os palácios, e o nome do Chico realmente dava um tremendo respaldo!

Mas, no meio daquela singela alegria cívico-numerológica, ocorre algo que me deixa um tanto assustado. Estávamos tentando pegar um táxi pelas ruas de Porto Alegre, quando ouvimos algo esquisitíssimo saindo de uma papelaria, pelos alto-falantes de uma rádio e em sessão extraordinária... O locutor anuncia com dramaticidade o seguinte: "Atenção, senhoras e senhores! Acabamos de receber a notícia de que o cantor Lobão foi encontrado morto num hotel em Brasília. Pelos primeiros exames periciais, tudo indica que o roqueiro teve uma *overdose* de cocaína. Informou o seu repórter etc. e tal..."

No entanto, com todo aquele mórbido glamour, havia alguns problemas práticos a esclarecer. Afinal, estávamos na terra da Regina e, em questão de menos de um minuto, o celular começa a tocar freneticamente... Não é toda hora que você pode assistir à reação de seus entes queridos em relação à sua própria morte, não é verdade?

Passado o susto, me deu uma fome terrível e sugeri à Regina que fôssemos numa cantina italiana comer um cordeirinho (sem trocadilhos, por favor).

Quando já estamos dentro do táxi, meu celular toca e é da *Folha de S.Paulo*... É a Mônica Bergamo querendo falar urgentemente comigo: "Alô? Mônica? Tudo bem, Mônica?" "Lobão, você sabe que Caetano e Gil estão te defenestrando?" "Não, Mônica, deve haver um engano aí. Realmente há algumas idiossincrasias entre mim e o Gil, entre mim e o Caetano, mas agora estamos todos juntos, pois a numeração é um velho anseio de nossa classe... Eu falei com eles na semana passada e recolhi suas assinaturas para a lista em prol da numeração!" "Lobão, eu soube disso agora. Eles estão dizendo que você está usando o nome deles indevidamente e não vão apoiar as suas loucuras..." "Poxa... Seria, talvez, um pouco mais correto se eles tivessem falado comigo antes de se precipitarem em me acusar de qualquer coisa em público, uma vez que há uma semana não se opuseram de forma alguma em subscrever o seu apoio..."

Que o texto do projeto de lei tinha imperfeições? Sim! Claro! Era pra isso mesmo que a Tânia Soares queria tanto a presença de todos os interessados. Ninguém queria que o projeto passasse goela abaixo de ninguém...

E no dia 6 de julho de 2002 nosso baluarte da liberdade de expressão publica um artigo na *Folha de S.Paulo*. Cito uns trechos aqui:

"São artistas da canção que têm liderado a campanha pela aprovação de tal projeto e são eles que têm aparecido como heróis da mídia, sempre em oposição aos executivos das gravadoras, que tendem a ser retratados como vilões. Por ter admitido que meu nome se incluísse entre os que pediam alguma ação legislativa referente à questão, terminei me surpreendendo como participante desse grupo heroico.

"Confesso que, atendendo a um estímulo do meu colega Lobão, permiti a inclusão do meu nome, porque julguei se tratar de um pedido para pressionar os deputados no sentido de atentarem para o assunto. Tendo sido abordado entre uma excursão pela América do Sul e outra pela França (no meio da qual me encontro no momento), eu não sabia que estávamos já na véspera da aprovação desse projeto de lei, o qual, uma vez lido, revelou-se-me inoportuno, perigoso e, de resto, tecnicamente inaceitável. O músico afirmou no texto que 'Não assinaria embaixo do texto que o apresenta'. Como disse Rita Lee, 'não quero fazer parte dessa turma'. Se minha assinatura teve algum peso nessa decisão, quero agora retirá-la de modo enfático, assinando individualmente um pedido ao presidente da República no sentido de que ele vete o projeto. Só assim poderemos transformar esse episódio inoportuno numa oportunidade de avançar no esclarecimento da questão que nos trouxe a ele", disse Caetano, explicando o projeto de Tânia Soares. "Tanto Lobão e Beth são colegas que respeito e por quem tenho carinho. Foi, aliás, o carinho que tenho por meus colegas em geral que me levou a admitir sem mais perguntas a inclusão do meu nome nesse pleito da classe."

LOBÃO NA MÍDIA

- No dia 6 de março de 2002, o *Jornal do Brasil* noticiou um encontro entre Lobão e Cristovam Buarque no Teatro dos Bancários, em Brasília. Na época, Lobão lançava o disco ao vivo *2001: uma odisseia no universo paralelo*, e Cristovam lançava sua candidatura ao Senado pelo PT.

Durante o debate — cujo tema era "Juventude, cultura e futuro" —, Cristovam Buarque afirmou: "Temos um ponto em comum. Nós dois sonhamos. Temos uma utopia que nos serve de ponto de fuga." Os dois concluíram que falta à juventude contemporânea a figura clara e objetiva de um inimigo a ser combatido.

Em entrevista ao jornal, Lobão afirmou que, como cidadão, já propôs a Lei de Proporcionalidade da Droga. "Assim, todas as drogas seriam liberadas, mas se alguém fosse pego cometendo algum delito sob influência de tóxico, sua pena seria potencializada."

Ele afirmou também que "palanque é palanque, palco é palco. Como artista, procuro ser apartidário".

- Segundo a coluna de Mônica Bergamo de 24 de junho de 2002, Gilberto Gil e Caetano Veloso ficaram irritados com o fato de Lobão usar seus nomes nos protestos contra as gravadoras.

"Eles me autorizaram", diz Lobão. "Falo em nome de todos: há uma suspeição generalizada sobre os números de vendas apresentados pelas gravadoras." Na semana passada, o cantor visitou Brasília para defender o projeto que obriga a indústria a numerar os CDs que fabrica. Isso aumentaria o controle sobre as vendas.

"Caetano e Gil apoiam o projeto. Mas não as loucuras que o Lobão anda falando por aí", diz Flora Gil, mulher de Gil, que não tem problemas com a indústria fonográfica.

- No dia 27 de junho de 2002, a *Folha de S.Paulo* informou que Lobão, que liderou com Beth Carvalho a mobilização da classe musical pela aprovação do projeto de lei que defende a numeração dos CDs, declarou que o grupo que se organizou em torno da deputada Tânia Soares (PCdoB - SE) admite reestudar e corrigir detalhes do texto que podem tornar a execução da lei inviável para a indústria.

"Não podemos transformar a numeração em fetiche. Não queremos atrapalhar as gravadoras, muito menos as pequenas, que poderiam quebrar com a numeração sequencial. Estamos estudando um protótipo que seria uma iconografia identificada por lotes de, por exemplo, cinquenta mil unidades, sem numeração sequencial. O texto pode ser reelaborado", diz Lobão.

O músico já responde à questão do custo, desmentindo afirmações das gravadoras de que encareceria os CDs: "Segundo estudos, se toda a indústria aderisse à inclusão do selo, ele custaria R$0,01 por CD. É importante que se perceba que a opinião pública está pensando sobre o assunto de maneira crítica em relação às atitudes da indústria. Nossa classe tem que se manter atenta e unida."

- Em 28 de junho de 2002, o presidente da gravadora Abril Music e diretor da Associação Brasileira dos Produtores de Discos (ABPD), Marcos Maynard, comentou na *Folha de S.Paulo* a aprovação, no Senado, do projeto de lei da deputada Tânia Soares (PCdoB - SE) que propõe a numeração de obras autorais como discos e livros para controlar a relação entre criadores, produtores e fabricantes de cultura.

"O texto, além de analfabeto, diz que as fraudes são rotina. Nos chama de ladrões sem provas. É um decreto mentiroso, que afirma que nos Estados Unidos as obras são numeradas. Não são. Os senadores e Fernando Henrique Cardoso não conhecem o teor da história, não leram esse projeto."

Maynard diz que não, mas Lobão e Beth Carvalho, que lideram o *lobby* dos artistas, afirmam que Caetano apoiou. Ele não se manifestou até agora. Embora indignado em relação à atuação de Lobão ("não posso julgar a raiva e os problemas de uma pessoa destrutiva que quer ser o gladiador, o Dom Quixote"), admite a viabilidade de solução conciliatória citada ontem pelo músico, de numerar os CDs por lotes. "Se o grande Lobão acha isso, que bom. Pode-se fazer numeração por lote, todos vão ficar felizes. Por nós, quem não deve não teme. Só temos que temer pelo futuro da música brasileira."

E os artistas mobilizados devem temer ficar "queimados" nas gravadoras? "Isso não existe. É legal Lobão vender disco na banca, ele faz um marketing bárbaro. Agora é capaz que venda um milhão de cópias. Tudo é legal, desde que ele não agrida quem não tem nada a ver com isso. Esse menino precisa levar um pito, e vai levar."

- No dia 1 de julho de 2002, Lobão afirmou à *Folha de S.Paulo* que pretende processar Marcos Maynard — presidente da Abril Music e membro do conselho da Associação Brasileira dos Produtores de Discos (ABPD) — pelas críticas dirigidas a ele por conta da lei que prevê a numeração de CDs.

"Esse senhor disse que sou destrutivo, raivoso, gladiador e Dom Quixote. Ele vai ter que se retratar, ou vai ser processado por injúria e difamação. Me sinto até lisonjeado por ser chamado de 'esse menino', aos 44 anos, mas tem que ficar claro que as gravadoras tratam os artistas de forma viciosa, como se fôssemos imbecis.

"Queremos esclarecer que não somos malucos, sabemos o que fazemos. O texto tem imperfeições, mas não podemos interferir nele agora, ou terá que voltar para a Câmara. Ele deve ser sancionado como está para ser reescrito quando a lei for regulamentada", explicou Lobão.

- Em 8 de julho de 2002, falou à *Folha de S.Paulo* sobre os prós e contras de ser um artista independente. "O legal é que, como artista, você participa de todo o processo, tem mais autonomia. A única desvantagem é a falta de acesso ao rádio", diz.

- Em artigo publicado na *Folha* em 10 de julho de 2002, Beth Carvalho e Lobão responderam ao artigo de Caetano Veloso sobre numeração de CDs. Segundo eles, "a numeração de discos é uma luta histórica e amarga da classe artística há mais de trinta anos, que gerou uma série de episódios no sentido de regulamentá-la, seguidos proporcionalmente de outros tantos no sentido de coibi-la violentamente".

"Antes de entrar no mérito da questão propriamente dita, não há como deixar de lado a seguinte pergunta: como nosso colega Caetano Veloso, que, ao deixar incluir seu nome na lista de apoio à numeração de CDs, subscrevendo nossa representatividade, vem agora a público [em artigo publicado na Ilustrada no último dia 6 de julho] protestar veementemente contra esta empreitada, sem ao menos ter tido a elegância de retribuir às nossas circulares, aos nossos e-mails, aos nossos exaustivos telefonemas, enfim, rejeitando todos e quaisquer esclarecimentos e premissas dessa árdua e complexa luta que é a efetivação desse projeto de lei?", dizem Lobão e Beth Carvalho. Para eles, "é inaceitável a explicação de Caetano Veloso sobre o seu 'parcial' entendimento da proposta".

"Vamos aos fatos: o corpo do projeto de lei da deputada federal Tânia Soares (PCdoB - SE) faz menção apenas à obrigação de numerar obras artísticas, literárias e científicas e quanto à assinatura do autor. É evidente que não pode se tratar de autógrafos distribuídos nos milhares de exemplares firmados de próprio punho. Isso seria absurdo.

"Há meios tecnológicos de fazê-lo. Será que o presidente do Banco Central fica em seu gabinete assinando os milhões de cédulas que circulam no país? É nessa ingenuidade que querem insistir?

"É muito interessante observar Caetano preocupado em dar importância à justificação do projeto de lei, como um pintor mais preocupado com a moldura do que com o próprio quadro em si."

Eles afirmaram ainda que é "de admirar a indignação de Caetano mediante a suspeita de irregularidades na indústria fonográfica. Ora, é exatamente por falta da devida instrumentação jurídica que ficamos eternamente 'suspeitando' (...) Você, Caetano, desde já está convidado, juntamente com as grandes gravadoras. Será um prazer tê-lo conosco para conversar com a sua classe. O diálogo é imprescindível e não há nada de rebelde ou radical em exigir mais respeito e mais direitos para a nossa classe".

Segundo eles, "a numeração de CDs é viável, sim! É barata e factível. A lei pode e deve ser aperfeiçoada e suplementada. É evidente que há que se abrir licitações, analisar métodos, aperfeiçoar logísticas sem a inferência do terrorismo de um suposto rigor pétreo de um só artigo (o projeto de lei) que se resume a duas frases (...) Não somos heróis, Caetano, estamos apenas reivindicando um legítimo direito. Um direito que é de todos nós".

Capítulo 63

No dia 12 de julho, Gilberto Gil comentou o uso indevido de seu nome nas discussões sobre a numeração de CDs. À coluna de Mônica Bergamo, na *Folha de S.Paulo*, ele afirmou que não quer ficar de nenhum dos dois lados. De Lugano, na Suíça, onde está em turnê, Gil procurou a *Folha* para afirmar que desautorizou a inclusão de seu nome na lista em que artistas pedem ao presidente Fernando Henrique Cardoso que vete a lei. O documento foi organizado por meio da ABPD (Associação Brasileira de Produtores de Discos).

"Não assinei e não quero assinar porque a ABPD estava manipulando. Me colocou o nome nela sem me consultar", disse Gil, por telefone. Por e-mail ele detalhou como seu nome acabou na lista: "Fui procurado por Lobão, me pedindo autorização para colocar meu nome na lista de apoio ao projeto de numeração de discos. E eu o autorizei."

"Fui informado de que alguns artistas estavam sendo procurados pelo presidente da Abril Music, sr. Marcos Maynard, pedindo apoio à iniciativa da indústria e dizendo que eu havia assinado a lista da ABPD. Esses pedidos do sr. Marcos Maynard chegavam aos artistas por telefone e e-mails, onde o meu nome encabeçava a relação de artistas. Por nenhum momento falei com este senhor, muito menos o autorizei a usar meu nome para conseguir mais assinaturas apoiando as gravadoras."

Ele declarou também que, embora apoie Lobão "no cerne da iniciativa dele", acha que houve açodamento na aprovação da lei.

Para Gil, "há também um certo tom panfletário" (a justificativa da lei acusa as gravadoras de "rotina de fraudes") e idiossincrasias pessoais do Lobão. "Não acho que a posição do Caetano, na questão de fundo, seja contra a do Lobão. São discordâncias superficiais. E a questão de fundo é: precisa-se de um mecanismo de controle da quantidade de discos vendidos."

"Eu não estou do lado de ninguém. Estou com Lobão no cerne da iniciativa dele. Mas nem todo artista tem que achar que as gravadoras só fraudam e roubam. São posições do Lobão. Ele não gosta dos artistas. E daí? Ele já disse numa entrevista: "Eu odeio o Gilberto Gil. E, no entanto, ligou pra minha casa e eu o atendi. Não se pode misturar desavenças pessoais com a discussão de melhorias em benefício das gerações futuras e de todo o país", concluiu Gil.

Percebendo a barafunda que a coisa tinha virado, o presidente Fernando Henrique veta o projeto de lei da deputada Tânia Soares e decreta a criação de um grupo de trabalho que terá trinta dias para propor projeto alternativo de controle a ser encaminhado ao Congresso.

Tânia Soares se manifestou positivamente ao desfecho e eu declarei: "Foi muito sábia a posição do presidente."

Mas a ABPD fez uma ressalva. Eu não poderia participar do tal grupo de trabalho e pediram substituição imediata do meu nome. Indicaram o meu querido amigo Roberto Frejat mais o nosso Ivan Lins, com a Beth no comando... não poderia estar mais bem-representado. Mesmo porque nós iríamos nos reunir todas as sextas-feiras no escritório de uma editora musical, e meu colegas me poriam a par de todas as conversas da semana anterior, de modo que eu pudesse estar sempre dando minhas opiniões, coisa que havia aprendido no decorrer do caso.

Enquanto isso, os meninos travessos da ABPD continuavam com suas peraltices; no dia 24 de julho, a *Folha de S.Paulo* anunciou que a gravadora Universal notificaria meu selo para "exigir pagamentos dos direitos autorais pela participação de Zeca Baleiro em *A vida é doce*. O CD de Lobão de 1999 traz a participação de Zeca Baleiro em 'Uma delicada forma de calor'".

No dia 25 de julho, *O Globo* afirmou que a Universal notificou Lobão, no dia 23, por inadimplência. Marcelo Castello Branco, presidente da Universal, disse que "Lobão não tem credibilidade para dizer que foi roubado pelas gravadoras".

O detalhe é que Zeca Baleiro nunca foi contratado pela Universal!!!! Zeca Baleiro é contratado da gravadora independente MZA, antes distribuída pela Universal e hoje associada à Abril.

No dia 2 de agosto, Zeca declara o seguinte na *Folha de S.Paulo*: "Me parece claro o desejo de desmoralizar Lobão e, consequentemente, a causa da numeração. Se a indústria fonográfica reclama do projeto que a trata presumidamente como fraudadora, que aja com transparência, conquiste credibilidade pública com lisura e evite a prática de golpes baixos como esse. No mais, o cachê que recebi pela participação é impagável — a satisfação de fazer parte de um disco histórico e belo. Amor não se paga com *royalties*."

No dia 3 de agosto, a gravadora Universal me acusou de convidar Zeca Baleiro para participar do disco *A vida é doce* e não ter remunerado o músico, segundo *O Globo*. A empresa e Lobão brigam desde que a Universal adquiriu os direitos da música "Me chama" após a canção ser gravada pelo Biquíni Cavadão no disco *80*, em 2001. Os direitos pertenciam à editora BMG. No entanto, Lobão alega que a canção foi registrada sem a sua autorização.

Baleiro defendeu Lobão, declarando, em carta, que nunca pensou "ao gravar nos discos e outro artista, em *royalties*, e quanto aquilo vai me render, se vai ser lucrativo ou não. Não sei pensar assim, nessa perspectiva mesquinhamente mercantilista". Ele disse que informou a sua gravadora, a MZA — que é representada legalmente pela Universal —, que participaria do disco de Lobão. "O que me parece claro é o desejo de desmoralizar o Lobão e, consequentemente, a causa liderada por Lobão na numeração de CDs."

No dia 6 de setembro, a *Folha* questionou: "A BMG não reedita a obra de Lobão porque ele é rebelde ou ele fica mais contra porque a BMG sentou em cima de seu catálogo e não faz nada com ele? Seja como for, estão fora de órbita o musculoso *Vida bandida* (1987) e quase toda a sua discografia na BMG, Virgin e Universal."

E no meio desse tiroteio, gostaria de ressaltar uma atitude sensata, clara e honesta da nossa querida Marisa Monte. Ela simplesmente me telefonou (ela mesma, e não um intermediário) e, com toda a seriedade do mundo, me pediu as devidas explicações sobre a lei da numeração. Com todo o gosto expliquei, tintim por tintim, sobre o que nós já havíamos progredido e o que nós deveríamos aprimorar. Se todos agissem desta forma, teríamos evitado esse episódio patético de disse me disse de uma classe dissoluta em público, de precipitações, umas maldosas, outras covardes, outras tantas ignorantes.

Também houve declarações de Lulu Santos e Rita Lee que afirmavam ser um absurdo um pária da indústria como Lobão, sem contrato com nenhuma gravadora, ficar levantando uma bandeira de uma classe a que nem sequer pertencia.

Respondi aos meus ilustres colegas que, justamente por estar sem contrato com uma gravadora, gostaria de ter uma lei que pudesse fazer jus aos percentuais descritos nas cláusulas, pois, sem alguma forma de quantificação, os percentuais se tornariam completamente abstratos e arbitrários. E que fazia muito gosto de um dia voltar a ser contratado por uma gravadora, sim, pois sempre fui um artista popular e meu lugar seria dentro de uma boa gravadora.

Agora, mesmo se isso não ocorresse, gostaria de lembrar mais outra coisa a meus colegas. Meu catálogo é bastante representativo, tenho mais de 15 discos gravados e, mesmo se jamais houvesse de ser contratado de uma gravadora outra vez, meus discos estariam sendo comercializados eternamente em seus catálogos... o que seria um motivo mais que razoável pra pleitear a numeração...

Mas os trinta dias do grupo de Brasília iam se esgotando e na última pré-reunião com Frejat, Ivan e Beth na editora eles pareciam meio desanimados com as últimas investidas da indústria fonográfica. Quando temos um *insight* e lançamos uma última cartada: "A Receita Federal!!"

E assim se sucedeu: na última reunião, quando tudo parecia perdido, foi convocada a presença de elementos da Receita Federal que, ao se inteirarem do assunto, fizeram todo empenho que houvesse uma lei regulamentando a quantificação das cópias de discos vendidos.

A coluna de Mônica Bergamo anunciou, no dia 23 de setembro, que o governo, a indústria fonográfica e músicos fecharam um acordo sobre a numeração de discos como queria o cantor Lobão. Eles serão numerados por lotes. Um centavo sobre a venda de cada disco, em vez de pingar no bolso do autor, vai para uma associação que controlará a eficiência da medida.

Segundo a *Folha* do dia 21 de dezembro, a obrigatoriedade da numeração de CDs foi oficializada no dia 20, em decreto que regulamenta o artigo 113 da lei do direito autoral (número 9.610, de 1998). Prevaleceu a numeração por lotes e não por exemplar, como estabelecia a primeira proposta de numeração.

Na época do armistício com as gravadoras, nosso Nehemias Gueiros vai à sede da ABPD recolher as assinaturas dos respectivos presidentes das *majors*. Segundo ele, o clima não poderia ser mais macambúzio... fato que me deu uma certa alegria, confesso... Mas algo de mais incrível e espetacular ainda estava para acontecer...

Quando nosso impávido advogado já está de saída, na sala da secretária, ele vê um bloco timbrado da ABPD, em branco, e como é um aficionado colecionador de blocos timbrados, pede encarecidamente à secretária para levar um com ele. A secretária gentilmente dá o tal bloquinho e Nehemias sai mais exultante ainda do escritório central da ABPD, com as assinaturas dos presidentes anuindo a numeração e seu bloquinho timbrado.

Quando chega ao estacionamento, Nehemias pega o bloco e, ao colocá-lo em sua pasta, cai uma página solta e manuscrita que estava dentro. Esse manuscrito era uma espécie de ata da cúpula de presidentes das gravadoras filiadas à ABPD, e havia pérolas por demais comprometedoras em seu conteúdo, que, no fim das contas, acabava por explicar aquele comportamento claudicante da maioria esmagadora dos artistas em relação à numeração. A letra é de algum dos cinco presidentes.

O conteúdo do manuscrito é:

Estratégia/Até o veto/não falar/não polemizar/articular adesões para caráter improvável do decreto aprovado e apoio a uma nova discussão sobre o tema com todos os envolvidos/depois veto/1 polemizar/2 ridicularizar Lobão.

Se vocês quiserem dar uma contemplada na beleza de caligrafia que o manuscrito exibe, é só vê-lo no caderno de fotos do livro.

Só para fechar este assunto um tanto entediante, gostaria de notificar que a lei vigora até os dias de hoje.

LOBÃO NA MÍDIA

- Na revista *Veja* de 17 de julho de 2002, Diogo Mainardi escreveu uma coluna sobre a assinatura de Caetano Veloso no manifesto. Depois que o projeto foi aprovado pelo Congresso, Caetano voltou atrás e pediu que FHC o vetasse, disse o colunista. Após Lobão chamar Caetano de "signatário-gilete", o cantor afirmou que assinou o documento sem lê-lo.

"É uma boa notícia para a gravadora de Caetano Veloso. Da próxima vez, poderá apresentar-lhe um contrato altamente desfavorável do ponto de vista econômico porque, distraído pelas mesóclises, ele não costuma ler os documentos que assina", escreveu Mainardi.

"O projeto da deputada Tânia Soares determina que, além de numerado, cada livro e cada CD também deve ser assinado pelo autor. No caso dos livros, nenhum drama, visto que raramente um escritor nacional consegue vender mais de mil exemplares. No dos CDs, a coisa de complica. Xuxa vai conseguir assinar pessoalmente um milhão de cópias? Vale impressão digital? Gravadoras e editoras alegam que a iniciativa vai acabar encarecendo CDs e livros. Proponho, então, uma medida que satisfará a todos. Como os escritores são pobres e os cantores, ricos, os escritores podem passar a assinar e numerar os CDs dos cantores. Por um preço baratinho. Um centavo por CD. Dessa forma, as gravadoras serão poupadas da tarefa de assinar os milhões de CDs e os escritores terão, finalmente, uma fonte de renda muito mais segura do que a venda de livros", afirmou Mainardi.

- No dia 18 de julho de 2002, a *Folha* informou que o presidente Fernando Henrique Cardoso vetou o projeto de lei que determinava, com a inserção de um artigo na Lei de Direitos Autorais, que obras artísticas, literárias e científicas, como CDs e livros, fossem numeradas e assinadas por seus autores.

Para tentar driblar o desgaste da derrubada de uma norma que protegeria o pagamento de direitos autorais, FHC decretou a criação de um grupo de trabalho que terá trinta dias para propor projeto alternativo de controle a ser encaminhado ao Congresso.

A deputada que apresentou o projeto, Tânia Soares (PCdoB - SE), se disse satisfeita com o desfecho: "Acho positivo. O decreto é um compromisso de que o presidente quer, sim, instituir o controle dos direitos autorais." O músico Lobão, que liderou o movimento dos artistas pela aprovação, vai na mesma direção: "Foi muito sábia a posição do presidente, uma atitude democrática."

- No dia 3 de agosto de 2002, a gravadora Universal acusou Lobão de convidar Zeca Baleiro para participar do disco *A vida é doce* e não ter remunerado o músico, informou *O Globo*. A empresa e Lobão brigam desde que a Universal afirmou que os direitos da música "Me chama" foram adquiridos por ela após a canção ser gravada pelo Biquíni Cavadão no disco *80*, em 2001. Os direitos pertenceriam à editora BMG. No entanto, Lobão alega que a canção foi registrada sem a sua autorização.

Baleiro defendeu Lobão, declarando, em carta, que nunca pensou, "ao gravar nos discos de outro artista, em *royalties*, em quanto aquilo vai me render, se vai ser lucrativo ou não. Não sei pensar assim, nessa perspectiva mesquinhamente mercantilista".

Ele disse que informou sua gravadora, a MZA — que é representada legalmente pela Universal —, que participaria do disco de Lobão. "O que me parece claro é o desejo de desmoralizar o Lobão e, consequentemente, a 'causa da numeração'", referindo-se ao movimento liderado por Lobão para a numeração de CDs.

- Em 9 de agosto de 2002, o presidente da Universal, Marcelo Castello Branco, criticou Zeca Baleiro — que o acusou de utilizar seu nome para tentar desmoralizar Lobão e assim desviar atenções do caso da numeração — na *Folha de S.Paulo*. O executivo diz que precisa do dinheiro não pago pela participação de Zeca em CD de Lobão para recuperar investimentos feitos em seu ex-artista.

"É comum perdermos dinheiro com artistas novos no início. Zeca saiu deixando investimentos por recuperar, e seus direitos são transferidos para amortizar a dívida. Não existem segundas intenções, existem direitos e deveres, ética e responsabilidade."

- Segundo a *Folha* de 21 de dezembro de 2002, a obrigatoriedade da numeração de CDs foi oficializada no dia 20, em decreto que regulamenta o artigo 113 da lei do direito autoral (número 9.610, de 1998). Prevaleceu a numeração por lotes e não por exemplar, como estabelecia a primeira proposta de numeração.

Principal defensor da numeração, o músico Lobão se diz "exultante" com o decreto. "Vai ser revolucionário. Teremos a numeração eletrônica para cada canção, que poderá ser rastreada em qualquer parte do planeta. Isso é efetivo para podermos cobrar das TVs e das rádios", diz. Lobão se refere ao código digital ISRC (International Standard Recording Code), que passa a ser obrigatório e assegura o controle da execução de cada faixa.

"Temos um pré-acordo com a ABPD (Associação Brasileira dos Produtores de Discos) em que eles se comprometem a bancar os custos, da ordem de R$0,03 por exemplar", afirmou Lobão.

Capítulo 64

Desde 2001 que, apesar do fuzuê da numeração, estava compondo sempre que podia. Como lancei as inéditas "Para o mano Caetano" e "Lullaby" no disco ao vivo, só fiquei com a "Balada do inimigo" no balaio. Aqui está a letra dela:

Quem é você
Quem é você
Nas minhas mãos
Nas minhas mãos vazias
Você assim tão impossível
Em vão
E o impossível
É uma droga poderosa pra nós,
Reféns do que virá

Quem é você
Quem é você
Embalsamando ameaças
Numa fileira de santos
Que nenhuma beleza ilumina

E o impossível é uma droga perigosa o bastante
Para se inventar a fé
Para se acreditar na fé
Em alguma salvação

E eu deslizo
Pro fundo de um quarto escuro
Já não sei mais onde estou
Pra mim o mundo é só mais um quarto escuro
E a devastação da vida
Um cobertor

Talvez algumas lágrimas
Nos tornem um pouco mais inchados e vazios
É rapa...
Não há estilo sem fracasso

Talvez alguns sorrisos nos deixem um pouco mais silvio santos das nossas torturas
Pois a salvação floresce feliz como um escárnio

Lá onde os deuses não morrem nunca
Mas são recauchutados debaixo de nossas almas
Numa salvação que só interessa aos assassinos e aos santos
Numa salvação triste como qualquer céu
Como num domingo
Como num suicídio
Como num êxtase
Que se desaprende
Eu
Deslizo pro fundo de um quarto escuro
Já não sei mais onde estou
Pra mim o mundo é só mais um quarto escuro
E a devastação da vida
Um cobertor
Deslizo pro fundo de um quarto escuro
Já não sei mais onde estou
Pra mim o mundo é só mais um quarto escuro

E a devastação da vida
Uma declaração de amor

Mas logo depois do 11 de Setembro, tive uma ideia de transpor uma canção recém-feita, o "Homem-bomba", para a realidade dos morros cariocas. E comecei a imaginar um garoto de seus 13, 14 anos cercado pela polícia num tiroteio suicida. O "Homem-bomba". A segunda canção surgiu num hotel em Porto Alegre, na saída do Segundo Fórum Social Mundial, e tinha uma atmosfera setentista, tipo aquelas baladas estradeiras. E assim que cheguei no Leblon, escrevi uma letra para "Tranquilo":

Para além de mim
Na beira da Estrada
Uma lua absurda
Brilha só
No meio do dia
Com a incerteza e o abandono
De uma paisagem
Que o vento inventou

Para o meu caminho
E assim sonhos refrescam
E os pesadelos curam

E pela estrada afora
Pela estrada afora
Eu vou
Com a alegria de uma aventura

E é só
Tudo o que eu carrego é o meu destino
E é só

Por onde quer que eu vá
Eu vou tranquilo
Por onde quer que eu vá

E isso é Amor
E eu sou o meu lar

E a noite e a madrugada

São meu endereço e o meu país
E é só

Entre o céu e as sombras
Eu invento o mundo

Que os sonhos me deram e assim eu sou feliz
E o medo me ensinou
Como se ter coragem
Coragem
E pela estrada afora, pela estrada afora
Eu vou
Com a alegria de uma aventura
E é só

Ainda não havia esboçado nenhum conceito mais sólido para o próximo disco.

Havia umas canções esparsas, até uma semana em que ocorreram quatro acontecimentos que encaminharam a história do álbum. Primeiro foi a feitura de "Pra sempre, essa noite". Naquela semana, estou numa tarde de autógrafos numa livraria, se não me engano, em Campinas e, de repente, me surge um cara e me fala que tem um manuscrito do Júlio Barroso, que ele escreveu dias antes de morrer... Esse cara tinha sido baixista da última formação da Gang 90. E assim que cheguei de viagem, peguei meu violão, coloquei apenas as seis cordas finas do encordoamento de 12... Peguei o poema e musiquei "Quente":

Qualquer dia da semana
Um coração vazio
Se enche de amor
Qualquer dia da semana é primavera
E um coração vazio
É um copo que enche de inverno
o inferno do eterno furor de viver
Encher nosso copo corpo quente

com luz seduz
Num coração com varanda, vista pra frente e jardim
E tudo isso cabe num barracão
Lua que fura e ilumina zinco quente
Eu e você, nossas roupas comuns
Iluminadas pela mesma luz de um lampião
Já passou, não passou
Outro sol, outro

E logo na semana seguinte, a Lucinha, mãe do Cazuza, me telefona e me pede para musicar uma letra... Comecei a trabalhar nas harmonias e na melodia e daí saiu "Seda":

Agora que a Seda
transformada em trapos
já não me atrapalha movimentos nem aperta meus sapatos
e que grito agudo já não encontra eco,
misturado à luz de outros
no Universo

Agora que o vento me seca as lágrimas
Água que é mar no meu corpo
sobra sal,
Bob Dylan, você está invisível agora, sem segredos
Saudade é felicidade abafada, futura
Agora que o vento seca as minhas lágrimas
Agora que o vento seca as minhas lá-gri-mas. Lá... lá-lá-lá-lá-lá

Já estávamos no final de 2002. Eu e Regina em Cachoeira quando, de repente, o telefone toca... é um jornal querendo falar comigo para dar uma notícia horrível em primeira mão: a Cássia Eller tinha acabado de morrer! Eu não conseguia acreditar! Saí para o meu quarto, peguei minha guitarra e fiz um blues denso e pesado. Em seguida, veio, uma letra que vim a batizar de "Boa noite, Cinderela":

Um centavo só por uma alma
Uma orquídea por um desalento
Uma abóbora por um detalhe
Um silêncio por qualquer silêncio

Uma cara ao menos por um tapa
Uma rosa por algum espinho
Uma vida só por uma noite
Uma noite por algum carinho

O terror agora é minha fúria
E essa fúria agora é minha malandragem
O terror agora é minha carroça
Tirando chinfra de carruagem
Por favor, agora já é tarde
Teu desejo agora é meu silêncio
Eu só preciso de mais um pouco
Pra me curar desse deserto

Por favor, depressa, já é cedo
Teu silêncio agora é meu desejo
Eu só queria cantar mais um pouco
Só pra te ter mais um pouco
Mais um pouco
Um pouco mais
Nessa noite escura

Ao mesmo tempo que entabulava o próximo álbum, voltava a ter minhas dúvidas quanto ao que fazer do disco. Continuar botando em banca de jornal? Não estava dando tão certo assim... sabia que a ideia era um paliativo, mas até aquele momento, não havia uma outra alternativa razoável.

Eu e Regina continuávamos com nossa busca para tentar arranjar uma boa parceria para o projeto da revista.

Já estávamos em 2003, e só em 23 de abril desse ano é que foi finalmente publicada no *Diário Oficial* a lei da numeração, que passou a vigorar desde então. A festa marcada pelo presidente Fernando Henrique Cardoso no Palácio do Planalto foi misteriosamente desmarcada...

Outra lei que estava sendo redigida era pela criminalização do jabá nas rádios. O projeto estava tramitando na Câmara, mas acabou sendo abortado.

Um dos primeiros números da revista *OutraCoisa* foi exatamente dedicado a uma entrevista de capa com o ministro da Cultura, Gilberto Gil.

Na ocasião em que fui a Brasília entrevistá-lo, não falou nada de conclusivo, muito pelo contrário, em relação à sua postura no que dizia respeito ao jabá.

Enquanto fazia palestras, e brigava para criminalizar o jabá, continuava escrevendo as canções do disco. Quando estive, ainda na época da numeração, em Aracaju, para visitar a deputada Tânia Soares, num acesso de saudade da Regina, no meio de uma noite chuvosa, acabei compondo uma nova canção. Peguei o violão e coloquei o capotraste na quinta casa, afinei o bordão em ré. Depois do temporal fui tomar um banho de mar que batia na frente do meu bangalô do hotel. Passeio pelos jardins cheios de hibiscos e recolho algumas flores pensando na Regina... amanheceu e eu fui meditar na praia... em seguida, nasceu... "Você e a noite escura".

Às vezes eu me sinto um fantasma
arrancando flores no jardim
à meia-noite
penso em você e sigo despedaçando
pétalas ao vento, na tempestade/pétalas vermelhas
tô com saudade
de você, de você

e as ondas vêm me cobrir na noite escura
e as ondas vêm me cobrir na noite escura

Às vezes eu não sei se é a noite
ou é vontade de ter agora, agora
Eu penso em você e sinto a tempestade
desabar por dentro e por fora
eu penso em você e sinto/toda a vontade do mundo
de ter agora, agora
você
agora

Havia uma grande expectativa na cena independente em relação à estreia nas bancas da revista *OutraCoisa*. Conseguimos excelentes jornalistas para escrever no primeiro número.

É necessário salientar que o orçamento da revista nunca nos deu algum retorno de dinheiro, em todos os seus números. Falo isso pois houve gente especulando a possibilidade de estarmos ganhando grana com isso... Deveríamos, mas isso não aconteceu.

Pois bem, finalmente, em novembro de 2003, sai o primeiro número da *OutraCoisa* com o já clássico "Enxugando gelo" do BNegão, que estoicamente esperou a revista se estruturar para turbinar a visibilidade e a qualidade dela.

Sinceramente, eu nunca levei tanta fé na projeção que esse veículo pudesse dar na carreira de quem quer que fosse, mas o fato é que, para surpresa de todos nós, a *OutraCoisa*, com todas as suas precariedades, escreveu uma página muito bonita na história da Música Popular Brasileira, com nomes, bandas e discos dos mais importantes dos anos 2000.

Nomes como Cachorro Grande, Mombojó, Nervoso e os Calmantes, Bide ou Balde, Réu e Condenado, Vanguart, o CD histórico de Arnaldo Baptista que a revista *Mojo* indicou como um dos dez melhores lançamentos do ano de 2006 em todo o mundo, o meu disco, *Canções dentro da noite escura*, que considero o meu melhor álbum...

A revista existiu por quase cinco anos, de 2003 a 2008, e colocou nas bancas uma média de vinte artistas, todos de primeiríssima qualidade, e isso me dá um orgulho imenso. Afinal de contas, para um cara que "detesta a classe artística", não está nada mal...

O ano ia se acabando e ainda faria mais duas canções... já que tinha o conceito na cabeça... Como estava falando de fantasmas passeando por um Baixo Leblon fantasmal, senti falta de mais Leblon na noite escura e, como havia acabado de comprar um teclado novo, acabei fazendo um tema bem soturno, para poder trabalhar numa letra que "cenografasse"o meu Leblon na "antimatéria" e saiu uma letra que se encaixou com muita fluidez nesse tema... nasceu "Depois das duas":

A noite se apaga no final
Da arrebentação
Os carros passam pelo asfalto

E o vento confirmando
Enquanto a chuva cai
No Baixo Leblon
Eu procuro abrigo na marquise
De uma esquina

Quem mais sou eu
Além da chuva e da vertigem
Depois das duas
E o que mais
Talvez além da noite e das ruas
Você procura?

E não é só porque choveu
Que você está tão triste assim
Mas nos resta ainda atravessar o frio
Desta noite
E quando amanhecer
Eu quero estar aqui
Do teu lado
Mesmo até depois do instante
Em que tudo vai parar...

E ainda fui fazendo outra no embalo... consegui juntar uns dois temas musicais numa só música. Tinha feito uma composição de piano inspirada na famosa, e ficcional, sonata de Vinteuil, personagem proustiano que compôs uma das invenções literárias mais bonitas em relação a uma música. A descrição daquela sonata era tão palpável, tão bem-arquitetada pela palavra, que dava para ouvi-la na cabeça... em fá sustenido, ... não resisti e compus o que sentia ser essa sonata, a transformei num miolo de uma levada samba-rock psicodélico e acabei fazendo uma letra também um tanto psicodélica... e daí desabrochou a canção que chamei de "Vamos para o espaço".

E, turbinado pela emoção de compor com meus amigos fantasmas, me deu uma saudade do Júlio. Eu corri para o livro que a Denise Barroso editou, o raríssimo e fabuloso *A vida sexual dos selvagens*, peguei dois poemas e costurei um no outro inserindo algumas frases, algumas palavras... transformando-os em um só poema. Coloquei-o numa sequência de acordes, mais um *loop*, e o batizei de "Não quero seu perdão":

A gente nasce,
A gente cresce,
A gente vive,
A gente morre
O tempo todo, o tempo todo
Perto dela,
Da solidão
E é tão bonito
Essa razão tão sem razão
A gente leva a vida inteira para entender a vida
Dia após dia, sem imaginar
Se recusando a acreditar
Que pra estar no paraíso
Basta amar, basta amar
E me dá vontade de cantar uma canção
Tão suave
Que os céus possam se abrir sem nuvens nem rastro
E que todas as mentiras pra derrotar
Se transformem em pequenas incertezas brilhando no seu olhar
Não me faça pensar que vai ser tudo igual
Pois você sabe muito mais do que ninguém
Que eu fui o melhor, que eu fui o pior, e é isso aí
E se eu tenho o seu amor, pra que pedir
E se eu tenho o seu amor, pra que pedir
Não quero o seu perdão
Pois a noite é uma princesa caída por mim
No lago do peito secreta solidão
Eu me lembro de lugares, de pessoas que eu frequentei,
Cenas que eu vivi, filmes que eu já filmei
Minha única escolha é ser sincero
Eu canto donas de castelos
Mas não sou lobo louco, não
Eu brinco de polichinelo com o bobo coração
Mil e um palácios de areia, noites de sereia

Eu ouço o som de uma nota só
Despedaçado entre a tempestade, a vontade e os sonhos
Nos subúrbios da alma
Eu sou marinheiro que navega com a lua
A paisagem é o meu desejo
Eu preciso do outono, eu preciso de um beijo
Eu preciso me desfazer de todas as certezas e te cuidar
Sem impor nenhuma condição
Não quero o seu perdão
Porque eu só quero o mar, meu mar
Meu mar, minha lua
E essa lua
É amar
Só você...

Alguns dias depois, de brincadeira, testando uma pedaleira nova, direto no computador, fiz um tema com a guitarra afinada em dó e compus o instrumental "Aí, galera maluca".

A última canção a ser feita viria a ser a última faixa do disco: "E a gente vai se amar":

Não demora, por favor,
Que eu só quero te encontrar
Pra te dar de volta
Tudo o que eu sonhei
Todo o tempo que eu passei a viver depois do fim
Eu me abrigo nessa noite escura
As derrotas que eu embelezei
Minhas ilhas flutuando pelo ar
E as histórias que eu ainda vou contar
E depois da escuridão
Haverá um lindo sol
E a gente vai se amar
E a gente vai se amar
E a gente vai se amar...

A música tem uma atmosfera beatlelesca, de fim de disco; é uma canção típica de encerramento.

O disco foi gravado em alguns lugares... Começou na casa do Pedrinho (Garcia), depois continuei na casa do Trilha, gravei muitas partes na minha casa. Esse disco marca a minha estreia usando computador, me traz de volta a bateria, e também contei com o meu querido Marcelo Costa e o Pedrinho Garcia. O Trilha colocou os teclados, e o Daniel (Martins) gravou os baixos. A partir desse marco, tudo mudou na minha cabeça, como compositor e como instrumentista, e aponta para exatamente onde estou no exato momento: com um estúdio montado na minha casa em São Paulo, com um monte de instrumentos acústicos, analógicos e digitais. Adquiri, finalmente, o conhecimento para gravar profissionalmente minhas próprias produções, e não vejo a hora de terminar essa história pra sair correndo pro estúdio, me trancar lá e realizar meu próximo álbum de inéditas...

O lançamento do *Canções* infelizmente seria abortado por causa de um incidente lamentável.

LOBÃO NA MÍDIA

- Segundo o jornal *Folha de S.Paulo* de 13 de janeiro de 2003, Lobão cantou em show uma música nova, "Homem-bomba", cujo título é idêntico ao de uma canção lançada em 2002 por Caetano, em parceria com Jorge Mautner.

- No dia 21 de fevereiro de 2003, a *Folha* informou que a lei que obriga os CDs a serem numerados na fábrica segue tramitando nos bastidores, e a data final para que as novas disposições entrem em vigor é 22 de abril. Lobão declarou à *Folha* que ficou sabendo "que as gravadoras estão se preparando para cumprir a lei".

- A *Folha* informou em 11 de abril de 2003 que foi assinado acordo coletivo entre representantes de músicos e da Associação Brasileira dos Produtores de Discos. O parque gráfico já está adaptado para incluir numeração por lote e o código digital ISRC, que passa a ser obrigatório e constitui uma "carteira de identidade" individual de cada faixa de cada CD.

O custo estimado por cópia vendida será de R$0,01. Segundo Lobão, esse custo será financiado pelos artistas, em benefício próprio.

Durante encontro no Ministério da Cultura com a classe artística carioca, Gilberto Gil e Lobão trocaram abraços e elogios públicos. Gil afirmou que a posição de Lobão no caso foi polêmica, mas saudável.

- Em 15 de abril de 2003, a *Folha de S.Paulo* informou que um projeto de lei sugere a criminalização do jabá em rádios. A proposta está sendo elaborada pelo deputado federal Fernando Ferro (PT - PE) e deverá ser apresentada ao Congresso ainda no primeiro semestre deste ano. O objetivo do parlamentar é proibir que as emissoras cobrem para inserir uma música em sua programação, o que, segundo ele, tira o espaço de artistas iniciantes.

Os termos da lei do jabaculê estão sendo discutidos com Lobão, que quer incluir na redação do projeto "a criminalização do jabá, designando punições severas como multa, perda de concessão da emissora e prisão". Na semana passada, Lobão apresentou a proposta do projeto de lei a Gilberto Gil e obteve seu aval. "Muito bem, Lobão, você está um garotão", brincou Gil.

A aprovação de Gil também selou a reconciliação entre ele e Lobão, que havia criticado sua escolha para o Ministério da Cultura.

- A *Folha de S.Paulo* anunciou, em 18 de abril de 2003, que Lobão está criando a revista *OutraCoisa*. Desenvolvida em parceria com a emissora virtual AllTV e a editora Segmento, a publicação chegaria às bancas em maio, mês em que a TV transmitida pela internet completa seu primeiro ano de atividades. No entanto, a operação para levantar recursos e o esforço para que o preço de banca caia dos R$9,90 previstos para os R$5,90 desejados ainda não permitem cravar uma data.

Cada edição carregará consigo um CD. O primeiro, inédito, é a estreia em carreira solo do *rapper* BNegão. De cada exemplar vendido, o artista receberá R$1. "A maioria dos artistas ganha entre R$0,08 e R$0,30 por disco vendido", diz Lobão. "É a nossa contribuição contra a pirataria: preço baixo, com aumento do valor que o artista recebe."

A reportagem de capa do primeiro número é uma bomba de efeito moral. Será dedicada ao plágio, a partir de um dossiê que apontaria inúmeros casos "coincidentes" na carreira de uma das vacas sagradas da música brasileira. O nome do artista é mantido em sigilo, para evitar confrontos judiciais antecipados que possam levar ao impedimento de que a edição circule.

Mas *OutraCoisa* não será uma revista de música. Sob o slogan "rock, cultura e ideias", abarcará também literatura, moda, turismo e cinema. Lobão será o editor-chefe. A edição estará sob responsabilidade do escritor e jornalista José Paulo Lanyi, com reportagens de jornalistas como Tom Cardoso, Silvio Essinger e Júlio Maria. Artistas escreverão. O esquadrão inclui cartunistas (Laerte, Adão Iturrusgarai), cineastas (Erik Rocha, Carlos Gerbase), escritores (Paulo Lins, Austregésilo Carrano), músicos (Fred 04).

- Segundo a *Folha* de 11 de julho de 2003, o novo CD inédito e independente de Lobão deve sair em outubro, nas lojas e em postos BR. *Canções dentro da noite escura* é coproduzido por Pedro Garcia, baterista do Planet Hemp. Lobão não decidiu se incluirá a regravação eletrônica que fez de sua "Vida, louca vida" (1987) para o filme *Os Normais*.

Capítulo 65

Em setembro de 2003, vim a saber que meu pai, ao se aposentar, decidiu morar num lugar que era uma mistura de sítio com garagem, que abrigava uma enorme coleção de automóveis de luxo.

Meu pai era um cara que trabalhou desde os seus 15 anos... nunca o vi tirar férias em toda a minha vida, sempre amou fazer mecânica e, pela primeira vez, em todos aqueles anos, ele iria enfrentar a aposentadoria.

Falei com meu pai pelo telefone, e percebendo-o meio borocoxô, sugeri à Regina fazermos uma visita a ele e meu irmão.

Ao chegarmos, percebemos que meu pai e meu irmão estavam muito bem-instalados, numa casa bem espaçosa no centro de um terreno verdadeiramente enorme. Ele estava reformando a piscina, tinha um campo de futebol como quintal, e a tal garagem mais ao fundo. A entrada era bonita, com duas fileiras de palmeiras centenárias que desembocavam na varanda da casa. Ali, ele poderia continuar mexendo em motores, modificando carros, e isso era fundamental para sua saúde, principalmente a psíquica.

Quando chegamos, ele, apesar de ser um cara fechadão, ficou nitidamente eufórico. Estava, fisicamente, bem combalido. Vivia com seus três cachorros, que o seguiam para todos os lugares, e meu irmão, seu fiel escudeiro, sempre ao seu lado.

Assim que nós chegamos, ele teve alguns lampejos de animação... ele, que era totalmente avesso a carne, sabendo que Regina é gaúcha, nos convidou até uma loja de beira de estrada, que vendia churrasqueiras pré-fabricadas. Escolheu uma e mandou levar imediatamente para sua casa: "Pronto! Agora vamos poder fazer churrasco todo o fim de semana!"... Ele estava muito feliz com a nossa visita... Meu irmão, nem se fala! Passava seus dias muito só... À noite, ele nos convidou para assistir a um vídeo do Mr. Bean, que ele adorava.

Por mais que ali, naquele lugar, ele tivesse acesso a uma oficina, aos seus automóveis, era um local muito ermo, que deveria aumentar a sensação de exílio. Ele tinha os brinquedos, mas não tinha ninguém para brincar...

Minha relação com meu pai, que sempre foi bem distante e conflituosa, ficou numa espécie de estado de suspensão, num limbo relacional, desde aquele episódio do violão.

Ele tinha trazido sua coleção de aviõezinhos, máquinas de trem elétrico, carrinhos de corrida dos anos 1930... Todo o seu mundinho, tão familiar e fascinante às minhas lembranças de infância, estava lá. Comecei a pressioná-lo a montar um trem elétrico... espaço não faltava, o João Eduardo iria adorar, e seria, com certeza, um excelente ajudante... ele começou a se animar. Eu fiz questão de ir pra cozinha no almoço e fiz uma maionese caseira com purê de ervilhas que ele sempre amou, eu sabia fazer sua comida exatamente do jeito que ele gostava (mesmo porque comi aquela dieta por muitos anos na minha adolescência), e tivemos uma bela tarde de sábado, apesar da minha tristeza em vê-lo tão decaído. Já não era mais a sombra daquele homem de macacão impecável, orgulhoso e engraçado. Ainda contava suas piadas, mas caía logo num estado de transe catatônico, fumando seu cigarro, com os braços apoiados na bengala, a olhar para o infinito. Estava, na maioria do tempo, melancólico e, sempre depois do almoço, quando já havia bebido sua garrafa de vinho branco alemão, depois de dizer que "estava em estado de graça", entrava numa tristeza de chumbo e ia dormir até as sete horas.

No dia 18 de abril, meu irmão me telefona com a voz muito assustada dizendo: "Ô João Luiz... me ajuda... o papai se envenenou... eu chamei a ambulância... ele foi pro hospital... mas ele não está nem num quarto..."

Contei o fato à Regina e saímos correndo para o tal hospital público. Chegamos lá... uma tremenda precariedade, comum aos hospitais públicos... ele, por incrível que pareça, não havia morrido, mas seu estado era muito grave. Chamo uma ambulância e encaminho-o a um hospital particular. Vou com ele na ambulância. Os médicos estão impressionados com a sua resistência. Fui chamado no CTI para vê-lo... Chego ao pé de sua cama e ele se mexe... eu tento falar com ele: "Pai... eu vou segurar a tua mão, e se você estiver me ouvindo aperta ela, tá?"... E imediatamente senti o aperto forte de sua mão... "Muito bem... olha, antes de mais nada, eu quero te dizer uma coisa que você vai se orgulhar muito: foi o João Eduardo que te socorreu, que providenciou a ambulância, que te colocou no hospital... Você está devendo essa pra ele. Pode ficar todo bobo com seu filho, que já é um homem e soube fazer tudo certo numa hora tão delicada... Você está me ouvindo?"... E ele apertava a minha mão com mais força, e assim ficou por algum tempo... "Pai, você parece que vai sair dessa... os médicos estão impressionados com a sua resistência... vamos ver se quando você ganhar alta, a gente retoma a construção do nosso trem elétrico..."... E ele apertava minha mão cada vez mais forte... "Você não está parecendo que quer morrer, pai... a gente às vezes tem esses rompantes... quantas vezes eu não tive... eu não quero te ver mais triste e macambúzio por ter parado de trabalhar. Amanhã, o médico me disse que você tem chance de sair do CTI... eu vou chegar aqui de manhã bem cedo e a gente vai fazer um monte de coisa, pai... agora vê se segura a onda e vai descansar... vou te dar um beijo na testa que há muito tempo a gente nunca mais se deu um beijo, né?" ... E dei um beijo na sua testa, coisa que não fazia desde criança... "Agora vai descansar que a gente se fala amanhã."

O médico me acompanhou até a saída me dizendo que, se ele conseguisse passar daquela noite, ele sobreviveria... só nos restava esperar de dedos cruzados...

Fui para casa bastante esperançoso... afinal, ele já tinha resistido aos momentos mais críticos... chego em casa, conto as boas-novas, mas no início da madrugada o telefone toca... era do hospital... meu pai acabara de morrer.

Capítulo 66

Em novembro de 2003, a revista é lançada com uma boa cobertura da imprensa em geral...

No fim do ano de 2004, recebo um telefonema de meu amigo Rogério Gallo. Ela me conta que assumiu um cargo de direção na Rede 21 e estava com um programa de entrevistas em mente. Me convidou para fazer uma espécie de *talk show* junto do Marcelo Tas e mais uma pessoa, que deveria ser uma mulher. Fiquei animadíssimo, pois sempre achei o Marcelo uma pessoa super bem-informada, sempre foi um amor comigo, e de cara disse que sim. Logo começamos a nos telefonar para tentar achar um nome bem legal para preencher os requisitos da próxima vaga. Depois de muito queimar a mufa veio à tona o nome de Mariana Weickert.

Uma vez escolhidos os três nomes, o Rogério marca o primeiro encontro. Foi amor à primeira vista! Parecia que nós nos conhecíamos desde criancinhas! Mariana apareceu toda simpatia e linda... Eu e Marcelo, que já nos conhecíamos há muito tempo, iniciamos uma grande amizade. Eu me senti um cara de muita sorte... nunca havia feito televisão e estava caindo de paraquedas num programa com uma equipe maravilhosa. Nosso diretor, Sergio Zeigler, sempre nos deu a maior tranquilidade para fazer o programa e também veio a se tornar outro grande amigo.

E o início das gravações do programa coincidiu com a finalização e lançamento e o aborto do *Canções dentro da noite escura*.

Com tanta rejeição ao último trabalho, diante da vulnerabilidade em que minha carreira se encontrava mais uma vez, decidi realizar um projeto que mostrasse a um tipo de público mais abrangente que estava produzindo, sim, e cada vez melhor. E não poderia haver melhor caminho pra isso do que um projeto ao vivo com a MTV. Minha primeira ideia era fazer um disco ao vivo, mas elétrico. Porém, minha querida Anna Butler me ressaltou que o filé da MTV era o *Acústico MTV*... que tinha a maior visibilidade, a produção mais esmerada, enfim, era o perfil que procurava.

Além do mais, com um *Acústico MTV*, ao invés de encher de velharia, colocaria, majoritariamente, músicas dos meus trabalhos mais recentes que estavam fora do alcance do grande público por estar excluído há mais de 15 anos das programações das rádios do país. (Quando falo excluído, me refiro ao meu repertório mais recente, pois, para mim, não adianta nada a rádio continuar tocando "Me chama" ou "Vida bandida"... Muito pelo contrário, só atrapalha.)

Uma vez decidido que faria um *Acústico MTV* (Regina e Jeronymo Machado fariam a produção executiva), resolvi chamar uma pessoa que pudesse traduzir tudo aquilo que desejava passar com um projeto daquela natureza e, de imediato, me veio o nome do meu querido amigo Carlos Eduardo Miranda. Com o Miranda na produção eu teria certeza absoluta que a qualidade e a excelência seriam uma exigência prioritária. A condição de fazer um *Acústico* era se diferenciar de tudo que havia sido feito até então. E assim procedemos. O Miranda veio para o Rio e começamos a entabular o repertório e, em seguida, escolher a banda que ia gravar o disco. A cozinha foi fácil... mostrei a ele o Pedrinho (Garcia), na batera, e o Daniel Martins, no baixo, amigos e companheiros já desde 2003, tocando, produzindo e gravando comigo. Necessitávamos de um pianista com muita técnica, criatividade, musicalidade e versatilidade, que tocasse com desenvoltura o harmônio e o órgão... o nome cogitado foi o de Roberto Pollo. O Miranda, ouvindo o repertório, sentiu necessidade de um percussionista, e ele me sugeriu o Stephan San Juan.

Os últimos nomes seriam justamente os dois violões que estariam interagindo com o meu. Um, eu já tinha em mente, era o Luce, que desde suas antológicas apresentações com a Cássia Eller me deixaram de queixo caído. E o último foi uma descoberta do Mirandaço, que, depois de algumas tentativas, me sugeriu o nome de um cara que tinha morado muito tempo nos EUA e era um virtuose em vários instrumentos de cordas... o cara é um exímio guitarrista, toca banjo de tirar emprego de caipira em Nashville, toca dobro e violão de forma exuberante... seu nome: Eduardo Bologna. Que, além de tudo isso, é uma criatura rara, o amigo, o gente fina e um cara engraçado à pampa. Estava formada a nossa banda. E ainda haveria um quinteto de cordas (achamos uma boa ideia adicionar um contrabaixo ao tradicional quarteto de cordas) que executaria umas quatro canções ("A vida é doce", "Quente", "Pra onde você vai" e "Vou te levar"), mais a participação de uma das bandas que mais gosto, a Cachorro Grande, que, através da *OutraCoisa*, se tornaram meus amigos de infância e, pra mim, uma das melhores performances de banda rock que eu já tive a oportunidade de assistir em toda a minha vida.

Estava rodeado de amigos queridos, que tinham em mente cometer um disco inesquecível. Era esse o nosso intento, cometer um disco inesquecível. Ensaiamos exaustivamente por uns seis meses num estúdio lá no Cosme Velho... e no finalzinho de 2006, fomos pra São Paulo realizar a gravação do CD/DVD *Acústico MTV*.

No dia seguinte iniciamos uma gravação que levaria duas noites com duas apresentações registradas.

O resultado não poderia nos deixar mais empolgados. A qualidade do som e da performance estava impecável. Não corrigimos nada no estúdio de mixagem. Conseguimos um altíssimo índice técnico aliado a uma calorosa e emocional performance. Fomos para a Toca do Bandido mixar o CD e o DVD na sua versão 5.1.

Ficamos enfurnados na Toca eu, o Miranda e o querido Álvaro, nosso grande engenheiro de som por uns dois meses, até obtermos uma qualidade prístina do som.

Sai o *Acústico MTV* e começa o bombardeio. Cordeirão, Lobão se vendeu, Lobão entra em contradição ao gravar um formato que sempre criticou, Lobão, agora sim, está acabado, e coisas do gênero. Mas, por ironia do destino, em nenhuma dessas críticas conseguiam atingir a qualidade e a excelência do material, da produção, da execução e do repertório.

Pois bem... o CD/DVD *Lobão Acústico* seria o novo recorde negativo de vendas: 23 mil cópias. Quando o pior resultado anterior era na ordem de 350 mil cópias.

Mas o destino ainda pregaria uma peça na gente. A Ligia, que trabalhava conosco na produção na época, sem que ninguém soubesse, achou por bem inscrever o *Acústico* no Grammy Latino. Só viemos a saber quando saiu a nominação para melhor álbum de rock de 2007! Para nós, aquela nominação era uma vitória, um reconhecimento da honestidade e da qualidade do nosso trabalho. Quanto a qualquer esperança de levar o Grammy, não havia nenhuma, pois estávamos concorrendo com uma barbada que era o disco de retorno dos Mutantes, gravado em Londres no Barbican Theater, que recebeu toda a atenção da mídia internacional, fizeram uma aclamada turnê mundial, em lugares como o Hollywood Bowl, além de ser a grande aposta da Sony (que também era a minha gravadora) para a premiação... Na noite da cerimônia, estava levantando da cadeira do avião para desembarcar em Salvador, pois íamos tocar na concha acústica do Castro Alves, recebo um telefonema de uma repórter da Band me informando que eu acabara de ganhar o Grammy Latino de melhor álbum de rock de 2007... Tentei explicar-lhe que ela estava enganada, que eu havia sido nominado e que estava muito feliz, quando ela me interrompe: "Lobão, eu estou aqui em Las Vegas, no meio da cerimônia, você ganhou o Grammy!"

E fui contar a meus companheiros de banda, ao Miranda, à Regina, que ficara no Rio, e fui para a Concha tocar feliz da vida.

Mas alguns jornalistas não concordaram com a minha premiação, e num jornal de grande porte do Rio de Janeiro, ao invés de noticiar a premiação... acharam por bem alertar os seus leitores para algo bem mais importante... e mesmo tendo acabado de ganhar a tão cobiçada estatueta, o nosso grande jornal carioca, através de um não tão grande jornalista assim, preferiu lançar a seguinte manchete: "*Lobão Acústico MTV*, o fiasco do ano"... o que me fez rir bastante, imaginando a energia intelectual despendida por nosso nobre escriba em ter aquele rasgo de imaginação.

Depois que o programa Saca-Rolha saiu do ar... o Cazé Peçanha me propôs que eu o substituísse no programa de debates da MTV, já que ele, o titular da posição, estava assoberbado com outros tantos projetos e não estava tendo tempo para continuar encabeçando o programa. Sem pestanejar, aceitei com todo o meu entusiasmo. Tratava-se de um programa ao vivo, sem edição, e, no meu entender, uma ótima oportunidade para o público em geral entrar em contato direto com a minha pessoa, cuja imagem fora forjada no decorrer de todos esses anos, principalmente, através da mídia escrita.

E também estava consciente de que se ficasse à mercê do resultado de vendas catastrófico do *Acústico*, poderia dar como encerrada a minha carreira...

Assim, tive que lançar mão da minha personalidade cada vez mais multifacetada, novamente me reinventar e iniciar a minha carreira de homem de TV.

LOBÃO NA MÍDIA

- Em 7 de novembro de 2003, Lobão afirmou à *Folha* que sua nova revista "não tem a intenção de ser revanchista com ninguém. Se for dura, é porque tem que ser".

- No dia 7 de novembro de 2003, a *Folha* anunciou o lançamento de *OutraCoisa*, que chega às bancas com vinte mil exemplares. O primeiro número vem acompanhado do CD *Enxugando gelo*, do carioca BNegão, 30, ex-Planet Hemp e ex-Funk Fuckers. Cada número bimestral terá, segundo Lobão, um CD inédito de um nome jovem da cena nacional. A banda sergipana de reggae Reação e os punk-bregas de Goiânia Réu e Condenado são cotados para os próximos números.

Ao jornal, Lobão falou sobre a experiência de editar jornalismo: "Estou me divertindo muito. Ninguém tem salário, é na base da colaboração, mas com o resultado da primeira edição vamos fazer tabela de preços, organograma." Segundo Lobão, BNegão irá se manter dono de sua gravação e receberá R$1 por exemplar vendido. "Proporcionalmente, nem Roberto Carlos ganharia isso", propagandeia. O projeto conta com um patrocínio "exíguo" da Petrobras, nas palavras de Lobão. Seu próximo disco, já gravado, não sairá pelo esquema *OutraCoisa*. "Seria cabotino, uma espécie de jabá", afirma ele.

- Em 20 de dezembro de 2003, Lobão comentou à *Folha* o relacionamento entre os artistas e o Ministério da Cultura, comandado por Gilberto Gil. Ele disse que "queria ver mais rapidez, mais dinamismo no governo", mas, no geral, avalia que os artistas tiveram "uma relação boa com o ministério, que foi receptivo à apresentação de projetos".

"Em umas coisas, [o ministério] está um pouco reticente, precisava de mais presença na criação de leis como a da criminalização do jabá. Tenho esperança de que nesse ano que entra agora haja atuação mais objetiva não apenas na cultura, mas em todas as áreas."

- No dia 12 de março de 2004, Lobão escreveu no *Jornal do Brasil* sobre a função de ser editor de revista. "Poder vivenciar a função de músico com a de editor de uma revista de música é um meio de poder vivenciar a vida em estéreo (...) Num momento em que a indústria cultural passa por uma séria crise, em que as tecnologias revolucionam as formas de fazer e pensar música, em que os independentes começam a crescer de tamanho e em qualidade, há sempre uma lacuna no mercado editorial", disse.

"A crítica no Brasil sempre teve um papel poderoso e dinamizador no contexto cultural brasileiro, mas como não poderia deixar de ser, a crítica, por falta de espaço, amarga um lugar muito semelhante ao *mainstream*, e é por isso mesmo que precisamos começar de todos os lados (...) para que nós possamos criar um terreno onde a produção artística seja novamente baseada na curiosidade, na criatividade, na transgressão, no amor."

- No dia 16 de julho de 2004, a *Folha de S.Paulo* informou que a revista musical *OutraCoisa*, de Lobão, terá uma surpresa na próxima edição: "É surpresa, mas eu já posso dar um toque que será uma parada histórica", declarou. Segundo o jornal, a revista trará encartado o primeiro disco inédito de Arnaldo Baptista desde 1987.

A editora L&C e a equipe de Lobão contam com a repercussão que a volta do ex-mutante pode causar para solidificar a história da *OutraCoisa*, que, segundo eles, até agora rendeu mais investimentos que lucros. Além da coletânea do gaúcho Wander Wildner, a revista já veiculou, sempre com tiragem de vinte mil exemplares, discos inéditos do *rapper* BNegão e do grupo pernambucano Mombojó. A edição atual traz o segundo álbum da banda roqueira gaúcha Cachorro Grande.

- Segundo a revista *Época* de 1º de agosto de 2005, Lobão passa metade de sua semana no Rio de Janeiro, onde mora, e metade em São Paulo, onde começou a gravar o programa *Saca-Rolha*, da Rede 21, ao lado de Marcelo Tas e Mariana Weickert. "Eles já me levaram no Frangó, ao Pandoro e até a uma festa junina infantil", contou Lobão.

- Em entrevista à revista *Flash* de setembro de 2005, Lobão falou sobre seu novo disco, *Canções dentro de uma noite escura*, e o programa *Saca-Rolha*. "É um *talk show* diferenciado, sem a intenção de romper padrões. Só queremos nos divertir e divertir as pessoas com informações importantes e sob nosso próprio ponto de vista", afirmou.

"Desde que me conheço por músico, existe uma capitania hereditária no país, uma *intelligentsia* que se formula a si própria, achando-se a representação do Brasil. E o que é pior: perpetua isso através de jogos de poder pra artificializar sua presença na história, perpetuando-se unilateralmente. Isso não me representa, não faço parte nem quero fazer. Meu trabalho é uma clara contraproposta a isso, uma destropicalização. (...) É a monocultura, a folclorização, que leva o país a ser visto no exterior de forma caricatural, o estrangeiro nos cobra algo que não sentimos mais sê-lo."

Para Lobão, "nunca vivemos um momento tão profícuo, poderoso e criativo na música brasileira como hoje. Supervalorizar os anos 1980 agora é viajar na maionese. Desde a época, sempre achei tudo uma bosta, e documentei isso com meu disco *O rock errou*, uma crítica (...) Todos sabem que era tudo muito brega. Eu vivi a cena, sei o que foi bom ou não".

Sobre a recusa em vender suas músicas para uma campanha publicitária de uma companhia de telefonia celular, Lobão disse que "Schopenhauer já dizia: 'rico é quem pode dizer não para coisas que está a fim.' Não tenho dúvidas do valor da minha obra, sei que historicamente tenho o meu lugar. Não preciso me vender para a telefonia."

- À revista *Sexy* de dezembro de 2005, Lobão declarou que sua geração foi "a primeira a perder a inocência. A bossa nova é uma música anêmica, a tropicália era aquela coisa meio ambígua, pretensiosa. Nosso projeto era simplificar pelo poder de síntese mesmo, era conceito (...) Elis Regina, Edu Lobo, a gente achava aquilo tudo horroroso, aquela pomposidade vetusta. O que me deixava com mais raiva da prosódia dessa gente era o embevecimento terno pela pobreza (...) Vai tomar no cu, eu fui mascote do Comando Vermelho, não fiquei olhando a pobreza de lado e não tenho a menor compaixão. Se tivesse, seria um canalha. Aquilo era falso, católico, culpado, burguês, horroroso. O rock 'n' roll veio para salvar a parada (...) Nossa geração foi mutilada de todos os lados (...) Imagine se na tropicália tivesse morrido tanta gente graúda como morreu na nossa geração. Estão todos aí vivos, ou em cadáveres insepultos, mas materialmente estão aí".

A respeito do filme sobre a vida de Cazuza, Lobão disse que tomou um ácido, comprou um DVD pirata na Rocinha e foi ver, "mas aquilo parecia episódio de *Malhação*. O ator é bom, mas me alijaram da história. O buraco era bem mais embaixo, tudo era bem mais interessante e bem mais pesado que aquilo. Se fosse fazer a cena de abertura de um filme de Cazuza, colocaria eu e ele no cemitério do Caju em cima do caixão do Júlio Barroso, chorando e cheirando".

Ele disse ainda que é "muito mais fácil desafiar a indústria fonográfica do que ter uma overdose de cocaína". "Eu sempre estive limpo, sabe por quê? Nunca fui um viciado. Tenho uma resistência brutal a esse tipo de coisa. Só comecei a cheirar muito mesmo depois que fui preso. Aí cheirava por contestação, puto."

Ao falar de Lulu Santos, Lobão disse que ele é seu irmão mais velho. "Mas a gente sempre discordou completamente. Eu e o Lulu temos uma rixa que é um lance de amor e ódio. Sou grato a ele por muita coisa, mas ele podia fazer um negócio legal e faz um som cafona pra caralho."

- Segundo a coluna de Mônica Bergamo de 1º de março de 2006, Lobão figurava entre os vips na Marquês de Sapucaí. "E olha ele ali, gente! Lobão, o roqueiro rebelde, topou vestir a camiseta da Brahma para ver os desfiles entre os vips do camarote, onde tudo é de graça (comidas, bebidas) e o ar-condicionado sempre funciona. Lobão explica: 'Eu vou te contar uma história que é assim meio invenção, meio mentira, mas que aconteceu mesmo'", conta o jornal.

"Há 16 anos, eu e Dona Zica [da Mangueira] fomos barrados num camarote. Fiquei 16 anos sem aparecer." E cadê a mentira? "Eu poderia te falar que não vinha por causa desse fato. Mas não é nada disso", diz Lobão.

"Lobão continua: 'Dei declaração aí que esse ambiente aqui é escrotésimo.' É que a Globo chamou ele para uma entrevista. Exigiu que Lobão tirasse a camiseta da Brahma e até o crachá para aparecer no vídeo. 'Uma coisa meio humilhante', diz. Ele tirou. De volta à Brahma, exigiram que Lobão colocasse camiseta e crachá de novo. Ele colocou. Mas, afinal, o que Lobão faz ali? 'Culpa' da Regina, mulher dele: 'Eu falei: 16 anos 'tá' bom. Agora, chega!', diz ela. E lá se foi Lobão fazer propaganda da cerveja por um dia. E uma boa causa", escreveu a *Folha*.

- Lobão deu uma entrevista à *Folha de S.Paulo* em 30 de março de 2007, por conta do lançamento do seu CD *Acústico*. Ele contou que *Canções da noite escura* [*sic*, 2005] foi um dos seus melhores discos. No entanto, foi um fracasso, vendeu apenas 15 mil cópias.

"Custou quatro anos da minha vida pra fazer esse disco. É frustrante. Tive então a ideia de fazer disco ao vivo. Choveram propostas. Praticamente todas as gravadoras me procuraram. Aos 46 do segundo tempo, a SonyBMG falou comigo. Aí eu vejo pessoas diferentes por lá. Não sei quantos processos eu tenho contra eles. Isso aí é outra coisa. O pessoal de agora não tem nada a ver com aquilo. Pô, eu vou ficar com raiva deles [da gravadora]?", disse.

Perguntado pela *Folha* se não estava sendo contraditório por gravar um disco acústico após criticar o formato, Lobão declarou que "o contexto mudou. Repare bem nos artistas que estavam gravando o *Acústico* na época em que eu falava isso [1997]. Hoje, o Marcelo D2 fez um puta *Acústico*. O Zeca Pagodinho também. Pô, o que eu posso fazer se o nível melhorou? O que eu posso fazer se eu tive a oportunidade de fazer um disco bom? Qual a contradição? A história é uma situação mutável. O que às vezes é ruim num momento é bom no outro. Você não tem que ser inimigo".

"Eu não pago jabá. Por que eu, assinado [com uma gravadora], toco [nas rádios], e não assinado, não toco? Eu não tenho nada a ver com isso. Eu tô numa gravadora e pronto. É uma atitude muito moral dizer que eu tô pagando jabá. O buraco é muito mais embaixo."

- De acordo com a *Folha* de 15 de abril de 2007, o programa *Acústico MTV — Lobão* foi gravado em duas noites chuvosas da primeira semana de dezembro. A primeira frase que Lobão diz no CD, em "El Desdichado II", é "eu sou o tenebroso". Para o jornal, o acústico terá uma outra função além daquela "velhos sucessos reunidos": vai atualizar a obra de Lobão para a grande maioria que não acompanhou sua viagem pelo universo paralelo da independência.

- Em 11 de novembro de 2007, Lobão fez uma resenha para a *Folha* do livro *Eric Clapton — A autobiografia*. Ele contou que quando recebeu a incumbência de fazer a resenha desse livro, pensou: "Clapton na primeira pessoa! Deve ser muito interessante ouvir as histórias de um homem que ajudou a escrever uma parte significativa da história do blues e do rock and roll e também de uma das maiores lendas vivas que revolucionaram a música e o comportamento de uma geração na última metade do século XX. E percebi, ao iniciar a leitura, que seria bem mais do que boas histórias. A narrativa é muito direta e muito honesta", explicou Lobão.

"Ao contrário do que muitos podem pensar, o livro não é um *workshop* de guitarras, mas mostra com nitidez toda sua trajetória pela música, desde que ganhou um prêmio na escola tocando 'Greensleeves' na flauta doce, passando por suas primeiras guitarras, como acabou por inventar seu próprio som (como colocava a posição dos microfones em seu amplificador), até as escolhas dos modelos de guitarra que foram marcos fronteiriços em seu som. No início, as Gibson. Depois, as Fender Strat. Sempre autodidata e amante do blues de raiz, foi um purista que levou tempo para enfrentar uma carreira solo", escreveu.

No livro, Eric "fala sobre seus amores e desamores, sua timidez endêmica, seu medo das mulheres (a mãe que nunca o assumira) e sua tendência a amar desesperadamente as coisas impossíveis, como a mulher de seu melhor amigo, e a verdadeira obsessão pelo vício em si. (...) A maneira como relata suas perdas é comovente, e não há como não se emocionar quando conta como conseguiu sobreviver a elas. E também perceber que, sem a música, ele seria uma pessoa bem mais vulnerável e possivelmente seu destino fosse algo terrível".

- Segundo a *Folha* de 18 de agosto de 2008, depois de apresentar o *MTV Debate*, às 22h, Lobão volta à tela do canal, às 23h30, para a estreia de *Código MTV*. A proposta da nova atração é reunir nomes que dividam influência de um mesmo gênero e, entre as apresentações dos grupos, "decodificar os genes musicais das bandas brasileiras", diz o apresentador.

- A *Folha* informou, em 21 de agosto de 2008, que no primeiro dia de gravação do CD e DVD *Obra em Progresso* ao vivo, Caetano Veloso homenageou Dorival Caymmi e fez um longo comentário sobre Lobão, ao apresentar música inédita que cita o roqueiro. "Lobão tem razão", uma das oito canções de sua autoria inéditas em disco e apresentadas no primeiro dos dois dias de gravação, foi a escolhida para a abertura. Na letra da nova música, Caetano escreveu: "Mais vale um lobão do que um leão, meto um sincerão, e nada se dá."

- No dia 1º de outubro de 2008, a *Folha de S.Paulo* contou que, na esperança de levar para casa um iPhone 3G de graça, dezenas de famosos compareceram na semana passada aos eventos promovidos pelas operadoras de telefonia móvel para o lançamento do telefone da Apple no país. Na noite de quinta-feira (25), a Vivo realizou um coquetel seguido de jantar no shopping Iguatemi, enquanto a Claro convidou seus vips para comes e bebes no Terraço Daslu (ambos na zona sul de SP).

Funcionários e ex-funcionários da MTV compareceram em peso ao Terraço Daslu: Sarah Oliveira, Marina Person, Cazé Peçanha, Marco Bianchi, Lobão e Max Fivelinha.

- No dia 7 de outubro de 2008 a *Folha* contou que Marina Person já tem o argumento de seu primeiro longa de ficção. A história se passará nos anos 1980, "no meio da descoberta da aids, com aquele cenário político de Diretas Já" e tendo o rock paulistano como pano de fundo. O núcleo central é composto por adolescentes. O cantor Lobão interpretará um professor de história; a de química será vivida por Malu Mader. E Fábio Assunção foi convidado a encarnar o tio de uma das protagonistas. Ainda não há data prevista para o começo das filmagens.

- No dia 11 de dezembro de 2008, a *Folha* noticiou a participação de Lobão em um evento de comemoração dos cinquenta anos da Ilustrada. Realizado no Masp no dia 9, o debate "Cultura e Consumo" teve mediação do jornalista Alcino Leite Neto e participação do cineasta José Padilha, do psicanalista Contardo Calligaris e do escritor Cristóvão Tezza.

Questionado pela *Folha* sobre a qualidade da cobertura de cultura nos jornais brasileiros, Lobão disse que não teria sobrevivido como artista sem "lampejos de seduzir o público e os cadernos culturais com coisas interessantíssimas", para que pudesse "ejacular os meus produtos". Para ele, "devemos deixar de colocar a cultura em um patamar muito etéreo. Em todo o transcorrer da arte, sempre houve grana".

"No período barroco, o artista tinha de fazer um périplo em castelos. A gravadora mudou de patamar, mas não pode ser aniquilada, enquanto força de organização. Se ficarmos com pruridos de botar a mão na massa, vem [a banda] Calypso e toca. Hoje, a classe média lida com o rock de forma franciscana, de que não se deve sujar a mão com lucro. Meu diapasão seria o de combater essa mentalidade tacanha."

Lobão afirmou, ainda, que "a arte pode e deve se tornar arte enquanto é consumida, é objeto de consumo".

- No dia 16 de fevereiro de 2009, a *Folha* noticiou o lançamento do livro *As aventuras da Blitz*, pela Ediouro. Escrito pelo jornalista Rodrigo Rodrigues, o livro conta a história da banda Blitz, onde Lobão começou. Em entrevista ao jornal, ele contou que fez "direitinho o dever de casa", diz ele. "Por exemplo: o Lobão é o responsável pelo nome da banda. Mas o Evandro disse que a história não era bem assim. Coloquei as duas versões. Acho que o livro é isento."

O trecho que explica isso é o seguinte: No dia seguinte, Lobão atende o telefone: era a *hostess* gostosa do Bar Caribe, querendo saber o nome da banda para rodar os cartazes no mimeógrafo:

— Pô, nós não temos nome...

— Mas como não tem nome?

— Eu até sugeri um, mas foi veementemente vetado.

— Me dá esse aí.

— Blitz.

— Puta que o pariu, esse nome é genial! Blitz no Caribe!

"Pô, sem querer tirar créditos do Lobão no batismo da banda, acho difícil que tenha rolado esse papo; a *hostess* gostosa era minha namorada", diz Mesquita.

Três integrantes da formação oficial estão brigados com Evandro Mesquita e se recusaram a dar entrevistas para Rodrigues. "O guitarrista Ricardo Barreto, sua mulher, Márcia Bulcão, e o baixista Antonio Pedro não quiseram falar. Usei declarações deles à imprensa da época", contou o jornalista.

- Em 23 de março de 2009, Lobão comentou o show da banda inglesa Radiohead. "Desde o Festival de Saquarema, em 1975, não esperava tanto um show. Não me importei com a distância e a previsão de chuva. É minha banda preferida", disse.

- No dia 29 de julho de 2009, a *Folha de S.Paulo* publicou duas frases de Lobão. A primeira foi: "Se você é um quarentão em busca de nostalgia, não vá ao meu show. Não sou nenhum viajante do passado." E a segunda: "São Paulo me lembra aquele começo dos anos 1980, aquela sensação de 'vamos invadir essa merda'."

- Em 7 de setembro de 2009, a *Folha* anunciou o lançamento da biografia de Lobão. "Feliz morador do bairro da Pompeia desde 27 de maio de 2008", Lobão acaba de lançar "Song for Sampa", diz o jornal. "Nunca pensei ser capaz de escrever uma música sobre algum lugar sem um tom de crítica. Mas estou fascinado por São Paulo. E estou fascinado por me sentir desse jeito", disse.

Enquanto segue negociando com a Sony a reedição de seu catálogo em CD, Lobão prepara o lançamento de algo que deve abalar o mercado editorial: em suas palavras, "uma biografia autorizada e escancarada".

Lobão está no meio do processo de gravar suas recordações em fita. Ele promete contar tudo sobre o período em que ficou preso e outros dramas pessoais. "O Tognolli me deu a biografia do Johnny Rotten (vocalista do Sex Pistols) para ler. Aquilo é história da carochinha perto do que vivi. Vou chegar com o pé na porta. Neguinho vai pirar."

- No dia 20 de outubro de 2009, Lobão negou o convite da MTV para apresentar o VMB ao lado de Caetano Veloso, informou a *Folha*. "Me telefonaram. Mas essa coisa minha com Caetano tá ficando meio batida. Já tô em outra. Essa briga tá ficando repetitiva, não tem um desenvolvimento. Parece bicicleta ergométrica, que você pedala, pedala e não te leva a lugar nenhum."

- No dia 15 de novembro de 2009, Lobão foi a Londres entrevistar o músico Sting sobre o lançamento de seu novo CD, "If on a winter's night...", para o caderno Mais!, da *Folha*.

"Esta história começa de maneira curiosa: estou, desde o início de agosto, completamente absorto na tarefa de escrever minha biografia. A partir daquele momento, fui entrando num estado de total introspecção para mergulhar de cabeça nas entranhas de minha existência. Decidi diminuir todas as minhas outras atividades para ativar ao máximo a memória e poder alcançar "lugares, cheiros, sons, episódios da minha vida vivida, há muito intocados", escreveu Lobão.

Ele declarou que "estava nesse estado literalmente interessante quando agora, num final de tarde de outubro, recebo um convite do Mais! para realizar uma entrevista com o Sting no dia 3 de novembro, em Londres. A princípio, nem sequer ponderei a possibilidade, em virtude de tudo isso que falei. No entanto a voz da aventura falou mais alto. Na segunda-feira, dia 2, cheguei a Londres".

Entrevistas

Entrevista com Ritchie

Eu tive educação bem formal, inglesa, estudei em colégios internos, minha vida toda. As influências internacionais não foram palpáveis no que diz respeito ao meu conceito de música. São coisas que eu devo ter assimilado ao longo dos anos. Não teve um estudo. Eu era muito menino, meu pai se aposentou quando eu tinha 16, 17 anos, e nessa altura eu já estava saindo da escola. Eu não tive o mesmo, não fui imerso nessas culturas como os meus irmãos foram. Eu estudei muito na Inglaterra. De sete aos 13 anos numa escola interna no condado de Kent, e aos 13 anos eu fui estudar no outro lado do país, em Dorset, em Sherborne, mesma escola do Chris Martin, do Coldplay. Escola tradicionalíssima, fundada por monges em 900 e alguma coisa. Uma abadia e a clausura eram o centro da escola. A gente estudava nessas clausuras seculares, e muita tradição, ainda seguem regras vitorianas.

A minha noção de harmonia vem do canto coral. Eu comecei como soprano, aos 12 anos fui solista de canto. Na verdade eu estudava oboé e clarinete e era um péssimo estudante, nunca gostei muito de estudar. Eu gostava muito de cantar, mas achava flauta uma coisa muito pouco rock 'n' roll pro meu gosto. O canto vinha naturalmente, meu avô era músico também, não profissional, mas ele tinha uma banda.

Depois de Sherbone, fui estudar literatura inglesa e estudos anglo-saxônicos em Oxford. Mas eu fiquei só um ano na faculdade, para tristeza enorme dos meus pais, que tinham armado meus estudos todos para culminar em Oxford. Mas estava indo muitos fins de semana pra Londres, eu já tinha uma banda, chamada Everyone Involved.

Uma coisa muito esquisita, era um conjunto de artistas plásticos, basicamente os artistas que moravam em Londres, em 1971, 1972, o ano que eu vim para o Brasil.

Quando estava tocando com a Barca do Sol, o Lulu chegou pra mim e disse: Pô, eu estava rezando pra você sair dessa bosta de banda de MPB e vir cantar com a gente." Foi meu convite pro Vímana. E, logo em seguida, a gente estava ensaiando com Marília Pêra, e a gente precisava de um baterista, lá no teatro Casagrande. Ficávamos procurando bateristas. E eu falei que tinha um cara, que era o Azael Rodrigues, que tinha tocado na Scala Dácida, que era de São Paulo, mas eu fiz *lobby* pra esse cara. Mas nas audições várias pessoas chegaram pra tocar, e um foi o Inácio Machado, que era do colégio São Vicente de Paulo, ele era chefe do grêmio. E ele levou muito a contragosto esse menino já barbudo e cabeludo, que chegou na audição esperneando, falando "eu não quero ser baterista, eu estudo com Guerra-Peixe, eu sou violonista". Era o Lobão.

E esperneando, "que merda é essa, eu detesto música progressiva". Aquela coisa do Lobão, do contra. E eu virei pros caras e falei: "Peraí, a gente não precisa disso aqui. Vamos falar com o Azael, o Azael é um cara que gosta de tocar bateria." Aí o Lulu gostou do cara. Acho que ele tinha uns 16, 17 anos, ainda estudava no colégio, o Inácio, que era o monitor do grêmio, depois se tornou diretor do Ibope, uma pessoa muito competente, morreu fulminado por um ataque cardíaco aos 27, 28 anos. Mas uma pessoa brilhante.

O Inácio Machado produziu *Cena de cinema*, eu e Lobão morávamos no mesmo prédio nessa época. Mas deixa eu voltar ao Vímana. Aí o Lulu falou assim: deixa o menino tocar. Aí o Lobão me contou depois que tocou aquela levada só pra sacanear todos. Ele sentou na bateria e começou a tocar samba. Mas o samba do Lobão parece uma escola de samba inteira, não é sambinha, é sambona. E eu mesmo não estava esperando por aquilo. Você sabe tocar rock? E ele falou: eu toco, gosto do Queen. Aí depois ele viu que a gente estava aceitando ele e ele entrou pra banda e foi muito bom. Eu me lembro que eu fui na casa dele na Leite Leal, eu frequentava a casa dele e a mãe dele achava que eu era um menino correto, tudo certo, achava que eu era boa companhia pro Lobão, então sempre me recebeu muito bem. Mas era uma mulher muito difícil, um dia ela pegou a gente fumando maconha no quarto dele e trancou a gente, falando "eu vou chamar a polícia, vocês estão fodidos, vou entregar vocês todos". Ela era assim. Não fazia nada disso, mas foi uma grande decepção pra ela. Mas o Lobão era um baterista extraordinário, fora do comum, e tocava violão muito bem. Um músico completo, já com 16 anos, e eu me lembro que era um menino, vamos dar um desconto. Mas ele ouvia muito Queen, essas bandas menos intensas. A gente se achava sério ouvindo Gentle Giant e coisas assim, e ele já gostava de uma coisa mais *light*, ele era mais novo. As influências dele eram as bandas daquele momento. E ele estudava ouvindo discos, ele botava os discos e tocava junto. Mas ele tinha uma pegada e um ritmo nato, uma coisa extraordinária. E a familiaridade dele, meio por osmose, com a música brasileira, era impressionante. Ele trazia uma sonoridade muito pesada, e o samba que ele tocava era tão intenso que nem samba parecia. Parecia uma batida de rock endiabrado. E a influência dele na banda foi enorme, porque a partir daquele momento o Vímana parou de ser uma banda de música estritamente progressiva que imitava Yes e aqueles solos intermináveis, e a gente começou a encurtar as canções, a trazer ritmos brasileiros pra dentro da banda, e pra encurtar a história, Lulu acabou saindo da banda por descontentamento, acho que ele tinha um problema social com o baixista. Lulu era dono da banda.

O Vímana vem de antes, porque muita gente fala do Vímana no Hollywood Rock, não é com Ritchie e Lobão. O único registro que tem no YouTube do Vímana é na versão anterior. Então eu acho que existia desde 1973, que eu saiba, com essa formação foi de 1975 até 1977. Dois anos muito intensos, a gente fazia muito show no Museu de Arte Moderna, no teatro Tereza Rachel. Eu me lembro muito da nossa primeira experiência enquanto banda e nossa primeira oportunidade de ensaiar foi quando Nelson Motta e Marília Pêra montaram uma peça-monólogo pra ela chamada *A feiticeira*. Eles precisavam de uma banda de apoio, então o que aconteceu: a gente estava ganhando muito pouco dinheiro com shows e achou que seria uma ótima oportunidade fazer shows no Rio e depois viajar pra São Paulo. Porque todo dia tinha acesso ao teatro, supostamente pra ensaiar pro show de noite, mas a gente passou a ensaiar diariamente como banda. A primeira lembrança do Lobão é de um menino já barbudo, montando carrinho daqueles kits da Air Fix. Ele montava carrinhos e aviões e motocicletas, era o hobby dele, eu lembro disso nitidamente. E a mãe dele obrigou a gente a assinar um documento como sendo tutor dele. Eu e a Leda, minha mulher, éramos os tutores do Lobão. Éramos os responsáveis por Lobão enquanto menor pra ele poder viajar pra São Paulo com a gente. Eu acho que quem assinou o documento jurídico foi o Nelson Motta, pra ele poder viajar. Mas enquanto grupo de amigos, a gente ficou morando em uma casa em São Paulo, todo mundo junto, eu era o responsável por ele.

Não eram shows todo dia, e os lugares que aceitavam tocar com a gente eram poucos, e tinha um grande problema: como a gente tinha uma formação progressiva, o tecladista tinha oito teclados, e não eram os tecladinhos de hoje em dia, era tudo muito pesado. Então pra gente se deslocar do Rio de Janeiro, quiçá pro lugar do show, já era um evento, uma produção e tanto. Então a gente concentrou. Embora fizéssemos alguns shows em São Paulo, a grande maioria era no Rio. Se a gente tocou uma centena de vezes foi muito, mas foram shows sempre muito comentados. O Rio de Janeiro inteiro, quer dizer, essa mesma turma, migrava junto com a banda. Então já era turma de amigos, olhava pro público e conhecia todo mundo. E são todas as pessoas que hoje têm banda no Rio. Era o pessoal da Bolha, o Chacal, o pessoal da Nuvem Cigana. E foi ali que eu conheci Bernardo Vilhena, que depois de anos trabalhando como letrista do Vímana, fez o primeiro disco do Lobão, fez as letras do meu disco. Então a gente tem esse vínculo em comum que vem do Vímana.

No começo dos anos 1980, a gente morava no mesmo prédio. Eu morava no bloco dos fundos, ele morava no bloco da frente, ele fazendo *Cena de cinema*, os primeiros ensaios da Blitz no apartamento dele e eu preparando "Voo de coração" no bloco dos fundos, na estrada da Gávea, nº 698, um prediozinho em frente ao *shopping* Fashion Mall, onde tinha um restaurantezinho japonês embaixo. Ao lado do Caribe, um clubezinho onde a Blitz fez a primeira estreia. A Blitz ensaiava no prédio, com Lobão ainda na bateria, eu morrendo de ciúmes no bloco dos fundos; toda hora ia lá e dizia: "me empresta um açúcar", pra ver se alguém falava "vem se juntar a nós". E nada de convite. Eu ficava mordido.

Era essa musicalidade do Lobão, principalmente, a personalidade dele, essa história tão perturbada na família dele, essa loucura que rolava lá que era fascinante. Era uma família desfuncional, hoje em dia eu acho que o Lobão está olhando com outros olhos a relação familiar dele, mas não era nada fácil. Eram constantes brigas com mãe, com pai, desentendimentos, a Glória, que era a irmã dele, talvez sua maior fã, e tudo que ele fazia, ela fazia. Enfim, o que me marcou mesmo foi isso, a personalidade, musicalidade, inteligência, conhecimento musical dele. Eu achava que tinha muito a ensinar pra ele, por ser cinco, seis anos mais velho que ele. Mas eu diria que ele foi o baterista mais interessante com quem eu já toquei. Ele tocou no "Menina veneno", é o baterista do meu primeiro disco, eu toquei em *Cena de cinema*. A gente é muito próximo, então as influências não são apenas musicais, são de brodagem mesmo, a gente é irmão. Apesar de termos diferenças musicais hoje em dia, e eu fã do Lobão, não posso entender qual seria a conexão, mas a gente é muito próximo, eu me considero um amigo próximo.

Eu lembro quando ele foi pros Estados Unidos, no meio da madrugada me ligava lá de Los Angeles: "Ei, Ritchie, estão falando que eu estou tocando bem." A gente tem essa intimidade pra ligar a qualquer hora. Quando ele estava preso, fiquei muito assustado, eu achava aquilo um absurdo; a gente foi no secretário da Justiça, Técio Lins e Silva, foi no escritório dele com Malu Mader, fez uma reunião pra tentar aliviar. Eu fui na Polinter, e fiquei horrorizado com aquelas coisas pingando na parede. Eu ingenuamente levei algumas coisas pra ele se divertir, uns *puzzles* pra passar o tempo. Imagina, naquela jaula com aqueles animais todos, e muita ingenuidade minha achar que queria passar o tempo. Ele tinha que passar o tempo se defendendo e virando o dono da cela, não era ficando num canto fazendo *puzzles*. Mas era uma maneira que eu achava que podia pelo menos distraí-lo. Fui visitar ele várias vezes, e é sempre muito chato ver um amigo numa situação dessa.

O que me marcou mesmo foi esse primeiro encontro, essa coisa do samba, dele tocar samba. O Lobão sempre diz assim: "para o azar do Ritchie eu entrei pra banda." Mas não era nada disso, é que realmente eu estava fazendo esse *lobby*, mas ele me impressionou muito, ele tinha uma bateria, a Octoplus, com dois bumbos, oito tontons. Ele dominava aquilo mesmo, não era pra show, ele precisava daquilo tudo.

Sobre os Paralamas, eu acho engraçado porque Lobão sempre fala disso, e eu acho que ele tem muita razão, porque são muitas coincidências, os tipos de músicas, os temas de músicas, o estilo de cantar, a atitude, postura. Mas eu sempre digo, o Lobão vê isso como alguém usurpando o seu lugar, mas hoje em dia eu vejo as pessoas que imitam a gente, ou que emulam a gente, ou querem fazer música da gente, eu acho isso um elogio. Eu acho que é a mais sincera forma de elogio, a cópia. Mas no fundo, no fundo, eu entendo também a frustração dele com isso, ainda mais quando a turma de Brasília chegou, o rock deixou de ser uma coisa de amigos e irmãos, e virou uma competição. Nitidamente tem um momento em que o rock, depois dos programas de auditório, onde todo mundo se encontrava, virou uma coisa de rivalidades, porque a indústria nasceu. O pop rock nacional, que não era nada, que as gravadoras achavam que não ia ter público nenhum, de repente 70% do que tocava nas rádios era rock nacional. E então ele virou um mercado acirrado, de concorrências.

Eu não sei, eu realmente não posso opinar muito sobre isso de uma forma muito contundente, até mesmo porque as músicas não são minhas, estou só observando de fora. Eu sei que o Lobão fala "Me liga, me chama", e realmente há semelhanças de temas muito grande. Mas eu não sou muito próximo do Herbert, se troquei quarenta, cinquenta palavras com ele a vida toda foi isso. Ele nunca se aproximou de mim, ele sempre teve uma atitude mais competitiva.

Eu acho que o Lobão está sempre procurando novos caminhos, eu sei que ele me respeita muito, respeita muito o que faço. Na época que a gente estava trabalhando, o meu papel era fazer o Lobão tomar seus remédios. Porque ele tinha disritmia, quando ele era mais jovem tinha leve epilepsia. Era uma responsabilidade grande por causa disso, mas a mãe do Lobão achava que eu era a pessoa mais responsável da turma, então toda noite eu chegava lá com os remédios. Então a gente tem uma relação muito próxima, até mesmo por esse pequeno gesto dos remédios, de certa forma ele me vê sempre como um protetor, um tutor, uma coisa assim de um irmão maior, é uma coisa mesmo de quase um familiar, aquele cara que está preocupado que o cara faça a coisa certa. E a gente tem uma relação linda de amizade, é bacana.

Entrevista com Maria Juçá

Nós construímos uma passarela, pelo meio das cadeiras, pro Lobão entrar, guitarra em punho, atravessar no meio do povo e alcançar o palco. E aí, Sergio e eu usamos o cinema todo, eu sempre achei isso, e já tinha estudado anteriormente o projeto, que o cinema, as expressões, a produção da arte quando ela dialogava entre si, ela enriquecia, e se complementava, então o cinema com a música, com o teatro, as artes plásticas, juntos, era uma confusão na minha cabeça, que eu achava que quando aquilo fosse posto em prática todo mundo se alimentava, era um banquete aquilo. E nós fizemos isso, Sergio escolheu umas cenas de filmes, tinha Glauber, tinha Einsenstein, o *Encouraçado*, o *Bandido da luz vermelha*, tinha umas cenas que ficavam lá em *off*, e chamamos o Ivan Marques, que era um puta iluminador, um maluco também, e o Ivan com o Bernardo fizeram a concepção da luz que era verde e rosa, Rio de Janeiro, o rock carioca, ali naquela situação a gente criou uma estética e uma proposta carioca e brasileira pro rock. Era o Claudinho Infante na bateria, o Arturzinho Maia no baixo, Lobão estava cantando e na guitarra, mas acho que tinha um segundo guitarrista que eu não lembro. Isso foi em junho ou julho de 1982. Acho que o disco nem estava pronto. O Lobão veio num crescendo pros meios institucionais, gravadora. Ninguém tocava ele, ninguém dizia nada dele, mas veladamente as pessoas viam o Lobão. E o Lobão tinha feito a Blitz. Ele fez o trabalho, mas também tocava na Blitz.

Fizemos esse lançamento, a coisa estava muito legal, Rio de Janeiro bacana, galera, Chacal, os novos do teatro, pessoal da praia, do Posto 9, do Arpoador, o pessoal do meio, porque o Lobão era muito jovem mas ele era amigo do Nelsinho Motta, amigo da Scarlet, Nuvem Cigana. A gente conseguiu juntar diversas tribos numa segunda-feira, meia-noite, no cinema Ricamar, e a coisa aconteceu muito legal. E aí eu fiquei aplicada, senti que estava pisando no lugar que eu queria, do jeito que eu queria, com as pessoas que eu queria, e ouvindo coisas que eu queria ouvir. Então fiquei bem certa de que a rua era o meu destino, e aquilo que Lobão tinha provocado em mim, com o *Cena*, com a fita e depois com o lançamento do trabalho, eu fiquei bem tranquila com relação ao que eu ia enfrentar, não que eu soubesse qual era o meu lugar.

A partir desse show, eu recebi, acho que em agosto de 1982, o convite do pessoal do Circo Voador, do Marcio Galvão, pra fazer um programa no circo. Porque enquanto o circo estava no Arpoador, naquela curta temporada, janeiro e fevereiro de 1982, eu tinha feito um trabalho anterior de promoção, eu saí da Rádio Cidade em dezembro de 1981. Depois desse piti com o disco do Lobão eu fui embora e dei uma trabalhada no circo. Como eu tinha muita influência dentro do *Jornal do Brasil* e na cadeia das rádios Cidade, fiz o trabalho de divulgação, de promoção, dentro do sistema, porque eu pedi demissão em dezembro e estava no meio de projetos de verão de todas as rádios. E aí eles me pediram pra eu ficar mais dois meses, mas que eu fizesse o projeto de verão meio independente já da rádio, que eu produzisse aquilo, e eu aproveitei e encaixei o circo e fiz o trabalho de divulgação do Circo Voador, matérias, notícias, jornalismo, e provocando matérias no *JB*, que nesse período era um veículo muito forte, que influenciava muito o jornalismo.

Eu recebi esse convite e fui conversar com o Bernardo, com o Lobão, com o Sergio pra ver o que eles achavam. Eu queria ouvir um pouco porque o Circo Voador já não estava mais no Arpoador, a prefeitura tinha cassado a licença deles lá, e aí nós estávamos discutindo pra onde o Circo deveria ir, se pra São Conrado, pra Lapa, e eu e o Sergio falamos que tinha que ser pra Lapa, que é o lugar da boemia, o coração carioca, da cultura popular, da intelectualidade, apesar de ser ciclotímica e nesse período estar completamente abandonada e frequentada por uma laia da mais baixa categoria, mas que sempre se misturava. Os jornalistas, os poetas, escritores e músicos e loucos estavam ali pela Lapa, e a gente achava que São Conrado era um lugar onde seríamos expulsos, nem fazia parte, porque era uma área de classe média alta, uma burguesia exclusivista. Aí eu comentei isso com Lobão, Bernardo e Sergio, e o Lobão "vai, vai, vai, vai, vai ser bom, vamos botar fogo no Rio". Aí eu me animei e falei: "Vou, vou fazer um rock." Já que eu já tinha começado na rádio a fazer essa investigação meio tímida, Lobão já tinha me desencaminhado, e eu já tinha feito lançamento, já tinha visto muitas caras conhecidas na plateia, pensei: "Sozinha não vou ficar, então vou fazer o *Rock Voador*." Coloquei o nome do projeto de *Rock Voador*.

E eu estreei em 23 de outubro de 1982 com Lobão e Macalé. E novamente o Ivan fez a luz pra mim, e eram pequenas luas em cima do artista, uma coisa meio preto e branco, mas a gente quis fazer uma ligação com o que tinha acontecido no cinema Ricamar, com o lançamento do Lobão. E aí esse projeto acabou se transformando num grande caldeirão, onde as bandas do Brasil inteiro passavam e tal. Essa história do rock mexeu com todo mundo, e eu tinha também uma certa, estava engasgada, umas certas contas a ajustar com as gravadoras. Porque quando eu estava na rádio Cidade, várias vezes eles tinham pedido a minha cabeça, porque eu não aceitava os acordos, não colocava os artistas. Queriam me tirar daquela área, "bota ela na geladeira". Não só não negociava jabaculê, como fazia questão de não conhecê-los muito. Minha sala na rádio Cidade era toda de vidro, porque nego achava que eu era muito maluca, e os amigos que me visitavam também eram estranhos, porque era uma rapaziada cabeluda, uns negros, uma galera meio punk, e isso não era legal, tinha que ser dentro do padrão que estava estabelecido. E também eram essas mesmas pessoas que frequentavam os palcos onde eu fazia os eventos da rádio Cidade, uns eventos ligados ao esporte, à música, ao cinema, ao teatro, criava umas coisas: "a Cidade vai ao cinema, o sol tá solto na Cidade." E essas coisas não tinham nada a ver com os caras das gravadoras, eles queriam mesmo era vender. E queriam mesmo era produzir aqueles discos que já vinham com a máster pronta da sede e que não custavam nada pra eles, não tinham que botar artista em estúdio, não tinham que correr o risco de ouvir o que não queriam ouvir, artista dá muito trabalho, ter que começar um mercado de coisas novas. Então eram uns consagrados, aquela catedral que já estava ali, nos palcos dos teatros, nos cinemas eram as mesmas coisas.

O Luiz Antônio Mello também ficou encantado com *Cena de cinema*, a gente passava as coisas uns para os outros, "deixa eu te dar uma fita bacana que eu recebi", mostrava muita coisa internacional, as coisas que ele gostava, e eu dava as coisas nacionais que eu estava fazendo. E aí eu falei: "Poxa, genial é bom fazer isso mesmo, porque se não é uma rádio gigantesca, você pode arriscar tudo, o cara também já está na lama, está na lona." E ficamos trocando ideia, aí quando o Circo me convidou, em agosto de 1982, Luiz Antônio botou a rádio no ar muito rápido. De repente estava ele, Maurício Valladares, Samuca, e a rádio era uma piada, um poleiro de quinta, cabine toda quebrada, equipamento que todo mundo emprestava, mas ele botou a rádio no ar, e aí eu liguei pra ele e falei: "Luiz Antônio, olha só, vou fazer o *Rock Voador*."

E criei um cordel *Rock Voador*, comemorando um ano de existência do programa. E engraçado que ninguém questionou isso. E aí nesse curto tempo foi Lobão, foi Legião, Paralamas, Capital, Plebe, Zero, foi Camisa de Vênus, Kid Abelha. Foram 380 bandas que passaram pelo palco. Foi muita coisa. E as rádios não tocavam os grupos que estavam estourando no *Rock Voador*, mas elas falavam.

O fato de os Paralamas copiarem, eu acho que sim, mas acho que copiar, quem não copia? Tinha uma coisa que o Lobão reclamava, e que realmente o Lobão era muito voraz, ele estava sempre com mais fome. Ele fazia as coisas primeiro, ele era ponta, realmente. E ele se incomodava porque ele dizia que ele fazia "Cena de cinema", e o Herbert fez "Cinema mudo". "Me chama", "Me liga". Eu acho que ele, como todo artista, tem a sua antena muito bem-ligada, e ele poderia dizer isso porque estava muito preocupado com as coisas que ele fazia, então ele observava mais atentamente o que rolava em torno dele.

Eu sei que Obina Shock, também que eu fiz, eu compus com eles e eu cuidei deles um ano, também tinham a mesma queixa, falavam que o Herbert copiava a guitarra do Roger. Realmente, Obina era genial, o Roger era um absurdo, era uma pessoa genial e acabou mendigo. Porque ele pirou e pirou mesmo, e era um cara rico, o pai dele era dono de mina de diamante no Gabão, a mãe dele era diplomata, era embaixadora do Gabão no Brasil. Mas ele era um absurdo, tocava todos os instrumentos, compunha, cantava, e tinha essa paranoia também com o Herbert. Dentro do rock eram muitos os conflitos. Porque as pessoas achavam também que o fato de eu levar o Sangue da Cidade, o Zé da Gaita e essa turma que era uma turma bandoleira mais de rua, de bar, de botequim, estava me afastando do foco. O Rio tem essa panela da Zona Sul. Quem não faz parte dessa panela está excluído geral da mídia.

Lobão virou o epicentro porque era uma pessoa extremamente brilhante, carismática, sem limite, não tem medo de nada e é muito lúcido. Eu acho que o que magnetiza as pessoas em torno dele é essa lucidez. Apesar de ser também o que afasta, porque o Lobão fala as coisas por via direta, sem preservar nada. Ele é um pulo no abismo, fio da navalha no pé descalço. Não é pra amador o Lobão. E realmente ele é o expoente da geração dele. Por mais que todos os talentos tivessem despontado na mesma época que ele, o Herbert, mesmo o Lobão criticando e tendo suas pinimbas com ele, é um cara talentosérrimo e um instrumentista que tem uma capacidade de assimilar o que está em torno dele. E eu não acho que isso é mau-caratismo. O Lobão fica puto e eu também fico puta quando alguém pega as minhas coisas, e vão se apropriando delas sem reconhecer. Isso é muito ruim e muito dolorido, e o Lobão não perdoa, foda-se, e ele detona todo mundo em todos os níveis. Sejam artistas, políticos, o que tiver na frente dele vai detonando. O Herbert é uma pessoa, o Paralamas é uma coisa importante. O Scandurra, os Titãs, o Arnaldo Antunes, foi uma geração muito interessante, com muita gente talentosa; Cazuza com Lobão, eles tiveram uma afinidade. Acho que as duas pessoas dessa geração que tiveram mais afinidade eram o Lobão e o Cazuza. Porque ele era muito genuíno também.

Lobão foi *bypassado* na questão do Cazuza pela Globo, foi *bypassado* nas gravadoras, foi *bypassado* nas rádios, porque ele é indigesto. Pras pessoas terem que negociar com Lobão elas vão ter que fazer um esforço pra subir alguns degraus. Com medo da voracidade, da lucidez e da perversidade do Lobão, as pessoas preferem criar um desviozinho. Pra não ter que se confrontar com ele. Porque todas as coisas que eu criei na minha trajetória desde o episódio do *Cena de cinema*, eu sempre conversei com ele. Porque ele é o meu crítico contumaz, favorito. Se eu disser pra ele qualquer ideia e não achar legal, ele fala. De vez em quando a gente tem umas discussões que ninguém fala, só nós dois, e uma acusação, e dessas discussões sai o fino extrato do que vai ser aproveitado pro meu trabalho.

O Lobão, eu sei e testemunhei, acompanhei a amizade dele com Cazuza. E o Cazuza tinha uma relação forte com o Lobão... Tinham tipicidades em comum, ambos eram vorazes, o Cazuza também era apaixonado pela literatura, pela poesia, era um cara que lia, um sujeito brilhante, e também um cara marginal, não no sentido marginal do bandido, mas um pouco disso eles tinham, mas no sentido de que eram pessoas indesejáveis. Porque era um período que todo mundo estava entorpecido por anos de ditadura. Todo o esquema nosso da inteligência, da produção, das ideias estava amortecido, porque tudo era consultado, tudo era banido. O Cazuza era uma pessoa da rua, era um errante, ele gostava do bueiro, ele era Bukowski. E o Lobão também, um Henry Miller, eles se encontravam num ponto muito elevado da liberdade, da discussão, da construção, dessa liberdade da vida. Eram pessoas que estavam bem à frente, no sentido da vanguarda mesmo, do resto da geração deles e especialmente das gerações anteriores, que não queriam mais pensar, o que estava estabelecido, estava estabelecido, era só usufruir.

Eu tenho várias histórias. Primeiro foi isso, a minha história, o Lobão me desencaminhou. Eu caí na vida por conta do *Cena de cinema*. Isso é uma coisa que até hoje me acompanha, eu faço a vida, eu continuo nessa vida, eu conquistei esse espaço de liberdade no meu trabalho. Eu vivi várias coisas com o Lobão, sempre o chamava quando tinha alguma dúvida, ou quando o programa do *Rock Voador* estava meio sem brilho, meio mais ou menos, eu chamava o Lobão pra me ajudar, pedia socorro. E uma vez eu estava com nossa turma, a gente cheirava umas carreiras e tinha um código, quando queria falava "vão chamar o doutor Beltrão". E o doutor Beltrão era a deixa e também o disfarce pra dizer "Vai alguém pegar no morro". Aí um dia estou no sítio e chega o Lobão, todo de branco, com uma malinha de primeiros socorros, e eu falei: "Lobão, você está de enfermeiro?" E ele me falou: "Não, estou de dr. Beltrão. Hoje eu vim de dr. Beltrão." Pra ficar bem explícito, qualquer emergência chama o Lobão. A troca que ele tinha comigo era "qualquer emergência, me chama que eu estou pronto".

Uma vez eu estava andando com ele em Copacabana e com a Alice. Estávamos conversando animados na avenida Atlântica e passou um carro da polícia. Aí o Lobão virou pra gente e falou "vou ser preso". "Não acredito, cara, pelo amor de Deus." Aí os caras pararam o carro, desceram e vieram em direção a ele. Como se fosse abelha no mel, o Lobão era flagrante pra eles, ele existir era um flagrante. E aí os caras quiseram meio encostar nele, e ele puxou as algemas, o par que carregava no cinto da calça, e falou: "Podem me prender. Vocês querem isso?" Eles ficaram tão desequilibrados com aquela... o Lobão puxou a arma dele. Os caras não conseguiram tocar nele. Genial, é assim que eu tenho que lidar com esses caras, que as pessoas têm que lidar com esse tipo de violência, de abuso, de intervenção física. O Lobão sempre me impulsiona, tem alguma coisa que despertou em mim, ou dificuldade, ou algo que não estava assimilando, estava escondendo.

Em 1985, quando eu briguei com o Circo Voador e fui pro Parque Lage, eu chamei logicamente o Lobão pra estrear o projeto. Ele estava estouradaço, e aí tinham umas quatro mil pessoas na rua Jardim Botânico, umas três mil no Parque Lage, onde deveria ter 1,5 mil. E essa coisa parou o Jardim Botânico e acendeu a lanterna das pessoas invejosas, poderosas. De repente foi um escândalo, as pessoas montadas umas em cima das outras, numa noite que eu fui totalmente irresponsável. Quanto mais pessoas vendo o Lobão, mais eu gostava, eu achava, continuo achando, que é uma excelente pós-graduação os caras da Assembleia, do Congresso ouvirem o Lobão, ia ser bom pra eles. Porque eles iam entender outras coisas, ganhar um pouquinho de luz, de sabedoria, de verdade, de conteúdo. O Executivo e o Judiciário também, porque o que esses caras estão fazendo com a gente... Criam leis tais como o funk está criminalizado, porque o funk é o porta-voz do tráfico, coisa sem eira nem beira. O tráfico é uma consequência da corrupção, o funk é uma expressão daquela realidade, isso existe, somos nós, a sociedade, o Brasil, o Rio de Janeiro. O Lobão já tinha dito isso, é tudo pose, era bom que ouvissem as letras dele.

Eu fui uma vez, isso já agora, em 1990 e poucos, o Lobão me chamou pra testemunhar num processo que tinha sido aberto contra ele por um empresário em Porto Alegre, porque ele foi fazer um show e o cara ficou enchendo o saco dele, culminou com uma agressão física, Lobão no camarim, e você imagina quanto eu gosto dele e quanto fiquei com raiva disso acontecer. E aí Lobão me chamou pra testemunhar a favor dele. Testemunhar que ele é uma pessoa digna. Aí eu fui, quando cheguei no fórum, eu estava sozinha, uma confusão no corredor, umas peruas, umas mulheres bonitas, faxineiro, uns caras de terno, eu imaginei que fosse alguém famoso, o Escadinha, alguma coisa assim. Cheguei e era o Lobão. As pessoas paravam por ele, ele estava sentado num banco no corredor, esperando a hora de ser chamado. Aí eu fiquei um pouco de fora olhando, o cara que foi condenado, foi preso, foi linchado pela mídia especialmente, se referiam a ele como um mau exemplo, um cara que desvirtuava os filhos, e num fórum paralisou todo mundo, queriam dar uma tocadinha no Lobão, ouvir uma palavrinha, ganhar um abraço. Que bom que o Lobão existe, porque dentro da própria casa deles, quando estão buscando mais uma condenação, um empresário processou o Lobão porque disse que ele faltou com o respeito a ele, mas ele tinha batido no Lobão, e aí dentro da casa deles mesmo, as pessoas de todas as classes se rendiam à presença do Lobão.

E quando a gente entrou na sala o próprio juiz que estava ficou todo "o Lobão, blablablá". E o advogado do sujeito praticamente pediu desculpas pro Lobão. Foi impressionante a força dele, o carisma, as pessoas diante dele se comportam de outra maneira, Por isso que eu acho que atacam, tiram o Lobão, excluem. O filme do Cazuza, não quero ofender a Lucinha, mas não é um filme real, é muito fútil. Não condiz com a história do Cazuza. Mas ela é mãe, ela vê aquele filho, por que eu vou questionar uma coisa dessa? Eu não falei, eu não apareci, o Cazuza frequentava minha casa, eu lancei todos os discos do Barão no Circo Voador, ia fazer o Cazuza solo no Parque Lage, não fiz porque a doença foi diagnosticada, e ele saiu de cena. E eu acho que as pessoas têm essa dificuldade de discutir com o Lobão. Realmente ele é indigesto. Agora, a minha filha, a Gabi, ela nasceu em dezembro de 1983. Ela tinha perto de dois anos, e o disco que ela mais gostava de ouvir era *Ronaldo foi pra guerra*, e ela ouvia também *Cena de cinema*. E ela também gostava do Caetano, ouvia o Lobão e o Caetano, pequenininha. E uma vez eu levei ela pro Parque Lage, na passagem de som do Lobão, ela ainda estava nas fraldas, e aí ela parou sozinha na pista e ficou de frente pro Lobão e dançou a passagem de som inteira, tipo uma hora e pouco. A Gabi me fez ver um outro lado do Lobão, muito doce, muito terno, carinhoso. A gente tem uma coisa forte de afeto. Quando a gente se encontra, inevitavelmente eu pulo no colo dele e ele me segura, porque o Lobão é a vida doce. A Gabi me despertou esse lado dele. A lucidez dele tem a mesma dimensão do afeto. Quando ele gosta dos amigos, ele gosta mesmo. Agora também é um cara que você não tem que fazer nada pra ser amigo do Lobão, se você ficar enchendo o saco, ele não vai ser seu amigo. Ele é uma pessoa que existe, independente de qualquer coisa.

Quantas coisas a gente fez junto. Toda vez que eu comecei alguma coisa, eu comecei com o Lobão. Eu fui fazer um programa de rádio no lugar da Rita Lee, ela fazia "Música pra Pular Carioca", era um domingo, na Rádio Cidade, ela saiu, e aí eu cumpri o contrato dele fazendo um programa de rádio que as pessoas participavam, construíam o programa, e o Lobão fez a estreia, ele levou os ídolos dele, quem ele gostava, eram 50 minutos de artista tocando as coisas que ele gostava, depois entrevista, e o público participando. E eu comecei a pensar o quanto a gente tinha essa coisa juntos. Eu também queria reviver que sensações aquelas situações tinham imprimido em mim.

Eu apresentei o Raul Seixas pro Lobão. A gente estava no Circo, no Arpoador, eu tinha falado com o Raul, convidado ele pra fazer o rock. Foi em 1984. Aí eu tinha falado pro Raul um papo maluco, eu liguei e ele atendeu. "Como você me achou, eu estou em Saturno e não estava falando com ninguém." "Raul, olha só, eu estou vindo de Vênus, cara, soube que você estava aí, então estou te dando o recado, convidando pra você vir quando quiser no *Rock Voador*, que estou fazendo no Circo." Aí ele: "Me liga amanhã, tá, florzinha, amanhã neste mesmo horário." Que cara maluco, desliguei, e no dia seguinte liguei, e ele atendeu. "Oi, Raul, é a Juçá. Eu tô na Terra, já vou te falando." Aí ele: "E aí, gatinha, você me ligou ontem?" "Pois é, cara, tô fazendo o *Rock Voador*, no Circo, você já ouviu falar?" "Já, tenho acompanhado no jornal, acho muito bom isso, tenho acompanhado sempre, as bandas que estão tocando lá, acho muito bom." "Pô, Raul, queria que você viesse, ia ser um acontecimento, você é um ídolo nosso, importantíssimo pra rapaziada que está vindo, você vem?" "Eu vou. Você fala com a Kika e acerta quando eu vou." Daí eu falei: "Tá legal, tá ótimo, converso com a Kika e marcamos a data." Aí passou uma semana, eu liguei pra Kika, e ela falou: "Juçá, vamos marcar logo, vai ser bom pro Raul ir pro Rio, tocar no palco, a rapaziada nova, vai ser bom pra ele, vamos marcar daqui a umas três semanas." Chegou no sábado seguinte, era uma noite do Camisa e do Lobão. O Lobão tocou primeiro, e o Camisa estava lá em cima com o Nova. Estamos sentados, lá embaixo, o palco era em cima da cabeça da gente, estávamos no rol dos camarins. E aí, conversando com o Lobão, de repente entra o Raul com a

Kika. Aí o Lobão tomou um susto, levantou imediatamente, e os dois engataram numa conversa, num papo translúcido e numa velocidade... Aí eu falei: "Ô Raul, o Marcelo Nova está aí, você sabe que ele adora você." "Pô, gosto muito desse menino." Foi pelo mês de abril, maio. Eu subi no palco e falei: "Marcelo, o Raul Seixas tá aí." E ele: "Vai tomar no cu, Juçá, você tá a fim de me desequilibrar? Eu tô no palco." "Cara, é verdade, o Raul tá aí e ele quer vir tocar." "Vai se fuder, o que é isso." E ele virou pra plateia e falou: "A Juçá tá me dizendo que Raul Seixas tá aí, acho que ela tá a fim de me fuder." Não deu nem tempo, eu virei pra trás pra falar com Lobão e com Raul e eles já vinham subindo. Do nada eles entraram no palco, e aí o Marcelo se ajoelhou, o Lobão sentou à bateria, o Marcelo entregou a deixa pro Raul e tocaram, e ele ficou fazendo backing. E ficou uma coisa que nunca mais se repetiu no rock, era o extrato do extrato.

Sempre acontecem umas coisas surpreendentes comigo com Lobão. Eu falo que ele é meu Arquimedes, ele me dá um ponto de apoio. Até essa coisa muito familiar que eu tenho com ele, e até um certo ciúme do resto do rock. As bandas, Frejat, Paralamas, falam: "Lobão é o seu queridinho, é seu preferido." Têm um certo ciúme. Porque o Lobão detonou todo mundo, mas ele falava umas coisas que eu acho que foi bom pra todo mundo, ele não detonava simplesmente por detonar, ele fazia as pessoas correrem atrás e melhorarem, e não se submeterem. Toda vez que ele achava que o rock estava meio bunda-mole, meio institucional, ele metia porrada em um ou em outro. Eu acho que ele fez toda essa cena se movimentar. Eu acho que ele responde, sim, por um crescimento do rock brasileiro, porque foi ele que inquietou todo mundo. Briga com Arnaldo Antunes, briga com Frejat, briga com Herbert, ele briga mas eu acho que isso foi bom. Ele fez muito bem e faz muito bem não só pro rock, ele faz bem pra todo mundo.

Eu esqueci de falar que o movimento punk de 1983 tinha no Lobão a sua referência. Era o único artista do rock que eles respeitavam, eles achavam que Lobão era um punk, tinha a personalidade da inquietação, da desestruturação, que ele não tinha medo, era sincero, jogava tudo pro alto se fosse preciso, e que isso era a filosofia dele, dos punks. Eu juntei o Lobão com Coquetel Molotov, e todo mundo, tanto o pessoal do Coquetel quanto o do Eutanásia, quanto o do Olho Seco, o próprio João Gordo, o pessoal do Cólera, o pessoal do movimento punk de Juiz de Fora. Aqui no Rio as bandas ensaiavam na garagem da minha casa.

Lobão, tal qual Arquimedes, foi um ponto de apoio para mudar meu trabalho e meu rumo. Foi o sinal de que a inteligência estava se manifestando, e que os caminhos seriam outros, diferentes daquele período de ditadura (final de 1981). Quando recebi a fita cassete de seu disco *Cena de cinema*, levada por Bernardo Vilhena para mim na Rádio Cidade, tive a certeza que não poderia continuar mais no mesmo lugar. Eu coordenava a área de promoção da cadeia de rádios formada por emissoras no Rio, São Paulo, Belo Horizonte, Porto Alegre e Salvador. Na época, as rádios tocavam *disco music*.

Setenta por cento da programação de rádio era música internacional imposta pelas gravadoras: Donna Summer, Bee Gees, KC and the Sunshine Band, Gloria Gaynor e outros. A música brasileira entrava com os restantes 30% e tocava Caetano, Gil, Gonzaguinha, Baby e Pepeu, Djavan, Ivan Lins, Frenéticas etc. Nada de Cartola, de Paulinho da Viola, de Macalé.

Quando ouvi *Cena de cinema*, desabutinei e fui levar para o programador e para o coordenador da rádio, pedindo que ouvissem e tocassem Lobão. Eles me falaram: "Tira seu cavalo da chuva, isso aí nem pensar. Imagina um disco de rock, e ainda independente..." Não tinha lugar. Chutei o balde e perdi meu emprego feliz da vida, certa de estar entrando no doce mundo que vamos lá ver no que dá. Nessa mesma leva ouvi também o disco do Lulu (Luís Maurício — Batom, apresentado pela Scarlet Moon; namorada do Lulu). Eles faziam parte da mesma turma do Vímana, e eram geniais.

Alugamos o cinema Ricamar em Copacabana e ligamos o alarme da festa, partimos para a realização do lançamento numa segunda-feira, à meia-noite. Construímos uma passarela que atravessava a plateia, por onde Lobão entrou e subiu ao palco. Na tela, projeção de cenas mudas de filmes: *Encouraçado Potemkim* (Sergei Eisenstein), *Bandido da luz vermelha* (Sganzerla), *Deus e o Diabo na Terra do Sol* (Glauber Rocha), *Cidadão Kane* (Orson Welles), e por aí. Eu estava casada com o Sergio Peo, diretor de cinema que preparou a seleção e apresentou.

Em agosto de 1982, recebi o convite para produzir no Circo Voador um projeto, e como já tinha feito o lançamento do *Cena de cinema* e um trabalho na Rádio Cidade onde Robertinho do Recife, Celso Blues Boy e Sangue da Cidade participavam de eventos, bandas totalmente desconhecias na cena e estranhas à programação da rádio, dei continuidade a esse viés e baseei o projeto nesse trabalho em busca de uma nova produção da música brasileira, protagonizada por desconhecidos e que acabou por revelar duas gerações de músicos.

Lobão estava ainda tocando na Blitz, da qual saiu rapidamente porque não cabia na banda. O resto dessa história todo mundo sabe. Noites e dias brilhantes aconteceram na minha casa. Discussões acaloradas com Lobão, Bernardo Vilhena, Chacal, Sergio Peo, Cazuza, Ezequiel Neves, Frejat, Jamari França.

Já nos idos de 1994, Lobão estava fazendo um show no Circo Voador, quando chegaram três policiais. Dois homens e uma mulher. Entrei em pânico. Fui correndo ao camarim falar com ele: não vou abrir o portão. Você não sai preso do Circo Voador. Lobão vira pra mim e diz: "Ô, Juçazinha, pergunta o nome deles." Fui lá no portão e perguntei. Voltei e falei com Lobão, e ele me disse: deixa entrar, são meus amigos da cadeia. No meio do show, os três caras estavam lá doidões e acabei dando um flagrante neles cheirando uma rapinha. Novamente fiquei certa de que Lobão me fazia ver as coisas de outro jeito.

Quando o Circo foi cassado em 1996, por ter vaiado Luiz Paulo Conde em sua festa de comemoração pela eleição da Prefeitura do Rio, numa noite punk em que reunia Ratos de Porão, Garotos Podres, toda a galera do rock se mobilizou e fizemos uma longa jornada de shows juntos — o SOS Circo Voador. Lobão religiosamente aproveitava todas as oportunidades e gritava contra o Cesar Maia e o Conde em discursos inflamados e retos, exigindo a reabertura do Circo Voador. Quando reabriu, ele estava lá. Eu pedi para ele tocar bateria porque sou apaixonada pela sua pegada. Ele tocou e cantou e levou o público ao delírio.

Nós não nos separamos. Estamos sempre em sintonia. Sabemos sempre o que o outro está fazendo e envolvemos nossos trabalhos, aproveitando sempre que possível a oportunidade de fazer juntos. Regina é a coisa mais querida que aconteceu na vida dele. E, na minha, é sempre uma festa quando nos encontramos. Lobão é muito importante para mim. Perto dele não tenho medo de nada. Ele me impulsiona.

Entrevista com Alberto Zacharias Toron

Obviamente que o tempo transcorrido, quase vinte anos, deixou os acontecimentos meio esfumaçados na minha cabeça. Mas vamos lá:

Em São Paulo tramitavam duas ações contra o João Luiz Woerdenbag Filho, o nosso querido "Lobão". Uma ganhou "projeção nacional". Ele havia sido condenado por porte de drogas na sistemática da antiga Lei de Drogas (art. 16 da Lei nº 6.368/76) e, após o julgamento da sua apelação pelo Tribunal de Justiça do Rio de Janeiro, veio a conceder uma entrevista para a revista *Veja* que lhe indagou: "O que você acha dos desembargadores que o condenaram?" Resposta: "São uns canalhas." Ofendidos, os desembargadores vieram a representar contra ele pela prática de injúria. O processo tramitou na 2ª Vara Criminal do Foro Regional de São Paulo, capital, pois, pela antiga Lei de Imprensa então em vigor a competência para o processo fixava-se no lugar da redação da revista.

Lembro-me que conversei com o Lobão no meu escritório e pedi-lhe que, para o dia da audiência na Lapa, fosse vestido convenientemente, isto é, de forma sóbria. Bem, ele veio com uma camiseta tipo *T-shirt*, calça jeans meio rasgada e um par de algemas pendurado nela. Cabelão etc.

Olha, eu me assustei com o visual, mas era a cara dele. Fomos à audiência e o juiz, dr. Fernando Melo Bueno Filho, que eu já conhecia (e me parecia muito formal), tratou-o de forma extremamente cordial. Na saída o Lobão até disse que "os juízes de São Paulo são mais legais que os do Rio".

Depois da audiência fomos almoçar no restaurante Roma (em Higienópolis), e foi muito divertido. Ele foi reconhecido e reverenciado.

Era uma pessoa querida, a despeito do jeito irreverente. Eu sempre gostei muito da música dele.

O processo dos desembargadores acabou em prescrição da pretensão punitiva do Estado reconhecida pelo extinto Tribunal de Alçada Criminal no *habeas corpus* que impetrei (HC nº 192.192). Algo que, num português simples, poderíamos dizer assim: o Estado perdeu o direito de punir por decurso de prazo. Mas é bom registrar que o Ministério Público havia pedido a absolvição do Lobão por entender que não estava comprovada a entrevista.

O outro caso era "mais simples": o empresário MANOEL POLADIAN processava o Lobão por crime contra a sua honra. Ele o havia chamado de vigarista e racista. No final, o extinto Tribunal de Alçada Criminal, acolhendo os argumentos do nosso *habeas corpus*, o excluiu da ação por entender que quem deveria responder pela ofensa era o repórter, uma vez que não havia autorização para divulgação da entrevista ou prova da sua autenticidade (HC nº 193.848).

É isso. Pelo menos é o que me lembro!

Entrevista com José Luís de Oliveira

Eu conheci o Lobão no quarto ano primário, no Colégio Rio de Janeiro, na Nascimento Silva de Ipanema. Nós éramos bem garotos na época, isso nos anos 1960. E eu me lembro porque o Lobão já era um cara mais alto do que eu, magro, ele era uma figura diferente. E ele morava bem perto do colégio, ali atrás na Barão de Jaguaribe. E eu morava na Barão da Torre. A gente ia de bicicleta juntos, como ele morava mais perto do que eu, às vezes a gente saía do colégio de bicicleta, aí ia até a casa dele, a gente ficava lá, tocando, brincando de autorama, e depois eu ia pra minha casa. E muitas vezes, também, a gente combinava e eu passava na casa dele pela manhã antes de ir pra escola. Até uma certa idade, depois como o pai dele era mecânico ele aparecia de motocicleta.

O Lobão foi músico mais cedo que eu, eu me lembro que uma das coisas que me impressionaram é que eu fui à casa dele e o Lobão tocava bateria. Ele tinha uma bateria safada, Pinguim, mas ele tocava muito bem, e tocava violão também, violão clássico. Aquilo me impressionou muito, porque eu tocava mas não tocava muito ainda. E aí tinha aniversário, porque ele é libriano, do dia 11 de outubro, e o Lobão ganhou da avó dele, a pedido dele, uma bateria incrível, daí a avó dele deu uma Tama Octoplus, superbateria que o Genesis usava. Aí eu vi aquele negócio, quando ele sentou naquele instrumento parecia que ia decolar pra Marte, uma coisa de louco. Nós começamos a tocar juntos nos festivais de música do colégio. Eu sendo flautista na época e o Lobão, baterista, a gente tocava o que surgia, porque era todo mundo meio cantor, meio violonista, e o Lobão já tocava violão à pampa, ele tinha um virtuosismo no violão clássico que era fora do controle. E a gente começou a se identificar porque a gente gostava de Stevie Wonder, Marvin Gaye, Yes, toda aquela jogada rock progressivo, Focus, a gente gostava daquela praia. E também da parte MPB a gente gostava do Milton, Djavan, Hermeto Paschoal e essa coisa toda. E engraçado é que esse grupo que eu tocava na verdade, com Claudio Nucci e Mario Adnet, chamava Semente, ensaiava na casa que o Lobão ensaiava com o Patrick Moraz, lá no Joá. Então ele tocava bateria com a gente, ele tocava samba como poucas pessoas, porque ele tinha aquela parada superpop, mas ao mesmo tempo o cara tocava música brasileira bem à pampa, tinha músicas que ele tocava com a gente violão e cantava. E a gente foi tendo uma identidade musical muito grande, e nesse mesmo lugar que nós ensaiávamos, acabou que apareceu o Evandro Mesquita um dia, junto com Ricardo Barreto. Mauro Taubman, que era o dono da Company, uma companhia de roupas do Rio de Janeiro, estava fundando um bar chamado Caribe, em São Conrado, e o Evandro queria ir lá tocar, tinha umas ideias mas não tinha nada muito definido, e a gente ensaiando, era o Junior Homrich tocando baixo, Guto Barros, que foi depois o guitarrista dos Ronaldos, tocando guitarra e eu tocando saxofone. E eu e o Guto fizemos todos os arranjos do que veio a se tornar a Blitz, e não tinha nome. Mas quando estava chegando o dia do show, a gente ensaiando, já no "você não soube me amar", aquela coisa toda, e aí o Lobão falou assim: "Porra, bicho, então a gente vai dar uma blitz no Caribe?" "Blitz, esse nome é legal pra caramba", falou o Evandro. Foi uma ideia meio que veio do Lobão. E aí nós estreamos no Caribe e nós vínhamos da plateia com capacetes de mineiro, com a lanterna na testa, e entrávamos saindo da plateia e pegando os instrumentos, começando a tocar. Inclusive no YouTube tem uma fotografia, e é muito engraçado. Eu de macacão de mecânico, que eu era mecânico no autódromo. Eu fui mecânico de automobilismo até uma certa altura.

Uma cena que define o Lobão é a seguinte: quando a gente estava tocando rock 'n' roll, porque eu gravei todas as músicas dele, e no início, obviamente, com "Cena de Cinema", e essa coisa toda, ele ainda não tinha grana pra me contratar como músico pra ir na estrada, porque eu estava tocando com Gil, com Caetano, já estava ganhando uma grana, embora eu quisesse, e ele também quisesse, não dava. Aí quando teve o *Vida bandida*, quando ele foi preso num ato meio ilícito do governo, porque o Lobão falava mal da política, da maneira que o governo conduzia as coisas, e o governo dizendo abertura já, não podia prender o cara por aquela razão, então eles perseguiam o Lobão pra ver se pegavam ele por outro fato, e acabaram pegando o Lobão com um baseado e o colocaram na cadeia. Mas o motivo real do governo é que eles queriam tapar a boca do Lobão. Mas aí o tiro saiu pela culatra, e o *Vida bandida* deu aquela arrebentada. E o Lobão me ligou, eu na época na banda do Caetano, quase há sete anos, já querendo passar pra outra parte, querendo um outro círculo, iniciar, e esse meu amigo que eu adorava não só pessoalmente como musicalmente, liga e fala: "Cara, vendi 380 mil discos, vem tocar comigo, o que você quer ganhar?"

E uma vez a gente estava tocando choro, umas coisas clássicas e Villa-Lobos, e chorinhos, e bateram na porta e era o Luís Caldas. Eu abri a porta e ele: "O que vocês estão tocando? Quem é que tá aí?", porque ele ouviu do corredor passando, estava no mesmo hotel que a gente em São Paulo. Quando eu abri a porta, era eu e o Lobão, o Luís Caldas ficou assim... "Meu Deus do céu, nunca imaginei que o Lobão fosse um cara que tocasse desse jeito. Vamos tocar juntos." Pegou o violão dele e começou a tocar uma série. O Lobão é um músico que é uma caixa de surpresas, isso define a musicalidade dele como uma coisa vasta e eclética. Porque nego pensa que Lobão é esse roqueiro, mas o cara tem um potencial clássico, tem um conhecimento de choro... tanto é que no disco ao vivo que nós gravamos no final da minha estada no Brasil, que nós fizemos no Hollywood Rock, naquele disco ao vivo a gente toca "Revanche", só eu e o Lobão, saxofone soprando e o violão, e o povo tocando com a gente, 96 mil pessoas na plateia. E a gente fez aquilo na hora, porque a gente estava acostumado a fazer aquilo diariamente no nosso quarto de hotel. Teve uma outra vez que Gilberto Gil viu a gente tocando e falou: "Impressionante, não acredito", porque o Gil é bom músico também. Aí o Gil trouxe o violão e eu, Gil e Lobão tocando sambas e choros e o caralho. Isso que define o Lobão pra mim, um cara que tem uma amplitude musical, não só no bom gosto e na capacidade, mas na polivalência instrumentística. Porque a dúvida do João Luiz, quando nós tínhamos 16 anos, é se ele iria ser violonista clássico ou baterista de rock, literalmente. "Pô,

Zezé, não sei se quero ser violonista clássico ou baterista de rock." Ele sempre vinha com essa história, e quando nós estávamos no segundo colegial, ele foi chamado pra fazer uma *audition* com o Vímana, que na época iria fazer a música de fundo pra um show da Marília Pêra. Na verdade ele entrou pro Vímana não como um músico de rock, mas pra trabalhar numa peça de teatro com a Marília Pêra, dirigida pelo Nelson Motta.

Entrevista com Elza Soares

"Não gosto de chamá-lo de Lobão, mas de My Lupus. Conheci My Lupus entre o Circo Voador, o Baixo Gávea, o Baixo Leblon e o Batuque de Boca. Meu carinho por My Lupus é muito grande, e lembro que nos anos 1970 eu havia levado, ele ainda era um moleque, um dos meus carros quebrados para consertar na oficina do pai dele em Botafogo. My Lupus vai ser jovem sempre, cara. Cara, não vejo ele de outro jeito, você não alcança a cultura dele, a melhor tradução de My Lupus é sentir, é música para cantar. Quando falo em My Lupus lembro de quando faleceu meu filho Garrinchinha. Eu estava sem coragem, parece brincadeira, cara, mas fui gravar. Ali, naquela gravação, nasceu todo o meu carinho e todo o meu amor por My Lupus. My Lupus é uma das grandes personalidades desse país. Ele é todo um sentimento da Mangueira. Aliás, cara, na Mangueira sempre conheci todos, e foi assim que preparei a ida de My Lupus para a Mangueira. My Lupus é simplesmente uma criança imensa, daquelas que este país raramente tem. Sabe, cara, tem muita gente que pensa que é inteligente, mas a inteligência de My Lupus está acima de todas que conheci. É uma inteligência tão absurda que eu acho, cara, que ninguém a entende. Sabe, cara, a verdade sobre My Lupus é que as pessoas como ele, que sempre falam a verdade, quase sempre não têm ouvidos: falam e está falado. Sabe, cara, quando eu gravei com My Lupus eu vi no seu rosto que ele estava sentindo a minha dor. Eu cumpri apenas a minha obrigação, mas eu via, cara, no rosto dele, a dor da minha presença. My Lupus é a liberdade de viver, de estar, e foi assim que a partir daquele dia ele foi tirando toda a minha dor. E sem saber que com isso ele estava virando meu amigo para sempre.

Te respondo que os Paralamas não tentaram flertar comigo, não. Porque deveriam saber que eu estava sempre ao lado do povo, e quando eu digo povo, cara, eu digo Cazuza e Lobão. Tenho qualificativos para My Lupus: sincero, honesto, chuchu, sábio, garotão e corajoso. Quero te dizer uma coisa, cara, My Lupus é uma pessoa de muita sensibilidade. Você deve saber que pessoas com sensibilidade muito acima da média, como My Lupus, se defendem brigando e gritando. Tento segui-lo. Eu me pergunto: se Lupus é tão corajoso, por que motivo eu também não seria? Ele me faz ser corajosa. Quando aprendi a seguir My Lupus, aprendi a dizer o que sinto. Aprendi com My Lupus que eu não preciso ficar pensando muito para dizer o que sinto: é só gente calculista que pensa muito.

Quando ele ficou preso eu chorei muito, mas me senti covarde e não tive coragem de vê-lo na cadeia. Hoje sei que quem ama não foge. Mas eu não tinha coragem de encarar aquela situação em que estava My Lupus. Viva o Brasil, viva Lobão e viva My Lupus.

Entrevista com Luiz Paulo Simas

Na primeira vez que eu vi o Lobão aconteceu o seguinte: eu tocava com o Vímana e a primeira formação do Vímana era eu, Lulu Santos, Fernando Gama e o Candinho, o baterista Candinho. O Candinho saiu e contratamos o Ritchie como cantor. Então nós precisávamos de um baterista, e um amigo do Lobão arrastou o Lobão pra fazer uma *audition* com a gente, pra tentar ser o baterista. Foi ali que eu conheci o Lobão. Isso foi naquele lugar, Casa Grande, que existia na Afrânio de Melo Franco. A gente estava tocando num show com a Marília Pêra.

Ele começou a tocar, e na metade eu fiquei um pouco na dúvida. Na época eu vi ele tocando e não tinha certeza se ele ia ser o baterista ideal pro grupo, mas o Lulu Santos é que deu: "Vamos deixar esse cara, vai ser ótimo." E aí ele entrou pro grupo, e foi aí que eu conheci ele. Por uma coincidência muito grande, ele tinha sido, quando pequeno, aluno de matemática da minha mãe, e eu não sabia. Não tenho certeza se ela dava pra ele aula particular ou não, acho que era particular. O nome dela é dona Vilma.

Ele era mais novo que os outros elementos do grupo, e que eu me lembre, ele começou a tocar muito, bastante, quase que mostrando o que ele podia fazer, é isso que eu me lembro.

São muitas coisas que eu lembro do Lobão porque ele é uma pessoa muito querida, muito legal. Não sei se isso é curioso ou não, mas algumas coisas são interessantes. Por exemplo, houve uma época que o grupo, o Vímana, com o Lobão, começou a ensaiar no sítio do avô dele. O avô dele era holandês e tinha um sítio grande. É um sítio enorme, com umas duas casas, e tinha uma outra casa que era só um boliche. E a gente ensaiava nessa casa que era o boliche. E no sítio tinha piscina com palmeiras em volta, um lugar muito grande, isso é uma coisa que eu me lembro bem, foi muito legal, uma época ótima. Outra coisa que eu me lembro também era a casa dele em Laranjeiras. A família do Lobão era muito dramática, né? Tudo que acontecia com ele era muito dramático e meio tragicomédia. Era engraçado e um pouco trágico também. Eu me lembro que a mãe dele gostava muito de Frank Sinatra. E o que mais? Me lembro muito do Lobão tocando com a gente, e isso é uma coisa engraçada: quando o Vímana tocava no teatro Tereza Rachel, e era um show superbem-montado e tal. E o pessoal todo do Vímana estava naquela época de rock progressivo, e a gente entrava numas de fazer a coisa bem-comportada... comportada não é bem a palavra... mas bem-esquematizada, luzes legais, roupa, todo mundo se vestia de roupas brilhantes, e o Lobão tocava de bermuda, com aquele cabelão dele comprido, e a bateria dele era uma bateria espetacular que a avó dele tinha dado pra ele de dois bumbos. Tinha tudo, a maior bateria do planeta era essa. E ele fazia um escarcéu naquele show, era ótimo, muito engraçado. A figura dele no show era fatídica pro resto do grupo.

Como músico, logo de cara, por exemplo, eu o conheci primeiro tocando bateria. Embora ele tocasse violão clássico também, no meu grupo ele tocava bateria. E a forma dele tocar era muito calorosa, muito pra fora e muito comunicativa. E eu acho que isso é a forma dele como artista, ele é muito comunicativo, muito caloroso e coloca muito sentimento mesmo no que ele faz. Isso é a coisa mais positiva dele.

O legado do Vímana para a música brasileira, eu não sei se pode-se dizer que o Vímana deixou um legado porque são tão poucas pessoas que ouviram. Mas eu posso falar... porque tem várias opiniões dentro do grupo. Eu sou da opinião de que o que a gente fazia era muito legal, eu gosto do que a gente fazia. Tem pessoas no grupo hoje em dia que não gostam. Mas, enfim, o que a gente fazia era o seguinte: enquanto os outros grupos da época faziam uma música que era bem copiada assim, praticamente copiada dos grupos estrangeiros, eu acho que a música do Vímana era mais original. Era uma que misturava todas as influências e saía com uma coisa própria, muito legal. A gente nem dava nome ao que fazia, misturava... se há um legado, acho que seria essa liberdade de deixar se influenciar por tudo e sair uma coisa nova, acho que por aí.

Acho que ele estourou como artista solo tanto pela qualidade artística dele quanto pela personalidade dele também. Ele é de uma personalidade muito comunicativa. Acho que também pela coragem dele de expressar os sentimentos dele de uma forma direta sem medir consequências. Isso aí é uma coisa que as pessoas gostaram, porque muita gente faz música boa, muita gente faz música bonita, muitas pessoas fazem essa música muito controlada, pensando sempre nos efeitos que isso vai ter na plateia, o que as pessoas vão dizer. Enfim, mas o Lobão fazia uma coisa a mais, a arte dele é feita de uma forma direta e sem medir consequências, ou sem medir muito consequências. Essa capacidade de fazer uma coisa direta e honesta e de falar tudo na música dele, e ao mesmo tempo ter muito sentimento. Acho que isso ativou uma conexão com o público.

Eu vim pros Estados Unidos, o Vímana já tinha acabado há bastante tempo e eu era casado pela primeira vez com uma americana e estava me separando dela. E eu queria ficar junto das minhas filhas aqui, as meninas iam ficar aqui. E foi por isso que eu vim, em 1989, fazer show aqui. Legado do Lobão na MPB, pra mim — a MPB de um modo geral —, não vou dizer o rock brasileiro, mas como o Lobão atinge tanto o rock brasileiro como a MPB em si, a MPB é, em geral, muito comportada, tudo que é feito é certinho, comportadinho, bonitinho. E a música do Lobão é essa coisa mais direta e descarada e com sentimento verdadeiro, e acho que essa é a marca que ele deixou. Uma coisa de levar as pessoas a fazerem um tipo de música mais relax, mais direto, honesto.

Acórdãos do Tribunal de Justiça do Rio de Janeiro

JUNHO DE 1988

"Conduta social desajustada e personalidade malformada"

No *Diário Oficial do Estado do Rio de Janeiro*, em 10 de junho de 1988, foi publicado acórdão, de 16 páginas, de autoria do desembargador-relator Enéas Machado Cotta, relatado a 3 de maio daquele ano. Ele começa assim:

"O réu João Luiz Woerdenbag Filho, denunciado perante o MM. Juízo de Direito da 2ª Vara Criminal Regional da Ilha do Governador, Comarca da Capital, incurso no artigo 16 da Lei 6.368/76, porque, no dia 11/2/87, cerca de 16h40, foi preso em flagrante ao desembarcar no Aeroporto Internacional do Galeão, quando trazia consigo, sem autorização legal ou regulamentar, para consumo próprio, dois pequenos embrulhos de substâncias entorpecentes, maconha e cloridrato de cocaína. A prestação jurisdicional, pela procedência da ação, resultou em condenar o réu em um ano de detenção e cinquenta dias-multa, no valor unitário de um salário mínimo mensal vigente ao tempo do fato, incurso no artigo 16 da Lei 6.368/76, estabelecido o regime prisional fechado para o início do cumprimento da pena efetiva, denegado o *sursis*."

Prossegue o desembargador Cotta: "No momento do fato denunciado, segundo a prova dos fatos, o acusado estava tranquilo e admitiu, inclusive, a prova tão somente do remédio Rivotril 2mg, porque é epiléptico... foram apreendidos, em poder do acusado, dois gramas e três centigramas de maconha (2,3g) e oito decigramas de cocaína (0,8g).

"Trata-se, realmente, de réu tecnicamente primário. No entanto, segundo declarações do acusado, no auto de prisão em flagrante, em fevereiro do ano anterior ao fato sob censura, esteve envolvido em ocorrência da mesma natureza, de que resultou autuado pela Delegacia de Entorpecentes do Estado. Ainda, quando do cumprimento do mandado de prisão, pedido em decorrência do quebramento de fiança, nestes autos, pela Polícia Federal, o acusado foi surpreendido com haxixe e maconha, no hotel onde se encontrava hospedado, sendo preso e autuado em flagrante delito. Ambos os cometimentos penais, da mesma natureza, foram apagados, um pela absolvição e o outro com o arquivamento do inquérito policial. Tais antecedentes, pelos resultados dos respectivos processos, não devem pesar em desfavor do agente.

"É enorme a culpabilidade do agente, tanto em razão de sua condição pessoal como pela situação de fato de sua atividade criminosa. Assim que o réu, conhecido cantor, tido e havido por muitos como ídolo da juventude, se confessa usuário de entorpecentes desde 14 anos de idade e trazia consigo, acintosamente, no Aeroporto Internacional do Rio de Janeiro, dentro do seu porta-óculos, as drogas apreendidas. Não é injusta a pena aflitiva, no dobro do mínimo legal, imposta a veterano usuário de drogas, de conduta social desajustada e personalidade malformada por suas intimidades no trato com entorpecentes.

"Apesar da primariedade técnica, a conduta social desajustada e a personalidade malformada do agente não autorizam conceber um juízo de conveniência do favor legal.

"Não é credor do *sursis* o delinquente que, apesar da primariedade técnica, revela periculosidade social *post delictum*, por sua conduta social desajustada e personalidade malformada."

NOVEMBRO DE 1988

"Um artista bem-sucedido, que ganhou notoriedade encarnando personagem contestador, debochando o ordenamento legal e de qualquer autoridade constituída"

Em 23 de novembro, os desembargadores do Tribunal de Justiça do Rio de Janeiro, Jésus Siqueira, presidente, e Dilson Navarro, relator, emitem acórdão de oito páginas, apreciando embargos infringentes na apelação criminal nº 773/87. Acolhem pedido dos advogados de Lobão, para redução de sua pena para nove meses. Mesmo assim relatam:

"Os autos revelam que o embargante é um artista bem-sucedido, que ganhou notoriedade encarnando personagem contestador, debochando o ordenamento legal e de qualquer autoridade constituída. Faz acintosa propaganda do uso de tóxico, bastando conferir suas inúmeras entrevistas, quando afirma que, após três prisões por uso de drogas, 'ainda não sabe se vai fazer uso de drogas'; que 'suas sucessivas prisões são uma coisa inexplicável, uma perseguição da sociedade'; e que 'o uso de drogas é mais uma posição política do que existencial'. Essa entrevista é incontestável, pois veio aos autos por iniciativa da própria defesa.

"Quem folheia os autos recolhe a tranquila convicção de que não há o menor motivo para duvidar da integridade mental do acusado. Ele celebra os contratos para a atividade artística, gere sua vida comercial de forma proveitosa e conseguiu inegável relevo no panorama de música popular. A postura contestadora e agressiva pode ter mera finalidade publicitária ou até derivar de um ideal íntimo. Seja o que for, a Seção Criminal não duvida de sua integridade mental e, dessa forma, rejeita preliminar de conversão do julgamento para o pretendido exame.

"Finalmente, não se vê a Seção como conceder ao réu a suspensão condicional da pena, pois ele não apresenta todos os requisitos para tal benefício. Em primeiro lugar, observe-se que o embargante foi autuado três vezes por porte de entorpecentes: em 30 de janeiro de 1986, em 11 de fevereiro de 1987 e em 1º de abril de 1987. Como se vê, obtida a fiança no presente processo, o embargante logo em seguida repetiu a prática do mesmo crime. Como, então, conceder a suspensão condicional? O réu não só já voltou a violar o artigo 16 da Lei 6.368/76, como em reiteradas declarações públicas não abre mão de suposto direito de usar tóxico. Por outro lado, o réu 'riu do magistrado', quando Sua Excelência ditava a sentença condenatória em primeiro grau. Tal circunstância foi assinalada na própria sentença, bem demonstrando seu desprezo pela lei e pela autoridade.

"Aliás, conforme bem assinalou o ilustre desembargador Gama Malcher em seu voto, o réu deveria ser processado como incurso nas penas do artigo 12, inciso 2º, III, da Lei 6.368/76, pois com sua conduta pública ele contribui para o incentivo do uso de entorpecente. Diante do exposto, não há como conceder ao embargante a suspensão condicional da pena, se ele próprio, de forma inequívoca, não abre mão do suposto direito de usar tóxico. Em consequência, é acolhido parcialmente o recurso a fim de reduzir a pena detentiva para nove meses."

SETEMBRO DE 1989

CASO PARANÁ:

"Conduta criminosa do criminoso e artista que se denomina LOBÃO"

O depoimento do segundo-tenente Maurício Correia Pimentel Machado, Comandante do Pelotão de Polícia de Trânsito da cidade de Cascavel, no Paraná, datado de 8 de setembro de 1989, tem cinco páginas. Trata de sua atividade de coordenar os policiais que circundavam o show no estádio Sérgio Mauro Festugato. O tenente preferiu ele mesmo verberar a sua versão dos fatos num relatório de punho próprio, datilografado. E para tanto elenca sete testemunhas contra Lobão: Deodemas de Mello, morador da rua Plínio Salgado, Mário Sérgio Mendes Coelho, morador da rua Carlos Gomes, Paulo Sérgio de Melo, repórter da TV Carimã, de Cascavel, Severini Trindade, cinegrafista da TV Cascavel (que em seu relatório o tenente descreve como "sinegrafista" [*sic*]), Sidney Armanjo, funcionário do Hotel Copas Verdes, Antonio Junior, funcionário da companhia telefônica estatal Telepar, e Edvaldo Esboque, funcionário da loja Hermes Macedo.

O tenente remete o relato ao delegado adjunto do 15º Distrito Policial de Cascavel, Altino Remy Gubert Junior, e é taxativo: quer que Lobão, face ao relatório, perca quaisquer benefícios judiciais de que poderia estar gozando.

"A conduta policial prudente e certa, dentro dos limites da lei, e do interesse público, entretanto, foi violentamente criticada pelo conhecido artista já condenado por outras tropelias e ofensas à lei, que em vez de se comunicar com o Comando, ou com outras autoridades, inclusive com o declarante, passou a vituperar a Polícia Militar do Estado como corporação, tachando-a de corporação FDP, pau no cu e merdas, porras etc., que além de atingirem a corporação, ainda agrediam a plateia mista que pagara para ir assisti-lo.

"Diante de tais ofensas gratuitas e infundadas, despropositadas, o declarante, no resguardo da dignidade de sua Corporação, e na preservação de seu comando, dirigiu-se ao exacerbado OFENSOR, acompanhado do seu motorista, soldado Paulo Roberto da Graça. Este (Lobão) então lhe ameaçou de não realizar o show e atiçar as pessoas presentes contra a Polícia Militar, caso esta não cessasse sua ação preventiva de preservação e garantia da ordem pública. E de fato o fez.

"Tanto que muitas pessoas presentes no local passaram a ofender a Polícia Militar presente no local, com vaias e palavrões, num crescendo que terminaria por uma agressão física e tentativa de linchamento coletivo, contra o declarante e seus comandados.

"Evitando conflito de consequências imprevisíveis, o declarante, ainda pensando na ordem pública, porque no local encontravam-se jovens menores e do sexo feminino, e pessoas cheirando éter, lança-perfumes (*sic*), e até completamente embriagadas, resolveu, taticamente, recuar os seus homens para fora do ginásio, mas mantendo o policiamento, para qualquer emergência ou ocorrência criminosa.

"A conduta criminosa do criminoso e artista que se denomina LOBÃO é por demais evidente no caso:

a) caluniou toda a Corporação de nossa Polícia Militar;

b) ofendeu e agrediu moralmente um oficial da Polícia Militar, que simplesmente cumpria com o seu dever, e nada mais;

c) incitou a multidão indisciplinada e enfurecida contra o declarante e seus comandados;

d) obstruiu exercício do Poder de Polícia, criando no interior do ginásio um clima de insegurança e perigo, que só não derrapou para a violência física e destruição material do bem público pela conduta tática e serena do declarante, que deslocou o policiamento para o redor do local anarquizado pelo roqueiro e pela transa com droga e álcool.

"Para que a responsabilidade penal do mesmo seja apurada, pede que seja instaurado competente Inquérito Policial, e nele indiciado o roqueiro Lobão, cujo nome e qualificação deve ser feita por Vossa Senhoria na sua identificação criminal, devendo tal ocorrência ser comunicada para o juiz que o condenou por tráfico e uso de drogas, para fins de cancelamento dos benefícios de liberdade na execução de sua pena."

Lobão procura a Polinter carioca, e em 13 de agosto de 1991, quase dois anos após o episódio, presta declarações de uma página ao delegado Ari Paulo de Souza Fernandes. Sustenta que apenas foi ao palco "para chamar o oficial que chefiava o regimento, a fim de que ele continuasse preservando a segurança do local, mas que não molestasse o público e nem que atrasasse o espetáculo, já com atraso de duas horas". Lobão sustenta que tal convocatória foi feita já que os policiais militares "estavam fazendo um corredor polonês na roleta, a fim de revistarem as pessoas que assistiriam ao show, gerando desta forma uma revolta e agressividade do público com relação à Polícia Militar". Lobão sustenta que ao final do show pediu desculpas ao tenente Maurício Correia.

DEZEMBRO DE 1989

"Cruel e grosseiramente injuriou os eminentes desembargadores"

Em 8 de dezembro de 1989 o promotor de Justiça carioca Airton de Oliveira Negrão denunciou Lobão numa peça de quatro laudas. Suas testemunhas arroladas são os três desembargadores supostamente ofendidos mais Julio Cesar de Barros, jornalista de *Veja*. O promotor inicia assim a sua peça:

"Através de entrevista publicada na revista *Veja*, número 48, edição de 30 de novembro de 1988, o denunciado, cruel e grosseiramente, injuriou os eminentes desembargadores do Tribunal de Justiça do Rio de Janeiro, doutores Jésus Antunes de Siqueira, Eugênio de Vasconcelos Sigaud e Dilson Gomes Navarro Dias, ofendendo-lhes a própria dignidade, assim se referindo aos mesmos: "Os que me condenaram são uns calhordas."

Na citada publicação, os magistrados vêm de ser atacados, de forma injusta, porque, em julgamento da Seção Criminal do Tribunal de Justiça daquele Estado, presidido pelo primeiro e tendo como relator o último, foi negado provimento e recurso interposto pelo ora denunciado.

O promotor, em sua denúncia, transcreve a íntegra da reportagem de *Veja*:

"JUSTIÇA

O acerto da lei

Lobão é condenado a nove meses de prisão

Na última quarta-feira, cinco dias depois do nascimento de sua primeira filha, Júlia, o compositor João Luiz Woerdenbag Filho, 31 anos, o 'Lobão', recebeu uma notícia desagradável. Em um novo lance de um processo que se arrasta há mais de um ano, ele foi condenado a nove meses de prisão em regime aberto pelo uso de drogas. Para condená-lo, o Tribunal de Justiça do Rio de Janeiro se baseou em três casos de flagrante ocorridos nos últimos dois anos, nos quais o compositor foi apanhado portando maconha e cocaína. Para enquadrá-lo no regime aberto, no entanto, pelo qual o preso só é obrigado a dormir na cadeia, o tribunal levou em conta o fato de Lobão ser réu primário. 'Ele é uma pessoa muito perigosa', afirma o desembargador Eugênio Sigaud, um dos juízes que o condenaram. "Os que me condenaram são uns calhordas", disse Lobão, assim que soube do resultado do julgamento. Na realidade a pena de Lobão será menos constrangedora. Na sexta-feira, o Supremo Tribunal Federal, em Brasília, concedeu uma liminar ao pedido de seu advogado, Michel Asseff, para que ele possa cumprir a sua pena em liberdade, beneficiando-se do chamado direito de sursis. *Com isso, ele terá apenas que se apresentar à Justiça para comunicar o início do cumprimento da sentença. A Justiça discute também se ele deverá se dedicar nos próximos nove meses a serviços assistenciais, como visitas a hospitais e asilos — onde pode se apresentar com seu grupo musical."*

Prossegue o promotor:

"Tal artigo contém perfeitamente tipificado o delito constante do Capítulo III da chamada Lei de Imprensa, do qual os magistrados foram vítimas, o descrito no art. 22, ou seja, o de injúria.

"Segundo o Novo Dicionário da Língua Portuguesa, de Aurélio Buarque de Holanda Ferreira, calhorda significa 'pessoa desprezível, impudente, ordinária'. Ainda, conforme o Grande Dicionário Enciclopédico Brasileiro, de A. Lopes, calhorda quer dizer "biltre, canalha, patife.

"Sem dúvida, portanto, o denunciado praticou contra as vítimas, que ofertaram tempestiva representação, o crime de injúria, chamando-as de calhordas, dolosamente, ofensivo à honra, através da imprensa.

"Serrano Neves ensina que 'um adjetivo (pejorativo) pode constituir o crime de injúria', pois que este ocorre 'num desaforo, num palavrão, numa tacha ridícula'. A injúria ocorre, assim, como 'palavra insultuosa, o epíteto aviltante, o xingamento, o impropério, o gesto ultrajante' com 'todo e qualquer ato, enfim, que exprima desprezo, escárnio e ludíbrio', como dito por Hungria, que ensina serem seus elementos básicos a desonra; a materialidade (palavras, escritos ou atos afrontosos); e o dolo específico, isto é, o '*animus injuriandi*', que o cantor 'Lobão' deixou claro ao se referir às vítimas.

"Ante o exposto, denuncia a Vossa Excelência João Luiz Woerdenbag Filho como incurso no artigo 22 c/c artigo 23, II, ambos da Lei nº 5.250/67, requerendo seja citado para se ver processar até final julgamento e condenação."

20 DE FEVEREIRO DE 1990

"Dificílima diligência"

O oficial de justiça Juçary Bittencourt, a 20 de fevereiro de 1990, faz um curioso relato à 39ª Vara Criminal do Rio de Janeiro. Em 25 linhas, ele descreve a dificuldade de achar Lobão. "Após exaustiva procura a fim de localizar a residência do sr. João Luiz, finalmente localizei sua residência, através da gravadora BMG-Ariola. Através da referida empresa fonográfica, fui sabedor de que o referido acusado reside à estrada das Canoas, 2.560. Encontrando enorme dificuldade em dirigir-me ao local, pois o mesmo não possui qualquer linha de ônibus, não me restou outra alternativa do que dirigir-me à Delegacia de Polícia de Caxias do Sul a fim de solicitar auxílio de locomoção para dar cabo a esta dificílima diligência. Por gentileza do delegado da aludida delegacia, dr. Ariobar Fontes, me foi cedida uma viatura; e, em companhia do detetive Monteiro, consegui dirigir-me à residência do acusado. Lamentavelmente, à hora da diligência não o encontrei. Todavia, falei com sua esposa, sra. Daniele Ramos Perez, lendo os termos do mandado, a mesma recebeu a contrafé, conforme se verifica o ciente. Ressalvo que o mandado que me foi entregue no dia 19 do corrente mês, às 20h, para o seu efetivo cumprimento."

22 DE FEVEREIRO DE 1990

"Senti-me caluniado pela falsa imputação de injúria"

Depoimento dado por Lobão à 39ª Vara Criminal sustenta que não é verdadeira a declaração publicada por *Veja*. Diz que havia resolvido "não dar mais entrevistas àquela revista, desde que a publicação o chamara de 'drogado e risonho', quando de sua condenação. Disse que logo após o nascimento de sua filha foi procurado por *Veja* para uma entrevista exclusiva, "a título de reconciliação", três dias após o nascimento de sua filha. Lobão sustenta que a entrevista não foi gravada e que o tema "girou em torno da paternidade". Lobão revela sua surpresa ao ver que *Veja* havia omitido o tema da entrevista. Dois dias depois de publicada a suposta frase, prossegue Lobão, requereu retratação de *Veja*, pois sentiu-se "caluniado pela falsa imputação de injúria" que lhe foi feita. E a mesma frase, "eles são calhordas", ainda foi republicada como uma das frases do ano de 1988, numa edição de dezembro de *Veja*. Lobão refere que entregou uma carta de protesto ao chefe da sucursal de *Veja* no Rio de Janeiro, Alessandro Porro, que segundo Lobão "já foi preso, processado e condenado pelo artigo 16 da Lei 6.368/76. Juntado ao depoimento vem uma declaração do advogado de Lobão, Último de Carvalho, relatada dois anos antes, a 2 de dezembro de 1988. Nela, o advogado contesta a declaração publicada por *Veja*, e anexa uma carta manuscrita de 27 linhas, assinada por Lobão, em que ele sustenta a entrevista ter sido feita "exclusivamente sobre o nascimento de minha filha". No documento, o advogado Último de Carvalho ameaçava que "outrossim, se a retratação não se der satisfatoriamente, informa a Vossa Excelência que ajuizará a competente ação penal, pois o requerente se sente caluniado pela falsa imputação de injúria que lhe foi feita". A revista jamais se retratou; e tampouco foi processada por Lobão.

Final da história: Atestados assinados pela escrivã Jandyra Soares de Carvalho, entre 8 de junho de 1987 e 13 de fevereiro de 1990, proclamam: Lobão foi absolvido, em 14 de maio de 1986, do flagrante de 30 de janeiro de 1986; e arquivado, em 4 de junho de 1987, o caso do flagrante de 31 de março de 1987.

Epílogo

Fazendo um balanço da minha vida, creio que tudo o que aconteceu me tornou uma pessoa melhor.

Um universo de atividades veio se desabrochando meio que ao acaso, no meio do caos... no naufrágio das minhas tentativas... Cada uma dessas atividades chegou a mim como tábuas de salvação chegam para um náufrago, à deriva... Talvez eu agora seja mesmo o tal cara que, enquanto criança, tanto pedia para aparecer e vir salvá-lo. Talvez este livro seja a máquina do tempo que me viabilizou, finalmente, o contato com aquele menino desamparado, com medo de tudo e de todos... Acredito que a aventura me escolheu... se não fosse assim, estaria vivendo de acordo com a minha natureza sedentária, com minhas pequenas felicidades... Talvez não tivesse saído ainda do meu quarto, rodeado dos meus livros, olhando o mundo pela janela... Talvez esse contraste paradoxal, a minha excessiva timidez, daquele garoto superprotegido, o medo de ser descoberto, de entrar em contato com o mundo exterior, tenham me transformado num escancaro ambulante, e, dentro desse redemoinho que me levou pelos ares e continua me levando, fui me inventando... sempre no olho do furacão... Mas isso me deu algumas vantagens... Sempre acabo tirando proveito das minhas tragédias... O aconchego que minha avó Lulu tanto cuidava em nos envolver hoje está dentro de mim. Mesmo que eu esteja dentro de uma prisão, num hospital, no meio de um palco, chorando em cima de um caixão de um ente querido, ou sozinho, no meio da multidão... E só percebi que possuía esse trunfo quando relaxei dessa angustiante tentativa em correr atrás da volta ao Lar, de correr atrás do que se perdeu pelo caminho. Não voltei ao meu lar, no entanto, me tornei o meu lar, minha vida interior e a alegria me nutriram e, por mais que possa parecer ser eu uma personalidade destrutiva, é pura ilusão de óptica.

Nós vivemos num país que não suporta opinião, e qualquer coisa mais contundente que se fale é levada a ferro e fogo para o terreno pessoal; logo, um alvo susceptível a retaliações das mais rancorosas.

Sou muito duro comigo mesmo e gosto disso... Dependo disso para continuar crescendo... Portanto, não tenho muitos pruridos em ser duro com os outros ao meu redor. Pois isso é amor. Porque amor é um sentimento dinâmico; se a gente se acomoda e se sacia, ele evapora e vai embora. Amor tem muito a ver com insatisfação... É uma espécie de desequilíbrio que, só assim, nos leva à plenitude. E a felicidade não está em lugar nenhum a não ser no processo, na alma de quem consegue desfrutar dela. É a única maneira de ser feliz...

Quanto ao meu trabalho, sei que ainda estou longe de ter me estabilizado, muito longe daquilo que considero satisfatório, muito longe de ter uma obra fechada... nem sei direito o que vou ser quando crescer... E isso é muito bom, pois a gente aprende que, antes de qualquer coisa, o nosso trabalho é a nossa maior fonte de cura e crescimento, nos rejuvenesce e nos dá mais entusiasmo em conhecer mais coisas, em querer desvendar mais coisas, vivenciar mais atividades, conhecer mais pessoas, ajudar mais pessoas e desfrutar do processo... As metas só servem enquanto se desfruta de todo o processo... Por isso é que a gente sente o maior vazio quando chega a um termo de qualquer meta... é o processo... que nos mantém em movimento constante...

Em maio de 2008, eu, Regina, Lampião, Maria Bonita e Dalila (nossos gatos queridos) nos mudamos de armas e bagagens pra São Paulo. E estamos morando numa adorável casa perto da Pompeia...

Fizemos essa opção por vários motivos, mas o principal é a compatibilidade com a cidade, que sempre tive, desde a primeira vez que cheguei aqui... em 1975. E vivendo nela, nossa vontade de interagir com mais pessoas só aumenta, se sintonizar com cada vez mais pessoas que estão a fim de empreender novas aventuras, criar espaço e incentivar coisas novas... Enfim, viemos para São Paulo para continuar nesse ritmo frenético de vida que é nosso hábitat e nosso combustível.

Hoje em dia, me sinto adotado pela cidade que elegi.

Quanto ao meu Rio de Janeiro, minha querida cidade natal, torço para que haja uma mudança radical e verdadeira em sua mentalidade...

Quanto a este livro que acabo de escrever, gostaria de deixar bem claro que foi um prazer contar todas estas histórias, mesmo as mais trágicas, as mais dolorosas, as mais espinhentas... Todas elas me fizeram crescer e melhorar como ser humano e são inalienáveis à minha existência.

Peço, desde já, perdão a todas as pessoas que porventura se sintam descortinadas, ofendidas ou agredidas com a minha versão dos fatos, mas tudo o que foi colocado neste livro considero imprescindível para que se compreenda não só a minha história, mas a história de uma época, a história de uma geração.

Espero que, despejando esses acontecimentos mais importantes e voluptuosos desses primeiros cinquenta anos de uma vida vivida em alta velocidade, eu adquira cada vez mais entusiasmo, criatividade e sede de aventura para, daqui a uns cinquenta anos, estar oferecendo à rapaziada a segunda parte desta história. Afinal de contas, o melhor ainda está por vir.

Song for Sampa

Eu ainda nem senti
o que faz você brilhar
e os automóveis passam pelas ruas

Caminhando com ninguém
a cidade ao meu redor
eu quero um alento para um recomeço

e vai acontecer eu vou te encontrar
pra gente sair, sonhar feliz pelas noites sem luar
e de que vale o céu se a nebulosa de faróis
vem me dizer que isso é pra sempre

Passageiros no metrô
rua Augusta e roquenrou
eu penso, essa é minha cidade

eu jamais vou te esquecer
vou sempre te amar
mesmo em algum tempo depois do futuro

Faça download dessa música inédita em www.lobao.com.br/downloads

Produção editorial
Ana Carla Sousa
Daniele Cajueiro
Phellipe Marcel

Revisão
Claudia Ajuz
Eduardo Carneiro

Design gráfico de capa
Richard Kóvacs
Indio Sam

Fotografia de capa
Rui Mendes

Diagramação
Filigrana

Este livro foi impresso no Rio de Janeiro, em novembro de 2010,
pela Ediouro Gráfica, para a Editora Nova Fronteira.
A fonte usada no miolo é Iowan Old Style, corpo 10,5/14,5.
O papel do miolo é offset 75g/m^2, e o da capa é cartão 250g/m^2.

Visite nosso site: www.novafronteira.com.br